HISTOIRE DE LA LITTÉRATURE FRANÇAISE

publié sous la direction de

J. CALVET

doyen honoraire de la Faculté libre des lettres de Paris

LE
PRÉCLASSICISME

d'après † Raoul MORÇAY

par

PIERRE SAGE

Docteur ès Lettres
Professeur aux Facultés catholiques de Lyon.

del DUCA

ÉDITEUR · PARIS

LE PRÉCLASSICISME

HISTOIRE DE LA LITTÉRATURE FRANÇAISE

publiée sous la direction de

J. CALVET

doyen honoraire de la faculté libre des lettres de Paris

Le Préclassicisme

d'après † Raoul MORÇAY

par

Pierre SAGE

Docteur ès Lettres
Professeur aux Facultés Catholiques de Lyon

del DUCA

2, rue des Italiens

Paris

Ce volume a pour point de départ les six chapitres que Raoul Morçay, mort en 1938, avait consacrés à l'étude de la Littérature préclassique, dans la troisième partie de la Renaissance (*t. II, p.* 205 à 444). *M. Pierre Sage a repris et refondu ces pages ; en outre, pour les deux tiers, l'ouvrage qu'il présente ici est original.*

INTRODUCTION

A l'avènement d'Henri IV, la vie artistique et littéraire en France prend un nouvel essor. Malgré la pénurie du Trésor, le roi se consacre d'emblée à rebâtir le royaume. Il convoque les architectes, les sculpteurs, les peintres. Il restaure l'Université, rappelle les Jésuites, encourage les études. La poésie, quoique moins favorisée des largesses royales, participe de l'élan général : elle tient à célébrer l'ordre nouveau. Enfin voilà « passées les horribles confusions et désordres des guerres civiles », enfin voici « revenu ce bon temps de paix et de justice » : ainsi parle en 1600 Olivier de Serres, dans la Dédicace au Roi de son Théâtre d'Agriculture. L'Astrée ouvre les portes d'un siècle d'or. Honoré d'Urfé place son livre sous le patronage de la déesse pacifique et il le présente comme « un enfant que la paix a fait naître ». Les Muses, de toutes parts, se « rallient ». C'est un printemps soudain, allègre et fervent d'espérance.

Les troubles du royaume, accumulant les ruines, avaient, dans tous les domaines, fomenté l'anarchie ; une forte discipline va ramener l'ordre et la prospérité. Le monarque répond au vœu profond de la nation quand il affermit son pouvoir, soumet les dissidences féodales, réduit les libertés locales, réprime un peu partout les poussées de révolte. D'Henri IV à Louis XIV, par Richelieu, Mazarin et Colbert, va s'édifier l'Etat français.

Ce ne sera pas sans luttes. Complots et séditions signaleront plus d'une fois, entre 1600 et 1652, les protestations des privilégiés lésés et aussi les souffrances du menu peuple, qui paie trop cher la sécurité des frontières et les réformes intérieures. Les Français ont conscience toutefois que s'élabore, par la vertu d'un effort coûteux, une œuvre de grandeur nationale, temporelle et spirituelle. Aux écrivains, dira Corneille, la politique du cardinal de Richelieu inspire de « grandes idées ». Dès Henri IV, le pouvoir royal méritait cet hommage.

Dans la vie religieuse, on constate la même recherche ardente de l'ordre et de l'unité. Le Concile de Trente a précisé le dogme et renforcé la discipline. La Réforme de l'Eglise, qui s'étend du chef aux membres, enflamme une confiance nouvelle chez les fidèles. Un grand élan de ferveur soulève les catholiques français. François de Sales, revenant en 1602 à Paris qu'il avait quitté douze ans auparavant, est stupéfait du changement : « Des saints, s'écrie-t-il, de véritables saints, en grand nombre et partout ! » De nouveaux ordres se fondent ou s'établissent chez nous : Ursulines (à partir de 1595), Carmel (1604), Visitation (1610), Oratoire (1611), Lazaristes (1624). Les Capucins, venus d'Italie depuis 1574, se propagent à miracle et font d'illustres recrues, tel le duc Henri de Joyeuse (1587). Les anciens ordres se réforment : Cisterciens (Feuillants), Bénédictins de Saint-Vanne (1600) et de Saint-Maur (1621), Port-Royal (25 septembre 1609 : journée du Guichet).

On bâtit des églises dans un style « moderne », exubérant et somptueux, qui traduit l'enthousiasme et la fierté catholiques. Le culte se déploie en cérémonies éclatantes ; une dévotion renouvelée au Saint Sacrement de l'Eucharistie exalte les âmes. De nombreux adeptes « de la religion » se convertissent, dont quelques-uns portent des noms célèbres : par exemple, Théodore de Bèze, le neveu du ministre de Genève. Partout la piété s'épanouit en sainteté, fleurit en œuvres actives : « invasion mystique » et croisades de charité préparent le « siècle des saints ».

Ici encore des résistances, voire des révoltes essaieront de freiner l'élan. Mais les « libertins », audacieux d'abord, seront bientôt contraints à la prudence (1623-1625, procès de Théophile), en attendant qu'ils fassent, la plupart, une sincère conversion et une édifiante mort.

Les mœurs et la civilité ressentent la contagion de la discipline. La « cour paillarde » d'Henri IV (ainsi parle Balzac) n'enseignait l'élégance ni du parler ni des manières. Les douceurs de la paix, l'influence des salons cultivés et délicats, comme la « chambre bleue » de Catherine de Vivonne, amenderont le langage et « débrutaliseront » les gestes. Le style de vie, qui se veut « moderne », s'il admet la véhémence et invite à la grandeur, ne tolère plus la licence et, de proche en proche, nous verrons se ramener les caprices de la « fantaisie » aux termes de la « raison ».

Dans le domaine littéraire non plus, l'œuvre de discipline ne s'accomplira pas sans que fassent explosion çà et là des natures violentes et des génies rebelles. Aussi la littérature, sous Henri IV et Louis XIII, a-t-elle toujours présenté aux

*yeux de l'historien un aspect confus et désordonné, une diver-
sité déconcertante d'inspiration et d'allure. Et il est vrai que
l'on peut y distinguer deux courants contraires, dont l'un porte
à l'ordre, l'autre poussant à la liberté. La « régularité », entre
1600 et 1650, fera d'irréversibles progrès ; mais elle aura des
résistances à surmonter ; nous verrons maint poète regimber
à la contrainte, revendiquer les droits de la « fureur » et du
« ver-coquin ». Il arrive que chez le même écrivain, témoin
Malherbe le beau premier, la raison cède à l'emphase, la passion se déchaîne jusqu'au paroxysme, l'ornementation se charge
et se complique, l'image se fait bigarrure. Sous prétexte de
vérité, on donne dans la brutalité ; par goût de la grandeur, on
se guinde à une sublimité démesurée.*

*Pour rendre compte de ces contrastes singuliers et de cette
turbulence de la littérature — que l'on peut constater à la
même époque dans plusieurs pays de l'Europe — les historiens
d'aujourd'hui ont recours à la catégorie du baroque. Mais ils
ne s'entendent encore ni sur les caractères précis du baroque
français ni sur ses limites dans le temps. On peut se demander
d'ailleurs si cet emprunt à la terminologie des historiens de
l'Art, séduisante en quelque mesure, n'est pas la source, en
définitive, de confusion et d'obscurité. Car « si les historiens
de la littérature ont le sentiment que la notion de baroque
est claire pour les archéologues, ils se trompent grandement. Il
n'est, dans ce domaine, aucune unanimité, ni en ce qui
concerne la nature esthétique du phénomène, ni même en ce
qui concerne la chronologie* [1] *».*

*La notion de baroque, néanmoins, maniée avec discrétion,
reste utile : elle rend compte de certains caractères originaux
que présentent les écrits de ce temps ; elle peut servir à qualifier le foisonnement effervescent de beaucoup d'œuvres, leur
amour déréglé pour le « mouvement qui déplace les lignes »,
leur goût de la violence, du « change », de la folie, leur faste
décoratif, leurs accès de grandiose intempérant ou de vulgarité
gratuite. Nous consentirons à nommer « âge baroque » cette
période bigarrée et tumultueuse. Mais d'abord nous l'enferme-
rons entre les années 1600 et 1640. Nous nous garderons
ensuite de croire qu'en lui accolant une épithète, nous avons
ramené à l'unité des mouvements d'origine et de caractère
divers. Nous accepterons encore moins d'invoquer le baroque
dans l'éternel conflit de Dionysos et d'Apollon, dans la coer-
cition des poussées du sentiment et de l'imagination par les
ordonnances de l'Art.*

1. P. Francastel, « Le Baroque », dans *Atti del 5° Congresso inter-
nazionale di lingue e letterature moderne*, Firenze, 1955, p. 170.

Le style baroque est-il en relation avec la « crise de l'humanisme » que l'on a cru pouvoir déceler entre 1580 et 1630 ? Peut-être, dans la mesure où le baroque est un « modernisme ». Le fait est que l'Antiquité, depuis 1550, a perdu de son prestige. Dès la fin du XVIe siècle, la gloire même de Ronsard et de ses disciples a provoqué en France un sentiment de fierté. Selon la logique du thème médiéval de translatione studii, on a la conviction que la France a recueilli l'héritage d'Athènes et de Rome, qu'elle l'a enrichi et que ses poètes ont égalé les plus grands des Grecs et des Latins. Il s'ensuit que la gloire de l'Antiquité est moins souveraine. On constatera un phénomène analogue un siècle plus tard, après l'apparition des grands chefs-d'œuvre classiques : ce sera la Querelle des Anciens et des Modernes.

Le public, d'ailleurs, est fatigué de l'érudition. Les successeurs de Ronsard, dès 1570, se sont détournés de la poésie savante et le maître lui-même s'est vu contraint d'humaniser sa Muse trop hautaine. Les salons et la Cour montrent leur préférence pour une littérature plus accessible, moins tributaire des livres. Il est probable aussi que les études ont fléchi durant les guerres civiles ; le grec et le latin, moins cultivés, sont moins prisés. Saint-Amant, Racan sauront mal les langues anciennes. En tout cas, il n'est plus bien porté d'étaler sa « doctrine ». Henri IV ni Louis XIII ne sont des ignorants ; mais le savoir d'école n'est pas leur fait. Malherbe, fortement nourri d'humanités, affectera de renvoyer aux « doctes » comme Peiresc des questions qu'il est apte à résoudre, mais que le gentilhomme ne peut décemment aborder. Il traite de pédants Erasme et Juste Lipse.

Un fait est symptomatique de ce fléchissement de l'humanisme. On sait combien les traductions d'auteurs grecs et latins ont été abondantes entre 1530 et 1580 : François 1er les encourageait : Homère, les Tragiques, tout Platon, tout Plutarque, tous les poètes alexandrins y ont passé. Considérée comme un genre littéraire par l'école de Marot, la traduction avait continué d'être en honneur malgré les critiques de la Pléiade ; les meilleurs écrivains s'y étaient adonnés. Il est remarquable qu'entre 1589 et 1600 aucune traduction nouvelle ne paraît et, quoique quelques-unes soient imprimées entre 1600 et 1630, d'Homère, de Juvénal, de Virgile, de Tacite, de Suétone et de Salluste, il faut en réalité attendre 1630 et surtout 1640 pour que le mouvement reprenne en grand avec les infatigables Du Ryer, Michel de Marolles et Perrot d'Ablancourt. Ce qu'il faut surtout observer, semble-t-il, c'est que les traductions ne sont plus estimées et répandues comme elles *l'étaient au siècle précédent : la Cour, les salons, les gens de lettres eux-mêmes se sont éloignés de l'humanisme savant.*

La mode est au « moderne ». Et il est intéressant de rappeler que les artistes, architectes, sculpteurs de ce temps n'ont pas trouvé d'autre mot pour définir leur nouveau style. De Malherbe à Corneille, nous entendrons souvent les écrivains revendiquer leur qualité de « modernes ».

Cette modernité doit beaucoup, en littérature comme dans les Beaux-Arts, à l'Italie et à l'Espagne.

Depuis le XVIᵉ siècle, l'Italie est notre modèle. Elle le reste. Mais ce n'est plus à la médiatrice de l'Antiquité que l'on a recours : c'est à l'Italie récente, qui tâche à se renouveler par la recherche de la complication et de l'artifice. Au Tasse, on emprunte ce que Boileau appellera le « clinquant ». On saluera comme un maître du Parnasse « le cavalier Marino », qui en 1623 publie son Adone : 4 000 *vers d'allégories, d'hyperboles et de « concetti ».*

*L'Espagne agit dans le même sens. Son « conceptisme » est d'ailleurs d'origine italienne. Gongora fait admirer chez nous l'*estilo culto *et Quévédo ses* agudezas. *En 1617, Cervantès déclare, non sans outrance il est vrai : « En France, ni homme ni femme ne laisse d'apprendre la langue castillane. » Chapelain, Conrart, la plupart des lettrés lisent et écrivent l'espagnol. D'autre part, les traductions d'œuvres espagnoles sont fort nombreuses. Dans le roman, Montemayor (l'une des sources de l'*Astrée) *et Cervantès exercent une large influence. Voiture, l'un des initiateurs de notre poésie fugitive, est pénétré de culture castillane. A partir de 1630, l'espagnolisme élargit ses effets, qui se conjuguent avec l'italianisme. Cette double influence explique certaines nuances du baroque.*

Première Partie

LA LITTÉRATURE DE 1600 A 1630

Chapitre Premier

LA POÉSIE

L'Edit de Nantes (13 avril 1598) a mis un terme décisif à la guerre civile. Le traité de Vervins, le 2 mai de la même année, met fin à la guerre étrangère. Aussitôt la poésie se réveille. Dès 1599, un éditeur, présentant au public un recueil de vers, annonce le renouveau : « Les Muses, dispersées par l'effroi de nos derniers remuements en tous les endroits de la France et comme ensevelies dans les ténèbres d'une profonde nuit, commencent de voir le jour, au lever de cette Aurore et bienheureuse Paix. » Les recueils collectifs de vers (formule préférée à cette époque) vont se succéder nombreux au cours des vingt années suivantes.

Pour éclairer le mouvement poétique entre 1600 et 1630, il est utile de se demander d'abord quelle situation était faite aux poètes à cette époque.

Leur vie semble avoir été difficile, du moins sous Henri IV. Le Roi s'attache bien au relèvement intellectuel du pays et au développement des Arts. Mais il est peu curieux de poésie, ses goûts littéraires sont médiocres. Très ménager des deniers publics, il n'est pas très généreux pour les gens de lettres. Régnier a fait entendre des plaintes amères. Malherbe lui-même, poète officiel, le Roi le fait pensionner par Bellegarde, et Malherbe ne sera jamais riche. Cependant la condition des écrivains s'améliorera lentement, déjà sous la régence de Marie de Médicis et surtout à partir de Richelieu.

Soulignons une conséquence de cet état de choses. Au temps de la Pléiade, les humanistes jugeaient que le public devait se soumettre aux exigences du poète, inspiré de la Divinité. Mais, depuis les « troubles », l'esprit général a changé, les conditions de vie aussi. Le poète désormais, moins richement

prébendé, est moins libre de son inspiration. Il doit s'adapter
aux goûts d'une Cour et d'une société dont la culture a baissé.
Il lui faut éviter la pédanterie, simplifier l'expression, se faire
accessible à tous les honnêtes gens.

Au surplus, c'est par une réaction inévitable contre le
« fatras » ronsardien que la poésie — et dès le dernier quart
du XVIᵉ siècle — s'efforçait à la sobriété et à la clarté. Cette
tendance, de proche en proche, va s'affirmer. Sous l'influence
des poètes de Cour, puis de Malherbe, la langue poétique gagne
en précision, en netteté, en aisance. On abandonne les ambitions néologiques des ronsardiens, on écarte les latinismes, les
archaïsmes, les expressions dialectales. La littérature est en
marche lente vers « l'économie classique ».

Au début du siècle, vers 1600-1605, les grands noms de la
poésie sont Desportes, Bertaut et Du Perron. Mais leur gloire
commence à pâlir. Malherbe monte à l'horizon ; il professe
une nouvelle doctrine. Il n'en est pas l'inventeur absolu, mais
il en est le législateur impérieux et il en donne l'illustration
dans ses poèmes.

Les poètes puisent leur inspiration à trois principales sources. D'une part la Réforme catholique issue du Concile de
Trente suscite une nouvelle ferveur chrétienne. De là, une
floraison abondante de poésie religieuse : traductions et
adaptations de psaumes ; odes, stances, sonnets inspirés de
l'Ecriture. Le retour de l'ordre monarchique, d'autre part,
provoque un remarquable développement de poésie politique.
Les auteurs, spontanément ou sur commande, célèbrent la
royauté et ses bienfaits, les gloires militaires, les fastes de la
Cour, les joies et les deuils de la famille royale. Enfin les
loisirs de la paix favorisent l'essor de la poésie galante. Les
subtilités alanguies du néo-pétrarquisme cultivé par Desportes
passent de mode. Le style de l'amour, chez certains lyriques, se
fait plus grave, plus viril, plus condensé aussi et néanmoins
plus oratoire. Bertaut déjà témoigne de cette évolution : son
pétrarquisme (car il en tient) traduit des ardeurs plus âpres
et plus douloureuses.

L'expression de l'amour, gagnant en sincérité, se dégage
en même temps des anecdotes personnelles et s'élève à une
haute généralité. Du Perron militait en ce sens : « C'est chose
fort vicieuse, disait-il, de descendre du genre aux espèces. »
Et comme le lieu commun, qui invite au didactisme, incline
naturellement vers la forme oratoire, on ne sera pas surpris
de voir son lyrisme donner dans l'éloquence. C'est lui, Du
Perron, qui recommandera Malherbe à Henri IV : le geste

suggère une continuité, la poursuite d'un effort qui remonte
à Ronsard lui-même, le Ronsard des dernières années.

Parallèlement à ce courant « préclassique », nous verrons
le baroque étaler un nouveau maniérisme. En poésie, le baroque
se signale d'abord par l'abondance luxuriante et désordonnée :
longueurs interminables, profusion de comparaisons entassées
sans souci de cohérence. Secondement, il abuse de l'hyperbole
dans l'expression des sentiments : la joie est délirante, les
larmes font un déluge, la passion un incendie de Rome. Il
recherche enfin les effets de surprise et marque un goût intempérant du neuf et du rare. De là, une prédilection curieuse du
poète baroque pour les spectacles repoussants ou répugnants.
Comme on doit s'y attendre, la poésie satirique offre les exemples les plus nombreux de ce penchant : les portraits de
vieilles, très fréquents, y rivalisent de hideur. Un certain réalisme brutal et cynique, que nous relèverons chez Régnier entre
autres, pourrait être une touche de style baroque.

La faveur du baroque se maintiendra assez longtemps. Il
fait une association naturelle avec le burlesque, où il s'avilit.
Mais il peut coexister avec la tendance « classique », comme
on le voit chez Malherbe et chez Corneille. Redisons ici que
rien n'est simple en ce temps où toutes les institutions cherchent un équilibre, les Muses indécises leur cadence.

Mentionnons d'un mot, pour l'écarter de notre route, la production massive, dans le premier quart du siècle surtout, de
vers érotiques et obscènes. Les appétits sont violents et
agressifs. Vers 1625, on notera une conversion du langage,
sinon des mœurs. Le mouvement religieux, la police de Richelieu y seront pour quelque chose. Jusque-là les poètes, y compris les plus délicats parfois, prendront avec leur Muse des
récréations intolérables.

MALHERBE (1555-1628)

Sa vie.   François Malherbe est né à Caen ou aux envi-
            rons, dans cette Normandie qui sera, dans la
première moitié du XVII⁰ siècle, le terroir le plus fertile en poètes. Il était le fils aîné d'un conseiller au présidial, de noblesse
authentique et qui avait adhéré à la Réforme. Il apprend le rudi-
ment dans sa ville natale, puis il s'en va étudier aux universités
de Bâle (1571) et d'Heidelberg (1573). Revenu à Caen, il y
fréquente les cercles poétiques et dès ses vingt ans commence
à versifier dans le goût de la Pléiade. En août 1576 il quitte
la maison paternelle, pour des motifs mal élucidés. Il a, dit-il,

de la « répugnance pour la longue robe » et, à ses yeux, « l'épée est la vraie profession d'un gentilhomme ». Au surplus, il incline vers le catholicisme. Il entre en 1577 au service d'Henri d'Angoulême, bâtard d'Henri II, Grand Prieur et gouverneur de Provence, et prend part à quelques affaires militaires. A Aix, il se lie avec Du Périer et écrit des vers d'amour, des poèmes religieux et des pièces légères. L'ode solennelle lui est encore inconnue. En 1581 il se marie avec une jeune veuve de famille parlementaire ; il en aura quatre enfants, qui tous mourront avant lui.

En mars 1586, il revient en Normandie pour affaires familiales. En juin il apprend la mort tragique du Grand Prieur, tué dans une querelle. Privé de son protecteur, il séjourne neuf ans à Caen (1586-1595) dans une retraite besogneuse, sa famille lui refusant tout secours. Il se console par la poésie et compose (1587) *les Larmes de Saint Pierre,* poème imité de l'italien. Malherbe l'offre au roi Henri III qui le gratifie de cinq cents écus. Il écrit la *Consolation à Cléophon,* qui en 1599 deviendra la *Consolation à Du Périer.* En 1594, Malherbe est élu échevin de sa ville.

L'année suivante, en mars, il repart pour la Provence. Il y griffonne quelques strophes (d'odes restées inachevées) qui célèbrent la prise de Marseille sur les Ligueurs par les troupes royales. En juillet 1598 nous le retrouvons en Normandie. Là il se lie avec Montchrestien, auquel il a peut-être donné des conseils de clarté, de sobriété et d'harmonie.

Décembre 1599 : voici Malherbe derechef en Provence. Il y gagne deux amis précieux : Guillaume du Vair, premier président du Parlement de Provence, qui admire ses œuvres et approuve sa doctrine. C'est sur son avis que Malherbe traduira Sénèque. Peiresc, docteur *in utroque,* ami de Du Vair et qui, à vingt-quatre ans, est un érudit de vaste envergure, s'attache lui aussi à Malherbe et échange avec lui une active correspondance.

Peu à peu le renom du poète s'est étendu. En novembre 1600, Marie de Médicis, arrivée en France par mer, passe à Aix. Malherbe, dans une ode, célèbre la princesse « destinée au lit » du Roi. Du Perron trouve la pièce « bien faite » et en recommande l'auteur à Henri IV. Le Roi allègue le vide du Trésor. Enfin, en 1605, Malherbe est à Paris. Il a cinquante ans. Henri IV le fait prendre en charge par le seigneur (futur duc) de Bellegarde qui lui « donne sa table » et « l'entretient d'un homme et d'un cheval ». Désormais, Malherbe est le poète de la Cour. Il célèbrera les fastes et les deuils du royaume, les amours du monarque et des grands. Il soutient la

politique royale avec un sincère patriotisme. Il suit la Cour,
non sans grogner parfois car il est casanier. Il fréquente chez
les seigneurs de haut parage : Condé, La Trémoille, Guise. On
le voit dans les salons de la marquise de Rambouillet et de
Madame Des Loges. Il se fait écouter de la Cour, de la Ville
et des écrivains sur les questions de langage. C'est dans sa
chambre qu'il tient école pour les gens de lettres et il enseigne
à des disciples fervents, à propos des vers qu'on lui soumet,
les règles du bien écrire.

Après la mort d'Henri IV, la faveur de Malherbe grandit
encore : il est le poète favori de Marie de Médicis. Il saluera
l'entrée de Richelieu au Conseil et il aura le temps de composer une ode à la louange de Louis XIII « allant chastier la
rébellion des Rochelois » (1628). Il meurt peu de mois après, en
1628.

Malherbe était un homme rude, qui se donnait des allures
soldatesques et affectait l'impolitesse. Ses mots d'esprit cachent
souvent leur réelle finesse sous une abrupte concision. Bon
époux (hormis la fidélité), père affectionné (la mort de son
fils Marc-Antoine le plongera dans le désespoir), les délicatesses
de l'amour lui étaient étrangères. Ses mœurs le faisaient nommer, chez Bellegarde, le Père Luxure. Sa religion est d'obé-
dience aux usages. « La religion des honnêtes gens, disait-il,
est celle de leur Prince. » Selon son propos, ayant vécu
« comme les autres », il a voulu « mourir comme les autres ».

Son œuvre. Parmi les œuvres de Malherbe qui ouvrent
sa carrière, il faut faire une place à part aux
Larmes de saint Pierre. C'est une sorte de poème épique et
oratoire que Malherbe composa entre 1585 et 1597 et qu'il
publia en plaquette en 1587. L'œuvre était imitée de Tansillo (*Le lagrime di san Pietro*, 1560). Dédiée à Henri III, elle
s'inclut dans l'entreprise de la Réforme catholique. Contre
les protestants qui rejetaient le sacrement de Pénitence, les
artistes et les écrivains catholiques exaltaient les vertus de la
contrition et de la confession.

Le poème de Malherbe eut trois éditions jusqu'en 1598 et
fut réimprimé dans des recueils jusqu'en 1619.

C'est une longue pièce de soixante-six strophes. Tansillo
avait écrit en octaves ; Malherbe adopte le sixain et lui donne
une structure rythmique fort heureuse. On a relevé un seul
hiatus et quelques enjambements. La cadence du vers (l'alexandrin, est ferme et l'harmonie assez ample. André Chénier
admirait cette œuvre : « Quoique le fond des choses soit
détestable dans ce poème (le sentiment chrétien que Chénier

ne comprenait pas), il ne faut point le mépriser : la versification en est étonnante. On y voit combien Malherbe connaissait
notre langue et combien son oreille était délicate et pure. »

Ce qui rebutait aussi André Chénier, sans doute, c'était la
manière boursouflée et guindée empruntée par Malherbe. Il
y exploite laborieusement les procédés « baroques » des Italiens : les antithèses abondent et font un cliquetis parfois ingénieux, parfois amusant. L'hyperbole y est cultivée avec déme-
sure ; les images se pressent et chevauchent, ostentatoires ou
triviales. Le regard pénétrant que Jésus adresse à Pierre après
son reniement est comparé, trop longuement, à l'irruption d'une
armée dans « une place au pillage donnée ». Le repentir, en
l'âme de l'apôtre, éclate comme un ouragan dévastateur :

> C'est alors que ses cris en tonnerres s'éclatent ;
> Ses soupirs se font vents qui les chênes combattent ;
> Et ses pleurs, qui tantôt descendaient mollement,
> Ressemblent un torrent qui, des hautes montagnes,
> Ravageant et noyant les voisines campagnes,
> Veut que tout l'univers ne soit qu'un élément.

Mais, à côté de ces outrances, on relève des strophes gracieuses dans leur solidité, comme cette évocation des saints
Innocents où Malherbe, à travers Tansillo, s'inspire de la belle
hymne de Prudence « *Salvete flores martyrum* » :

> Ce furent de beaux lys qui, mieux que la nature,
> Mêlant à leur blancheur l'incarnate peinture
> Que tira de leur sein le couteau criminel,
> Devant que d'un hiver la tempête et l'orage
> A leur teint délicat pussent faire dommage,
> S'en allèrent fleurir au printemps éternel.

Malherbe plus tard désavouera ce poème, sans doute à cause
des licences de vocabulaire et de versification qu'il y avait
admises et de la faiblesse des rimes. On y trouve aussi du prosaïsme et du délayage. Mais déjà nous y pouvons entrevoir les
promesses de cette ferme éloquence et de ce goût des sentences qui caractérisent la maturité du poète. Le style baroque
même, dont *les Larmes de saint Pierre* sont un beau modèle,
Malherbe en gardera toujours des traces.

Malherbe a écrit des stances, des vers de ballet, des sonnets,
quelques épigrammes. Il a paraphrasé des Psaumes. Surtout il
a ressuscité l'Ode, oubliée depuis Ronsard. Il a célébré les
hauts faits et chanté les louanges d'Henri IV, de la Régente,
de Louis XIII. Il a composé des poèmes d'amour pour les
grands et versifié sur ses propres aventures galantes.

Parmi ses stances, les plus connues sont la *Consolation à*

Monsieur Du Périer. Nous savons déjà que la pièce s'est
appelée d'abord *Consolation à Cléophon* : Malherbe l'avait
écrite vers 1590 pour un ami normand ; il s'y inspirait d'une
œuvrette de Desportes. Il la reprit plus tard pour l'adresser à
François Du Périer, avocat au Parlement d'Aix. Le texte
définitif est de 1627. Cette œuvre virile, altière, est pénétrée
de stoïcisme : Malherbe connaissait bien Sénèque, dont il a
traduit le traité *Des Bienfaits* et quatre-vingt-onze *Lettres à
Lucilius*. L'insensibilité qu'on lui a reprochée dans ces stances,
ce mépris de la douleur est une attitude stoïcienne, une convention du genre. Malherbe lui-même a pleuré longuement ses
enfants. Dans cette démonstration philosophique, on peut admirer l'une des vertus cardinales qui font la valeur de Malherbe :
la rigueur de la composition, un ordre rationnel souligné par les
particules de liaison : mais, or, donc... L'influence de Ronsard,
toutefois, pousse encore Malherbe dans le pédantisme mythologique : il lui faut une longue note pour commenter la strophe
relative à Tithon et Archémore. Plus tard il réduira la mythologie aux grandes légendes connues de tous les honnêtes gens.

La strophe est de quatre vers. L'alexandrin alterne avec
l'hexasyllabe : rythme emprunté à la Pléiade et à Desportes.
Malherbe y montre une force, une densité, une plénitude magistrales. Et la *Consolation à Du Périer* offre cette alliance du
tour oratoire et du lieu commun, cette moralité sentencieuse et
d'une haute banalité qui durant des siècles ont fait le ravissement du Français moyen.

Ronsard en 1550 avait créé l'ode française. Mais, à partir de
1560, cette forme avait été délaissée au profit des stances, du
sonnet, de la chanson et du poème à rimes plates. Malherbe la
reprend. Mais il en modifie le ton et l'allure. Chez Ronsard,
l'ode avait gardé de ses origines pindariques un caractère échevelé et sibyllin. Malherbe lui conserve la hauteur, la fierté ;
il lui donne une noblesse hiératique, mais il lui interdit le
délire. Le poète usera de comparaisons grandioses, importées
peut-être de l'épopée. Il visera, suivant son irrésistible penchant, à développer une solide moralité.

Telle l'*Ode à la Reine* (Marie de Médicis) *sur sa bienvenue
en France* (novembre 1600) : pièce ornementale, solennelle,
décorée de mythologie selon l'usage, mais avec discrétion.
L'œuvre a des caractères baroques : hyperboles et images sont
fort maniérées. Mais on y doit admirer la netteté de la composition et l'heureux choix du rythme.

Dans ses autres Odes patriotiques, Malherbe, poète officiel,
se fait l'interprète du sentiment général des Français à l'égard
du Roi, le chantre des grands événements de la vie nationale.

La *Prière pour le Roi Henri le Grand allant en Limousin*
(1605) est peut-être le chef-d'œuvre de Malherbe. Ce n'est pas
une ode : ce sont des stances (d'alexandrins). Mais la distinction n'est que formelle, le ton solennel est celui de l'ode. Malherbe y a employé une strophe admirable d'ampleur et de sonorité : le sixain d'alexandrins composé de deux vers à rime
plate et de quatre vers à rimes embrassées. Sainte-Beuve aimait
fort la strophe 5, « la belle strophe, pleine de sens, de prudence et de tristesse » et qui semble prophétiser la fin tragique du règne :

> Un malheur inconnu glisse parmi les hommes
> Qui les rend ennemis du repos où nous sommes ;
> La plupart de leurs vœux tendent au changement ;
> Et comme s'ils vivaient des misères publiques,
> Pour les renouveler ils font tant de pratiques
> Que qui n'a point de peur n'a point de jugement.

Valeur   Desportes avait restreint le champ de la
et influence poésie. Le domaine de Malherbe est encore
de Malherbe. plus exigu. Son ambition n'est pas d'embras-
                    ser l'univers, comme un Ronsard, et de
remuer des pensées sublimes. Elle est d'écrire — et n'importe
le sujet — des vers d'une beauté achevée. Il ne vise pas à
l'abondance : il compose avec lenteur et lime jusqu'à la perfection.

Malherbe, qui s'est gaussé des « fictions poétiques » de
Régnier, ne se refuse pas les images grandioses. Ses métaphores et ses symboles sont plus cohérents peut-être, mieux
ordonnés : ils n'en présentent pas moins cette surcharge ornementale qui se remarque dans les œuvres plastiques du temps.
On a pu comparer la poésie de Malherbe à la peinture de
Rubens. Il a même des boursouflures insupportables. Il abuse
des « astres », des « miracles », des « merveilles nompareilles ».
Le « turban » et le « Liban » font chez lui une association
dont s'est égayé Théophile. Combien de fois nous envoie-t-il
« sur la terre et sur l'onde », pour le médiocre plaisir de
rimer avec « monde ». Malherbe, dont le registre est limité,
est gravement exposé au poncif et son classicisme ouvre déjà
carrière au pseudo-classicisme. Si l'on ajoute que son lyrisme
supplée au sentiment par l'éloquence, on ne sera pas surpris
que sur le Malherbe mort le Jean-Baptiste Rousseau pullule.
S'il va pleuvoir dans la France poétique, durant deux siècles,
des vérités premières, Malherbe en est l'un des grands responsables.

Il s'est laissé gagner, en outre, par le maniérisme de Gongora
et du cavalier Marin. Son œuvre n'est pas toujours à l'image

exacte de sa doctrine — et c'est ce qui nous autorise à les examiner séparément.

Mais dans ses bons jours Malherbe est capable de réussites miraculeuses. Par ses odes et certains de ses psaumes, il inaugure en France un lyrisme noble et viril : jamais on n'avait entendu des strophes d'une telle robustesse, d'un essor à la fois si réglé et si large. Le génial « arrangeur de syllabes » a mis au point et amené à une perfection indépassable la strophe de dix vers faite de quatre vers à rimes croisées, de deux vers à rime plate et de deux vers à rimes embrassées : miracle d'équilibre et d'euphonie, et dont l'ample mouvement se résout en une majestueuse clausule :

> Apollon à portes ouvertes
> Laisse indifféremment cueillir
> Les belles feuilles toujours vertes
> Qui gardent les noms de vieillir.
> Mais l'art d'en faire des couronnes
> N'est pas su de toutes personnes
> Et trois ou quatre seulement
> Au nombre desquels on me range
> Peuvent donner une louange
> Qui demeure éternellement.

La strophe « Apollon à portes ouvertes » se transmettra, à travers le XVIIIe siècle, jusqu'à Lamartine.

Même dans ses pièces mineures, et dans un registre plus délicat, Malherbe peut faire jouer une dextérité prodigieuse. Il a des chansons d'une cadence et d'une mélodie sans défaut. Celle-ci par exemple, toute en rimes féminines et d'un rythme difficile à manier : quatrains composés de deux vers de neuf et de deux vers de dix. Malherbe a su éviter les heurts pénibles par la fermeté dont il a marqué, dans le vers de neuf, la pause après le troisième pied (*Sus, debout, la merveille des belles*) :

> L'air est plein d'une haleine de roses
> Tous les vents tiennent leurs bouches closes
> Et le soleil semble sortir de l'onde
> Pour quelque amour plus que pour luire au monde.

Celle-ci encore, qui mêle aussi le pair et l'impair, mérite d'être citée, ne serait-ce que pour son étonnante muette à l'hémistiche du second et du sixième vers (*Chère beauté que mon âme ravie*). Ecoutons cette strophe dansante :

> Loin de mon front soient ces palmes communes
> Où tout le monde peut aspirer
> Loin les vulgaires fortunes

Où ce n'est qu'un jouir et désirer
Mon goût cherche l'empêchement
Quand j'aime sans peine j'aime lâchement.

FRANÇOIS MAINARD (1583-1646)

Sa vie.   Né à Toulouse d'une famille de magistrats,
François Mainard se fait recevoir avocat, mais
il préfère la poésie. Dès sa jeunesse, il poursuit la rime. Vers
1605 il est, à Paris, secrétaire de la reine Marguerite de Valois.
Il fréquente chez Desportes à Vanves et y rencontre Bertaut :
ce seront ses deux premiers guides. Mais bientôt (en 1606 ou
1607) il passe à Malherbe et se prend pour lui d'une fervente
dévotion. Il vient se fixer, pour être plus près du maître, dans
le quartier Saint-Eustache. Il est un des habitués de la petite
chambre aux chaises de paille où le pédagogue légifère. En
1611 il se marie à Toulouse et, avec la dot de sa femme, il
achète une charge de président au présidial d'Aurillac. Son
séjour habituel est Saint-Céré ; mais il se rend souvent à
Paris pour visiter Malherbe. Ses vers, publiés dans des recueils
tels que *les Délices de la Poésie française,* lui font un renom
assez étendu.

Vers 1628, il résigne sa charge pour se consacrer à la
poésie : il espère, en suivant la Cour et les grands, obtenir
une pension. Il fréquente aussi les satiriques Motin, Berthelot,
Sigogne ; il aime à hanter les tavernes avec les « confrères de
la bouteille ». Comme cent poètes de son temps, il rime des
vers « d'ordure » et quelques autres peu respectueux des
choses saintes. En 1625 il se rend à Rome à la suite de l'ambassadeur François de Noailles ; il y mène joyeuse vie, mais
n'omet pas ses devoirs de chrétien. A travers ses déportements,
dont nous ne savons pas au juste la gravité, il gardera toujours
une foi vive et sincère.

Il rentre à Saint-Céré à la fin de 1636, aussi pauvre que
devant. En vain du fond de son « désert » il envoie des dédi-
caces, des étrennes, des suppliques au Roi, aux courtisans, aux
financiers. On souffre à voir le poète-magistrat importuner les
puissants de ses « panégyres ». Enfin le chancelier Séguier,
en 1644, lui octroie un brevet de Conseiller d'Etat. Renaissant
à l'espoir, il tente fortune une dernière fois : la « démangeaison de la Cour » l'a repris, il se rend à Paris. Il siège à
l'Académie française dont il est membre depuis 1634. Il fait
publier ses œuvres (juin 1646). Mais, déçu par Mazarin
comme il l'avait été par Richelieu, il retourne dans sa pro-

vince ; il y meurt quelques semaines après, à la fin de décembre 1646.

Son œuvre. Mainard est l'auteur d'un poème pastoral,
Philandre, qu'il a écrit en 1605-1606 et publié
en 1619. L'œuvre, en stances (sixains d'octosyllabes) s'inspire
de la *Sireine* d'Honoré d'Urfé, lui-même débiteur de la *Diane*
de Montemayor. Le poème de Mainard, qui a le mérite d'être
le premier roman pastoral en vers, est assez conventionnel. Ses
héros ressemblent à tous les bergers de pastorale. Mainard
toutefois a recours à des artifices « baroques » : les soupirs
et les larmes de l'infortuné Philandre provoquent un orage et
des torrents diluviens. Cette énorme hyperbole a pu être suggérée à Mainard par une strophe des *Larmes de saint Pierre.*
Pour l'ensemble, *Philandre* porte le cachet de l'école ronsardienne.

Comme poète lyrique, Mainard a composé des odes, des
vers de ballet, des élégies, des stances, des sonnets, des épigrammes. Son clavier est plus étendu que celui de Malherbe.
Il s'est haussé à l'ode philosophique et morale ; il a cultivé le
lyrisme léger de Marot qui se transmettra, par Chaulieu, à
Voltaire.

Dans ses premières pièces, Mainard avait suivi le sillage de
Desportes et de Bertaut et subi la contagion du néo-pétrarquisme le plus contourné. L'autorité de Malherbe l'amène à une
idée de la poésie plus haute et plus exigeante. Il reconnaît,
après son maître, que la beauté des vers est l'effet d'une
« longue patience ». Il revisera désormais et polira son ouvrage
avec un « soin incroyable », au dire de Pellisson. Il exclut de
sa langue tous les « gasconismes », il évite l'hiatus et l'enjambement. Il s'efforce de rendre indépendant chaque vers en lui
donnant un sens complet :

> Nos beaux soleils vont achever leur tour ;
> Livrons nos cœurs à la merci d'Amour ;
> Le temps qui fuit, Cloris, nous le conseille,
>   etc.

Malherbe jugeait que, de ses disciples, Mainard était celui
qui « faisait les meilleurs vers », mais qu'il n'avait « point de
force » : entendons qu'il mettait un métier habile au service
d'une pensée trop timide. C'est Mainard qui apprit à Malherbe qu'il convenait de couper le sixain par une pause placée
après le troisième vers et que la strophe de dix vers devait
comprendre deux pauses : l'une après le quatrième, l'autre
après le septième vers.

Mainard est bon dans l'épigramme : il s'appelait lui-même
« l'épigrammatiste de France ». Il réussit dans l'élégie, la
chanson, le sonnet. Dans l'ode, il reste froid : Malherbe a raison.
Il faut faire exception pour l'ode justement célèbre de *la Belle
Vieille*. Mainard, partant d'une pièce italienne de Testi, développe avec bonheur un thème cher aux poètes baroques ; mais
il y atteint à une émotion pénétrante et trouve un beau quatrain pré-lamartinien :

> Ce n'est pas d'aujourd'hui que je suis ta conquête :
> Huit lustres ont suivi le jour que tu me pris
> Et j'ai fidèlement aimé ta belle tête
> Sous des cheveux châtains et sous des cheveux gris.
>
> L'âme pleine d'amour et de mélancolie
> Et couché sous des fleurs et sous des orangers,
> J'ai montré ma blessure aux deux mers d'Italie
> Et fait dire ton nom aux échos étrangers.

On voit que le meilleur Mainard est l'élégiaque. Il exhale
avec sincérité ses sentiments de résignation et de rêveuse mélancolie dans une langue pure, sobre et limpide. Son œuvre, dans
l'ensemble, reste inégale. Il a manqué souvent de souffle, et son
alexandrin solitaire ressemble un peu trop, parfois, à une ligne
de belle prose sur douze pieds. Il a néanmoins perfectionné la
strophe lyrique. Corneille et Racine ont bénéficié de son labeur
d'ouvrier.

RACAN (1589-1670)

Honorat de Bueil, seigneur de Racan, est né en février 1589
dans la paroisse d'Aubigné, entre Maine et Anjou, d'une famille
de soldats d'ancienne noblesse angevine. A treize ans il est
orphelin de père et de mère. Il est recueilli à Paris par son
tuteur, le comte Roger de Bellegarde, dont la femme, Anne
de Bueil, est une cousine germaine de l'enfant. Bellegarde le
fait agréer comme page de la Chambre (1603). Racan est
timide, gauche et bègue : il prononce son nom *Latan* et se
proclame page d'*Henli Tatlième*. « Sous la livrée » il commence
de rimer : vers galants et vers religieux, suivant l'alternance
usuelle du temps. En 1605 il est présenté à Malherbe, nouveau
venu à Paris et aussitôt se met à son école. Il apprend à
vaincre sa paresse et à écrire difficilement. Plus tard, il dira
qu'il a appris de son maître tout ce qu'il sait en poésie française. Modestie excessive. Mais il est vrai que si Racan avait
le don, Malherbe l'a formé au métier.

Il rêve cependant de gloire militaire. En 1608, hors de page, il court à l'armée. N'ayant pu voir le feu, il revient déçu. C'est alors qu'il expose à Malherbe ses perplexités : « Quelle vie choisir ? » Il s'entendra répondre par l'apologue dont La Fontaine fera *le Meunier, son Fils et l'Ane*.

Racan se décide pour la poésie. Il compose des odes, mais d'écolier trop docile : la strophe, d'une construction solide, développe des lieux communs tirés d'Horace. Racan y fait voir néanmoins une élégance et une grâce qui lui sont personnelles. Vers 1618, pris de nostalgie rurale, il écrit ses belles stances sur *la Retraite* qui contiennent ses vers les plus fermes et les plus harmonieux et dont le retentissement, par La Fontaine, se prolongera jusqu'à Lamartine :

> Tircis, il faut penser à faire la retraite :
> La course de nos jours est plus qu'à demi faite ;
> L'âge insensiblement nous conduit à la mort.
> Nous avons assez vu sur la mer de ce monde
> Errer au gré des flots notre nef vagabonde ;
> Il est temps de jouir des délices du port.

A dater de là, Racan se partage (sauf quelques intermèdes guerriers sans importance) entre Paris et le château paternel de La Roche-au-Majeur en Touraine. Il écrit des odes, des églogues, des stances, chansons et sonnets, la plupart inspirés ou animés de son amour transi pour Arthénice (Catherine, marquise de Termes). Cette passion reste vaine. Racan se marie en 1628 avec Madeleine Du Bois, qui lui donnera cinq enfants. En 1634 il est nommé à l'Académie française. Sa harangue de réception est un discours « contre les sciences », où il met la dernière main à une réputation d'ignorant que depuis longtemps il cultivait avec soin. En mai 1660 il fait paraître ses *Dernières œuvres et poésies chrétiennes :* elles comprennent des paraphrases *des Psaumes,* modernisées avec originalité. (*Odes sacrées dont le sujet est pris aux* Psaumes *de David et qui sont accommodées au temps présent*). C'est ainsi, dit Louis Arnould, que « les chars armés de faux deviendront les canons de l'artillerie moderne, le tambourin et la lyre à trois cordes la viole, l'épinette ou l'orgue ; le roi David se muera en Louis XIV ou en la Régente Anne d'Autriche, leurs « ennemis »... deviendront les protestants, les « libertins » et les Frondeurs, la Judée et Sion seront quelquefois remplacées par la France et Paris et Jésus-Christ, la Vierge et l'Eglise, annoncés seulement dans les *Psaumes,* ainsi que la « grâce » au sens théologique du mot, se trouveront mentionnés en clair presque dans chaque pièce. Ces anachronismes raisonnés... sont d'ailleurs conformes, on le sait, à l'habitude de tous les grands peintres du Moyen Age et de la Renaissance. »

Racan vécut assez pour recevoir l'hommage admiratif de La
Fontaine et de Boileau. Il mourut à Paris le 21 janvier 1670.

Fils de Malherbe, Racan n'en aime pas moins Ronsard et
Théophile. Il a desserré le corset étroit que lui imposait son
maître, ce qui le fait taxer d' « hérésie ». De nature indo-
lente, éternel distrait, il a été, pour tous ses amis, « le bon
Racan ». Une seule affectation : son ignorance, dont il se
décore partout, par coquetterie de gentilhomme et pour désarmer l'envie. En réalité, si Racan n'est pas un lettré, il n'ignore
pas les Latins ; il a trop bien senti la poésie d'Horace et de
Virgile pour les avoir lus seulement en traduction. Ce « nonchalant » a d'ailleurs beaucoup travaillé : ses corrections et
ses variantes en sont la preuve. Racan, dans ses *Odes* et dans
ses *Psaumes,* tombe souvent dans la confusion malherbienne
du lyrique et de l'oratoire qui désormais va contaminer la
poésie française. Mais il a des accès de grand poète et de
larges parties de poète aimable, délicat et mélodieux. Ses vers
bucoliques sont d'un sincère amant de la nature. Il a rendu avec
une originale grandeur la beauté des étendues célestes et des
clartés stellaires. Il a restitué la souplesse et l'abandon à la
poésie rigide et hautaine de Malherbe. Valery Larbaud le
regarde comme notre seul grand lyrique entre Ronsard et
Chénier. Il exagère, comme tous ceux qui un beau jour découvrent Baruch. Mais Racan a préparé La Fontaine ; c'est un
mérite.

LA POÉSIE RELIGIEUSE :
LA CEPPÈDE, SPONDE, CHASSIGNET

La Réforme catholique, qui a inspiré à Malherbe *Les Larmes
de saint Pierre,* a suscité de nombreux poètes. Au vrai, il n'est
aucun des auteurs de cette période (1600-1630) qui n'ait coopéré
au mouvement religieux par des stances, des sonnets ou des
psaumes. Mais trois d'entre eux ont manifesté, dans l'expression de leur foi, des dons hors du commun.

La Ceppède. — Jean de La Ceppède, né vers 1548, mort en
1623 est un génie curieux et fort, qui allie plusieurs tendances
diverses et qui, par là, déconcerte nos habitudes de classification.
Un goût médiéval du symbolisme religieux, une sublimité et une
érudition ronsardiennes, une familiarité réaliste qui se porte
parfois jusqu'à la trivialité.

Ami de Malherbe, La Ceppède ne semble pas tenir compte de
la réforme amorcée par le législateur du Parnasse ; et si l'on
veut discerner en lui une quelconque inspiration malherbienne,

disons que c'est le baroque des *Larmes* qui l'a séduit. Mais il est plus court et plus exact sans doute de dire que notre poète n'a suivi que son génie original.

Jean de La Ceppède, seigneur d'Aygalades, est né à Marseille. Selon une tradition, la famille, d'origine espagnole, était apparentée à sainte Thérèse d'Avila (qui était une Cepeda). Conseiller au Parlement d'Aix en 1578, il est, en 1608, premier Président de la Chambre des Comptes de Provence : un grand magistrat, de haute réputation. Bon lettré, connaissant à fond l'Antiquité, il cultive la poésie latine en même temps que la française. Malherbe en faisait beaucoup de cas, du moins il l'affirme ; mais on peut le soupçonner de ne pas approuver, à part lui, tous les articles de la poétique pratiquée par La Ceppède. Malherbe l'avait rencontré dans le cénacle littéraire qui se groupait autour d'Henri d'Angoulême, gouverneur de Provence entre 1577 et 1585 : on se souvient que Malherbe était le secrétaire de ce grand seigneur. Après quarante-quatre ans de magistrature, La Ceppède mourut en Avignon (juillet 1623).

Son œuvre est, pour l'essentiel, constituée par *les Théorèmes,* composés de cinq cent quinze sonnets divisés en deux parties, la première comprenant trois livres, la seconde quatre livres. L'auteur y a joint une *Imitation des Psaumes de la pénitence de David* (publiée d'abord en 1594). *Les Théorèmes de Messire Jean de La Ceppède... sur le sacré mystère de notre Rédemption* ont paru à Toulouse en 1613 (première partie) et en 1622 (seconde partie). Malherbe avait envoyé des vers liminaires : un sonnet et un sixain.

L'ouvrage de La Ceppède tomba dans l'oubli jusqu'au jour où le provençal Henri Bremond l'exhuma (dans son *Histoire littéraire du sentiment religieux,* t. I, 1921).

Les Théorèmes, ce sont, conformément à l'étymologie, les Visions ou Contemplations et Méditations de La Ceppède. Il a pris pour sujet la Passion, la Mort et la Résurrection du Christ, son Ascension et « la descente du Saint Esprit en forme visible ». Ses sonnets retracent toutes les étapes de la Rédemption, depuis le Jardin des Oliviers jusqu'à la Pentecôte.

La Ceppède est un disciple de Ronsard, mais qui a voulu réagir contre le paganisme de la poésie amoureuse où avait incliné la Pléiade. Il avait applaudi au renouveau poétique inauguré par Ronsard : « J'en parle comme expérimenté, dit-il, car dès le plus tendre avril de mon âge affriandé de ses chatouilleuses mignardises, je la reçus (cette poésie) comme ma plus délicate délice. » Mais après le premier juvénile enthousiasme, il conçoit que la poésie doit s'assigner une plus grave

mission. Il le déclare dans sa préface |A la France : au lieu
d'être « employée... à l'adoration des feintes déités » et « au
maquerelage des folâtres et lascives amours », la poésie doit
redevenir « la mignonne du Tout-Puissant » et « servir à ses
offices sacrés ».

À ce noble dessein, La Ceppède apporte son vaste savoir.
Sa science théologique est remarquable. Il connaît à fond la
Bible et ses exégètes, dont il cite dans ses notes plus de deux
cents. Il est familier des Pères, il a lu les auteurs mystiques.
Son érudition, enflammée par une piété ardente, lui inspire
un riche et profond symbolisme. Tout est figure et signe dans
les détails de la Passion de Jésus. La Ceppède établit d'incessantes correspondances entre les deux Testaments : le Nouveau
« remplit le crayon des antiques figures ». Le poète est à
l'affût de toutes les analogies. L'univers entier lui fournit à cet
égard des leçons, des annonces de la Passion, des comparaisons suggestives. Tous les gestes du Christ ont leur sens mystique :

> Tous vos faits, tous vos dits ont un sens héroïque...
> Tout est plein de mystère en cette tragédie.

La Ceppède est attentif en particulier à la signification des
couleurs. L'arc-en-ciel lui représente une figure de la Croix,
non seulement en tant que promesse d'alliance, mais en vertu du
symbolisme que portent les nuances du prisme. L'allégorie est
chez lui permanente.

Mais les perspectives grandioses et les profondes pensées où
se complaît La Ceppède ne le rendent pas aveugle aux humbles
aspects des épisodes qu'il rappelle. Sa poésie est familière et
réaliste, de cette familiarité humble et de ce réalisme minutieux que donnent une tendre piété et la curiosité passionnée
de l'amour. Ses enluminures, que Bremond, pour leur large
richesse décorative, compare à des tableaux de Rubens, font
penser tout aussi bien, çà et là, à la manière des primitifs.

Poète érudit, exigeant, raffiné à l'extrême, La Ceppède reste
un poète populaire. Sa langue est tantôt noble et savante, tantôt
drue et savoureuse, toujours sonore. Génie proche parent
d'Agrippa d'Aubigné, La Ceppède a lui aussi ses défauts. C'est
un grand visionnaire, un inspiré, un mystique, un poète adorant, frémissant de toutes les émotions religieuses, ce n'est pas
un artiste consommé. Il tombe parfois dans un didactisme
lourd et laborieux, ses violences peuvent rebuter et passer pour
mauvais goût. Nous avons en ce poète un incontestable représentant du style baroque ; mais il en déborde les limites :
en lui on voit confluer la tradition de la Pléiade, le courant

humaniste, l'esprit théologique et religieux de la réforme catholique.

Jean de SPONDE (1557-1595), plus jeune que La Ceppède, est de la même famille spirituelle. Il est né protestant, il est vrai, mais il s'est converti vers la fin des guerres civiles. Humaniste, il a publié des éditions d'Homère, d'Hésiode, d'Aristote. Poète, son œuvre comprend vingt-six sonnets d'amour, douze sonnets sur la mort, des stances, quelques chansons, deux poèmes religieux. Ces vers parurent dans des recueils collectifs.

Comme La Ceppède, Sponde allie la science théologique et la ferveur mystique, qu'il porte jusqu'à une sombre violence. Peu de poètes ont ressenti aussi profondément le tragique de la vie, de la mort, du péché. Ses images sont remarquables d'éclat et de vigueur ; cette richesse va même à la profusion. Sponde a sa place, à côté de La Ceppède, dans l'histoire de la poésie religieuse baroque. Comme lui, il a été oublié, victime du triomphe, après Malherbe, de la « régularité », de la discipline, de la raison, et aussi de l'affaiblissement de l'inspiration religieuse dans la littérature.

Il a été ressuscité par Alan Boase en 1939.

Jean-Baptiste CHASSIGNET serait né, d'après l'abbé Goujet et Dom Grappin, en 1571 (ou 1578) à Besançon. Il étudia au collège de cette ville sous Antoine Huet. Docteur en Droit, il devient conseiller et avocat fiscal au bailliage de Gray. Il meurt après 1627, peut-être en 1635.

Ses œuvres sont : *Le mespris de la vie et consolation contre la mort* (Besançon 1594) ; *Paraphrases en vers français sur les douze petits prophètes* (Besançon 1601) ; *Paraphrases sur les cent cinquante psaumes de David* (Lyon, 1613).

Bornons-nous au *Mespris de la vie*. C'est un recueil de quatre cent trente-quatre sonnets, distribués en neuf séries et séparés par des pièces diverses : discours, oraisons, etc. Les principaux thèmes de l'œuvre, comme l'indique le titre, sont le mépris où nous devons tenir la vie présente, et les malheurs qui la rendent misérable et précaire : épreuves, maladies, incertitude de l'heure de la mort. L'homme est un prisonnier, un exilé, un voyageur sur la terre. Pour s'assurer une consolation qui ne le déçoive pas, l'homme doit penser à son âme immortelle, à la résurrection future, à la bienheureuse Rédemption qui nous est procurée par le Christ.

Jean-Baptiste Chassignet s'efforce de rajeunir ces thèmes éternels par l'invention des images ; il les renouvelle surtout par

l'ardeur sincère de sa foi et de sa piété. Il a été bouleversé par
les troubles religieux et les luttes politiques, par les fléaux
qui ont suivi ces calamités. Il le dit : « Je choisis un sujet
conforme au malheur de notre siècle, où les meurtres, parjure-
ments, rébellions, félonies... et séditions semblent avoir planté
l'empire et la domination de leur déloyauté. »

Le poète a puisé son inspiration dans la Bible surtout, dont il
a une connaissance familière ; dans l'Antiquité profane, car il
est bon humaniste : elle lui fournit des comparaisons et des
symboles ; dans Montaigne, dont il a lu les *Essais ;* dans
Juste Lipse et le stoïcisme du xvi⁰ siècle. Enfin, parmi les
poètes, ses modèles préférés sont Ronsard, Du Bartas et Desportes.

Au total cependant, Jean-Baptiste Chassignet est un écrivain
original. Il a des maladresses, des chutes dans la prose ; il
recherche l'effet, l'image luxuriante, la pointe ingénieuse. Mais
à côté de ces artifices de rhétorique baroque, on trouve chez lui
une fermeté d'accent, une précision exigeante de la facture qui
ont pu le faire passer, aux yeux de bons juges, pour un obscur,
mais véritable émule de Malherbe, pour un des artisans avec
lui du renouvellement de la prosodie française.

LES SATIRIQUES

MATHURIN RÉGNIER (1573-1613)

Le règne d'Henri IV paraît avoir été singulièrement fertile
en écrits satiriques. La joie de la Paix retrouvée, le relâche-
ment des mœurs qui suit les atroces guerres civiles provoquent
un débordement de littérature légère. La Cour du Béarnais
était fort débridée de langage et de manières. La raillerie s'y
exerçait librement. Henri IV lui-même y excellait et il sup-
portait de bonne humeur les saillies qui visaient sa propre
personne, pourvu qu'elles fussent épicées. Son influence donne
un large essor à la satire.

Mathurin Régnier est né à Chartres le 21 décembre 1573.
Son père, Jacques Régnier, était un bon bourgeois, qui deviendra, en 1589, échevin de la ville. Par sa mère, Simone Desportes, Mathurin était le neveu du poète le plus adulé et le
plus richement crossé de son temps. L'exemple de son oncle
l'engage dans la carrière poétique et le rattache à la lignée
de Ronsard. Comme son oncle encore, il sera d'Eglise : il n'a
pas neuf ans quand il est tonsuré, le 31 mars 1582.

Vers 1587, il entre, à titre de page, dans la maison du jeune
cardinal François de Joyeuse, frère cadet d'Anne de Joyeuse,

le beau-frère d'Henri III : beau chemin vers les honneurs et
les grasses prébendes. Mathurin, à la suite de son protecteur,
part pour l'Italie. Il devait y faire plusieurs séjours au cours
des années suivantes. Cette période italienne de la vie de
Régnier est obscure. Vers 1605 il s'établit à Paris. Il ne paraît
pas avoir obtenu l'emploi lucratif qu'il convoitait. A-t-il déplu
par sa conduite ? Il semble bien qu'on le rencontre plus souvent
dans les cabarets qu'au sermon. Il fréquente, c'est certain, des
poètes comme Berthelot, Pierre Motin, Sigogne et d'autres qui
ne sont pas tous des parangons de vertu.

A la mort de Philippe Desportes (6 octobre 1606), son
neveu pouvait espérer un bel héritage. Il ne reçoit rien, ce qui
peut s'expliquer par le fait que l'abbé de Tiron ne pouvait pas
disposer de tous ses biens. Desportes avait d'ailleurs avantagé
sa sœur, la mère du jeune poète. Cependant, grâce à l'influence
du marquis de Cœuvres (frère de Gabrielle d'Estrées) Mathurin obtient, sur les revenus de l'abbaye des Vaux-de-Cernay
(dont son oncle était titulaire) une pension de deux mille
livres.

En 1609, une stalle de chanoine à la cathédrale de Chartres
grossit ses revenus. Tallemant prétend que le poète, en fin de
compte, jouissait de six mille livres de rente. C'est vraisemblable. On ne sait plus rien de son existence jusqu'à sa mort à
Rouen, en octobre 1613 ; fin prématurée que Tallemant attribue aux suites d'une vie déréglée.

De Ronsard et de son oncle, Mathurin Régnier avait appris
quelle gloire on peut acquérir en entrant dans un chemin
nouveau :

> Qui des rimeurs françois ne fut onq essayé.

Il choisit le genre satirique que personne n'avait expressément cultivé en France. Il veut :

> Régler la médisance à la façon antique.

Selon le précepte de la *Deffence et Illustration de la langue
françoise,* il prend pour patron Horace ; il demandera aussi
à Juvénal de lui prêter ses colères et sa vigueur. Il trouvait en
outre de bons modèles en Italie. La Pléiade y avait eu recours :
Ronsard pour sa *Catin,* Du Bellay pour sa *Vieille Courtisane :*
deux devancières de la Macette de Régnier. Vauquelin de La
Fresnaye, dans ses *Satires françoises,* avait pillé les Italiens.
Or, en Italie on pouvait distinguer, selon J. Vianey, deux espèces de satires : la satire proprement dite, imitée des Anciens.

L'Arioste surtout s'y est illustré, suivi de moindres talents :
Bentivoglio, Alamanni, Vinciguerra, Sansovino. Un recueil de
ces poèmes avait paru en 1560. L'Arioste fait souvent de ses
satires une confession personnelle ; il y crayonne avec habileté
les silhouettes de ses contemporains et évoque joliment la Rome
d'Alexandre VI. D'autre part, on a la satire bernesque (alla
berniesca) ainsi appelée du nom de l'initiateur du genre, Francesco Berni (v. 1497-1536). Cette satire, née à Florence, se
distingue de la première par la fantaisie sans frein et le burlesque. Elle prend des prétextes cocasses et des formes inat-
tendues : on fait l'éloge des œufs durs, du fenouil, des raves...
A ce propos l'auteur blasonne les contemporains et dénonce les
vices de la société, déployant un brio étourdissant et une verve
souvent licencieuse.

La première satire écrite par Régnier (la seconde du recueil
actuel) date peut-être, selon J. Vianey, de 1596-98 ou, selon
J. Plattard, de 1603. En 1608, Régnier publie un premier recueil
de dix satires (I à IX et XII) accompagné d'un *Discours au
Roy*. Le livre grossit les années suivantes. L'édition de 1613
(probablement posthume) comprend dix-sept satires, quelques
élégies, des stances, des quatrains, un sonnet : œuvre assez
mince au total, mais l'une des plus vivantes de l'époque.

L'une des plus variées aussi, inspirée tantôt par les thèmes
généraux qui ont toujours tenté les moralistes, tantôt par le
spectacle des vices et des ridicules environnants. Le poète
prend pour cible les hobereaux et les muguets de Cour qui
pérorent dans les salons en faisant admirer la finesse de leur
taille ou de leur jambe, l'élégance raffinée de leur toilette. Mais
tel de ces beaux courtisans n'est qu'un claque-dents perdu de
dettes et un pique-assiette éhonté. Régnier persifle les mauvais
juges, les médecins charlatans, les poètes vaniteux et pédants,
crottés et faméliques, qui assomment de leurs vers les amis de
rencontre et qui, « méditant un sonnet », méditent « un évêché » ; il fouaille les fâcheux de profession, les novateurs en
religion ou en littérature. Il stigmatise en général, suivant la
tradition des satiriques latins, le dérèglement des mœurs, la
corruption du siècle, la déchéance de l'humanité depuis l'Age
d'or. Il condamne le mensonge, la folie et l'imprudence des
hommes, leurs chimères et leur ignorance. Il poursuit la
sottise, la cupidité, l'ambition, le faux honneur et la « grimace »,
comme il aime à dire, sous toutes ses formes (ce sera aussi le
mot préféré de Molière).

Son chef-d'œuvre est assurément l'étonnante *Macette* (satire
XIII), le plus beau type d'entremetteuse et d'hypocrite qui ait

paru depuis la Richeut du Moyen Age, la Célestine de Rojas et
les odieuses femelles de l'Arétin, lesquelles n'ont pas été sans
lui fournir quelques traits.

Régnier est le témoin clairvoyant, sinon très intelligent, d'une
curieuse époque. Sans lui nous connaîtrions moins familièrement la France de 1600 à 1610. Il est le Callot ou l'Abraham
Bosse de la littérature.

A ce poète si bien doué pour la peinture des mœurs, ne
demandons pas la profondeur ni l'originalité de la pensée.
Comme moraliste, il n'est que le reflet de Montaigne, dont il
s'est contenté souvent d'habiller la prose fluide en vers moins
souples et moins harmonieux. Sa « philosophie » est celle d'un
observateur désabusé des inconstances terrestres : tout change,
tout s'écoule, et les choses et l'homme même :

> Chaque âge a sa façon et change de nature
> De sept ans en sept ans notre température...
> Chaque âge a ses humeurs, son goût et ses plaisirs
> Et comme notre poil blanchissent nos désirs.

La vertu est fragile et trompeuse : elle

> Se déguise, se masque et devient courtisane.

Nulle fixité dans notre esprit, nulle règle de vérité :

> Sotte et fâcheuse humeur de la plupart des hommes
> Qui, suivant ce qu'ils sont, jugent ce que nous sommes.

Tout dépend, en réalité, de la Fortune aveugle. La bonne
règle de conduite est de subir ses avanies avec patience et de
se conformer à « la bonne loy naturelle ».

En littérature, Mathurin se déclare le disciple de Ronsard.
Comme son maître, il donne à la « fureur » la priorité sur le
métier. Il fulmine contre Malherbe et ses suiveurs qui ne font
que regratter des syllabes et « rimer de la prose ».

Toutefois, et malgré qu'il en ait, Régnier coopère au mouvement qui depuis 1575 tendait à dépouiller la poésie de son éso-
térisme, de son érudition pédante, de ses ornements ambitieux.
Ainsi que Malherbe, et « moderne » quoi qu'il en dise, il vise
à se faire entendre des crocheteurs du Port-au-Foin. Il y réussit
d'autant mieux qu'il sait prendre, le cas échéant, leur verdeur
de langage. Il a fréquenté Rabelais et sa verve effrontée le
place dans la bonne tradition « gauloise ».

Mathurin Régnier est un très bon ouvrier du vers : inégal,

parfois gauche et négligé, il sait, quand il veut, frapper une
sentence robuste et concise. Il a contribué, avec son ennemi
Malherbe, à forger l'alexandrin classique. Notamment — et en
ce point il l'emporte sur Malherbe — il a donné le modèle du
discours en vers, de l'épître familière. Par son sens de la vie,
par le naturel inexorable de ses portraits, par la fermeté et la
vivacité de ses dialogues, il a frayé la voie à Molière. C'est le
mérite que lui reconnaîtront Boileau et Musset.

LES SATIRIQUES MINEURS

Nous n'aurions pas une idée adéquate de la satire au début
du XVIIe siècle si nous ne citions quelques-uns des nombreux
émules de Mathurin Régnier. Les noms qui reviennent le plus
souvent sous la plume des contemporains sont ceux de Sigogne,
de Berthelot et de Motin.

Sigogne (l'orthographe est incertaine) s'appelait Charles-
Timoléon de Beauxoncles, seigneur de Sigogne. Né vers 1560,
il combattit sous la Ligue, fit sa soumission à Henri IV et
devint son confident. Disgrâcié pour s'être trouvé en rivalité
galante avec le Roi, il fut relégué à Dieppe, dont il était
gouverneur. C'est là qu'il mourut, en 1611. Ses œuvres ont
paru dans des recueils collectifs à partir de 1607.

Sigogne est un mauvais sujet qui ne respectait, nous dit un
contemporain, « la vertu d'aucune femme ». Doué du talent
satirique, il prend Berni pour modèle plus souvent que les
Latins. C'est un caricaturiste plus qu'un vrai réaliste. Il pousse
la médisance jusqu'à une violence grossièrement injurieuse et
force le pittoresque jusqu'à un baroque effréné. Avec lui, la
satire s'avilit au burlesque et à l'obscénité.

Pour le vocabulaire et le métier du vers, Sigogne retarde
sur son temps. Il emploie le plus souvent l'octosyllabe et groupe
ses vers en sixains ou en huitains. Il se permet l'hiatus et
mainte licence condamnée par Malherbe.

Berthelot est mal connu : on ne sait ni son prénom ni les
dates de sa naissance et de sa mort. Nous rencontrons de ses
vers, les premiers peut-être, dans un recueil de 1604, *les Muses
incogneues*. Ses satires, comme celles de Sigogne, sont des
pamphlets par où il exerce une vengeance personnelle : ce qui
est contraire non seulement à l'honnêteté, mais aux règles
traditionnelles de la bonne satire. Il injuria bassement la

vicomtesse d'Auchy. Comme Sigogne, il s'attarde à l'octosyllabe, ce qui est une erreur.

Pierre MOTIN est un autre homme, au talent bien supérieur. Né à Bourges en 1566 (?), d'une famille assez cossue, il fait son droit sous le célèbre Cujas. Son bagage littéraire est abondant et il connut un large succès. On l'accuse d'avoir commis les vers les plus obscènes du temps. Poète religieux (ce contraste est usuel à notre époque) il a composé des paraphrases de psaumes : Jean-Pierre Camus, évêque de Belley, lui en a emprunté pour agrémenter ses romans.

Les œuvres satiriques de Pierre Motin parurent dans des recueils à partir surtout de 1607. Il mourut probablement entre 1612 et 1615.

Sa renommée nous est attestée par le fait que Régnier lui a demandé une ode liminaire pour ses œuvres et lui a dédié une satire. Celles de Motin doivent beaucoup à Rabelais, à Saint-Gelais, à Ronsard et surtout aux Italiens : l'Arétin est son principal modèle. Son *Elégie contre les femmes* a de la vigueur.

THÉOPHILE DE VIAU (1590-1626)

Sa vie. Fils d'un ancien avocat au Parlement de Bordeaux, Jacques de Viau, Théophile est né à Clairac, près d'Agen : il chantera, en l'idéalisant, sa petite patrie. Sa famille était protestante, mais il n'avait aucune ferveur. Porté au plaisir, il reconnaîtra plus tard que « la desbauche des femmes et du vin faillit à l'empiéter au sortir des écoles ». Il y a sacrifié plus qu'il ne l'avoue.

Il fait de bonnes études, d'abord à Nérac, puis à Saumur. Il sera capable d'écrire en latin une nouvelle, *Larissa*. Il s'est mis fort jeune à rimer. En 1609, il s'engage comme poète dans une troupe de comédiens, mais se dégoûte bientôt du métier et de ses compagnons. Nous le trouvons, en 1615, à Leyde, inscrit comme étudiant en Droit à l'Université, avec Guez de Balzac. Ils ont fait amitié, mais ils se brouillent bientôt, pour des motifs mal connus. Il serait sans doute téméraire d'évoquer à leur sujet l'aventure de Verlaine et de Rimbaud.

Théophile revient à Paris à la fin de 1615 et entre au service du comte de Candale. Il est reçu à la Cour, où l'on remarque son « esprit hardy ». Il mène une vie assez dissolue et émet des plaisanteries imprudentes. On le tient pour l'auteur de vers que le *Mercure françois* jugera « indignes d'un chrétien, tant en croyance qu'en saletés ». Huguenot et débau-

ché, il est suspect. Le 19 juin 1619, il est banni du royaume.
Il se réfugie dans les Pyrénées. Là, dans un « vieux désert »
et « parmy des sauvages », il écrit son ode *Au Roy sur son
exil*. Au printemps, le Roi lui permet de reparaître à la Cour.
Il prend part à l'expédition des armées du Roi contre la Reine
Mère et il se bat vaillamment aux Ponts-de-Cé. Sa conduite le
met en faveur, il est recherché des grands, « admis volontiers
au Cabinet du Roy ». Il accompagne une ambassade en Angleterre. Fier de son crédit, Théophile retombe dans ses étour-
deries et affiche une impiété plus verbale peut-être que réelle :
il passe pour « le chef de la bande épicurienne ». En mai
1621 il fait partie de l'expédition que Louis XIII conduit en
Languedoc contre les huguenots révoltés. Clairac, son lieu
natal, est parmi les villes les plus éprouvées. Après la mort de
son père, Théophile abjure le protestantisme entre les mains
du P. Séguiran, confesseur du Roi (août 1622)). Il n'en devient
guère plus sage. Au début de 1623, il entre au service du duc
Henri de Montmorency : il est souvent invité à Chantilly, ce
que le Roi ne peut voir d'un bon œil.

En novembre 1622, avait paru un recueil de poésies licencieuses, *le Parnasse des Poètes satiriques*. En première page
s'étalait un « sonnet par le sieur Théophile » de ton libre et
blasphématoire. Le Père Garasse, jésuite, fougueux poursui-
veur de libertins, prend l'auteur à partie sur le mode injurieux qui lui était habituel. Le 11 juillet 1623, Théophile est
décrété de prise de corps. Il court se cacher à Chantilly. Mais,
malgré l'intervention de Montmorency, le poète, le 18 août,
est condamné par contumace à être brûlé vif avec ses livres.
Le 19 il est exécuté en effigie. Il se décide à fuir, mais il est
arrêté en Picardie. Le 28 septembre 1623, il est enfermé dans le
cachot de Ravaillac. Le procès devait traîner presque deux ans.
Le 1er septembre 1625, le Parlement condamnait Théophile au
bannissement à perpétuité. Mais le P. Voisin, jésuite, un de ses
accusateurs les plus acharnés, était invité à sortir lui aussi du
royaume.

Sa santé ruinée, Théophile est recueilli par Montmorency. Il
meurt le 25 septembre 1626. Il avait toujours été défendu avec
un généreux courage par Mgr Jean-Pierre Camus.

Le procès eut un énorme retentissement. Durant des années,
il sera courant de dater les faits, dans la conversation. « d'avant
ou d'après le bannissement de Théophile ». Et l'exemple de ce
rigoureux châtiment rendit les libertins plus circonspects.

Ses idées.   Les idées littéraires de Théophile, projection
de son œuvre, ne sont pas d'une consistance

parfaite ; elles reflètent les tendances diverses d'une époque
bigarrée.

Théophile condamne l'imitation servile des Anciens et rejette
le fatras mythologique. Il s'affirme résolument « moderne » :

> La sotte Antiquité nous a laissé des fables
> Qu'un homme de bon sens ne croit point recevables.

« Il faut écrire à la moderne. Démosthène et Virgile n'ont
point écrit en notre temps et nous ne saurions écrire en leur
siècle. » Sur ce point, il est d'accord avec Malherbe, qu'il
admire comme le premier poète de son temps. Mais il ne
consent pas à subir sa férule :

> Malherbe a très bien fait, mais il a fait pour lui.

Qu'il suive sa voie, sans se mêler de légiférer. Chaque poète
a son génie propre : Ronsard avait le sien, que Théophile juge
merveilleux. Il ambitionne, quant à lui,

> d'égaler en *son* art
> La douceur de Malherbe ou l'ardeur de Ronsard.

Ce qui revient à souhaiter de réunir la force d'inspiration du
Vendômois et d'harmonie étudiée du « regratteur de syllabes ».
Théophile pavoise fièrement aux couleurs de la liberté :

> La règle me déplaît, j'écris confusément,

c'est-à-dire sans ordre préalable, sans modèle, au courant de la
plume. Il n'a pas dédaigné toutefois d'imiter çà et là Desportes
et Régnier. Les leçons de Malherbe n'ont pas été non plus
perdues pour lui. Il a cultivé l'ode, comme le maître, et sur
les rythmes qu'il conseillait. Dans ses jours de sagesse, Théophile écrivait : « Il faut que le discours soit ferme, que le
sens y soit naturel et facile, le langage exprès et signifiant » :
déclaration qui exprime les principes essentiels de l'école malherbienne.

Son œuvre. L'œuvre lyrique de Théophile consiste en
odes, stances, élégies et sonnets. Sa « veine »
n'est pas « égale » : on le notait déjà de son temps. Il y a
en Théophile un poète baroque aux inventions tantôt charmantes, tantôt bizarres. Boursouflures, ingéniosités contour-
nées, recherche affectée de la pointe, ce sont ses péchés
mignons.

Mais il est supérieurement doué. Il a la passion, la vivacité, la souplesse. Par son naturel et sa grâce, il annonce parfois La Fontaine. Une spontanéité brillante et rapide, une fermeté nerveuse n'appartiennent qu'à lui. Il a senti, d'une émotion originale, le charme de la nature, de la rêverie solitaire : « J'aime un beau jour, des fontaines claires, l'aspect des montagnes, l'étendue d'une grande plaine, de belles forêts, l'Océan, ses vagues, son calme, ses rivages. »

> Dans ce val solitaire et sombre
> Le cerf, qui brame au bruit de l'eau
> Penchant ses yeux dans un ruisseau
> S'amuse à regarder son ombre...
> ... Un froid et ténébreux silence
> Dort à l'ombre de ces ormeaux
> Et les vents battent les rameaux
> D'une amoureuse violence.

« Dans l'ode, a dit Théophile Gautier, il a le souffle, la période nombreuse, la belle conduite de la strophe, une noblesse sans emphase, des trouvailles de mots pleins de bonheur. Dans la description, il a souvent des détails rares, des couleurs vivres... des touches bien posées à leur place, de l'élégance et de la fraîcheur. »

Mallarmé, qui s'était fait, dans des cahiers calligraphiés, une anthologie personnelle, donnait à Théophile une place de premier rang.

SAINT-AMANT (1594-1661)

Antoine Girard, sieur de Saint-Amant, est né aux environs de Rouen, en 1594, de famille protestante. Fils de marin, il voyage de bonne heure et peut-être son éducation en sera-t-elle un peu négligée. En 1633, il aura visité l'Amérique et parcouru les côtes du Sénégal.

Il vient à Paris vers 1617-1618, se lie avec Théophile et Boisrobert. Il s'attache au duc de Retz ; un autre de ses protecteurs est le comte d'Harcourt, qu'il accompagne dans ses missions diplomatiques et militaires en Espagne, en Italie, en Angleterre. Entre-temps, à Paris, il fréquente les cabarets. Dans la joyeuse confrérie des bouteilles, où l'on se donne des sobriquets, il est « le gros ». On le voit aussi à l'Hôtel de Rambouillet, preuve que son débraillé n'est pas de tous les jours. L'Académie l'admet parmi ses premiers membres avec son compatriote Boisrobert et son ami Faret.

Saint-Amant eut une vie assez dissipée, mais il n'a pas été

le viveur et le buveur effréné que l'on a dit. Il a écrit quelques légèretés sur les mœurs et la religion. Mais c'est avec
sincérité qu'il se convertit au catholicisme. Il est en relations
amicales avec le duc de Liancourt et sa femme, dévots de Port-
Royal. Il envoie des stances de louange à Corneille pour sa
traduction de *L'Imitation*. Il meurt pieusement le 29 décembre
1661.

Saint-Amant, comme Théophile, est un moderne résolu. Il
n'a qu'un respect fort mitigé pour l'Antiquité :

> Nargue du Parnasse et des Muses...
> Pégase enfin n'est qu'un cheval.

Dans son *Avertissement au Lecteur* de 1629, il déclare qu'il
ignore le latin et ajoute : « Une personne n'en est pas moins
estimable pour cela. » Quant au grec, pourquoi en faire tant
de cas ? Homère n'a jamais su que la langue « que sa nourrice lui avoit enseignée ». Mais Saint-Amant connaît la
Fable et en exploite les belles légendes. Il sait les langues
modernes : italien, espagnol, anglais. Il est musicien et touche
du luth, il a des connaissances et du goût en peinture : les
grands peintres flamands l'inspirent. Il est curieux de sciences,
fervent de Copernic. A Florence, Galilée aura sa visite.

Saint-Amant a beaucoup lu. Il possède à fond son Rabelais, il admire Marot, Ronsard, du Bellay, du Bartas. Il
aime la littérature espagnole, il est fasciné par Don Quichotte : dans un sonnet, il se compare au chevalier de la
Manche « en sa même folie », c'est-à-dire y compris dans
son enthousiasme délirant. Il a imité Gongora. Chez les Italiens, il donne des louanges à Pétrarque, il se réfère au Tasse ;
personne en France n'est aussi familier que lui du cavalier
Marin.

Mais ses admirations ne le font pas disciple. Il condamne
toute servitude dans l'imitation et déclare : « Je l'abhorre tellement (l'imitation) que, même si je lis parfois les œuvres d'un
autre, ce n'est que pour m'empêcher de le rencontrer dans
ses conceptions. » Et il est exact que, s'il s'inspire de Marino,
c'est encore une manière d'affirmer son modernisme : l'auteur
de l'*Adone* est, en Italie, le représentant des « moderni ».
Encore s'abstient-il de reprendre les sujets mêmes traités
par Marino.

Saint-Amant revendique la liberté complète de l'inspiration.
La « licence », la « fureur », la « frénésie » sont, il le proclame, les articles premiers de son art poétique. Il prétend
boire à toutes les sources. Il aime avec passion la langue française et s'efforce à en exploiter toutes les richesses, ne recu-

lant ni devant l'archaïsme ni devant « l'argot ». Par là, Saint-Amant se place à l'opposé de « l'économie » classique. Prenons-y garde pourtant. Saint-Amant ne condamne pas la réforme de Malherbe et Faret nous en avise : chez Saint-Amant, « cette ardeur d'esprit, et cette impétuosité de génie qui surprennent nos entendements... ne sont jamais si déréglées qu'il n'en soit toujours le maître. »

Les œuvres de Saint-Amant se divisent en deux parties. D'un côté, des poèmes réalistes, familiers, gastronomiques, bachiques et polissons. De l'autre, des œuvres sérieuses, inspirées par l'amour de la nature, de la solitude, poèmes moraux et religieux. Ajoutons-y le *Moïse sauvé,* poème héroïque, qui ne paraîtra qu'en 1653.

Mais la fantaisie, la truculence, la saillie burlesque interviennent partout. L'œuvre entière de Saint-Amant est mêlée de gaillardise et de gravité et cette contamination s'accentue au cours de sa carrière. Génie plantureux et pittoresque, plaisant et divers, cet original s'est peu soucié de faire faire la grimace aux délicats.

On trouve chez lui un poète de la nature, un poète descriptif et un poète proprement baroque. Dans *le Fromage, la Vigne, le Melon, les Goinfres,* ou dans ses sonnets sur les *Saisons,* il déploie un talent admirable de couleur et de vigueur. Là, il laisse libre essor à son imagination fantaisiste ; l'admirateur de Rabelais et de Ronsard proteste à sa façon contre l'épuration appauvrissante que Malherbe fait subir à la langue. Il emprunte ses mots de toutes mains.

Sa poésie veut être une peinture. Faret, dans la *Préface* qu'il a donnée aux œuvres de son ami, nous en avertit : « Cette chaleur que les Anciens ont appelée Génie ne se communique qu'à fort peu d'esprits et ne se fait remarquer principlement qu'aux descriptions qui sont comme de riches tableaux où la nature est représentée : d'où vient qu'on a nommé la poésie une peinture parlante. » Saint-Amant porte un fervent amour à la nature, aux fleurs, aux arbres et aux vents. D'une spéciale dilection il aime l'eau, sa fraîcheur, les jeux de ses clartés mouvantes. Son *Moïse* vaut surtout, comme le dit Remy de Gourmont, par sa poésie picturale.

Il y a chez Saint-Amant un goût « romantique » pour les visions étranges et fantastiques : ruines, fantômes, squelettes, animaux hideux (crapauds, limaces...), loups-garous ; il se plaît aux tempêtes et aux naufrages. Il oppose, il est vrai, à ces visions d'horreur des tableaux lumineux et paisibles, des

paysages de fraîcheur et de repos, ou encore des notations qui
révèlent une âme méditative, sensible aux voix de l'invisible :

> J'écoute, à demi transporté,
> Le bruit des ailes du silence
> Qui vole dans l'obscurité.

Cette inspiration romantique apparaît aux critiques comme
une marque de style baroque. Du baroque, en effet, Saint-Amant
a le goût de la liberté ; il adopte les genres les plus divers,
s'ils vont à son caprice du moment : rondeau, dizain, triolet...
Il a le dédain de la mesure et se livre à des débauches d'imagination et de verve. Il pratique volontiers le coq-à-l'âne et, en
un poème, traite cent sujets. La laideur lui plaît si elle a du
caractère : il parlera d' « un beau monstre affreux ». Il a la
violence, l'intensité, la recherche de l'effet. Mais du baroque,
un trait essentiel lui manque : l'élan de la passion. Dans la
poésie de Saint-Amant, il n'y a pas d'amour : on n'y rencontre
que des Jeannetons.

Et à mesure que passent les années, Saint-Amant s'oriente
vers un mélange, de plus en plus voulu, du sérieux et du tri-
vial, du grivois et de l'héroïque. Ces « caprices », comme il les
appelle, relèvent du style dont Scarron fera un genre littéraire :
le burlesque. Saint-Amant, si cette vue est juste, représente
le passage du baroque au burlesque. Son plus grave défaut,
Sainte-Beuve l'a dénoncé : c'est de « manquer d'âme ».

BOISROBERT (1589-1662)

François Le Métel, sieur — et plus tard abbé — de Boisrobert est un Normand comme Malherbe, comme vingt poètes
du temps : ce terroir est fécond, dans la première moitié du
siècle. Il est né à Caen en 1589. Son père était procureur à la
Cour des Aides de Caen et protestant. Il étudie le droit, est
reçu avocat ; vers 1615-16, il vient chercher fortune à Paris.
Il se lie avec Théophile, comme lui protestant et comme lui
ami du plaisir. Aussi passera-t-il pour « athée », comme Théophile encore : mais chacun sait qu'à cette époque le terme est
élastique. Le libertinage de mœurs est certain, le libertinage
d'esprit est probable, dans une mesure difficile à préciser.

Boisrobert est séduisant, joyeux compagnon, plein d'enjouement et pétillant de drôlerie. On l'appellera « le plaisant abbé
de Boisrobert ». Il excelle à trousser l'anecdote et à la mimer :
il avait, paraît-il, un don d'imitation surprenant.

Boisrobert, peut-être pour parvenir, abjure son protestantisme le 4 octobre 1921. Il reçoit la tonsure le 22 décembre 1623. Il gagne d'abord la protection du cardinal du Perron qui le présente à la Cour. Attaché à la maison de la reine mère Marie de Médicis, il se rend en Angleterre (1625) à l'occasion du mariage d'Henriette de France avec le roi Charles 1er : il plaît au Roi. En 1630 il est à Rome : il plaît au pape Urbain VIII, qui lui confère un bénéfice. Boisrobert entre alors décidément dans l'état ecclésiastique.

Sa grande réussite fut de séduire Richelieu, dont il devint l'amuseur breveté, le compagnon indispensable et parfois le conseiller, notamment dans le discernement des poètes. Il reçoit de grosses prébendes. Avec gentillesse et générosité, il aide de son crédit les gens de lettres peu fortunés (Mairet par exemple). Sa serviabilité était proverbiale.

C'est Boisrobert qui eut le mérite de faire connaître au Cardinal les réunions littéraires qui se tenaient chez Conrart et qui aboutirent à la fondation de l'Académie française. Il en fut un des premiers membres.

Il abusa un jour de la familiarité que lui permettait Richelieu et il tomba en disgrâce. Cela dura vingt mois. Après quoi le Cardinal, plus puni que Boisrobert, le rappela et l'embrassa avec larmes. C'était en 1642. Richelieu devait mourir bientôt. Boisrobert vécut encore vingt ans, mais réduit à une position moins enviable. Il sera cependant Conseiller d'Etat. Enfin il se retira dans son abbaye de Châtillon-sur-Seine où il mourut dans de grands sentiments de piété, le 30 mars 1662.

Boisrobert, à plus d'un égard, est dans la lignée de Théophile. Comme son ami, il est un « moderne » : on cite de lui un *Discours sur les Anciens* qui marque peu de révérence. Il délaisse le tour oratoire et les lieux communs de Malherbe pour une poésie familière, sans apprêt, personnelle et parfois confidentielle. Ne lui demandons aucune émotion profonde. Le ton est enjoué, spirituel, la langue pure et claire, dégagée des archaïsmes où s'engonce encore Malherbe : sa dextérité de nature lui a fait attraper plus aisément le vrai ton de la Cour et de la Ville. Il a le tour facile, léger, du primesaut, une souplesse qui manque de nerf, mais qui séduit par une souriante élégance. Il a passé pour « le directeur du royaume de Coquetterie » et « le grand prestre des Coquettes » ; sa galanterie, de fait, est quelquefois un peu pincée. Il est le poète des mondains et des ruelles entre 1620 et 1650.

Boisrobert a excellé surtout dans l'épître familière, en vers de six ou de huit, qui était à la mode vers 1645. Mascaron, qui a

préfacé le volume d'*Epîtres* de 1646, définit le genre par « la
belle raillerie et la naïveté des pensées », dont l'élégante simplicité s'oppose aux « fausses beautés du style enflé ». Rien de
plus juste. Par là et par ses meilleurs vers lyriques, Boisrobert
annonce la poésie fugitive de Sarasin, qui sera relayé par
Chaulieu et La Fare et qui aboutira au lyrisme de Voltaire,
perfection de la grâce mondaine et familière.

Chapitre Second

LE ROMAN

Généralités. Les vieux romans de chevalerie, issus des remaniements en prose de l'épopée, avaient gardé au XVIᵉ siècle d'innombrables lecteurs. Dès les commencements de l'imprimerie, on les trouve parmi les livres les plus souvent édités. Cependant le public lettré — qui ne se privait pas de les lire — professait une médiocre estime pour ces Lancelot, Fierabras et autres Perceforêt. Mais à partir de 1540, paraît *Amadis de Gaule,* dont les premiers livres sont traduits par Nicolas Herberay des Essarts. Cette œuvre élégante et brillante, « la perle des romans », faisait revivre aux yeux des contemporains de François 1ᵉʳ et d'Henri II les traditions des « chevaleries » : *Amadis* devint bientôt « le bréviaire des courtisans » et exercera une action considérable. « Je voudrais avoir autant de centaines d'écus, écrira Brantôme, comme il y a eu de filles... qui se sont jadis émues... par la lecture des *Amadis.* » Jean-Pierre Camus y voit « la mère-source et le cheval de Troie de tous les romans ». Ainsi l'assertion d'Etienne Pasquier qui, vers 1608-1610, écrivait : « la mémoire en semble estre aujourd'huy esvanouie » ne paraît pas exacte. Henri IV en faisait sa « Bible », selon les médisants, et les témoignages qui confirment la longévité des *Amadis* sont fort nombreux. On leur donne des « suites » jusqu'en 1630 et Charles Sorel les cite parmi les romans de chevalerie les plus « estimés ». Les « histoires » de la période que nous étudions portent souvent des traces d'une lecture d'*Amadis*. Les héros de romans, lacrymophiles, gémissant leur infortune, acceptant avec une soumission douloureuse les rigueurs de l'amante et l'ostracisme dont elle les frappe sont les héritiers directs du Beau Ténébreux. L'épisode de la roche Pauvre, sa grotte, son ermite consolateur seront usuels dans le roman durant des générations, jusqu'à Chateaubriand.

A la tradition arthurienne vient, peu après, se joindre la tradition humaniste : la mode antiquisante donne, dans le roman, l'un de ses plus beaux chefs-d'œuvre, en 1547 : l'*Histoire Aethiopique* de *Théagène et Chariclée.* Sous la plume dorée d'Amyot, cette traduction, comme celle d'*Amadis de Gaule,* équivaut à la plus originale création. Nous tenons, ici encore, l'une des sources les plus riches de notre littérature de fiction. « Jusqu'alors, affirme Huet, on n'avait rien vu de mieux entendu ni de plus achevé dans l'art romanesque. » Cette œuvre, ajoute-t-il, « a servi de modèle à tous les faiseurs de romans qui l'ont suivie et on peut dire aussi véritablement qu'ils ont tous puisé à sa source que l'on a dit que tous les poètes ont puisé à celle d'Homère ». Huet rapporte une opinion commune. Avant lui, en 1629, Balzac, écrivant à une « dame de qualité », énonçait : « Pour les autres romans, ce ne sont la plupart que des Héliodores déguisés ou, comme disait feu M. l'évêque d'Aire, des enfants qui sont venus du mariage de Théagène et de Chariclée et qui ressemblent si fort à leur père et à leur mère qu'il n'y a pas un cheveu de différence. »

Le roman, durant les guerres civiles, subit une éclipse. Il renaît, foisonnant, après 1590. Tout le monde s'y prend, jusqu'aux enfants, dira Jean-Pierre Camus en 1625, que l'on voit « aussi âpres à dévorer les romans qu'à sucer les dragées ». Ce genre mineur, auquel Herberay des Essarts et Jacques Amyot avaient donné un si beau lustre, ambitionne de se hausser dans la hiérarchie littéraire. On y a « enfermé », dit Camus, « la pureté et la perfection de notre langue ». De fait, plusieurs romans passeront en leur temps pour des manuels de la civilité et du bien-parler ; ils fourniront aux honnêtes gens des modèles de discours, de lettres et de « vraye courtizanerie », comme dit Etienne Pasquier. Ce sera le cas, après *Amadis,* des œuvres de Nervèze, de Des Escuteaux et surtout, et plus longtemps, de l'incomparable *Astrée,* qui consacre la promotion du roman. Ce n'est pas à dire que le genre obtiendra plus d'estime chez les Aristarques. Du moins est-il prouvé que des esprits distingués peuvent s'y adonner sans déroger.

Rien ne serait plus inutile et plus trompeur que de diviser les romans en espèces bien définies. Gardons-nous en particulier de placer dans une catégorie spéciale le roman « sentimental ». Ce terme ne signifie rien : tous les romans sont des histoires d'amour. Bien entendu, le cadre local, l'époque où se passe l'histoire, l'accent de préférence mis sur l'authencité, la vraisemblance ou l'idéalité des personnages et des faits peuvent nous inviter à distribuer les œuvres dans des casiers différents. Mais un excès de rigueur mènerait à l'erreur. *L'Astrée,* roman pastoral, a des épisodes de « chevalerie », à l'imitation des *Bergeries de Juliette* de Nicolas de Montreux, qui, lui, s'était inspiré du Tasse en ce point. Une histoire, d'autre part, que l'auteur a située dans l'Antiquité nous trace, dans un décor grec ou romain artificieux, des portraits contemporains et reproduit des mœurs actuelles.

Disons seulement que, comme toujours, on discerne dans le public, — et par suite dans les œuvres — une tendance idéaliste (chevaleries, bergeries) contre laquelle protestent les esprits positifs et amis du réel. A ces âmes moins « en-allées », on propose des récits dont le cadre leur est familier et qui affirment leur véracité. Les héros déclineront leurs origines : celui-ci bordelais, celle-là « pyrénoise ». Le sous-titre nous informe que l'événement s'est passé récemment : « histoire de notre temps » : c'est une formule courante. Chez certains, comme Du Souhait, c'est réaction consciente contre l'idolâtrie de l'Antiquité. Leurs histoires, même si leurs héros portent des noms étranges, se passent souvent en France : à Paris, à Tours, à Bordeaux, en Poitou... Et dans beaucoup de ces livres on trouve une peinture intéressante de la société du temps, de ses goûts, de ses modes ; des discussions sur les qualités respectives et les défauts des peuples de l'Europe. On y trouve aussi le tableau des guerres religieuses et des drames du cœur qui s'ensuivent.

Le réalisme, sous l'influence baroque et par imitation des auteurs espagnols, est parfois poussé, comme dans le théâtre de la même époque, jusqu'à une complaisance déréglée pour les scènes de violence et d'horreur : égorgements, viols, incestes, vengeances atroces. C'est dans les *Nouvelles* que domine, importé de chez Bandello, ce penchant désordonné : le progrès des bienséances y mettra fin vers 1640.

L'idéalisme, d'autre part, peut prendre des formes diverses : « uchronie » ou utopie, bon vieux temps ou îles Fortunées, rêves de gloire guerrière ou aspiration aux douceurs de la paix. Il peut aussi, refusant ces évasions puériles, inviter les âmes à de nobles sommets spirituels. Un platonisme sincère exalte la beauté des amours chastes, des fidélités héroïques, des constances inébranlables dans l'adversité. La ferveur chrétienne issue de la Réforme de Trente provoque un essor du roman dévot : les héros cherchent dans le cloître le refuge de leurs déceptions ou la consécration d'un amour transfiguré.

Le courant pastoral est ancien. L'un des premiers instituteurs de cette école rurale fut Sannazar, « gentilhomme napolitain ». Son *Arcadie,* traduite fort joliment, dès 1544, par Jean Martin, a inauguré une mode qui aura longue durée. La *Diane*

François de Malherbe.
Portrait par Daniel Du Monstier.
(Bibliothèque nationale, Cabinet des Estampes.)

Extrait de *la Littérature française,*
par Bédier-Hazard-Martino, Larousse, éditeur.

de Montemayor, traduite en 1578 par Nicole Collin ; l'*Aminta*
du Tasse, traduite par Pierre de Brach en 1584, prolongent et
renforcent le prestige de l'*Arcadie*. Le chef-d'œuvre de ces
« bergeries » sera l'*Astrée* (1607 sqq.).

Quant au roman d'amour qui ne se pique ni d'aventures che-
valeresques ni de poésie bucolique, il peut revêtir soit un costume antique (à l'instar de *Théagène et Chariclée*) soit une
livrée moderne, suivant les préférences mouvantes des lecteurs,
humanistes érudits ou simples mondains plus soucieux de
vérité contemporaine que de résurrection historique. Encore y
a-t-il des échanges fréquents et, dans les œuvres, des mixtures
parfois surprenantes. Un prêtre d'Apollon ou d'Isis pourra sans
broncher s'appeler druide, comme chez La Charnays ou Du
Bail.

Ce n'est pas avec une conscience parfaitement sereine que
les auteurs entreprennent de raconter leurs histoires, dont la
plupart sont « chatouilleuses ». Ils tiennent en général à justifier leur propos. Sans doute, ils visent à plaire : *Peau d'âne*
aura toujours des amateurs. Mais suivant le précepte d'Horace,
plus urgent ici qu'ailleurs, ils entendent mêler à l'agrément l'utilité. Instruire et éduquer, c'est leur dessein. Aussi prennent-ils
soin d'insérer dans le récit de « belles observations morales et
politiques ». Ils signalent souvent par des guillemets les maximes détachables. L'*Argénis* de Barclay (1621), traduit du latin
en 1622, et dont Richelieu faisait grand cas, était apprécié
surtout par ses « maximes d'Etat », ses « conseils politiques ».
Boisrobert, en 1629, se fait le porte-parole de tous ses confrères, dans l'*Avis au Lecteur* de l'*Histoire indienne d'Anaxandre
et d'Orasie :* les auteurs de romans, assure-t-il, (en s'inspirant
de l'Arioste) « décrivent les actions, non pas telles qu'elles sont,
mais bien telles qu'elles doivent être ». Il ajoute : « La fin
principale des romans, c'est l'instruction des lecteurs, à qui il
faut toujours faire voir la vertu couronnée et le vice puni. »

Ce bon vouloir ne suffit pas à exorciser la malice du genre.
Les moralistes, les directeurs d'âmes déplorent les ravages
causés par les romans. Nous entendrons les plaintes de J.P.
Camus sur ce point. Quoi qu'il en soit, et excepté quelques
grands noms, la valeur littéraire de ces œuvres est médiocre.
Peu de livres surnagent, de cette innombrable fabrication. Les
contemporains citent toujours les mêmes ou à peu près. De
faibles talents, habiles flatteurs d'une mode, ont pu faire illusion quelques années : ils sombrent en fin de compte dans un
oubli justifié. Ce qui n'empêche pas, bien entendu, que le
curieux de petite histoire ou de mœurs abolies n'y trouve son
gibier, souvent de rare fumet.

4

ROMANCIERS « BAROQUES »

Dans le premier tiers du siècle, les romanciers les plus
féconds et les plus notoires sont Vital d'Audiguier, Du Souhait,
Nervèze et Des Escuteaux. Ils ont des traits communs, comme
on va le voir, par où s'explique leur pareille vogue. Ou plutôt,
peut-être, se sont-ils appliqués semblablement à satisfaire les
goûts de leur public et par les mêmes moyens. Ils n'avaient pas
assez de génie pour émerger de leur cadre et de leur temps.

VITAL D'AUDIGUIER, « seigneur de la Menor au pays de
Rouergue » (né vers 1565, mort 1625), fait partie de la petite
Cour de la Reine Margot, qui le protège. Il est fier de sa
noblesse :

> Ma plume sent la qualité
> D'un homme qui porte au costé
> Le taillant dont elle est coupée.

Il est poète, on le voit. Il est surtout romancier. Ses modèles,
il nous les avouera peut-être en rééditant l'*Histoire aethiopique*
d'Amyot (*Théagène et Chariclée*) en 1609, 1614, 1616, non sans
la retoucher pour la moderniser ; il traduira en 1614 les
Nouvelles de Cervantès.

Dans *la Flavie,* l'une de ses premières « histoires » (1606),
il associe la bergerie et la chevalerie, suivant l'alternance délas-
sante conseillée par l'Arioste. Il dédie son roman au Roi :
« Vostre humeur guerrière y verra des armes, vostre inclination amoureuse y trouvera des amours ». L'action se passe en
Gaule : par là, Audiguier, témoin d'ailleurs d'une mode du
jour, fraie la voie à l'*Astrée.*

Mais il préfère à la reconstitution historique les aventures
contemporaines. L'*Histoire tragi-comique* qu'il publie en 1616
sous les noms de Lysandre et de Caliste se passe sous Henri IV.
Audiguier y témoigne de la ferveur chrétienne qui soulevait
les âmes. Plusieurs personnages du roman entrent en religion :
Lidian se fait « hermite » au Mont-Serrat, Clairange devient
capucin. Lysandre lui-même, avant de s'unir heureusement à
Caliste, a essayé de la vie anachorétique au mont Valérien.
Le livre eut de nombreuses rééditions.

Dans *Lydamant et Caliante,* Audiguier proteste contre le sort
déplorable des filles « esclaves de leur condition » et que souvent l'on marie contre leur gré, à moins qu'on ne les force à
épouser un couvent.

Le sieur DU SOUHAIT, « gentilhomme champenois » et « secrétaire ordinaire de Son Altesse de Lorraine », semble avoir été
la coqueluche des nobles dames qui, à cette époque, et avant
la Marquise de Rambouillet, tenaient, dans leur salon, école de
belles manières et de beau langage, en protestation contre les
grossièretés de la Cour. Il remercia ses protectrices en les
faisant entrer dans une galerie qu'il édita sous le titre de
Pourtraicts des chastes Dames (Lyon, 1600) : la vertu était
en ce temps une parure admirée, sinon universellement portée.
Dans le même esprit moralisateur, il publia la même année
le Parfait Gentilhomme, dont nous aurons l'occasion de
reparler : manuel d' « honnêteté » qui conseille aux gens bien
nés, à l'encontre d'un préjugé barbare et soldatesque, de cultiver les Lettres et les Sciences.

Du Souhait est l'auteur d'une demi-douzaine de romans qui,
comme la plupart des œuvres de cette époque, exaltent la
beauté des amours honnêtes en prenant pour exemple une anecdote récente. C'est le cas de l'ouvrage intitulé *les Chastes Destinées de Cloris ou le Roman des Histoires de ce temps* (1609);
c'est apparemment une chevalerie où l'on retrouve les accessoires usuels du merveilleux magique ; mais sous cette affa-
bulation, les initiés reconnaissaient des personnages et des événements authentiques.

Les Amours de Poliphile et de Mellonimphe (1599, rééd. en
1600, 1605 et 1610) racontent une « histoire, non seulement
véritable, mais presque sçeue de tout le monde ». Comme
Audiguier, Du Souhait (dans *les Amours de Glorian et
d'Ismène* (1600) stigmatise les parents qui immolent leur fille
à leur ambition.

Antoine de NERVÈZE, né vers 1576, mort vers 1615, fut
secrétaire de la Chambre du roi Henri IV. Il était lié avec
Philippe Desportes et Jean Bertaut. Il publie en 1605 un
recueil de poèmes, les *Essais poétiques,* dédiés à Henri de
Bourbon : vers amoureux qui sont suivis, en 1606, de vers religieux : *Poèmes spirituels,* dédiés à la Reine.

Nervèze contribue, avec Du Souhait, à l'éducation de la
noblesse, par *la Guide des Courtisans* (1606), composée peut-
être sur la suggestion d'Henri IV : il y combat en particulier
la manie des duels qui commençait à sévir.

Nervèze fut surtout le plus fertile des romanciers de son
temps et le plus célèbre avant l'*Astrée.* Mainard parle du temps
où Nervèze passait pour « le roi des orateurs ». Ses romans,
dont nous connaissons une bonne douzaine, racontent, suivant
l'usage, de « chastes amours », fortunées ou infortunées, qui
souvent s'achèvent en « religieuses amours », les héros se

retirant au cloître. Nervèze est, lui aussi, un témoin intéressant de l'élan mystique qui entraîne tant d'âmes, en ce début du « siècle des saints » ; et par exemple dans *la Victoire de l'amour divin sous les Amours de Polidore et de Virginie* (1608), que l'auteur dédie à son « ange d'alliance ».

L'un des plus réussis des romans de Nervèze est celui qui s'intitule *les Amours de Filandre et de Marizée* (1598) et qui porte un cachet certain d'authenticité. C'est une histoire atroce à la fois et édifiante comme il y en a tant à cette époque. Filandre séduit Marizée et s'enfuit avec elle en Ecosse. Quatre enfants naissent. Misère noire. Filandre revient en France sous couleur de « chercher des moyens ». Il s'y remarie. Des années se passent. Marizée envoie le fils aîné à la recherche de son père. Filandre lui donne « quelque pièce d'argent » et le chasse. Marizée, folle de désespoir, égorge trois de ses enfants et se tue. L'aîné seul est épargné, pour porter au père la nouvelle. Filandre entraîne le jeune homme dans un bois pour l'égorger. Des chasseurs le surprennent : il s'échappe. Il est condamné à mort par défaut. Sa seconde femme entre dans un couvent et lui-même il finira sous la « barbe blanche » de l'ermite. Proche de sa mort, il aura la vision de Marizée qui vient lui apporter le pardon. On a là une apothéose que rappellera curieusement l'épilogue de *Jocelyn*. Le roman a été porté à la scène en 1619 par Gilbert Giboin.

Nervèze, comme ses confrères, dénonce les abus de la puissance paternelle envers les filles ; il condamne les vocations forcées et les sordides calculs de « l'avarice » familiale.

Le sieur DES ESCUTEAUX, « gentilhomme loudunois », a son nom accolé fort souvent par les contemporains à celui de Nervèze. Leurs œuvres présentent les mêmes caractères. Lui aussi, il a composé, entre 1601 et 1628, une douzaine de romans : « infortunées amours », « malheureuses amours », « traversez hazards », « adventures fortunées » : les titres sont peu soucieux de renouvellement. Dans ces histoires, la galanterie se mêle aux exploits guerriers. L'auteur écrit souvent, il le déclare, sous la « dictée » de quelque grande dame. Il semblerait que parfois il ne leur ait servi que de secrétaire, comme le fera Segrais. *Les infortunées et chastes amours de Filiris et d'Isolia* (1601) sont dédiées à Isabelle de Rochechouart, dame de Lésé. Comme vingt de ses contemporains, Des Escuteaux est l'apologiste de l'honnête amour, respecteux des exigences de la pudeur et des lois de la religion.

Style   Nervèze et Des Escuteaux ont donné leur
de ses romans. nom à un étonnant maniérisme, à un « genre
                 d'écrire » qui sévit largement en France entre
1590 et 1630 (avec des flux et des reflux) et qui constitue un
des phénomènes les plus curieux de notre histoire littéraire. On
est tenté aujourd'hui d'y apposer l'étiquette « baroque ». Soyons
prudents et voyons les choses d'un peu plus près.

Dans une mazarinade de 1649, on lit : « Nervèze et Des
Escuteaux raffinèrent leur style et commencèrent à parler
phébus ; ils furent les mignons des dames et quelques-unes les
portaient au lieu d'heures à l'église. S'il se formait entre elles
quelque différend touchant un terme, on s'en rapportait à Nervèze et qui l'eût voulu contredire aurait été chassé comme un
péteur de la compagnie. » Tallemant se moquera de ceux qui
« parlent Nervèze » et « débitent le galimatias ». Ce que Pierre
de Deimier, dès 1610, reproche au style Nervèze, ce sont ses
« pointes affectées ». Mêmes reproches, mêmes formules dans le
Francion de Charles Sorel (1623).

Précisons. L'affectation principale des écrivains de cette
école consiste à poursuivre sans retenue les métaphores les plus
délirantes par leur incongruité et leur incohérence. Prenons des
exemples.

« L'amour a filé le lien de ma liberté, afin que, pris de ces
agréables chaînons, je ne soupirasse que la gloire d'une si belle
servitude... Que votre pitié (Mademoiselle) prévienne l'assassin
de mon malheur, qui machine dans vos rigueurs l'état désolé
de ma propre ruine » (Des Escuteaux). Le baron de l'Espine
part pour l'Italie : « Ayant Dieu pour pilote, écrit-il à sa
Lucrèce, nos amours pour gouvernail, mes désirs pour rames
et pour voile mon espoir, je flotte sans péril en cette mer périlleuse. » Il l'assure de son affection : « Elle est issue de la tige
de vos mérites ; elle a été élevée du chaste lait de mes sou-
haits. » (Nervèze) « Des ruines de tes légèretés, dit Glorian
à Ismène, j'édifie le temple de ma repentance. » « Mes sou-
haits n'ont point trouvé de parrains à leur baptême, l'espérance les méprise et la prudence les délaisse : ils ont ma passion
pour nourrice et ma seule volonté pour marraine. » (Du Souhait). « Les perfections de madame la Princesse, sous le miel
de leurs douceurs, ont détrempé l'arsenic de mon malheur. »
(Des Escuteaux).

Quelques remarques là-dessus. Notons d'abord que cette
épidémie étrange n'a pas affecté le seul roman. Le lyrisme a subi
la contagion. Motin, par exemple, qu'une nouvelle beauté tente
de séduire :

> N'attendez pas, mes yeux, que l'oubli fasse place
> Au doux ravissement de ce charme nouveau ;
> C'est un feu pour lequel je veux être de glace ;
> S'il peut fondre la glace, il mourra dedans l'eau.

Ou cet anonyme, dans un *Adieu :*

> Ne croyez pas que sans pleurer
> Ce départ je pusse endurer :
> En pleurs s'écoulerait mon âme
> Pour cette extrême adversité,
> N'était que l'amoureuse flamme
> En dessèche l'humidité.

C'est là du Nervèze rimé.

Pour expliquer ce bizarre engouement, il faudrait faire intervenir, semble-t-il, plusieurs facteurs. On éclairerait sans doute le problème en faisant remarquer que le roman, au XVIIᵉ siècle, est regardé comme un genre poétique : « un poème en prose », dira Furetière. Or, à l'époque où nous sommes, un aristocratisme ronsardien sévit encore, qui refuse de s'exprimer comme le vulgaire. Ajoutons que l'Espagne et l'Italie (*agudezas* et *concetti*) ont eu dans ce domaine une action indéniable.

Enfin, on doit remarquer que ces romans, pour la plus grande partie, paraissent être éclos dans un milieu fortement marqué d'influences féminines. Nervèze, Des Escuteaux, Du Souhait ont été les « mignons des dames » et ils ont écrit pour elles. Ils se sont faits les secrétaires de leurs conversations et ce n'est pas par hasard, sans doute, que ce soient les dialogues et les lettres (très nombreux) qui, dans le roman, soient rédigés de ce style. La reine Marguerite, au dire de Tallemant, « parlait phébus, selon la mode de ce temps-là. » A son imitation, c'était le cas, sûrement, d'autres cercles féminins. C'est ainsi que cinquante ans plus tard naîtront, dans un cercle de femmes de qualité un peu trop ingénieuses, les *Œuvres galantes* de l'abbé Charles Cotin (1663), l'un des parangons de la préciosité. Et en vérité la préciosité, ridicule ou moins ridicule, de 1660 ressemblera au maniérisme de 1600-1610 comme une fille à sa mère. Le dénier au nom de la différence historique serait entêtement. Si le mot de « préciosité » date de 1656, la chose — en fait de style au moins — est de toute ancienneté, de même que le « snobisme ». Les textes ici sont péremptoires : à qui a lu nos romans, la parenté est d'une évidence éclatante. La formule de G. Reynier est parfaite : « Les précieux et les précieuses de la grande époque n'ont fait que reprendre, avec plus d'aisance et un souci nouveau de la pureté et de la délicatesse, le langage figuré en faveur au commencement du siècle. »

Quoi qu'il en soit, cette rougeole, dans son premier accès, sera d'assez brève durée. Elle commence vers 1595 avec *les Aventures de Floride,* de Béroalde de Verville. Il y a de bonne heure des protestations,. Le romancier Roussel, dès 1601, condamne cette « affectation », ces « clauses et périodes... recherchées... étranges et obscures ». Une réaction plus forte se produit vers 1610 : la discipline malherbienne fait sentir sa férule ici comme en poésie. Néanmoins, en 1622 encore, Charles Sorel se moque du galimatias qui règne dans certains salons, notamment dans le salon de « la bien-disante Luce » (*Histoire comique de Francion*).

Des attardés sans doute. Depuis l'*Astrée,* au témoignage du même Charles Sorel, « cette barbarie » faisait horreur. L'économie « classique » s'est imposée, la discrétion dans l'usage des figures, la sobre élégance de langage des honnêtes gens.

L'ASTRÉE

« Dans ce temps, dit Charles Perrault, les romans vinrent fort à la mode, ce qui commença par celui de l'*Astrée,* dont la beauté fit les délices et la folie de toute la France et même des pays étrangers les plus éloignés. » Et Daniel Huet parlera de ce roman comme de « l'ouvrage le plus ingénieux et le plus poli qui eût jamais paru en ce genre et qui a terni la gloire que la Grèce, l'Italie et l'Espagne s'y étaient acquise. » La suprématie européenne de la littérature française commence à l'*Astrée.*

Honoré d'Urfé est né en 1567 d'une lignée de diplomates et de soldats où s'étaient aussi recrutés beaucoup de gens d'Eglise. Par son père il était de souche forézienne ; par sa mère il s'alliait à la maison de Savoie. Dans la famille, le goût du savoir et de la poésie est traditionnel.

Le jeune homme fait ses classes au collège de Tournon et se met de bonne heure à écrire. « A peine sorti de ses premières études », il rime un poème pastoral, *Sireine,* qu'il publiera en 1604. Il passe sa jeunesse en Forez. Ligueur sous le duc de Nemours, il s'exile en Savoie après la défaite de son parti. Il compose en 1595 des *Epistres morales* qui paraissent à Lyon en 1598. Dès cette époque il a commencé des *Bergeries* qui deviendront l'*Astrée.*

En 1600 il se marie avec Diane de Chateaumorand : elle avait été la femme de son frère Anne, mais l'union avait été

déclarée nulle en cour de Rome. Il s'établit à Chateaumorand,
mais il fait de fréquents séjours à Paris. En 1603 il est nommé
gentilhomme ordinaire du Roi et publie le second volume de
ses *Epistres morales*. Il partage alors sa vie entre le Forez et
la Savoie où il a pour ami François de Sales, évêque de Genève
et Jean-Pierre Camus, évêque de Belley. Il meurt en 1625.

Honoré d'Urfé se distingue entre les gentilshommes de son
temps par l'ampleur de sa culture. « Il était fort versé en la
philosophie et l'histoire, nous dit J.P. Camus ; il avait les
mathématiques à un haut point avec la connaissance des
langues latine, grecque, italienne, espagnole, allemande. » Il
lit Platon, Plotin et se pénètre de leur doctrine ; il a étudié les
platoniciens florentins, Ficin et Pic de la Mirandole. Il connaît
même les philosophes arabes et les cabalistes juifs. Comme on
le disait de son frère Antoine, Honoré est « un fils aîné de
l'Encyclopédie ». *L'Astrée* sera nourrie de cette érudition.

Les quatre premiers livres de l'*Astrée* ont paru pour la
première fois en 1607, 1610, 1619 et 1627. La même année
1627, la cinquième et dernière partie est publiée par Balthazar
Baro, secrétaire et ami d'Urfé, qui l'a rédigée, dit-il, d'après
des plans et documents de l'auteur.

Le roman.　　　La scène de l'*Astrée* n'est plus dans les
　　　　　　　　　Orients lointains où évoluaient souvent les
chevaleries et les héros de l'Arioste. Déjà Montemayor avait
ramené l'aventure au bord de ruisseaux familiers. Urfé place
sa fable dans le Forez de son enfance, sur les rives du Lignon,
non loin du lieu où il se jette dans la Loire. « Or, sur les
bords de ces délectables rivières, on a vu de tout temps quantité de bergers qui, pour la bonté de l'air, la fertilité du rivage
et leur douceur naturelle, vivent avec autant de bonne fortune
qu'ils reconnaissent peu la fortune. » L'histoire se passe —
non sans quelques incertitudes ou anachronismes — au Vᵉ siècle
de notre ère. Céladon et Astrée s'aiment de tendre amour malgré la brouille qui sépare leurs familles. Afin de garder secrets
leurs sentiments, Astrée conseille à Céladon de feindre d'aimer
la bergère Aminthe. Un jaloux fait naître en elle la suspicion ;
se croyant trahie, elle bannit son amant : « Va-t'en, déloyal, et
garde-toi bien de te faire voir que je ne te le commande. »
Céladon, désespéré, se jette « les bras croisés dans la rivière ».
Astrée s'évanouit et tombe aussi dans l'eau. Tous deux sont
sauvés, Astrée par des bergers, Céladon par trois nymphes qui
habitent la plaine d'Isoure, Galathée, fille de la reine Amasis et
ses demoiselles d'honneur, Sylvie et Léonide. Le bel amant d'Astrée inspire un sentiment trop vif à Galathée. Le druide Adamas,
oncle de Léonide, le fait évader du palais périlleux. Le berger

se rapproche des lieux où vit Astrée, qui le croit mort. Mais, enchaîné par l'interdiction qu'elle lui a signifiée, il n'ose paraître devant elle. Il se fait alors, comme cent autres amants de la tradition romanesque, « l'anachorète de l'amour » : il loge dans une caverne, au cœur de la forêt et se nourrit d'herbes sauvages. Fidèle à sa belle passion, il élève en l'honneur d'Astrée un temple de verdure, un autel, une statue et grave sur la pierre les « Tables des douze lois d'Amour ».

Le grand druide Adamas, à qui un oracle a promis une heureuse vieillesse s'il parvient à unir les amants, trouve ingénieux d'habiller Céladon en femme et de le faire passer pour sa propre fille Alexis. Sous ce déguisement, l'amant banni se permet, au prix d'une casuistique retorse, de reparaître devant Astrée. La jeune fille se prend de vive amitié pour la fausse Alexis. Mais, la feinte devenant intolérable, Céladon se décide à dévoiler la vérité. Astrée, courroucée, lui ordonne de se punir de ce crime par la mort. Elle est résolue à le suivre dans la tombe.

Céladon se rend alors à la Fontaine de la Vérité d'Amour, édifiée autrefois par Merlin l'enchanteur : elle est gardée par des lions qui déchirent sans merci les imprudents visiteurs. Mais les fauves respectent les amants fidèles : ils épargnent Céladon. Astrée vient aussi à la Fontaine et, pour la même raison, elle se tire indemne de l'épreuve. Le grand druide paraît alors, l'oracle parle, les deux héros s'épousent enfin.

L'*Astrée* procède d'*Amadis* et de la tradition chevaleresque. L'auteur insiste sur la noblesse d'origine de ses personnages. L'adoption de la vie pastorale par les « bonnes familles » du Forez est la conséquence d'un vœu : le spectacle de l'ambition romaine et de ses cruautés les a portées, « d'un mutuel consentement », à substituer pour jamais la houlette à l'épée. Si la chevalerie des *Amadis* se change en pastorale, c'est bien pour répondre, en même temps qu'à l'invitation de Virgile et à la mode bucolique, au désir général des peuples las de la guerre. L'*Astrée,* affirme Honoré d'Urfé, est née de la paix. Mais aussi faut-il se souvenir qu'Amadis d'Astre, au XVIIe livre du vieux roman, avait souhaité de finir sous la « juppe » du berger. Alcippe, père de Céladon, a mené d'abord la vie du chevalier errant et, à Londres, il a visité « le grand roi Artus » et ses compagnons de la Table ronde. Mais il est revenu en Forez, a pris les habits du berger, il a changé sa lance en houlette et son « espée en coultre pour ouvrir la terre et non pas le flanc des hommes ».

Cette conversion n'est pas sans quelques retours. A l'orée des bois qui bordent le Lignon, luit parfois l'éclair d'une armure.

Dans les prés fleuris de l'Arcadie forézienne, passent de loin en
loin des chevaliers en quête d'aventures, ambitieux de « punir
les meschans, faire justice aux oppressez, maintenir l'honneur
des Dames. » Et à l'heure où Polémas lève l'étendard contre
sa souveraine la nymphe Amasis, les bergers loyaux décrochent
leur épée et courent au combat.

Céladon tient du « Beau Ténébreux » — l'auteur lui-même
le déclare — sa conception de l'amour. Il recommence au pays
de Lignon la grande aventure de cœur et les épreuves patientes
d'Amadis. Au prix des mêmes douleurs, ils méritent la même
gloire réservée aux parfaits amants. Honoré tient sa doctrine
érotique de l'Espagne chevaleresque et de Des Essarts. Mais il
l'a rendue plus savante et plus concertée en la fondant sur le
platonisme.

Le sujet unique de l'*Astrée,* c'est la passion amoureuse.
Thème de toutes les conversations, ressort de toutes les intrigues, l'amour est la seule affaire du peuple idéal qui habite
cette nouvelle vallée de Tempé. La divinité elle-même n'y a
d'autre occupation que de présider à d'heureux mariages. Les
oracles en Forez n'ont d'autre fonction que d'assurer un « courrier du cœur » et de donner des consultations amoureuses. Le
druidisme vers lequel l'attirait sa curiosité des « antiquitez »
gauloises fournit à Urfé le fondement commode de son aimable
religion : sous l'extérieur factice de quelques rites druidiques,
les prêtres ne sont guère que les serviteurs du « petit dieu fils
de Vénus ».

Car l'amour est l'âme de la création : « Le grand Thautatès
qui par amour a fait cet univers et par amour le maintient »,
veut que tout aime dans le monde. L'amour s'émeut en l'homme
par la vue de la beauté : il n'est, au vrai, qu'un « désir de
beauté ». Et la beauté des femmes est le reflet le plus brillant
de la splendeur éternelle de Dieu. « Qui doutera, demande
Sylvandre, que Dieu ne nous les ait proposées en terre pour
nous attirer par elles au Ciel ? »

Ainsi s'éclaire le destin de Céladon. Adamas lui enseigne
qu'en adorant Astrée, il se conforme à un ordre divin : en son
amante, c'est la beauté de Dieu qu'il contemple et adore. La
vertu, la sainteté de Céladon s'appelle Astrée. Vertu, amour :
notions identiques en fin de compte : leur visée est le Bien et
le Beau, qui en Dieu se confondent. Mais il va de soi qu'en
l'homme, cet être doué d'intelligence, il ne saurait y avoir
d'amour ni de vertu authentiques sinon ratifiés par la raison.
L'amour se porte à « ce que l'entendement juge bon ». « Nous
ne pouvons aimer que ce que nous connaissons » et que nous
connaissons digne d'amour : « Il est impossible d'aimer ce que

l'on n'estime pas » ; « l'amour jamais ne se prend aux choses méprisées. »

La volonté libre, éclairée par l'intelligence, est en effet intervenue. Dans les âmes bien nées, la raison détient l'empire : elles demeurent lucides et régentes de leurs mouvements. Adamas nous l'enseigne : « Un grand courage maîtrise toutes sortes de passions. »

Ces maximes se transmettront au classicisme de Corneille et de Madame de La Fayette. On admettra que l'amour, en son émoi premier, demeure involontaire et mystérieux : c'est un « je ne sais quoi » qui commande qu'on aime :

> Souvent je ne sais quoi qu'on ne peut exprimer
> Nous surprend, nous emporte et nous force d'aimer.
> (*Médée*, 11, 6)

Mais on ne voit pas de contradiction à énoncer en même temps que, chez les « généreux », l'amour se fonde sur l'estime, c'est-à-dire sur une évaluation raisonnée des qualités de l'élu.

Ainsi *l'Astrée* donne-t-elle au XVIIe siècle un Art d'aimer, et qui s'imposera. Au dire de Segrais, « Urfé a pénétré dans les sentiments d'amour plus que personne n'avait jamais fait. »

Ce « bréviaire » des « dames » et des « galants de la Cour » (Mlle de Gournay) enseigne aussi un art de converser et d'écrire ; plus amplement, il est un manuel de civilité. Les contemporains ont admiré comme Honoré d'Urfé a su doser en ses personnages la passion et la courtoisie, comme il a su allier en son langage la clarté, la douceur et la majesté. Sur ce point, nous sommes plus réservés dans la louange. Le style de *l'Astrée* ne nous paraît pas exempt de lourdeur, de lenteur, voire de gaucherie. Mais jugeons-en par comparaison avec les Nervèze et consorts : le progrès est étonnant. Urfé débarrasse la prose, sinon de toute recherche, du moins de ces ingéniosités alambiquées qui insultaient à toute vraisemblance. Le premier qui vaille, il a fait bénéficier ce poème en prose, le roman, de la réforme qu'à la suite de Desportes et de Bertaut, Malherbe imposait à la poésie en vers. Avant Balzac, Urfé est un des créateurs de la prose classique.

LE ROMAN CATHOLIQUE :
JEAN-PIERRE CAMUS

Jean-Pierre Camus est né à Paris le 3 novembre 1584. Son père, Jean Camus, seigneur de Saint-Bonnet et de Gaudreville en Beauce, était secrétaire du Roi et fut gouverneur d'Etampes. Il eut 21 enfants : Jean-Pierre était l'aîné des garçons. Sa jeu-

nesse est mal connue. Après l'entrée d'Henri IV à Paris, il est
page de la Chambre ; mais son père l'envoie bientôt à l'Université de Paris. Il fréquente la Chartreuse de Vauvert, rêve de
vie érémitique, s'exténue de macérations. Il fait son droit à
Orléans. Il y cultive aussi la poésie, à l'école de Ronsard, Desportes et Bertaut. Il noue un roman avec une jeune fille que,
dans *Alexis,* il appellera Saincte. Il semble qu'il se soit dérobé
par la fuite à un mariage arrêté pour lui par ses parents.

En 1608, il est nommé évêque de Belley et, le 31 août 1609,
il est consacré par François de Sales. Après la mort de son
« saint Père » l'évêque de Genève, il se démet (fin 1628 ou
début 1629) et se retire dans l'abbaye cistercienne d'Aunay en
Normandie. Quelques années plus tard, François de Harlay,
archevêque de Rouen, malade, fait appel à Camus, qui accepte
la charge de Grand Vicaire. Il interviendra dans la querelle
de Pascal et du Frère Saint-Ange (1647).

Camus choisit de passer le reste de sa vie au service des
pauvres malades et il se retire à l'Hospice des Incurables de
la rue de Sèvres. Le roi néanmoins, par brevet du 28 juillet
1651, le nomme à l'évêché d'Arras. Mais avant d'avoir pu
prendre possession de son siège, il meurt aux Incurables le
25 avril 1652.

C'est un zèle d'apôtre qui a lancé Camus dans la carrière du
romancier. Son « Elie », le saint évêque de Genève, reconnaissant les rares aptitudes de son jeune collègue à ce « genre
d'escrire », lui confirma que Dieu l'appelait à un tel ministère.
François de Sales, ami d'Honoré d'Urfé, reprochait au créateur de Céladon d'avoir trop sacrifié, dans son œuvre, à la
passion amoureuse et de s'être complu à la peinture de ses
périlleuses séductions. Il signifia au plus cher de ses fils spirituels l'ordre d'écrire des « *Astrées* dévotes ». Il fut trop bien
obéi. Des *Astrées* édifiantes, Camus en produira, romans et
nouvelles, de quoi remplir trente mille pages. Reprochons-le,
s'il y a lieu à reproche, aux lecteurs autant qu'à l'auteur. Il
est probable que l'un des plus lus parmi les romanciers du
siècle a été Jean-Pierre Camus. Nous en avons de sérieux
indices et Charles Perrault attestera que ses livres étaient entre
toutes les mains.

Le succès de ses récits, Camus le doit d'abord à leur couleur
de vérité. Notre romancier est tributaire, comme les autres,
d'*Amadis* et de l'*Astrée ;* il a reconnu sa dette. Camus hérite
de ses devanciers illustres sa conception foncière du roman :
à savoir cette idée que le roman doit représenter l'homme à la
recherche laborieuse du paradis perdu de l'amour. Mais il
combat l'erreur idolâtrique où ils ont achoppé et dont ils

répandent la contagion : exaltant la passion de l'homme et de
la femme comme une fin suprême et comme l'unique vertu, ils
égarent les âmes vers les régions désertiques et fangeuses où
se dévoie toute quête d'amour qui n'a pas Dieu pour but et pour
lumière. Camus reprend l'ancienne, l'éternelle leçon du *Lancelot,* roman de l'amour purifié et sanctifié par la grâce.

Cette doctrine de salut, l'évêque la traduit dans le langage
des hommes de son temps. A l'exemple de maint auteur de ce
début du siècle — mais aussi son propos le requérait — Camus
renvoie aux vieilles lunes les Chevaleries et les Bergeries et il
habille ses héros d'un costume moderne. C'est la France et
l'Europe contemporaines que cet apôtre de la vérité fait entrer
dans la plupart de ses histoires. Même lorsqu'il s'inspire, pour
le sujet, pour l'atmosphère ou pour les procédés de narration,
d'*Amadis,* de l'*Astrée,* de Boccace, de Cervantès ou de Belle-
forest, sa principale source reste le grand « volume du commerce du monde ». La fidélité garantie de l'anecdote est, aux
yeux de Camus, une condition primordiale de son efficacité
moralisante.

C'est en 1620 que l'évêque de Belley est entré dans la carrière du roman, avec *la Mémoire de Darie.* Entre 1620 et 1630,
(temps de son épiscopat), il publie trente-cinq romans qui font
trente-six volumes. De 1630 à 1644 paraissent vingt et un
recueils de nouvelles auxquels se joindra un vingt-deuxième,
posthume, en 1668 : en tout près de neuf cent nouvelles. Les
plus connues de ses œuvres — ou les moins inconnues — sont
la Pieuse Jullie, histoire parisienne (1625), *Palombe ou la
Femme honorable* (1625), *Alcine* (1625), ces deux dernières
ayant été rééditées au XIXe siècle. Ce ne sont pas les meilleures
ni les plus curieuses. En tout cas, le roman qui a tenu le plus
au cœur de Camus, c'est son *Agathonphile* (1621), le second dans
l'ordre chronologique. C'est celle de ses histoires qu'il a mis le
plus d'insistance à défendre et dont il parle avec le plus de
complaisance.

*Agathonphile ou les Martyrs siciliens : Agathon, Philar-
gyrippe, Tryphine et leurs associés — Histoire dévote où se
découvre l'Art de bien aymer pour antidote aux deshonnestes
affections :* tout le programme de l'évêque-romancier est là.

L'histoire se passe au début du IVe siècle, sous Dioclétien.
En apparence Camus est contrevenu à la règle qu'il s'était
fixée de donner à ses récits un cadre moderne. Mais, ce qui
est l'essentiel, l'authenticité des faits est garantie. En outre,
l'auteur nous apprend que la plupart des aventures qui sont
attribuées au prêtre Philargyrippe ont eu pour héros, en réalité,
un personnage qu'il a bien connu. Voici l'histoire. Un naufrage

a jeté sur la côte de Sicile le « vénérable » Philargyrippe, de
Pise et deux jeunes amants, Agathon et Tryphine. Les trois
chrétiens, recueillis par les Siciliens, sont gardés à vue en attendant que les autorités statuent sur leur sort. Que faire en une
prison de roman, sinon raconter son histoire ? Philargyrippe
narre la sienne qui occupe la majeure partie du livre : quatre
cent cinquante pages sur huit cent trente-cinq. A son tour,
Agathon prendra la parole pour retracer ses aventures et celles
de son âme sœur. Enfin les serviteurs du vrai Dieu, après
diverses péripéties, subiront glorieusement le martyre.

L'intérêt principal de cette œuvre réside dans le récit de Philargyrippe, qui constitue le premier en date des romans sacer-
dotaux catholiques. Le héros, avant son sacerdoce, a connu
l'amour. Il a recherché en mariage Deucalie, « genti-fille
romaine », à qui l'unit la tendresse la plus ardente, « belle
playe que je preferois à toute la santé du monde ». Deucalie
tombe malade et meurt. Philargyrippe alors promet de se consacrer au service de Dieu. Une jeune cousine de la défunte, Nérée,
s'enflamme pour lui. Le jeune homme reste ferme dans son
projet. Dépitée, Nérée ourdit une intrigue fine et complexe.
Elle persuade les parents de Philargyrippe qu'il médite de s'en
aller loin d'eux. Ils enferment leur fils et le somment d'épouser
Nérée. Il refuse. Son incarcération se prolongeant, il s'avise
fâcheusement, pour obtenir sa liberté, de « contrefaire le passionné de Nérée. » Il a lu dans Ovide et traduit en langue
chrétienne qu'au fait d'amour toutes ruses sont permises.
Cependant il demande secours à un prêtre romain qui a grand
crédit auprès de ses parents et qui les fait renoncer à leurs
exigences. Philargyrippe reçoit le sacerdoce. Nérée le poursuit. Repoussée, elle se livre à toute la furie du désespoir. Elle
dresse un stratagème si bien réglé que Philargyrippe est surpris au pied du lit de la jeune fille un poignard à la main.
Elle l'accuse d'avoir voulu la violenter. Il est « dégradé de
son ordre de prêtrise » et relégué en Sardaigne où il mène
une vie misérable. Enfin Nérée, mourante, avoue son imposture. Philargyrippe est réhabilité et le Pape lui confie les plus
hautes charges. Il se rend en mission en Sicile et s'embarque
à Ostie avec Agathon et Tryphine. Leur vaisseau est pris par
les pirates. La tempête les jette à la côte. On sait le reste.

Camus a compromis son œuvre romanesque par une verve
trop facile. Il a trop écrit et trop vite. Henri Bremond a
prouvé qu'il savait avoir du talent. Mais pour l'ordinaire il se
fiait à la grâce actuelle de l'improvisation. Il revendique pourtant deux vertus littéraires : « la pureté et la propriété ».
Mais il n'entend pas ces termes comme les « puristes »,

dit-il, qui menacent d'appauvrir notre langue si riche, de la
réduire « à la bezace et à une honteuse disette » : pierre dans
le jardin de Malherbe. Génie libre et copieux, Camus reste
fidèle, avec Marie de Gournay, aux exemples de son cher
Montaigne. Dans ses bons jours, il sait trousser un récit nerveux et allègre. Mais en général sa phrase, redondante, tient
trop de la période inorganique de Rabelais et de la nonchalance
des *Essais*. Dans les dialogues amoureux, il peut consentir aux
pires afféteries du style Nervèze. D'autre part, les gaietés, les
cabrioles, les calembours où le porte son « eutrapélie » seront
taxés par les délicats de lourdeur et de vulgarité. Son humilité
acceptera les reproches. Il avouera un jour — avec tout de
même une pointe de malice et un soupçon de fierté — qu'il n'a
écrit que « le bréviaire des Halles ». Ne l'en croyons pas. A
une autre époque et moyennant plus de loisir, Jean-Pierre
Camus aurait pu fonder une littérature catholique. Chateaubriand le savait, qui approuve le dessein du pieux évêque et
qui ne dédaignera pas, on peut le croire, d'emprunter à
l'*Agathonphile* pour composer ses *Martyrs*.

LE ROMAN SATIRIQUE ET COMIQUE :
CHARLES SOREL

Les rêveries arcadiennes, les héroïsmes surhumains, les tendresses quintessenciées, toutes ces irréalités de mœurs et de
langage des Chevaleries et des Bergeries, et dont les « histoires du temps » elles-mêmes n'étaient pas exemptes, devaient
provoquer les sarcasmes des esprits rebelles au sublime. A
côté des *Amadis,* on voit toujours paraître des *Don Quichotte*.
Le contraste peut se trouver chez le même auteur. Las de
« pétrarquiser », Ronsard et du Bellay s'étaient détendus en
« folastries ». Béroalde de Verville, qui a écrit l'obscène
Moyen de parvenir, a raconté les *Aventures de Floride,* où les
« soupirs amoureux » se font aussi alambiqués et maniérés
qu'il est possible. « Nous avons assez d'histoires tragiques qui
ne font que nous attrister, dit Charles Sorel au début de son
Francion ; il en faut maintenant voir une qui soit toute comique. » Alternance reposante.
La veine « réaliste » s'autorise d'ailleurs d'une tradition
antique. Le *Satyricon* de Pétrone, réédité plusieurs fois à la fin
du XVIe et au début du XVIIe siècle, conservait une grande
vogue. De même l'*Ane d'Or* d'Apulée, traduit en 1518, 1553 et
encore en 1623.
D'autre part, les romans latins de Barclay, l'*Euphormio*
(1605-1607) et l'*Argénis* (1621) traduit quatre fois en français

et dont les lecteurs furent légion, contenaient de nombreux
traits comiques et satiriques.

Enfin, à l'imagination des romanciers français s'impose un
type littéraire doué d'un relief, d'un coloris, d'une truculence
qui devaient ravir les amateurs de « baroque » : le « picaro »
espagnol, créé par le *Lazarillo de Tormès* (traduit dès 1561 et
qui eut encore sept éditions françaises de 1601 à 1628), popula-
risé plus bruyamment encore par *El Picaro Guzman de Alfarache,* de Mateo Aleman (1599-1604), traduit par Gabriel
Chappuys. Vital d'Audiguier fait passer en français *El Escudero
Marcos de Obregon,* de Vicente Espinel ; *la Vida del Buscon,*
de Quevedo (1626) se répandra dans toute l'Europe et suscitera
une foule d'imitateurs.

Ces influences humanistes et étrangères coopèrent avec la
tradition, restée vivante, du Moyen Age dit « gaulois ». Avant la
période qui nous occupe, la satire, le comique, le réalisme familier avait inspiré, selon des dosages variés, plusieurs émules de
Rabelais, héritiers aussi des farceurs médiévaux. Noël Du Fail
avait écrit de savoureux *Propos rustiques ;* Guillaume Bouchet
(1526-1606), à son imitation, reproduit avec fidélité les devis
joyeux des bourgeois de Poitiers dans ses *Serée*s (1584-1598
et 1608) : la verve gaillarde aime à s'y rehausser, suivant la
recette du *Pantagruel,* d'érudition antique.

Charles SOREL (1600 ou 1602 - 1674). — Rabelais, Noël du
Fail, Barclay, les picaresques espagnols ont collaboré à l'*Histoire comique de Francion.* Mais l'auteur a moissonné aussi
dans le grand livre du monde.

Charles Sorel, sieur de Souvigny, est né à Paris entre 1598
et 1602. Après de bonnes études, il fréquente la Cour, puis il
achète de son oncle Charles Bernard la charge d'historiographe
de France. Il mène une vie de célibataire casanier et, à la fin,
besogneux. Il meurt en 1674 chez un neveu qui l'a recueilli.

Charles Sorel commence par écrire des vers et des romans
selon les recettes en usage : il sait parler phébus tout comme
un Nervèze.

Son chef-d'œuvre (qu'on lui a contesté) est l'*Histoire comique de Francion.* L'ouvrage parut d'abord en 1623 (en sept
livres). Une édition augmentée et corrigée est publiée en
1626 (onze livres). En 1633, l'édition définitive compte douze
livres. Au dire de Sorel, on en fit en quarante ans soixante
éditions. Il exagère. Mais on en connaît plus de vingt.

Dans ce roman, Sorel relate les aventures embrouillées et
peu édifiantes d'un jeune homme que ses galanteries, son humeur
curieuse et remuante jettent en cent intrigues hasardeuses et en

LES
PREMIERES
OEVVRES DE
M. REGNIER.

Ex libris   *Recollectorum*

Au Roy.

Conventus   *Parisiensis*

A PARIS,

Chez TOVSSAINCTS DV BRAY, ruë sainct
Iacques, aux Efpies murs, & en fa boutique au
Palais, en la gallerie des prifonniers.

MDC. VIII.

Auec Priuilege du Roy.

Les premières œuvres de M. Régnier.
Page de titre de la première édition qui contient la plupart des satires.

Extrait de *la Littérature française,*
par Bédier-Hazard-Martino, Larousse, éditeur.

autant de mondes divers ; belle opportunité pour un peintre
de mœurs.

Ce Gil Blas du xviie siècle, mais fils d'un « gentilhomme
champêtre », a fait ses études au collège de Lisieux, d'où il
est sorti « méchant et fripon ». Il s'exerce alors à la poésie
et fréquente les librairies où s'assemblent les poètes crottés. Puis
il se lie avec des « jeunes hommes de toutes sortes de qualités » :
nobles, fils de justiciers, de financiers et de marchands, tous
adonnés à la débauche. Francion fonde avec eux une « compagnie » de « drôles », ennemis « de la sottise et de l'ignorance »
et qui se proposent de « faire une infinité de gentillesses ». Ils
se nomment eux-mêmes la bande des « braves et généreux ».

Ensuite il fait amitié avec un riche seigneur, Clérante, qui lui
donne couvert et appointements, dont il sert les fantaisies et qui
l'introduit à la Cour. Bonne occasion de parvenir : mais le
« coutumier exercice » de Francion est « de châtier les sottises,
de rabaisser les vanités » et de « se moquer de l'ignorance des
hommes ». Son plaisir le plus goûté est de « bailler des coups
de bâton sur le satin noir » des gens de « justice et de
finance ».

Puis il s'acquiert la bienveillance de Protagène, « un des
plus braves princes de l'Europe ». Enfin il s'attache à Raymond,
un camarade de jeunesse, chez qui une « assemblée de braves »
organise une orgie de « haulte gresse ». Mais Francion a vu
chez Raymond le portrait de Naïs, jeune veuve italienne. Il
s'enflamme et le voilà lancé sur les routes d'Italie. Là, des
aventures étranges l'attendent. Il berne et corrige de son vice
un avare. Il est jeté dans un cul-de-basse-fosse par des rivaux.
Dépouillé de ses habits, il est recueilli par des paysans. Le voilà
berger, qui goûte dans cette vie des douceurs non pareilles. Il
rejoint enfin sa Naïs. Auprès d'elle, il est encore victime des
intrigues de ses rivaux, qui le brouillent avec sa « maîtresse ».
A la fin il se justifie et trouve dans le mariage le terme de ses
errances et le remède à ses folies.

Comme dans les longs romans du temps, comme dans l'Astrée,
l'action principale est coupée d'épisodes et de récits qui com-
promettent l'unité, mais font rebondir l'intérêt. Le ton comique
est dominant. Dans les scènes de passion amoureuse, Sorel se
souvient pourtant qu'il a composé des romans sentimentaux et
ses discours tombent alors dans l'afféterie de rigueur.

Le principal mérite de Francion réside en l'inestimable
tableau qu'il dresse de la société française au temps de
Louis XIII. Courtisans, juges, financiers, beaux esprits, régents
de collège quémandeurs, ignobles entremetteuses, bourgeois,
laquais, charlatans, paysans, femmes savantes, filles de petite
vertu, toutes les conditions défilent dans cette vaste fresque.

Toutes sont brocardées et fustigées. Sorel satirise la gloire militaire, daube sur les ruelles à la mode, dénonce la corruption de la justice et, en un mot qui dit tout pour lui, « l'ânerie » des hommes.

Faut-il le taxer de « naturalisme », voire d'athéisme ? Certes nous ne prendrons pas fort au sérieux les « moralités » qu'il a semées à la fin de ses chapitres et qui veulent justifier, au nom d'une intention pédagogique, le cynisme de la narration. Mais n'exagérons pas non plus la portée des saillies « libertines » dont Charles Sorel avait pimenté la première version de son livre et qu'il a effacées après le procès de Théophile. La hardiesse des idées ni les bravades d'obscénité ne signifient à cette époque une hostilité délibérée contre la religion. Un exemple : au douzième livre du roman, on voit Francion et Raymond, en pleine quête amoureuse, et alors que rien ne les y oblige, entrer dans une église pour « entendre la messe ». Après avoir jeté sa gourme de jeune poulain, comme dit fort justement le Père Garasse, Charles Sorel écrira des livres édifiants qui, plus que ses *juvenilia,* ont chance de représenter ses convictions permanentes.

Le style de Sorel est inégal, souvent diffus ou lourdaud. Mais il a des pages heureuses et d'une verve comique savoureuse. Il a prétendu que l'on trouvât dans son œuvre « la langue française tout entière », entendons la savante et la populaire. Il paraît protester par là, avec Marie de Gournay et J.P. Camus, contre la « gueuserie » à laquelle réduisait notre idiome le « grammairien à lunettes ». Il fera plus tard amende honorable à Malherbe.

Francion, témoin précieux d'une époque bigarrée, a fourni à Molière, pour *l'Avare, le Bourgeois gentilhomme, Tartuffe,* des traits de caractère et des anecdotes. La Fontaine paraît bien l'avoir lu, et le Racine des *Plaideurs,* et peut-être Pascal.

En 1627, Charles Sorel publie *le Berger extravagant.* Depuis 1623, le genre pastoral, au théâtre et dans le roman, jouissait d'une incroyable vogue. Sorel, agacé par ces grimaces arcadiennes — d'autant qu'il en avait été parfois le complice — publie un « Anti-Roman », « où, parmi des fantaisies amoureuses, on voit les impertinences des romans et de la poésie ». Il voulut se faire le Cervantès de la « Bergerie ». L'entreprise était trop haute pour lui. Ce *Don Quichotte* bucolique, imitation laborieuse, n'est qu'un pamphlet grinçant et gauche, et ses quatorze livres (deux mille pages) sont démesurés. Le héros, Lysis, fils d'un boutiquier de la rue Saint-Denis, est devenu fou à lire des pastorales. Il se fait berger et choisit pour Astrée (la sienne s'appelle Charite) une Catherine fort plébéienne. De jeunes seigneurs facétieux le prennent pour tête de Turc. De là, une série de farces énormes qui procurent enfin la guérison de l'égaré.

Le talent réaliste de Charles Sorel ne peut manquer de lui inspirer de bonnes pages. Le « bonhomme Adrian », cousin et tuteur de Lysis, est un exemplaire assez réussi de bourgeois moyen, devancier de Chrysale. Le meilleur du livre est peut-être le début : Lysis, sur la rive de Seine, en une prairie proche de Saint-Cloud, « chassait devant soi une demi-douzaine de brebis galeuses qui n'étaient que le rebut des bouchers de Poissy. Mais, si son troupeau était mal en point, son habit était si leste en récompense que l'on voyait bien que c'était un berger de réputation. Il avait un chapeau de paille dont le bord était retroussé, une roupille (*manteau à l'espagnole*) et un haut-de-chausses de tabis (soie moirée) blanc, un bas de soie gris-de-perle et des souliers blancs avec des nœuds de taffetas vert. Il portait en écharpe une panetière de peau de fouyne et tenait une houlette aussi bien peinte que le bâton d'un maître de céré-monies, de sorte qu'avec tout cet équipage il était fait à peu près comme Bellerose lorsqu'il va représenter Myrtil à la pastorale du *Berger fidèle,* etc... »

Quand à la belle Charite, son portrait, « fait par métaphore », a été dessiné par un bon graveur du temps, Crispin de Passe. C'est de la critique littéraire en caricature, trop appuyée pour être efficace.

Cet « anti-roman » est émaillé de jugements fort sévères pour les Bergeries, pour l'école de Ronsard et pour les affecta-tions métaphoriques du style Nervèze. Sorel s'en prend même à toute l'Antiquité : il nasarde Homère, Virgile, Ovide et leurs imitateurs ; il ridiculise l'Olympe dans un burlesque « Ban-quet des Dieux » (troisième livre). C'est amusant un moment. Mais il serait préférable que Sorel ne se fût pas pris au sérieux. Sa défense de la vraisemblance, s'il a voulu en faire une thèse, ne tend à rien de moins qu'à l'abolition de toute la poésie et même de tout l'art littéraire.

Les contemporains ont beaucoup lu Sorel, ils ont ri, mais ils l'ont laissé déraisonner tout seul : on ne voit pas que sa croisade anti-romanesque ait obtenu le moindre résultat.

CHAPITRE TROISIÈME

LE THEATRE

Pour nous faire pardonner la liberté chronologique que nous allons prendre, abritons-nous derrière l'autorité de Gustave Lanson : « Il nous faut à cette heure revenir en arrière et prendre au XVIᵉ siècle l'histoire de la tragédie française. J'en ai renvoyé jusqu'ici l'étude parce qu'il est intéressant d'embrasser le développement de ce genre dans toute sa suite... : il n'y a pas de genre qui présente une continuité plus sensible dans son évolution. »

1. — *LE THEATRE AU XVIᵉ SIECLE*

L'événement littéraire le plus marquant dans la seconde moitié du XVIᵉ siècle fut l'épanouissement du théâtre humaniste, précurseur de notre tragédie classique. Ici, la rupture est presque complète avec le passé, plus complète qu'entre le lyrisme de Ronsard et celui de Marot : c'est dans un monde nouveau que nous entrons.

Au début du siècle, les mystères, les moralités et les farces étaient encore en pleine prospérité : c'est avec des moralités et des farces que Gringore défendit Louis XII contre Jules II. Peu à peu, par l'effet d'un changement de goût chez les gens cultivés, l'ancien théâtre perdit de son prestige. Les auteurs de mystères, faute de génie, se bornaient à ressasser les procédés traditionnels et servaient à la foule les batailles, les supplices, les tours de magie, les diableries et les pitreries qui la mettaient en joie facile. Ces grossièretés et ces bouffonneries voisinant avec des scènes religieuses déplaisaient aux premiers réformateurs, catholiques et protestants. L'usage que l'on faisait,

dans ces drames sacrés, des légendes apocryphes suffisait à les
discréditer auprès des humanistes. Par là se trouva condamné
le miracle avec le mystère. Les moralités survivront pendant
tout le XVIe siècle et garderont leurs partisans. Mais les poètes
ronsardiens, qui méprisaient les allégories, les remplacèrent
par des symboles mythologiques, qui avaient au moins l'aspect
d'êtres vivants. Au total, pour des raisons littéraires autant que
pour des motifs religieux, l'ancien théâtre disparut, condamné
définitivement par l'arrêt du Parlement de Paris (17 novembre 1548) qui interdit aux Confrères de la Passion de jouer
les « mystères sacrés ». On en représentera encore çà et là,
surtout en province, jusqu'à la fin du siècle. Mais on peut
dire que, dès 1550, la place était libre pour le nouveau théâtre
que trente années de préparation latine ont aidé à naître.

Les origines   C'est en Italie qu'apparut d'abord le théâtre
du théâtre   en langue vulgaire d'inspiration antique. Après
humaniste.   de timides essais en latin et des représenta-
                   tions brillantes de Plaute et de Térence, la
tragédie nouvelle naquit au lendemain des belles publications
grecques des Aldes, ce qui explique que la première œuvre
moderne, la *Sophonisbe* de Trissino (écrite en 1515, imprimée en
1524) soit bâtie sur le type grec, sans prologue et sans actes.
Rarement portée à la scène, elle eut peu de succès en Italie.
Mellin de Saint-Gelais la traduisit et l'adapta pour la Cour de
France en 1556. Mais son influence est peu perceptible. Notre
tragédie humaniste ne doit guère aux Italiens. Elle est le
fruit de l'humanisme, et de l'humanisme latin plus que de l'humanisme grec.

Les premières études faites en France sur les choses du
théâtre consistent en deux préfaces, composées l'une en 1504
pour une édition de Térence, l'autre en 1514 pour une édition de
Sénèque, les deux auteurs qui auront la plus forte influence
sur le développement de notre art dramatique au XVIe siècle.
On remarquera au passage l'importance des préfaces dans
l'histoire du théâtre en France.

L'auteur de ces deux préfaces était Josse Bade, un Belge,
français d'adoption, qui, après avoir voyagé en Italie, travailla
d'abord à Lyon chez l'imprimeur Trechsel, puis installa sa
propre imprimerie à Paris, où il fit plus que personne pour la
diffusion des œuvres antiques, surtout latines. Ses réflexions
sont de pure critique littéraire. Il ne songe nullement à donner
des conseils de mise en scène : il cherche seulement à définir
ce qu'est en lui-même le théâtre et il ne dépasse pas, du reste,
le niveau d'un exposé sommaire. *Tragoedia, ut refert Diome-*
des (un grammairien du IVe siècle) *est héroicae fortunae in*

*adversis comprehensio... Comoedia autem est privatae civilisque
fortunae sine periculo vitae comprehensio.*

De cette définition qui, à la différence des mystères, pose une
distinction absolue entre la tragédie et la comédie, découlent les
caractères de l'une et de l'autre : « La tragédie met en
scène de hauts personnages qui s'expriment en style élevé,
tandis que la comédie fait agir des hommes de situation moyenne
auxquels convient un langage moyen. » La tragédie est heureuse au début, triste à la fin ; c'est l'inverse dans la comédie.

Pour la forme extérieure, Josse Bade se trouve un peu embarrassé, parce que le chœur, qui marquait dans la tragédie les
divisions de l'action, ne paraît pas dans la comédie. Il pose
néanmoins en principe, d'accord avec Horace, que le drame,
tragédie ou comédie, est divisé en cinq actes. Ajoutons que,
dans la *Préface* de son Sénèque, il affirme l'utilité et la beauté
des sentences morales.

Au total : grandeur du sujet, condition élevée des personnages, catastrophe déplorable, style noble, division en cinq
actes séparés par un chœur, voilà la notion que Josse Bade
se forme de la tragédie. De mouvement scénique, de caractères,
d'action, d'unités, il n'est pas question.

Les deux préfaces de Josse Bade peuvent être considérées
comme notre premier traité d'art dramatique. Quelle en fut
l'influence sur les auteurs qui, par la suite, écrivirent pour le
théâtre ? Il est assez malaisé de le dire. Certains dramaturges
français, férus des Grecs, refuseront d'adopter la division en
actes. On peut tenir pour certain que l'enseignement de Bade
ne passa pas inaperçu, puisqu'il servait d'introduction aux deux
auteurs les plus lus et les plus goûtés au temps de la Renaissance française : Térence et Sénèque.

Les Tragédies   On en était encore à la période où tout lettré
latines.   qui se respectait écrivait en latin. Nos premières tragédies sont donc latines, composées
souvent par des régents de collège, jouées par les élèves et leurs
maîtres. Plusieurs de ces œuvres ne méritent guère qu'une
mention. A quoi bon s'attarder aux deux pièces de titre pédan-
tesque *Theoandrothanatos* (La mort de l'Homme-Dieu) et
Theocrisis (Le Jugement) de l'Italien Gian Francesco Conti,
plus connu sous son pseudonyme de Quintianus Stoa, qui passa
quelques années à la Cour de Louis XII et se fit imprimer en
France en 1514 ? Encore que sur un thème de mystère il eût
essayé de bâtir un drame de type à peu près classique et qu'il
ait déjà pris quelque chose au style grandiloquent de Sénèque,
il n'a pas marqué profondément chez nous.

Il en est de même du moine Nicolas Barthélemy, originaire

de Loches en Touraine, qui, après avoir été professeur aux
collèges parisiens de Marmoutier et du Cardinal-Lemoine et
avoir publié beaucoup de vers latins, s'avisa, vers la cinquantaine, d'écrire dans le style nouveau une Passion qu'il intitula
Christus Xylonicus (Le Christ en croix) ; ses élèves, auxquels
il avait ainsi voulu offrir un drame de genre classique, durent
lui savoir gré de son effort et s'extasier sur son style, qui est
un mélange de Sénèque, de Plaute et de Térence. Mais il eut
plus de succès à l'étranger qu'en France, et il mériterait à peine
d'être nommé si, dans une réédition postérieure (la première est
de 1529) parue en Hollande en 1537, lui ou son imprimeur
n'avait eu l'ingénieuse pensée de donner à cette œuvre de caractère indécis le titre de *Tragœdia,* appliqué sans doute pour la
première fois à une œuvre théâtrale.

En réalité, les seuls noms qui comptent vraiment chez nous
sont ceux des humanistes que Montaigne a connus au Collège de
Guyenne : « Avant l'aage,... j'ai soustenu les premiers personnages ès tragédies latines de Buchanan, de Guérente et de Muret
qui se représentèrent en nostre collège de Guienne avec
dignité. » De Guérente il n'est rien resté. Buchanan et Muret,
voilà les deux précurseurs de notre théâtre moderne et par les
pièces qu'ils ont laissées et par leur enseignement au Collège de
Boncourt.

George BUCHANAN (1506-1582) est né en Ecosse, mais il
passa une partie de sa vie en France. A vingt ans il était à
Paris, d'où, ses études terminées, il rentra dans son pays. Il
semble dès cette époque avoir adopté les idées de Luther : il
aura plusieurs fois affaire à l'Inquisition. Une satire violente
qu'il a écrite contre les Franciscains l'oblige à fuir. Appelé par
André Gouvéa, régent du collège de Guyenne, il vient enseigner
à Bordeaux de 1539 à 1544 : Montaigne y fut son élève. Il
passe de là au Collège du Cardinal-Lemoine, puis nous le trouvons à Coïmbre, avec Gouvéa : il y goûte la prison pour ses
tendances hérétiques. Libéré, il revient à Paris et professe au
Collège de Boncourt (1553). Il rentre en Ecosse en 1560, où il
est précepteur du fils de Marie Stuart, le futur Jacques 1er
d'Angleterre. Son élève, devenu roi, le nomme Lord du Conseil
et Lord du Sceau privé. La fin de sa vie fut agitée de polé-
miques. Il mourut en 1582.

Buchanan occupe une place de premier plan dans l'humanisme. D'abord par ses traductions en vers latins des tragédies
d'Euripide *Médée* et *Alceste* et surtout par les tragédies latines
originales (mais bâties sur le patron d'Euripide) *Baptistes* et *Jephtes,* composées vers 1540-44 pour les élèves
de Bordeaux. En mettant à la portée des lettrés les chefs-

d'œuvre d'Euripide, il secondait l'œuvre parallèle de Lazare de
Baïf, de Gentian Hervé et d'Amyot qui, vers le même temps,
traduisaient en français ou en latin l'*Electre* et l'*Antigone* de
Sophocle, l'*Hécube* d'Eschyle. En portant à la scène des sujets
nouveaux, il donnait un exemple qui allait être fécond. La tragédie de *Jephté* surtout obtint un large succès : on en compte six
traductions françaises en 1566 et 1614, entre lesquelles il faut
distinguer celle de Florent Chrestien, en beaux vers élégants.

Le sujet était admirablement choisi. Le chapitre onzième des
Juges raconte que Jephté, un des chefs d'Israël, au moment de
combattre les Ammonites, fit vœu au Seigneur, s'il était vainqueur, d'immoler en sacrifice la première personne qui vien-
drait au-devant de lui. Il fit un grand carnage de l'ennemi. Après
quoi, dit la Bible, « Jephté revint à sa maison de Mispa ; et
voici que sa fille unique sortit à sa rencontre avec des tambou-
rins et des chœurs de danse... Dès qu'il la vit, il déchira ses
vêtements et dit : « Malheureux que je suis. Ma fille, quelle
douleur tu me causes, car j'ai fait un vœu au Seigneur et je
ne puis me rétracter. »

Beau sujet de tragédie, qui a beaucoup d'analogie avec
Iphigénie à Aulis, qui est même plus émouvant que le drame
grec, puisque, si la situation d'Agamemnon et de Jephté est la
même en face du sacrifice à accomplir, Agamemnon n'est pas
responsable de son malheur ; Jephté s'est lui-même déchiré le
cœur par son vœu imprudent.

Sur cette émouvante histoire biblique, Buchanan a bâti une
vraie tragédie classique de type grec, non divisée en actes,
mais composée de sept épisodes séparés par des chœurs. Il a
su, d'autre part, dans ce cadre antique, distribuer très habilement sa matière, retarder jusqu'au quatrième épisode la révélation du vœu fatal, moyen habile de piquer la curiosité, et enfin
dessiner assez fortement les deux caractères de Jephté et de sa
fille. Isis n'a pas toute la grâce humaine de l'Iphigénie grecque, mais elle apporte à son sacrifice une générosité telle qu'elle
réalise à sa façon un beau type d'héroïne. Le style, imprégné
de réminiscences d'Euripide, de Virgile et de Sénèque, est un
des plus variés et des plus animés qu'aient jamais réussis les
Néo-Latins. Par cette œuvre maîtresse, Buchanan ouvrait le
chemin à nos Français anxieux de rivaliser avec les Anciens :
il leur montrait même une voie sacrée dans laquelle ils auraient
dû s'engager plus souvent.

Marc-Antoine MURET (1526-1585). — Muret est plus connu,
à cause de ses relations avec Ronsard, dont il est le contemporain. Dès ses dix-neuf ans il était professeur. Il enseigne à
Auch, à Poitiers où, en 1546, il prend part, avec Joachim du

Bellay, à une sorte de concours de poésie latine dont l'arbitre était Salmon Macrin. En 1547 il est à Bordeaux, au collège de Guyenne où il compte parmi ses élèves, lui aussi, Michel de Montaigne. Entre 1551 et 1553 il enseigne à Paris, au Collège de Boncourt, où il explique Horace et les poètes latins à Remy Belleau, Jean de La Péruse, Etienne Jodelle, Jean de La Taille, Jacques Grévin. Il lie amitié avec Jean Dorat, Ronsard et Baïf. Obligé de quitter Paris pour une obscure affaire de mœurs, il meurt en Italie en 1585.

Muret nous intéresse ici pour avoir composé, vers 1545, une tragédie latine, la première en date à sujet profane et à sujet romain, *Julius Caesar* (publiée en 1553). Comment fut-il amené à l'écrire ? Il est difficile de le dire, car, bien que le *Baptistes* et le *Jephtes* de Buchanan soient antérieurs à 1544, il n'est pas prouvé que Muret les ait connus. L'inspiration, du reste, ainsi que la forme, sont très différentes chez les deux auteurs. Le sujet, qui n'a rien de religieux, est pris de Plutarque ; puis, tandis que chez Buchanan la tragédie est du type grec, le cadre de *Julius Caesar* est tout latin : cinq actes séparés par des chœurs, lesquels n'interviennent pas dans l'action ; un songe, de longs discours. C'est ainsi que sont bâtis l'*Œdipe,* les *Troyennes,* la *Médée* de Sénèque. Le premier acte est un monologue de César, le second un monologue de Brutus suivi d'un dialogue avec Cassius ; au troisième, la femme de César raconte à sa confidente un songe qui l'oppresse ; au quatrième — qui est le seul animé — Calpurnie supplie son époux de ne pas aller au temple, mais Brutus le décide par un vers cinglant :

Si Caesar orbem, Caesarem mulier regit.

Au cinquième acte, César est mort. Tandis que Calpurnie se lamente, l'ombre du dictateur apparaît et le drame s'achève par une apothéose. La tragédie a été jouée au Collège de Guyenne, probablement vers 1546.

Après 1550, le théâtre latin ne cessera pas d'être cultivé : il aura même un brillant éclat dans les collèges des Jésuites qui, pendant longtemps, joueront exclusivement des pièces latines. Mais à partir de ce moment, il n'aura plus d'intérêt pour nous, puisqu'un vrai théâtre français sera né, qui se développera par ses propres moyens.

Ce qu'il faut surtout retenir, de ces premiers essais, d'ailleurs remarquables, c'est comment ils acclimatent chez nous un double type de tragédie : le type grec, qui ne connaît pas d'actes et où le chœur joue le rôle d'un personnage ; le type latin, aux divisions nettes en actes, séparés par des chœurs qui développent des lieux communs. Durant tout le siècle on hésitera entre ces deux formes, jusqu'à ce que le type latin, au début du XVIIe siècle, l'emporte définitivement.

Les auteurs ne se préoccupent pas des unités. Seule l'unité d'action est spontanément — et diversement — observée ; dans une certaine mesure elle entraîne les deux autres.

Enfin, la double inspiration, l'une chrétienne ou du moins religieuse, l'autre profane, qui va désormais animer la scène française, préside à ces deux premières œuvres tragiques. Mais, quel que soit le sentiment qui fait agir les personnages, ils parlent le même style et visent au même art : un art gréco-latin. Les caractères essentiels de notre théâtre du XVIe siècle se trouvent dans ces deux tragédies latines.

Les premières tragédies françaises. On saisira mieux l'importance de Buchanan et de Muret si l'on considère les débuts de notre tragédie en français.

Notre première œuvre tragique est la *Cléopâtre* de Jodelle, représentée dans l'hiver 1552-1553 à l'Hôtel des Archevêques de Reims, puis probablement le 12 février 1553 dans la cour du Collège de Boncourt. Etienne Pasquier, qui y assista avec le « grand Turnebus », nous en parle avec admiration : « Toutes les fenêtres étaient tapissées d'une infinité de personnages d'honneur et la cour si pleine d'écoliers que les portes du collège en regorgeaient... Et les entreparleurs étaient tous hommes de nom : car même Remy Belleau et Jean de La Pérouse jouaient les principaux roullets, tant était lors en réputation Jodelle envers eux. » A ces noms, Pasquier aurait pu joindre, sinon parmi les entreparleurs, du moins parmi les spectateurs, Grévin et Jean de La Taille.

Voilà des noms qui ne sont jamais cités dans le premier entourage de Ronsard. Pour Jacques Grévin et Jean de La Taille, trop jeunes, on ne l'explique. Mais ni Belleau, ni La Péruse, ni Jodelle ne figurent au premier voyage d'Arcueil. Les *Odes* de Ronsard sont précédés de pièces liminaires signées Dorat, du Bellay, Baïf, Rivaudeau : aucune de Jodelle, de La Péruse, de Belleau ; nul de ces trois, non plus, ne collabore au *Tombeau* de Marguerite. Jusqu'en 1553, il est évident qu'ils ne sont pas en relation avec le Collège de Coqueret. Puis brusquement une rencontre se fait le jour où l'on joue *Cléopâtre*. Désormais tous vont figurer dans les pièces de Ronsard, à commencer par Jodelle. Au deuxième voyage d'Arcueil, tous ne formeront plus qu'une troupe. Il y en avait eu deux d'abord, dont l'une étudiait à Coqueret et l'autre à Boncourt. Nous savons en effet de façon positive que Jodelle, Remy Belleau et La Péruse étaient élèves à Boncourt.

Ces observations n'offriraient qu'un intérêt secondaire si l'on ne savait qu'à Boncourt les professeurs s'appelaient Buchanan et Muret. Ils n'y furent pas longtemps, il est vrai, mais nous sommes sûrs que Buchanan y passa au moins quelques mois à son retour du Portugal, à la fin de 1552 ou au début de 1553 et que La Péruse lui dédia alors une ode où il est fait allusion à la *Médée* de l'Ecossais. Quant à Muret, il n'y demeura pas après 1553, puisqu'à l'automne de cette année il partit pour Padoue, mais nous savons par Colletet qu'il y professait. On doit dire d'ailleurs que, dans tous les collèges où ils ont passé, Buchanan et Muret ont suscité chez leurs élèves l'admiration des tragiques anciens et le désir de les imiter.

Ainsi, sur la Montagne Sainte-Geneviève, il y avait au même moment deux collèges où l'on travaillait avec une ardeur parallèle à rénover les Lettres françaises. Mais tandis qu'à Coqueret, en dépit des velléités « tragiques » de Baïf, on songeait plutôt à imiter Horace et Pindare, à Boncourt on se préoccupait de relever la scène antique, grâce en particulier aux deux précurseurs qui, après avoir montré le chemin, se trouvèrent là réunis pour donner le branle.

Boncourt était un petit collège situé derrière Saint-Etienne-du-Mont. C'est là que François Tissard, en 1507, avait donné les premières leçons publiques de grec ; là que devait tenir ses séances l'Académie de Baïf ; là que Ronsard allait passer les dernières années de sa vie et que son oraison funèbre serait prononcée par le cardinal Du Perron. A tous ces titres et pour son rôle dans l'avènement de la tragédie française, Boncourt mérite d'être mis à l'honneur au même rang que Coqueret.

ETIENNE JODELLE (1532-1573)

Lorsque Jodelle entreprend sa *Cléopâtre captive,* il a, pour se guider, les tragédies grecques, au moins celles qui avaient été traduites en latin ou en français par Erasme (*Hécube et Iphigénie* d'Euripide), Lazare de Baïf (*Electre* de Sophocle), Buchanan (*Alceste* et *Médée* d'Euripide), Bouchetel (*Hécube*), Sebillet (*Iphigénie à Aulis*), puis les tragédies latines de Buchanan et de Muret, peut-être aussi le théâtre italien de Trissino et de Giraldi Cinthio ; autrement, comment expliquer qu'il ait précisément choisi deux sujets, *Cléopâtre et Didon,* traités précédemment par Cinthio ?

Quant aux principes, il en était assez démuni. Qu'aurait-il appris sur son métier de Du Bellay et de Sebillet ? Tout au plus l'*Art poétique* d'Horace, traduit par Peletier, pouvait-il lui enseigner deux ou trois recettes. C'est donc un peu à l'aveu-

glette, mais appuyé comme ses camarades de Coqueret sur un
acte de foi à la beauté antique, qu'il se mit à l'œuvre.

Improvisation d'un jeune homme de vingt ans qui n'employait
guère, nous dit-on, plus de dix matinées à écrire « la plus
longue et difficile tragédie », *Cléopâtre captive* n'est pas un
chef-d'œuvre. La métrique trahit une incertitude curieuse : le
premier acte est écrit en alexandrins à rimes féminines ; le
deuxième et le troisième sont en vers de dix pieds et les rimes
se succèdent au hasard. Le quatrième est en alexandrins et le
cinquième revient au décassyllabe. Tâtonnements ? Insouciance ?
On ne sait. Le style est ampoulé, le vers, sauf belles exceptions,
est gauche et mou. Les actes sont séparés par des chœurs.

Le sujet, tiré de Plutarque, ne manque pas de grandeur.
Après la mort d'Antoine, Cléopâtre tombe entre les mains de
César ; mais pour ne pas devenir son esclave, elle se donne la
mort. Si la pièce avait commencé avant la disparition d'Antoine,
s'il y avait eu, comme dans le *César* de Muret, une question
posée et un débat, on aurait pu se passionner aux péripéties.
Mais quand s'ouvre le drame, Antoine s'est déjà tué. L'action
est donc à peu près nulle. Elle n'a aucune peine, dans ces
conditions, à se tenir dans l'espace d'une journée. Jodelle
l'annonce dès la première scène :

> Ayant que ce soleil, qui vient ores de naître
> Ayant tracé son tour, chez sa tante se plonge,
> Cléopâtre mourra.

Aucune incertitude, pas la moindre « suspension ». Tragédie ?
Oui certes. Drame ? Non : d'un bout à l'autre la *Cléopâtre*
n'est qu'une élégie.

Telle quelle, c'est notre première tragédie. Les contemporains
le proclamèrent : « Jodelle a restitué la tragédie en son ancienne
dignité », et Jacques Tahureau trouvera, dans le nom d'Estienne
Jodelle, cette anagramme glorieuse : « Io, le Délien est né. »
Henri II récompensa l'auteur par un cadeau royal et les deux
bandes de Coqueret et de Boncourt allèrent à Arcueil immoler
le bouc symbolique.

Didon se sacrifiant, que Jodelle composa quelques années
après et qui ne fut peut-être jamais représentée, est écrite entièrement en alexandrins, ce qui est un progrès. A certains égards,
elle est plus pathétique et vivante que la *Cléopâtre* : il y a, en
particulier, au deuxième acte, une rencontre émouvante entre
Didon, qui s'emporte en imprécations éloquentes, et Enée, qui
lui oppose la volonté des dieux. L'acte III contient une fort
belle invocation à Vénus, que dépare seulement un peu de rhétorique. Mais il n'y a pas plus d'action que dans *Cléopâtre* :
dès que s'ouvre la pièce, Didon sait qu'elle est abandonnée ;

les différents actes ne sont que les moments divers d'une même situation. Et pourtant, on ne peut refuser à Jodelle le mérite d'avoir choisi de beaux sujets, d'une grande puissance tragique.

Jodelle avait pris son inspiration générale chez les Grecs, ainsi que le remarquait plus tard Ronsard, dans l'élégie à Jacques Grévin :

> Jodelle le premier, d'une plainte hardie,
> Françoisement chanta la grecque tragédie.

Jean de LA PERUSE (1529-1554)

Jean Bastier prit son nom littéraire de la bourgade de Charente où il naquit et où il mourut, trop jeune pour avoir donné sa mesure.

La Péruse est plus latin que Jodelle. Sa *Médée,* qui parut en 1553 à Poitiers, un an avant sa mort, aurait pu dériver de la *Médée* d'Euripide, traduite par Buchanan. Il a préféré suivre de près celle de Sénèque, qu'il a toutefois recomposée sur un plan nouveau et enrichie de détails empruntés au modèle grec. La langue est bien supérieure à celle de Jodelle, plus claire, plus coulante, moins encombrée d'inversions difficiles. La rythmique marque un progrès puisque, sauf les chœurs et quelques passages secondaires, tout est écrit en alexandrins et que l'alternance des rimes est scrupuleusement observée.

Quant à la construction de la tragédie, elle reproduit celle de *Cléopâtre* : cinq actes séparés par des chœurs et les unités vaguement observées. Elle est même plus « régulière » que la pièce de Jodelle, car il n'y a pas de prologue.

Médée est en définitive un décalque de Sénèque à qui La Péruse a pris le cadre et l'esprit de son œuvre. Jamais on n'avait vu encore une telle accumulation de catastrophes et d'horreurs. La Péruse inaugurait en France la fortune extraordinaire de Sénèque. Le dramaturge latin allait ainsi développer chez nous, avec le goût des situations atroces et des sentences morales, ce style grandiloquent dont notre théâtre aura tant de peine à se débarrasser.

L'AVÈNEMENT D'ARISTOTE DANS LA LITTÉRATURE FRANÇAISE

Le caractère commun de ces premiers essais est qu'ils reposent sur une volonté expresse d'imiter les Anciens, sans s'autoriser d'une théorie concertée de l'art dramatique. En Italie, après l'apparition des premières pièces, élaborées dans des conditions analogues, on s'était mis à réfléchir sur les choses du théâtre et plusieurs critiques, dont les noms seront souvent prononcés au XVIIᵉ siècle, y compris dans les *Discours* de Corneille : Vida, Alexandre Pazzi (Pacius), Robortello, Bernardo Segni, avaient édité et commenté la *Poétique* d'Aristote. On en était même rendu à ce point, vers 1550, qu'une discussion assez vive mettait aux prises Robortello et Bernardo Segni : l'unité de temps doit-elle s'entendre de douze ou de vingt-quatre heures ?

De ces débats, il ne semble pas que rien ait passé en France sous le règne d'Henri II ; les *Arts poétiques* de du Bellay et de Peletier n'y font aucune allusion. Mais voici qu'aux environs de 1560, Aristote, que nos auteurs n'avaient jamais nommé, pénètre chez nous et, avec lui, les fameuses règles qui vont faire couler tant d'encre durant cent ans et, à la fin, déterminer un des caractères essentiels de notre tragédie classique : la concentration dramatique et psychologique.

Il est intéressant de noter le double mouvement qui s'opère vers le milieu du siècle autour du nom d'Aristote. Au temps de Lefèvre d'Etaples, il était encore, comme au Moyen Age, le dieu des philosophes ; il perdit de son prestige au moment où Marguerite de Navarre invita ses amis à se tourner vers Platon. Il souffrit surtout d'être utilisé par Vicomercato au profit d'un certain « rationalisme », si bien que vers 1550 il était attaqué à la fois par Ramus, par Postel et par Calvin. Mais — compensation inattendue — juste au moment où sa métaphysique était discréditée, sa poétique devenait une Bible dans les cercles littéraires.

On a dit quelquefois qu'Aristote (le régent des Lettres) fut révélé à la France par Scaliger. Ce n'est pas tout à fait exact, car Jacques Grévin le connaissait d'ailleurs. Mais Scaliger s'est fait avec tant d'ardeur l'avocat du péripatétique, il l'a placé sur un si haut piédestal, il a si fortement imposé son culte, que leurs deux noms sont inséparables. *Aristoteles,* disait-il, *imperator noster, omnium bonarum artium dictator perpetuus.*

Jules-César SCALIGER (1484-1558) était un médecin italien qui prétendait descendre des Della Scala de Vérone. Il semble établi qu'il se nommait en réalité Bordoni. Après des études faites à Padoue, il commença par la vie militaire, coupée d'un essai de vie religieuse. Sa santé l'oblige à renoncer aux armes et au cloître. Il étudie les langues, la philosophie, la médecine. Amené en France par Angelo della Rovere, évêque d'Agen, il se fixe dans cette ville et s'y marie ; il aura quinze enfants.

Son œuvre capitale, *Poetices libri septem,* parut à Lyon en 1561. C'est un ouvrage massif, écrit dans un latin obscur, hérissé de grec, dans lequel il systématise les idées d'Aristote sur l'épopée et la tragédie. Il rappelle des principes déjà connus : la tragédie se définit *imitatio per actiones illustris fortunae exitu infelici, oratione gravi metrica* ; elle doit abonder en sentences. Mais ce qui parut plus neuf, c'est ce qu'il dit de la vraisemblance et des unités. Comme la représentation ne dure que six ou huit heures, il n'est pas vraisemblable qu'en un si court laps de temps il se passe un grand nombre d'événements : aussi faut-il que l'action soit peu chargée de matière (*argumentum brevissimum*). Scaliger n'énonce pas de façon formelle la loi des unités, si ce n'est l'unité d'action ; mais il insinue l'unité de temps et celle de lieu en découle : « Il n'est pas d'un poète habile de représenter un héros qui, en un moment, passe de Delphes à Athènes. »

L'influence de Scaliger sera considérable et se prolongera jusqu'en plein XVIIᵉ siècle. Ménage proclame que « Scaliger est son garant » ; et Gabriel Guéret déclare en 1669 : « Je veux que ceux qui se mêlent de poésie sachent par cœur Aristote, Horace et Scaliger. »

En attendant, l'un des premiers fruits de l'enseignement de Scaliger fut le petit *Art de la Tragédie,* écrit peut-être en 1562 et publié en 1572 en tête des œuvres de Jean de La Taille. Là, les théories de Scaliger sont reprises et formulées avec vigueur : c'est la plus parfaite définition de la tragédie qui ait été tentée avant le XVIIᵉ siècle. Et les unités de temps et de lieu ont trouvé sous la plume de Jean de La Taille leur expression catégorique : « Il faut toujours représenter l'histoire ou le jeu en un même jour, en un même temps et en un même lieu. » (Le « temps », qui paraît faire pléonasme avec le « jour », pourrait être interprété dans le sens de l'unité d'action). Jean de La Taille joint à ces préceptes le conseil capital qui en facilite la pratique : « Ne pas commencer à déduire par le commencement mais vers le milieu ou la fin, ce qui est un des principaux secrets de l'art. » Il ajoute même à Scaliger une précision qui aura force de loi à la période classique : faire en sorte que, « la scène étant vide de joueurs, un acte soit fini et le sens aucunement parfait ».

Cinq actes nettement délimités, complets chacun et séparés par des chœurs, les trois unités strictement respectées et le spectacle d'une grande fortune pitoyable, parce qu'imméritée, telle est la tragédie définie par Jean de La Taille. On dirait déjà, vraiment, la tragédie du XVIIᵉ siècle.

Mais la doctrine des unités, loin de s'imposer à tous les dramaturges, n'est qu'une préférence de quelques-uns ; et l'avènement du théâtre irrégulier, dans le dernier quart du XVIᵉ siècle, n'allait pas tarder à la faire oublier ou rejeter.

Quoi qu'il en soit, la tragédie en langue française, après le triomphe de Jodelle, prend un bel essor. On a compté que quatorze tragédies ont été imprimées de 1550 à 1569, vingt-six de 1570 à 1589.

LA TRAGÉDIE RELIGIEUSE

Dans cette production, la tragédie religieuse occupe une large place. Beaucoup d'auteurs, surtout protestants, tirent leur sujet de l'Ancien Testament. Théodore de Bèze avait donné l'exemple. Il avait écrit, pour ses étudiants de Lausanne, un *Abraham sacrifiant,* qu'ils ont représenté en 1550. La pièce, à mi-chemin entre le théâtre médiéval et la formule nouvelle, peut être tenue néanmoins pour la première en date de nos tragédies religieuses. André Rivaudeau porte à la scène, dans son *Aman* (1561), le beau sujet dont Racine fera *Esther*. Jean de La Taille compose en 1562 un *Saül furieux* qui sera publié en 1572 avec *les Gabaonites*. Des Masures, ami et disciple de Ronsard, passé au protestantisme et devenu pasteur à Metz, écrit, pour l'édification de ses fidèles, la trilogie : *David combattant, David fugitif, David triomphant,* que l'on désigne aujourd'hui sous le nom de *Tragédies saintes*. Florent Chrestien, adversaire acharné de Ronsard au temps des *Discours* de combat, traduit, avec la grâce d'un vrai poète, la *Jephté* de Buchanan. Robert Garnier, un catholique, lui, aborde le théâtre sacré avec *les Juives,* son chef-d'œuvre. D'autres catholiques, comme Adrien d'Amboise (*Holopherne,* 1586), Pierre Mathieu (*Esther,* 1585, *Aman,* 1589), exploitent aussi l'Ecriture Sainte.

Œuvres médiocres, en général, malgré de beaux élans. Mettons à part Jean de LA TAILLE (1540-1608) qui a le sens au théâtre et qui d'ailleurs a réfléchi, nous l'avons vu, sur le métier dramatique. Son *Saül furieux,* tragédie que l'auteur affirme « faicte selon l'art et à la mode des vieux autheurs tragiques », est une des pièces les plus vivantes de cette époque. En effet, Saül, qui se présente à nous, au début, dans un état de folie qui rappelle la première scène de l'*Ajax* de Sophocle, ne se contente pas de gémir. S'il ne peut rien contre la toute-puissance de Dieu qu'il sent peser sur lui, il veut au moins percer les causes de sa déchéance, y parer au besoin, et c'est ainsi qu'on le voit, au troisième acte, aller consulter, lui le Roi, une sorcière qu'il a chassée autrefois, la pythonisse d'Endor, et obtenir d'elle qu'apparaisse l'ombre de Samuel. Mais la révélation du Prophète est un nouveau coup pour le pauvre Roi : il apprend sa mort prochaine et celle de ses enfants ; ainsi le caractère se développe et se précise par l'action elle-même. Il

est regrettable que le style ne soit pas à la hauteur du sujet,
qu'il fourmille de négligences et que l'abondance des événements
enlève un peu de vraisemblance à l'ensemble. Il est regrettable
surtout que l'on n'ait pas continué dans cette voie : on aurait
pu aboutir à un théâtre de forme classique, mais, dans son fond,
religieux et chrétien.

LE THEATRE PROFANE

Les tragédies profanes qui précèdent la *Porcie* de Garnier, à
savoir *la Sultane* de Bounyn (1561), l'*Agamemnon* de Le Duchat
(1561), l'*Achille* et la *Lucrèce* de Nicolas Filleul (1563 et 1566)
ne surpassent point en valeur les pièces religieuses. Il n'y a
d'exception à faire que pour *la Mort de César,* de Jacques
Grévin (1561). Ce dernier venu de la Pléiade, à qui Ronsard
n'hésitait pas à dire :

> Tu nous as toutefois les Muses amenées
> Et nous as surmontés qui sommes jà grisons,

ne se mit pas en frais d'invention quand il laissa son amie
Olympe pour le « tragique échafaud » : il se borna à suivre
le *César* de son maître Muret. Mais, outre qu'il arrivait au
théâtre avec des idées nettes qu'il avait puisées directement
dans Aristote, il apportait à la tragédie une langue claire et
simple, éloignée du langage courtisan et un style animé, brillant, dont Emile Faguet écrivait justement : « Il n'y a guère
dans son poème que des discours, mais d'une verve et d'un
élan qui ébranlent et remuent, même après trois siècles de
tragédie éloquente. » C'est lui qui a préparé le solide outil
dont Garnier allait faire un si bel emploi.

ROBERT GARNIER (v. 1545-1590)

Robert Garnier, notre plus grand génie dramatique avant
Corneille, est né à La Ferté-Bernard, dans le Maine, vers
1545. Il fait son droit à Toulouse et commence à rimer. Il
sera deux fois lauréat des jeux floraux, pour deux chants
royaux allégoriques. En 1565 il produit un recueil de vers,
Plaintes amoureuses : élégies, sonnets, épîtres, églogues. Il est
ensuite avocat au Parlement de Paris, où il réside trois ans.
En 1569, il est nommé Conseiller au Présidial du Mans. Il se
marie en 1573 et, l'année suivante, en mai, il est lieutenant
criminel du Maine. « Conseiller du Roy en son Grand Conseil »
en 1586, il meurt le 20 septembre 1590.

Catholique fervent, Robert Garnier a ressenti douloureusement l'atrocité des guerres civiles et ce chagrin a peut-être
hâté sa mort. Il laissait une haute réputation de magistrat. On
admirait la rare compétence du juriste et l'éloquence de l'avocat.
La Croix du Maine fait observer à son endroit qu'il est rare
de « voir un bon poète et un excellent orateur tout ensemble ».
L'œuvre dramatique de Garnier nous montre « les deux perfections jointes en un ».

Garnier a commencé la carrière poétique par le lyrisme,
médiéval d'abord, ronsardien ensuite. Il restera un grand lyrique. Mais de bonne heure il se consacre au théâtre. Il a vingt-
quatre ans à peine lorsqu'il publie sa première tragédie,
Porcie (1568). Dès lors, les pièces se succèdent à intervalles
assez réguliers : *Hippolyte* (1573 ; *Cornélie* (1574) ; *Marc-
Antoine* (1578) ; *la Troade* (1579) ; *Antigone* (1580) ; *Bradamante,* tragi-comédie (1582) ; *les Juives* (1583).

Robert Garnier, premièrement, est un disciple du triple Sénèque : le moraliste, le dramaturge, le rhéteur. Il choisit ses
sujets sanglants et pathétiques : il juge que la tragédie doit
consister en « choses funèbres et lamentables », pleines de
« sang et d'horreur » ; il s'applique, de propos délibéré, à
« ensanglanter la catastrophe ».

Ainsi conçue, la tragédie vise à une haute portée pédagogique. Garnier, dans cette intention, — et par prédilection — introduit dans son drame de graves discussions de politique et de morale. Il parsème les répliques de sentences d'une
vigueur ramassée :

> Qui meurt pour son pays vit éternellement.

Plus largement, il se propose toujours des sujets qui puissent
donner une leçon utile à ses contemporains. *Porcie,* tragédie
qui représente « la cruelle et sanglante saison des guerres
civiles de Rome », est par là, dit-il, « propre et convenable
pour y voir la calamité de ce temps ». Ainsi de toutes ses
pièces.

Il va plus loin encore. Suivant la profonde tendance de l'humanisme et prolongeant, du reste, l'effort accompli par Sénèque de purification spirituelle des mythes, Garnier infléchit
la religion et la morale antiques dans le sens du christianisme.

Robert Garnier tient de Sénèque aussi — et du Ronsard
des *Discours* — son goût du style altier. *Os magna sonans,*
il a le verbe grandiose, emphatique souvent, mais frappant et
sonore. Il est habile, comme Sénèque, à pratiquer la sticho-
mythie (dialogue vers contre vers ou hémistiche contre hémistiche) et Corneille ne le surpassera guère sur ce point. Il

connaît un peu trop bien les procédés de la rhétorique, mais il reste un grand écrivain et un grand poète lyrique. Ses chœurs sont parmi les plus belles strophes de notre littérature.

Dans l'œuvre dramatique de Garnier, Faguet distingue avec justesse trois manières : « Dans la première période (*Porcie, Cornélie, Hippolyte*), il en est, avec toute l'école classique du temps, avec Jodelle, avec Grévin, à ne considérer une tragédie que comme une élégie mêlée de développements oratoires. L'influence de Sénèque est sur lui sans partage et Sénèque signerait ses plans. — Dans une seconde période (*Marc-Antoine, la Troade, Antigone*), deux soucis se montrent chez lui : creuser les caractères, nourrir de plus de matière la fable de sa tragédie. Le moule de la tragédie classique lui a semblé trop vide : il cherche à le remplir de matériaux pris çà et là. — Dans la troisième période (*les Juives, Bradamante*), il tâche, par deux puissants efforts, à renouveler son talent. Plus sûr, après de longs tâtonnements, de sa composition, il revient à la simplicité du plan. Mais, habile déjà à le remplir du seul développement des situations et des caractères, il anime ses personnages, il les fait parler au lieu de parler par leur bouche et, sans cesser d'être le représentant du théâtre oratoire du xvie siècle, il nous permet déjà de songer au théâtre psychologique du siècle suivant. »

Garnier, en effet, a toujours été en progressant. Au début, ses sujets sont pauvres d'action. Le premier acte de *Porcie* est un monologue d'imprécations contre Rome, le deuxième une lamentation de Porcie et de ses femmes, le troisième un débat politique entre les triumvirs ; le quatrième nous apprend que Brutus et Cassius sont morts : Porcie n'a plus besoin de pleurer, elle n'a qu'à mourir à son tour. C'est ce qu'elle fait au cinquième. Nulle rencontre dramatique, mais une suite de tableaux pathétiques et des larmes à n'en plus finir. Pourtant, dès cette première œuvre, Garnier révèle certaines qualités remarquables, l'art d'ordonner les récits, de forger des vers éclatants, surtout de mener les dialogues. Ce dernier don a été souvent signalé ; il faut insister sur le fait que là se trouve le progrès le plus important que Garnier a fait accomplir à la scène française.

Les dialogues antithétiques, en effet, peuvent bien avoir trop souvent, pour Garnier, une valeur purement formelle. Il les emploie parfois à tort et à travers (par exemple, entre Porcie et la nourrice) et par simple imitation de Sénèque. Mais ce procédé eut d'heureuses conséquences. Pour construire ces dialogues qui opposent en duel deux « entreparleurs », il est de nécessité que leur point de vue soit différent : ce qui peut se produire même entre deux amis qui ont, sur une même question, des avis divergents. Mais un homme qui a du goût pour ce cliquetis de pensées et de mots ne tardera pas à s'apercevoir que la meilleure manière de les provoquer est de mettre en présence des personnages que séparent à la fois leur situation et leur caractère. C'est même le caractère qui animera le mieux ces débats, car les raisons que ne suggère pas toujours la situation, on les trouvera toujours dans les mouvements secrets de la passion ; et c'est ainsi qu'un auteur qui recherche les oppositions de mots sera conduit à rechercher les oppositions de sentiments et de pensées, par conséquent à creuser les caractères et à leur donner du relief. Voilà comment Garnier parvint, dans ses dernières tragédies, à substituer des hommes réels et vivants aux pâles effigies de ses débuts.

Que de chemin parcouru entre *Porcie* et *les Juives* ! Comme cette pièce est autrement vivante et dramatique ! Sédécie, roi de Jérusalem par la grâce de Nabuchodonosor, a trahi son protecteur, qui lui prépare un châtiment affreux. Avec une grande habileté nous sommes conduits au dénouement. Voici d'abord la vieille reine Amital, mère de Sédécie. Sitôt qu'elle aperçoit la jeune femme de Nabuchodonosor, elle retrouve, pour sauver son fils, sa diplomatie et son énergie d'autrefois. Peu à peu elle s'anime, elle parle avec autorité ; elle oublie qu'elle est la captive, elle discute comme une égale, elle a même la force de raconter à la jeune Reine le sac de sa patrie, où elle voit la main de Dieu. Mère, femme, Reine, Israélite fervente, voilà les traits que fait ressortir ce simple dialogue entre Amital et la femme du farouche conquérant.

Il est aisé, dira-t-on, à une femme de parler courageusement à une autre femme, surtout plus jeune qu'elle. Mais que fera-t-elle en face de Nabuchodonosor ? Va-t-elle courber la tête devant lui ? Non. Elle reste maîtresse d'elle-même et lui parle avec autant de dignité que d'habileté :

> Vous avez subjugué maintes belles provinces...
> Mais en vous surmontant, qui êtes indomptable,
> Vous acquerrez mémoire à jamais mémorable.

Elle sait comment on parle aux Rois, en flattant leur orgueil. Nous allons la connaître mieux encore. Accusée par le Roi d'avoir favorisé la rébellion de Sédécie, elle expose comment au contraire elle a essayé de l'en dissuader. Elle était fière tout à l'heure, elle se fait humble maintenant, elle reconnaît ses torts et ceux de son fils, mais elle continue de plaider avec ténacité et, quand elle voit que tous les arguments laissent insensible le cœur de rocher de Nabuchodonosor, alors, dans un geste

magnifique, qui est d'une femme et d'une mère, elle s'offre en
victime à sa place :

> Faites-moi démembrer, faites-moi torturer ;
> Faites à ce vieil corps tout supplice endurer ;
> Sôulez-vous en ma peine et que je satisfasse
> Seule pour Sédécie et pour toute la race.

Nous sommes loin ici des plaintives élégies à quoi se ramène
trop souvent la tragédie d'alors. Ici, les personnages se rencontrent, se heurtent, discutent, croisent la parole comme on croise
le fer et immédiatement les caractères saillent en haut-relief et
il en résulte déjà une action réelle et émouvante. Si l'on ajoute
à ce puissant intérêt la beauté plastique des scènes principales
et l'atmosphère biblique qui enveloppe tout le drame, on n'hésitera pas à reconnaître dans *les Juives* le chef-d'œuvre du
théâtre de la Renaissance.

Robert Garnier ne s'est pas contenté de suivre les chemins
battus. Outre la tragédie régulière fondée sur de grandes catastrophes, il a essayé, et avec succès, de porter à la scène un genre
nouveau, moins tendu que la tragédie, moins familier que la
comédie, la tragi-comédie, qui devait tenter si souvent nos
auteurs français. *Bradamante* est notre premier chef-d'œuvre
en ce genre. Le sujet est pris à l'Arioste. Bradamante, fille
d'Aymon et de Béatrice, doit être mariée par eux à Léon, fils
de l'empereur de Byzance, parti qui flatte leur vanité. Mais elle
aime Roger, à qui elle s'est fiancée ; elle préférera s'enfermer
dans un cloître plutôt que d'être à un autre. D'ailleurs la belle
guerrière ne se donnera qu'à celui qui la défera en combat
singulier. Léon accepte la condition, mais délègue à sa place
Roger dont il ne connaît pas le vrai nom. Roger l'emporte pour
le compte de son rival, mais quand il se nomme, Léon a le
beau geste et lui cède Bradamante. Belle histoire d'amour et de
chevalerie, où Garnier a su nous intéresser par l'adroite disposition des scènes, la variété du ton et l'heureuse issue du
conflit.

Il est vraiment le meilleur auteur dramatique du XVIe siècle.
Il résume et achève l'effort total des vingt années qui l'ont
précédé, puisque théâtre profane et théâtre sacré ont leur place
chez lui. Son œuvre eut de nombreuses éditions jusqu'en 1619.

Ses imitateurs sont fort nombreux et Garnier peut être tenu
pour responsable de certaines boursouflures du style tragique.
Après 1630, il n'est plus cité par les théoriciens, mais on continue de lui emprunter. Corneille — c'est Faguet qui l'a dit avec
bonheur — a « fait sa rhétorique » en Robert Garnier, qui lui
a inspiré quelques situations et des sonorités héroïques. Et

l'auteur des *Juives,* qui a su mettre sur les lèvres des femmes
de si beaux vers élégiaques, aura son influence sur l'auteur
d'*Esther* et d'*Athalie.*

MONTCHRESTIEN (v. 1575-1621)

Antoine de Montchrestien eut une vie plus agitée que ses
pièces et une fin tout aussi tragique. Né à Falaise vers 1575, il
était orphelin de bonne heure. Nous ne savons pas grand-chose
de ses premières années, sinon qu'il eut une précoce vocation
littéraire. Avait-il le goût de la violence ? Nous le voyons engagé
dans des procès et des querelles et il semble avoir eu l'épée cha-
touilleuse. Dans un duel il tue son adversaire et doit s'exiler en
Angleterre. Après quelques années, il lui est permis de rentrer
en France. Il se fait alors industriel et fonde des aciéries dans
l'Orléanais. Un traité d'*Economie politique* (1615), qui est bien
connu des spécialistes, le montre convaincu des vertus sociales du
travail. Sully préconisait le labourage : Montchrestien exalte le
commerce et l'industrie.

Curieux et funeste contraste : il entre en 1621 dans l'insur-
rection protestante et il se fait égorger misérablement, la même
année, près de Domfront.

La première pièce de Montchrestien est une *Sophonisbe* qui fut
jouée et publiée à Caen en 1596. Il en donna en 1601 une édition
corrigée (peut-être sur les conseils de Malherbe) et y joignit
quatre autres tragédies : *l'Ecossaise* (Marie Stuart), *les
Lacènes* (Lacédémoniennes), *David, Aman.* Une nouvelle édition
paraît en 1614, augmentée d'une tragédie, *Hector.*

Montchrestien est un disciple de Garnier. Mais il est à Garnier
ce que Desportes est à Ronsard. Ses tragédies se conforment au
patron « humaniste » : régulières, pathétiques, moralisantes. Il
prêche un stoïcisme chrétien qui est en vogue depuis Guillaume
du Vair.

Dans ses pièces, l'action est tout aussi dépourvue de péripéties que dans les tragédies de ses devanciers. Ce sont, elles aussi,
des élégies dramatiques. Pourtant Montchrestien a son génie
original et séduisant. Il montre plus d'indépendance à l'égard du
modèle antique et les emprunts qu'il y fait sont discrets. Il a
plus de tendresse que Garnier et il recherche une certaine majesté
tranquille, un « air calme et serein » qui lui paraît être la
vertu cardinale des héros de tragédie. Son style se conforme à la
« douceur » qui prévalait alors chez les admirateurs de Desportes : ses vers, à lui aussi, sont « doux-coulants ». Ecoutons parler Marie Stuart (et peut-être Montchrestien par son organe :

> ...Ma Mère,
> Par des lieux secrets errante et solitaire
> Transportait mon berceau toujours baigné de pleurs
> Au lieu d'être semé de roses et de fleurs.

Et encore, dans l'émouvante scène des adieux qui remplit l'acte IV :

> Voici l'heure dernière en mes vœux désirée
> Où je suis de longtemps constamment préparée.
> Je quitte sans regret ce limon vicieux
> Pour luire, pure et nette, en la clarté des cieux,
> Où l'esprit se radopte à sa tige éternelle
> Afin d'y refleurir d'une vie immortelle.

Montchrestien a subi, c'est très probable, l'influence de Malherbe : il rejette les archaïsmes, discipline les métaphores, proscrit l'hiatus et l'enjambement ; il ajuste ses mots suivant une sobre harmonie. Ce poète aux grâces pénétrantes méritait de retenir un jour l'attention de Racine.

CARACTERES DE LA TRAGÉDIE DU XVIᵉ SIÈCLE

Le théâtre savant de ce siècle a rompu avec la tradition méprisée des mystères, dont les vices étaient attribués à leur caractère trop populaire. Pas plus que les lyriques de la Pléiade, les dramaturges « humanistes » ne s'adresseront au « vulgaire ocieux ». Ils veulent ressusciter le théâtre antique et pensent être fidèles à ses exemples en présentant sur la scène une aventure illustre, au dénouement funeste, et qui émeut au cœur du spectateur la terreur et la pitié, qui donne lieu à des déplorations mélodieuses, à des considérations générales sur le destin de l'homme, les devoirs de sa vie, les agitations de son âme troublée.

Pour porter sur cette forme de théâtre un jugement équitable, il faut se garder de la comparer à notre tragédie classique. Petit de Julleville le disait : « La tragédie de Garnier et de Montchrestien, tout en se rapprochant de notre tragédie classique, qu'elle prépare et qu'elle annonce, est de fait un genre à part et intermédiaire. »

Sans doute, les dramaturges de l'époque de Corneille et de Racine hériteront de la conception essentielle de la matière tragique et de la recherche d'art que professaient les auteurs du XVIᵉ siècle. Mais ils n'en sont pas les héritiers directs. Il y a, entre deux, une période intermédiaire ; la tragédie classique, nous le verrons, est née d'une seconde révolution : notre théâtre va passer par la crise — féconde en définitive — de l'irrégularité. Entre Garnier et Corneille, se dresse Alexandre Hardy. Les classiques apprendront par lui à donner du mouvement au théâtre, jugé trop immobile, du xvie siècle. Sans renoncer au lyrisme, ils le feront passer au second plan : ils le subordonne-ront à l'action, au drame.

L'élégie dramatique du xvie siècle ressortit donc à un genre original et elle a sa grandeur authentique. Une situation est donnée au début ; aucune péripétie ne surviendra qui la modifie. Les personnages avancent lentement vers la mort fatale, exha-lant leur détresse, leurs plaintes, leurs regrets, soliloques ou dialogues désolés qu'interrompent seuls les couplets du chœur chargé de rappeler les aléas de la vie humaine, les rigueurs inexorables des Destinées, la beauté des vertus héroïques.

Joué devant un auditoire plus artiste que curieux, cette tra-gédie produit une émotion profonde, cette « tristesse majes-tueuse » dont Racine a si bien parlé, à propos justement de la plus élégiaque de ses pièces, *Bérénice*.

LA COMÉDIE AU XVIe SIÈCLE

La comédie de cette époque est loin d'offrir le même intérêt que la tragédie et son histoire est moins simple. On ne peut affirmer qu'elle a été moins cultivée : les représentations de comédies étaient nombreuses. Mais on en a moins publié que de tragédies. Les lettrés, qui affectaient de mépriser la farce, sem-blent avoir boudé le genre comique, malgré les déclarations de principe de la *Deffence et Illustration de la Langue françoise* : leur estime et leur effort se tournaient vers la tragédie. Le fait est que Pierre Deimier, en 1610, écrira : « La Comédie... semble être accompagnée d'un sujet trop bas et populaire pour mériter les veilles d'un esprit excellent. » Toujours est-il que le genre n'a pas réussi, au xvie siècle, à produire un vrai chef-d'œuvre.

Il a manqué d'ailleurs aux auteurs le sens et la volonté de l'observation directe. On peut à la rigueur émouvoir avec un drame irréel où se déploient les grands sentiments éternels de la nature humaine. On ne saurait créer une comédie vivante qui ne soit l'image de son temps, qui ne soit soutenue en tout cas par la peinture fidèle de la réalité environnante. Les auteurs n'ont pas paru soupçonner cette loi, qui sera formulée si vigou-reusement par Molière. Ils se sont bornés à suivre des modèles.

Ils ont imité, d'abord en vers, puis en prose, les Anciens et les Italiens : le succès a été minime. Il a fallu que les impro-visateurs de la *Commedia dell'arte* vinssent, à la fin du siècle,

pour réussir à dérider vraiment le public français et préparer
la voie au génie de Molière.

La comédie nouvelle apparut en France dans le même temps
que la tragédie et par l'effet du même dessein de résurrection
du théâtre antique et par le truchement du même poète, Etienne
JODELLE. « Il fit deux tragédies, nous rapporte Etienne Pasquier : la *Cléopâtre,* la *Didon* et deux comédies, *La Rencontre*
et l'*Eugène. La Rencontre* ainsi appelée parce qu'au gros de la
meslange tous les personnages s'étaient trouvés pêle-mêle, casuel-
lement (*par hasard*) dedans une maison : fuseau qui fut fort bien
par lui démêlé par la clôture du jeu. »

La Rencontre est perdue ; il reste *Eugène,* qui fut joué
apparemment le même jour que la *Cléopâtre,* au collège de Boncourt (février 1553).

Il est assez difficile d'indiquer la source exacte de ces comédies. Comme la tragédie à l'antique, le genre comique avait
reçu des grammairiens une définition théorique précise : personnages de condition moyenne, périls sans gravité, dénouement
heureux. Avant 1550, quelques traductions de comédies grecques avaient paru. Depuis beaucoup plus longtemps, on com-
mentait dans les collèges les comédies de Térence et les élèves
les jouaient, soit dans le texte latin, soit dans des traductions
ou adaptations françaises. D'autre part, on savait que les Italiens avaient créé, en langue vulgaire, une comédie « érudite »,
à l'instar des modèles antiques. En 1548, une troupe italienne
avait représenté, à Lyon, devant Catherine de Médicis, la
Calandria de Bibbiena, qui avait obtenu un grand duccès.

Notons en outre que, dans le peuple, — et même auprès des
grands — la farce médiévale demeurait très vivante et qu'il
était malaisé aux auteurs d'en éviter la contagion.

Toutefois Jodelle se vante, dans le prologue de l'*Eugène,* de
ne rien devoir ni à l'Antiquité, ni aux auteurs de farces et de
moralités, ni aux auteurs étrangers. Il serait plus juste de dire
qu'il doit à tous.

Le sujet d'*Eugène,* passablement immoral, consiste dans la
rivalité d'un abbé, Eugène, et d'un officier, Florimond, auprès
d'Alix, épouse d'un benêt, Guillaume. Eugène finira par l'emporter : il donne sa sœur pour maîtresse à Florimond qu'elle
aimait. Cette intrigue scabreuse met en scène des personnages
contemporains, mais qui rééditent des types connus des comiques du Moyen Age et elle en reproduit le langage effronté. De
la farce, *Eugène* a emprunté aussi l'octosyllabe.

Mais, suivant le modèle latin, Jodelle a bâti sa pièce en cinq
actes précédés d'un prologue ; il l'a émaillée de réminiscences
antiques. Ce salmigondis manque de force comique.

A mesure qu'on avance dans le siècle, l'influence italienne s'accentue. Elle est encore insignifiante dans *la Trésorière* de Jacques GRÉVIN, un peu plus sensible dans les *Esbahis* du même auteur.

Chacune de ces comédies (publiées en 1561) est précédée d'un *Prologue* ou *Avant-Jeu* et les deux réunies d'une *Préface au Lecteur* qui nous fait connaître l'idée que Grévin se faisait de ce genre. Son désir de présenter du nouveau est nettement exprimé dans l'*Avant-Jeu* de *la Trésorière* :

> N'attendez donc en ce théâtre
> Ni farce ni moralité :
> Mais seulement l'Antiquité
> Qui, d'une face plus hardie
> Se représente en comédie :
> Car oncq je ne pourrai penser
> Qu'aucun se voulût courroucer
> Encontre tous, si, pour mieux faire,
> Nous voulons aux doctes complaires.

L' « Antiquité », il le dit dans la préface, c'est Aristophane, Plaute et Térence. Des Italiens il ne paraît pas se soucier ; s'il s'inspire d'eux, il ne l'avoue pas.

Il y a bien des longueurs, bien des maladresses, trop d'apartés et de monologues dans ces deux pièces. Mais le style est d'un franc comique et, quand il est question des femmes et des financiers, la satire se fait mordante et passe la rampe. *La Trésorière*, qui nous montre une femme cupide et de mœurs légères, repose à peu près sur la même intrigue que l'*Eugène* de Jodelle. *Les Esbahis* nous présentent deux vieillards, Gérard et Josse, dont le premier va marier sa fille Madelon à Josse, lequel a appris la mort de sa femme qui l'avait abandonné. Mais Madelon n'a aucun goût pour le barbon, qu'elle berne à plaisir, aidée d'un valet et d'un jeune avocat épris d'elle et qu'elle ne hait pas. A la fin, la femme de Josse est retrouvée et fait sa paix avec lui à « l'ébahissement » général. Si la pièce n'avait pas cinq actes comme celles de Térence et si elle n'introduisait pas un Italien vantard, Panthaleone, qui vient en ligne droite d'une comédie siennoise, on la prendrait facilement pour une bonne farce du temps passé. Les deux pièces sont du reste écrites en octosyllabes.

Le dernier historien de Jacques Grévin estime que ses œuvres, moyennant retouches, pourraient encore être mises à la scène. En 1911, *l'Idéale Revue* a essayé une adaptation moderne, en trois actes, de *la Trésorière*.

Parmi les comédies qui répondent à l'appel de la *Deffence*, il est juste de donner encore une mention à deux œuvres qui ne sont pas sans mérite.

La Brave, d'Antoine de BAÏF (1567), est adapté du *Miles Gloriosus* de Plaute. Les personnages ont leur nom traduit en français populaire : Pyrgopolinice (preneur de villes fortes) devient Taillebras, le parasite Artotrogus (ronge-pain) s'appelle Gallepain. La scène ne se passe plus à Ephèse, mais à Orléans : le Capitaine Taillebras a fait la guerre, non plus en Orient, mais en Ecosse : ainsi du reste. Cette saveur plébéienne se retrouve dans le langage, où abondent les proverbes, les images triviales, les expressions charnues. L'octosyllabe de la farce contribue à l'allure alerte et rapide de la pièce.

La Reconnue, de Remy BELLEAU (composée vers 1563, publiée posthumement en 1578) nous propose un fait divers contemporain. Une jeune religieuse de Poitiers, Antoinette, passe à la Réforme. En août 1562, après la prise de la ville par les Catholiques, elle est donnée en butin au capitaine Rodomont. Mais l'officier doit reprendre les armes ; il confie Antoinette à un sien cousin avocat, vieux, riche, marié, sans enfants. Le vieillard s'éprend de la jeune fille et, pour jouir d'elle en sûreté, sous « couverture », il imagine de la faire épouser par son clerc, Maître Jehan. Le bruit court que Rodomont a été tué au siège du Havre. Rien ne s'oppose au dessein du vieillard, sauf un jeune avocat voisin, L'Amoureux, aidé de son valet Potiron. Cependant le mariage va se faire, lorsque reparaît Rodomont, qui réclame Antoinette pour femme. Là-dessus, un gentilhomme du Poitou, venu pour consulter le vieil avocat, reconnaît en Antoinette une fille qu'il avait perdue ; il la laisse libre de sa main, elle la donne au jeune avocat. Tous les personnages reçoivent une généreuse compensation, pour que l'allégresse soit universelle.

La pièce, mal bâtie, marche un peu au hasard. Les scènes sont gauchement liées, les monologues sont trop nombreux et trop longs, les personnages abusent des apartés. Mais le style est aisé et vivant. Belleau écrit mieux que Jodelle. Il garde l'octosyllabe, mais il évite les grossièretés de la farce. Il a bien observé la vie quotidienne de la petite bourgeoisie de son temps. Doué d'une plus grande force dramatique et d'un métier plus habile, Remy Belleau eût pu être, avec *la Reconnue,* un initiateur de la comédie de mœurs.

Après ces débuts, qui contenaient au moins quelques promesses, la comédie, peu appréciée de la Cour, qui lui préfère les pastorales et les ballets, va tomber complètement sous l'influence des œuvres « régulières » italiennes. Et bientôt, les Italiens nous apprennent à délaisser le vers. De longtemps ils avaient commencé : les *Suppositi* de l'Arioste sont en prose. En 1562, Jean de LA TAILLE accepte l'innovation. Il écrit *les Corrivaux.* Il prétend bien que sa comédie est « faite au patron, à la mode et au pourtrait des anciens Grecs et Latins » ; mais il ajoute qu'il s'est inspiré aussi de « quelques nouveaux Italiens », et c'est là surtout qu'il dit vrai. L'histoire est assez compliquée : il s'agit d'une fille séduite par un amant volage qui lui reviendra ensuite et l'épousera, après force démêlés et batailles avec un « corrival ». C'est une reconnaissance, ici encore, qui permettra l'heureux dénouement. Comme on peut s'y attendre chez l'auteur de *Saül furieux,* cette comédie et une seconde, *le Négromant,* que Jean de La Taille traduisit de l'Arioste, valent par l'action plus que par le style, encore que le verbe en soit savoureux.

Odet de Turnèbe, le fils du célèbre humaniste, a écrit peut-être la meilleure comédie en prose du siècle avec *les Contents* (publiée posthument en 1584). Les personnages n'en sont pas neufs. En particulier, la littérature française connaissait au moins depuis le xiie siècle, depuis le conte de Richeut, le type de l'entremetteuse. Venu probablement d'Ovide, dont l'*Art d'aimer* a été très lu au Moyen-Age, il avait été rajeuni en Espagne, à la fin du xve siècle, par Fernand de Rojas dans sa tragi-comédie *Calixte et Mélibée,* plus connue sous le nom de *Célestine.* C'est là qu'Odet de Turnèbe a pris sa Françoise, qui deviendra la répugnante Macette de Mathurin Régnier. L'intrigue et les autres personnages sont dépourvus d'originalité. Il s'agit de deux jeunes rivaux dont l'un est aimé de la fille, l'autre soutenu par la mère. Bien entendu, l'amour triomphera. Le dialogue a une vivacité et un naturel remarquables.

Telle quelle, la pièce résume assez bien cette comédie régulière à l'italienne, où l'on voit sans cesse les mêmes figures : vieillards benêts, maris trompés, jeunes gens amoureux, serviteurs fourbes, tout l'attirail classique de nos voisins, emprunté par eux à Plaute et à Térence.

PIERRE DE LARIVEY (v. 1540-1619)

Pierre de Larivey, lui, transpose carrément en France la comédie d'outre-monts. Né vers 1540 à Troyes en Champagne, il appartenait à une célèbre famille d'imprimeurs, les Giunti, aussi connus à Florence que les Alde à Venise et les Estienne en France. Par un caprice qui n'avait rien de singulier alors, il francisa son nom en le traduisant (L'Arrivé). Il mourut en 1619 chanoine de Troyes. Il s'appliqua de bonne heure à faire connaître les œuvres de ses compatriotes, traduisit en particulier le second livre des *Facétieuses Nuits du seigneur*

Strapparole, mais il s'intéressa surtout au théâtre et son originalité réside justement dans le double dessein, qu'il accomplit,
de traduire des comédies (encore qu'il ne les donne pas pour
traductions) et de les traduire en prose. Pourquoi en prose ?
« Je l'ai fait, dit-il dans sa lettre-dédicace à M. d'Amboise,
avocat au Parlement, parce qu'il m'a semblé que le commun
peuple, qui est le principal personnage de la scène, ne s'étudie
tant à agencer ses paroles qu'à publier son affection. Il est bien
vrai que Plaute, Cécil et Térence ont embrassé, sinon le vrai
corps, à tout le moins l'ombre de la poésie, usant de quelques
vers iambiques, mais avec une telle liberté, licence et dissolution,
que les orateurs mêmes sont le plus souvent mieux serrés en
leurs périodes et cadences. » C'est une raison. En voici une
autre : « joint aussi que le cardinal Bibbiena, le Piccolomini et
l'Arétin, tous les plus excellents de leur siècle,... n'ont jamais,
en leurs œuvres comiques, jaçoit qu'ils fussent les premiers en
la poésie, voulu employer le rythme, comme n'étant requis en
telle manière d'écrire. »

Ces arguments ne convaincront pas les classiques. Sauf exceptions qui se présentent comme telle et ne font que confirmer la
règle (par exemple *l'Avare* de Molière) la comédie, pour se
hausser au niveau de la tragédie dans l'estime des lettrés,
devra garder le vers et elle devra même adopter le mètre du
grand genre dramatique, l'alexandrin.

Pierre de Larivey publia à Paris, en 1579, les six comédies
suivantes : *le Laquais, la Veuve, les Esprits, le Morfondu,
le Jaloux* et *les Escholiers.* Trois nouvelles comédies parurent
à Troyes en 1611 : *Constance, le Fidèle, le Trompeur.* Il
annonça trois autres comédies, qui n'ont pas été retrouvées.

Ces neuf pièces, Larivey les a empruntées à huit auteurs
italiens, qu'il s'est borné à traduire librement, en transportant
la scène en France et en rattachant l'action aux événements
contemporains, notamment les guerres civiles.

La meilleure de ces comédies, *les Esprits,* a pour auteur un
Médicis, celui que Musset a immortalisé sous le nom de Loren-
zaccio. Issu de la branche aînée des Médicis, arrière-petit-fils
de Laurent le Magnifique, Lorenzino de Médicis était un aventurier perdu de mœurs. Ayant fini par rentrer à Florence au
moment où un sien cousin, Alexandre, le premier des grands
ducs de Toscane, venait d'y être installé de force par le Pape
il le tua froidement en 1537. Mais auparavant, déguisant ses
intentions, il avait composé et fait jouer, pour les noces de sa
victime, cette comédie, une des meilleures du siècle, à laquelle
il avait donné le titre d'*Aridosa,* parce que le personnage principal est « aride plus que la pierre ponce » ; c'est un avare à
qui Molière a pris quelques traits pour son Harpagon. *L'Ecole*

des maris doit aussi des idées à la comédie de Larivey : on y voit deux vieillards, l'un cupide et chagrin, l'autre libéral et indulgent ; le premier fait de son fils un vaurien, le second de son neveu un homme accompli.

Si Larivey a fait un louable effort pour moderniser et franciser ses pièces, il ne s'est guère soucié de rendre vraisemblables les histoires qu'il représente. Quiproquos, déguisements, reconnaissances, rencontres imprévues, il ne rejette aucun de ces procédés trop faciles qu'il trouve dans ses modèles. Ce ne sont pas les caractères qui amènent le dénouement : le hasard le fournit tout cuit. Les personnages, leurs gestes, leur langage sont conformes à la stéréotypie de la scène italienne ; le vieillard amoureux et avare, le valet aux ruses fertiles qu'il déploie au service de son jeune maître, le capitaine fanfaron, le pédant hérissé de latin, l'entremetteuse, les amants séduisants de jeunesse et légers de scrupules : visages trop connus et que Larivey ne charge d'aucun mystère.

Mais s'il n'a pas les dons du créateur, Larivey a ceux de l'écrivain. Il a su admirablement se libérer de la version italienne et parle un français du bon terroir, preste, savoureux, pittoresque. Il a coopéré, c'est incontestable, à former le style de la comédie et il a montré à Molière que l'on pouvait, par la sincérité et la vigueur de la langue, donner de la vie à des fantoches.

LA COMMEDIA DELL'ARTE

Cependant, c'est autre part qu'il faut se tourner pour découvrir la préparation scénique de la comédie moderne. La *Commedia dell'arte* exige de l'acteur une grande habileté de métier. Elle ne comporte pas, en effet, de texte composé d'avance. Les personnages, que l'on appelle « masques », sont des types fixes, comme dans les Atellanes des Romains : c'est Pantalon, l'honnête vieillard ; Arlequin, le valet madré ; Pulcinella, le Napolitain au nez crochu ; c'est le pédant, le capitan et cinq ou six autres. Ils ont à leur disposition un canevas qui marque les entrées, les sorties et le thème général ; ils possèdent chacun des « tirades » préparées d'avance : déclarations amoureuses, discours ou sermons pour les pères, lamentations pour les femmes délaissées... Pour tout le reste, ils improvisent et brodent à leur gré. Ce genre populaire apparaît en Italie à la fin du xv⁰ siècle. Il se perfectionna un peu au contact de la comédie régulière et, passant les monts, ne tarda pas à gagner toute l'Europe. En France, il s'introduisit à partir de 1571.

Catherine de Médicis, nous dit Brantôme, raffolait « des Zani et des Pantalons et y riait tout son soûl, car elle riait volontiers ». C'est elle qui fit venir, en 1576, pour l'ouverture des Etats Généraux de Blois, la plus célèbre des troupes italiennes spécialistes de la *Commedia dell'arte,* les Gelosi (les Jaloux ou Zélés), dont le chef était Flaminio Scala. A propos des représentations données par eux, Pierre de l'Estoile nous dit dans son *Journal* : « Il y avait un tel concours que les quatre meilleurs prédicateurs de Paris n'en avaient pas tous ensemble autant quand ils prêchaient. » Et Brantôme dit de son côté, ne faisant pas même allusion aux comédies régulières : « La comédie, telle que ceux-ci la jouaient, était chose que l'on n'avait encore vue et rare en France, car, par avant, on ne parlait que des farceurs, des Conards de Rouen (société qui organisait les mascarades du Mardi gras), des joueurs de la basoche et autres sortes de badins. » Ils jouaient dans la salle du Petit-Bourbon.

Ils ne restèrent qu'un an, chassés par les Confrères de la Passion, mais ils revinrent en 1588, puis en 1600, date où ils se fixèrent à Paris. D'autres troupes vinrent aussi. A Lyon, de 1545 à 1600, on ne cessa de jouer la « Comédie de l'Art » ; l'enthousiasme du public était tel que, lorsque mourut en 1604 la fameuse actrice italienne Isabelle Andreini, les échevins lui firent des funérailles publiques. Or, ce genre très libre est en grande partie, c'est certain, à l'origine de la vocation de Molière. Dans ses œuvres complètes, on trouve deux canevas qui n'ont été imprimés que très tard : *la Jalousie du Barbouillé* et *le Médecin volant,* et dont il n'est pas prouvé qu'il soit l'auteur. Bien entendu, il ne se contenta pas longtemps de ce procédé trop élémentaire. De bonne heure il écrivit ses pièces en entier ; mais le nombre est assez élevé de celles où il fait des emprunts à la *Commedia dell'arte. L'Etourdi* est une adaptation de l'*Inavertito,* une pièce à canevas, jouée d'abord, puis écrite et publiée par un comédien que Molière avait rencontré à Lyon, Beltrame. *Les Fourberies de Scapin, Sganarelle,* des scènes du *Malade imaginaire,* de l'*Ecole des Maris,* même de l'*Avare* viennent du même répertoire. Il a pris ailleurs, cela va sans dire : à l'Espagne, à l'Antiquité latine, à la comédie régulière. Mais qu'il ait commencé par imiter la *Commedia dell'arte* et qu'il ne l'ait jamais perdu de vue, cela n'est pas indifférent : par là s'expliquent en grande partie les deux principaux mérites de son théâtre : l'art de dessiner les caractères et le mouvement scénique.

2. — *LE THEATRE DE 1600 A 1630*

LES CONDITIONS DE LA VIE DRAMATIQUE

La confusion qui règne en ce temps dans l'ensemble de l'activité littéraire, nous allons la vérifier dans le domaine dramatique. Elle nous y paraît plus grande qu'ailleurs, et pour deux causes. L'histoire du théâtre entre 1600 et 1630 est encore mal connue : il y a faute de documents. Les fouilles entreprises dans le Minutier Central des notaires ont déjà produit d'heureux résultats. Attendons la suite et n'appelons pas trop vite incohérence ce qui peut être, pour une part, l'effet de notre ignorance.

En outre, le genre dramatique exige, pour vivre et se renouveler, du personnel, du matériel, des conditions sociales et locales difficiles à réunir. Du coup, le théâtre, à certaines époques, peut se trouver en retard sur les autres genres littéraires. En général, le dramaturge n'écrira que s'il a l'espoir de faire représenter sa pièce. *La Deffence et Illustration de la langue françoise* avouait en 1549 que l'avènement d'un théâtre nouveau — c'est-à-dire renouvelé de l'antique — dépendait des « Roys » et des « Républiques ». Mais, entre 1550 et 1600, les Rois et les Républiques ont eu d'autres pensées que de soutenir l'art dramatique.

Ainsi, plus que les autres formes de création littéraire, le théâtre a souffert des troubles du royaume. Alors que le lyrisme a déjà fort avancé sa réforme, il en est encore aux tâtonnements. Ce n'est pas que les pièces manquent. A la fin du XVIe siècle, on en a publié en grand nombre ; ces œuvres, justement, y compris les magnifiques drames de Robert Garnier, sont livresques plus que scéniques, d'une inspiration lyrique plus que dramatique. La comédie a délaissé la voie frayée par Jodelle avec *Eugène*. Elle s'est réduite à la prose et elle s'est égarée dans l'imitation italienne et espagnole. Le théâtre amusant, au vrai, n'est guère représenté que par la *Commedia dell'arte* et par la farce. Et les pièces du théâtre humaniste n'ont été jouées, semble-t-il, que dans des salles de circonstance et par des acteurs d'occasion.

Les troupes « comiques »   Mais voici qu'aux dernières années du XVIe siècle, apparaît en France une institution nouvelle. La plupart des confréries dramatiques ont disparu ou cessé de jouer. On voit alors se former des troupes de comédiens qui vont de ville en ville donner des représentations, à l'imitation de ce qui se faisait en Espagne. Ces compagnies n'étaient pas d'une cohésion fort durable. Aux approches de Pâques un comédien réunissait une dizaine de « confraires », hommes et femmes ; parfois, sinon toujours, on passait un acte d'association par-devant notaire pour une, quelquefois deux ou trois années. On s'engageait à vivre ensemble « avec tout honneur, respect, fidélité et amitié », en vue de « jouer et représenter toutes comédies, tragédies, tragi-comédies, pastoralles et autres jeux », tant à Paris que dans les autres villes du royaume, voire de l'étranger. Ces compagnies se dissolvaient souvent avant le terme préfix, pour se regrouper bientôt. Rien de plus fluide, dans le temps et l'espace, qu'une troupe de comédiens au début de ce siècle.

Sitôt le Carême terminé, et contrat passé avec un voiturier, la caravane s'en va par les chemins. De cette vie vagabonde, Scarron dans *le Roman comique* (1651-1657) nous a laissé un pittoresque tableau, sûrement valable pour la période que nous étudions, bien que les événements auxquels il se réfère datent des environs de 1640 (nous savons, depuis les travaux d'Henri Chardon, que Scarron décrit la vie d'une troupe célèbre, celle de Philandre). Dans cet ouvrage, nous avons une fidèle image de ces compagnies ambulantes, qui souvent étaient accueillies avec défiance par les bourgeois et les autorités locales. Il est évident que ces représentations populaires ne faisaient guère de place aux drames savants et sans action de l'Humanisme. Ce qui charmait le public badaud des foires, — et aussi, on peut le penser, les gens de condition qui se mêlaient à l'assistance — c'étaient des farces, des intrigues aux péripéties surprenantes et romanesques ; et comme le théâtre antérieur offrait peu de matière à ces curiosités, force était souvent de créer un programme au fur et à mesure des nécessités. Une troupe bien munie comprenait un poète qui, sans recevoir pour autant beaucoup de considération, fournissait le répertoire, soit qu'il arrangeât au goût du jour des tragédies savantes ou des mystères, soit qu'il composât des œuvres nouvelles. Alexandre Hardy, Théophile, Rotrou ont exercé ce métier difficile.

Lorsque la compagnie arrive dans une ville, elle se rend « au grand jeu de paume » ; car il n'existe pas d'édifice affecté au théâtre. Nous savons que Montaigne le regrettait et souhaitait « qu'aux villes populeuses, il y eût des lieux destinez et disposez pour ces spectacles ». Le chef de troupe convient du prix « pour le louage du tripot » ; et le décorateur va chercher un menuisier pour « bâtir le théâtre » suivant le modèle qu'il lui donne.

Nous connaissons plusieurs de ces troupes itinérantes : celle de Valleran Le Conte, celle d'Adrien Talmy, celles de Benoist

Petit, de Mathieu Le Febvre sieur de La Porte, de Robert
Guérin, de Thomas Poirier dit La Vallée ; celle des Loyaux
Bravelestes, celle de François Vautrel... La France recevait
aussi des troupes étrangères : parmi les Italiens, Francesco
Andreini et Alfieri sont les directeurs les plus connus ; on
signale en outre des troupes anglaises et espagnoles.

Ces amuseurs publics ne coulaient pas des jours filés d'or et
de soie comme leurs oripeaux. « La vie comique, dira Scarron,
n'est pas si heureuse qu'elle le paraît. » Le succès, comme
l'accueil des autorités, restait aléatoire. La profession était
condamnée par l'Eglise. Il arrivait qu'une réclamation du
curé — ou de son évêque — obligeât les comédiens à décamper,
mais dans la pratique générale, il semble bien que cette loi fût
appliquée sans rigueur. Scarron, ici encore, nous est un bon
témoin. Au demeurant, l'attitude du clergé local dépendait de
la conduite des comédiens. On en a dit des horreurs ; Tallemant les accuse de mœurs éhontées. La profession, de ce côté
aussi, a toujours eu ses risques ; au temps dont nous parlons,
ils étaient plus graves. La promiscuité, la vie errante, une position en marge de la société temporelle et spirituelle : autant
de périls. Gardons-nous toutefois de noircir le tableau. Si la
troupe, bien recrutée, s'imposait par son talent ; si elle obtenait
la protection déclarée de quelque grand et un public plus relevé,
sa situation matérielle et morale s'améliorait d'autant. Certaines
compagnies, comme celle de Valleran Le Conte en 1592, ont
reçu des attestations flatteuses. En 1618, Henriette de Rohan
dit des comédiens du Prince d'Orange, dirigés par Charles
Le Noir : « Ils sont très honnêtes, ne dizant aucune vilaine
parole. »

A mesure que les années passent, on assiste à une remarquable ascension morale et sociale de la profession. Corneille,
dans l'*Illusion comique* (1636), proclamera que le théâtre

> ... est un fief dont les rentes sont bonnes.

et que le « métier » a conquis l'estime des plus honnêtes
gens.

Mais revenons au début du siècle pour examiner dans quelles
conditions exerçaient les comédiens.

A Paris, la Confrérie de la Passion, en vertu du privilège de
1402, confirmé plusieurs fois dans la suite par les Rois, détient
le monopole des représentations dramatiques « tant en la
ville, faubourgs que banlieue ». Elle possède un théâtre qu'elle
a fait construire en 1548 à l'angle de la rue Mauconseil et de la

rue Neuve-Saint-François (aujourd'hui rue Française). On l'appelle, du nom d'un immeuble qu'il avait remplacé, le théâtre de l'Hôtel de Bourgogne. Depuis le fameux arrêt du 17 novembre 1548 (trois mois après l'acquisition du terrain) qui leur interdit de représenter les « mystères sacrés », les Confrères ne jouent plus guère. A la fin du siècle, ils ne jouent plus du tout. Mais, restés propriétaires de la salle, ils ont pris l'habitude lucrative de la louer aux troupes de passage ou d'occasion. Et si des comédiens, comme il advient souvent, ont l'audace de monter leurs tréteaux sans autorisation dans quelque jeu de paume, les « maîtres et gouverneurs » de la Confrérie les font condamner à leur verser une indemnité : tant par représentation. De là, chicanes et procès.

Au début du XVIIe siècle, il n'y a donc qu'une salle permanente à Paris : l'Hôtel de Bourgogne. Mais il est d'autres lieux de spectacle où le peuple se presse. D'abord, le théâtre de la Foire, qui a lui aussi ses privilèges officiels contre quoi ne peuvent rien les maîtres de l'Hôtel. Tous les ans, du 3 février au dimanche de la Passion, on joue la comédie à la Foire Saint-Germain (à l'emplacement actuel du marché Saint-Germain). De la fin de juin à la fin de septembre, c'est à la Foire Saint-Laurent (à la place actuelle de la gare de l'Est). Henri IV a confirmé les droits de ce théâtre de la Foire, qui aura longue vie.

D'autre part, au début du siècle, paradent sur le Pont-Neuf et sur la place Dauphine charlatans, « opérateurs » et bateleurs de toute farine. De 1618 à 1625, deux farceurs de génie attirent sur la place Dauphine des foules innombrables : Mont-dor (Philippe Girard), « docteur-médecin », débite ses thériaques, assisté de son frère Antoine, dit Tabarin. Leurs monologues et dialogues facétieux, agrémentés de pirouettes, les cocasseries que Tabarin déploie avec l'accessoire de son célèbre chapeau, les farces qu'ils jouent parfois à plusieurs personnages, l'histoire littéraire aurait tort de les mépriser : Molière a forgé là, c'est certain, l'un des ressorts de son génie comique.

Cependant le développement du théâtre à Paris est gêné par le privilège des Confrères et les tracasseries qu'ils causent aux comédiens. En province, la vie dramatique, plus libre, est plus active. Ici ou là, des groupes d'amateurs maintiennent la tradition des mystères. A Rouen, on donne une Passion chaque année de 1597 à 1608. Les « Confrères pèlerins » de Limoges représentent des drames sacrés. Au Puy, on peut assister à des pièces bibliques. Le théâtre scolaire est encore plus vivant, surtout chez les Jésuites. Dans toutes les villes du royaume, les collèges donnent des séances éclatantes.

Mais les acteurs professionnels peu à peu gagnent en nombre

et en réputation. Parmi les troupes les plus estimées, celle de
Valleran Le Conte se distingue par sa valeur. Elle a fait grande
impression à Bordeaux en 1592. L'année suivante, elle se montre
à Rouen, puis à Francfort, à Strasbourg, Langres et Metz. En
1598, date importante, elle est à Paris. En janvier 1599, elle
joue à l'Hôtel de Bourgogne. Après une période obscure à nos
yeux, nous la retrouvons dans la capitale en 1606. Elle s'intitule la troupe des « Comédiens françoys ordinaires du Roy » ;
et Valleran Le Conte soussigne « valet de chambre de Mgr le
Duc de Nemours ». En 1606-1607, puis de 1609 à 1612, il
loue fréquemment l'Hôtel. Il utilise aussi les jeux de paume,
quitte à payer les droits coutumiers aux Confrères. Il s'est
attaché comme poète Alexandre Hardy. Mais le succès ne
répond pas à ses efforts ni à ses talents : il se débat dans les
embarras financiers. En mars 1612, il crée une troupe nouvelle,
composée surtout de jeunes acteurs et il abandonne Paris. Au
printemps de 1613 on relève sa trace à Leyde, à La Haye. Puis
il disparaît.

Mais la troupe des Comédiens du Roi survit. On y compte
Hugues Guéru (à partir de 1606) qui sera Gaultier-Garguille ;
Robert Guérin, dit Gros-Guillaume (à dater de 1610) ; Henri
Legrand, connu sous le nom de Turlupin : c'est l'illustre trio
des farceurs qui fera, aux environs surtout de 1620-1630, la
renommée de l'Hôtel de Bourgogne.

En 1622, une nouvelle compagnie s'introduit à Paris. Elle
s'appelle, du nom de son protecteur, la troupe du prince
d'Orange (Maurice de Nassau). Elle séjourne habituellement
aux Pays-Bas, sans s'interdire les tournées à travers la
France. Elle a pour chef Charles Le Noir et elle compte un
acteur qui a commencé sa carrière chez Valleran : Guillaume
Desgilberts dit Montdory. Leur premier passage à Paris est
bref : ils reviendront. En 1624, ils sont là, Le Noir en tête,
mais sans Montdory, qui a fondé une troupe. L'année suivante,
meurt le prince d'Orange. Le Noir renonce alors aux Pays-Bas
et, à partir de 1625, sa troupe fera de Paris sa résidence plus
ou moins régulière. Au cours des années 1622-1630, les compagnies dramatiques, à Paris, se font et se défont sans cesse :
n'entrons pas dans ce dédale encore mal éclairé et d'ailleurs
fastidieux. Nous retiendrons seulement deux faits avérés. Le 29
décembre 1629, un arrêt du Conseil du Roi attribue l'Hôtel de
Bourgogne aux Comédiens du Roi, avec interdiction de sous-
louer. Désormais, il semble bien que la troupe soit définitivement
installée rue Mauconseil. Le bail sera désormais renouvelé à
chaque échéance.

Secondement, en décembre de la même année 1629, Montdory
et Charles Le Noir, de nouveau réunis, louent le jeu de paume

Berthault (impasse Berthault) : ils joueront la *Mélite* de Pierre
Corneille (hiver 1629-1630). Ils transportent ensuite leurs
pénates au jeu de paume de la Sphère, rue Vieille-du-Temple
(1631-1632) et de là au jeu de paume de la Fontaine, rue
Michel-Le-Comte (1632-1634). Enfin ils s'installent, en 1634
(le bail est du 8 mars) au jeu de paume du Marais, rue Vieille-
du-Temple. Le second théâtre permanent de Paris est créé.
Durant quinze ans, il disputera la suprématie à l'Hôtel et remportera d'éclatants succès. Notons qu'en 1644, après un incendie, une nouvelle salle sera construite à l'emplacement actuel
du 90, rue Vieille-du-Temple. Elle aura mille cinq cents places
et deux scènes superposées pour les « pièces à machines ».

C'est au théâtre du Marais, comme l'on sait, que commencera
la carrière de Pierre Corneille.

Les   Nous avons poussé un peu loin, pour n'avoir
représentations. pas à y revenir, l'histoire des troupes. Rebrous-
                     sons encore chemin, pour assister à une
représentation dramatique entre 1600 et 1625. A cette époque,
les salles, même celle de l'Hôtel, (d'ailleurs « vieil jeu de paume
déguisé », selon un contemporain) ne brillent ni par le luxe
ni par la commodité. Elles mesurent en général de 30 à 35
mètres de long, un peu moins en largeur : c'est la dimension
commune des jeux de paume. Au fond. élevée sur une estrade,
la scène, plus profonde elle aussi que large. Le long des murs,
deux rangs de galeries superposées forment les loges. Au-dessous, le parterre, de niveau égal, où on se tient debout.
L'éclairage est parcimonieux, les couloirs d'accès sont obscurs
et fangeux. Le lieu est propice à toutes sortes de désordres :
les plaintes, jusque vers 1625, sont incessantes.

Le public est fort mêlé. Il comprend de braves gens tran-
quilles, bourgeois et artisans ; mais au parterre grouille une
foule bruyante : pages insolents, clercs du Palais héritiers des
traditions facétieuses de la Basoche, jeunes seigneurs libertins et prompts à ferrailler, laquais, soldats, coupeurs de bourse
et tire-laine. Les vols sont une plaie endémique, les rixes fréquentes. L'abbé d'Aubignac rappellera, vers 1666 : « Il y a
cinquante ans qu'une honnête femme n'osait aller au théâtre,
ou bien il fallait qu'elle fût voilée et tout à fait invisible, et ce
plaisir était comme réservé aux débauchées qui se donnaient la
liberté de regarder à visage découvert. »

A partir de 1624, les choses vont changer. La police de Richelieu prend à tâche d'assainir ce « cloaque » et le théâtre, en
quelques années, va devenir le rendez-vous de la société la
plus raffinée. L'évêque Jean-Pierre Camus reconnaîtra dès

1630 : « Nos plus délicates dames ne font point de difficultés de se trouver aux lieux où se représentent les tragédies. » Du même coup pourra s'ennoblir aussi le répertoire.

Les représentations ont lieu d'abord deux fois, puis trois fois par semaine. Elles sont annoncées par des crieurs de rue, plus tard par des affiches. On commence à deux heures pour finir avant la nuit : ainsi le veut le règlement de police. Mais l'horaire n'est pas toujours respecté : on attend pour commencer que la salle soit convenablement garnie. Le programme se compose d'un prologue (où, depuis 1609, s'illustre Bruscambille) et d'une grande pièce (tragédie, tragi-comédie, pastorale). On continue par une farce et on termine souvent par une chanson. Gros-Guillaume, en 1632, publiera ses *Chansons plaisantes*.

Le décor est de toiles peintes. A l'ordinaire il figure plusieurs lieux juxtaposés (en général, cinq) : par exemple une chambre, un bosquet, le rivage de la mer, un extérieur de palais, un cimetière. Les acteurs se placent devant le lieu où est censée se dérouler l'action. Il est hors de doute qu'à l'Hôtel, les comédiens ont pu se servir du matériel des Confrères. Chaque troupe complète a cependant son décorateur ou « fainteur » et nous savons que dès 1599, Valleran Le Conte commandait à des peintres des décors « de villes, châteaux, rochers, bois, gazons... »

Le rideau, dans la première moitié du siècle, demeure un luxe exceptionnel et il ne sert qu'au début et à la fin de la pièce, non entre les actes. Les rideaux partiels, ou « tapisseries », figurant chambre, jardin ou palais, pouvaient se placer devant le décor de fond, que l'on dévoilait en temps voulu. Il reste, avouons-le, que la mise en scène, sur bien des points, nous est encore mal connue. Les acteurs ne sont pas, en général, habillés autrement que leurs contemporains, à deux détails près : leurs habits, lorsque la troupe est riche, sont plus somptueux ; et ils portent des attributs destinés à les faire reconnaître : le Roi une couronne, le seigneur un chapeau à plumes, l'ermite une robe, le berger une houlette, le Turc son turban. Les Romains de Mairet et de Corneille exhiberont casque et cuirasse et ne se soucieront pas autrement d'une « couleur locale » dont la religion n'est pas encore inventée.

LES GENRES

Dans l'*Hamlet* de Shakespeare (1603), ainsi que le rappelle plaisamment Petit de Julleville (*Le théâtre en France*),

« quand Polonius présente les comédiens au jeune Prince, il
lui dit : « Ce sont les meilleurs acteurs du monde pour la tragédie, la comédie, le drame historique, pastoral, comico-pastoral,
tragico-historique, tragico-comico-historico-pastoral ; pièce sans
division ou poème sans limites... Pour concilier la règle avec la
liberté, il n'y a qu'eux au monde. »

Cette litanie est valable aussi pour la France, et il est vrai
également que l'on y assiste, en ce temps, au conflit de la règle
et de la liberté. A partir de 1630, on verra lentement prévaloir,
sur l'abondance shakespearienne, sur le désordre et la fantaisie
baroques, un idéal de concentration, de rigueur et d' « économie ».

LA TRAGÉDIE

A la fin du XVI⁰ siècle, le théâtre médiéval des mystères et
des moralités était encore vivant, surtout en province. Après
1580, la tragédie gagne du terrain, à mesure que se multiplient
les troupes de comédiens professionnels. Ils trouvent une grande
commodité à représenter les pièces « modernes » qui, à la
différence des mystères, ne demandent qu'un petit nombre de
personnages. Entre 1594 et 1610, une bonne cinquantaine de
tragédies en français sont publiées.

Le maître et le modèle reste Robert Garnier. Mais la tragédie humaniste que Garnier avait portée à la perfection subit
de graves altérations entre 1600 et 1610, pour répondre aux
exigences d'un public que ne suffisent pas à contenter les
déplorations élégiaques et les attitudes pathétiques. Quelques
auteurs comme Montchrestien demeurent fidèles aux modèles
humanistes. Mais, chez la plupart, s'élabore une tragédie irrégulière. Ce genre « libertin » peut s'autoriser de l'*Art Poétique* de Laudun d'Aygaliers (1598). Auteur lui-même de tragédies (un *Dioclétien* et un *Horace*), Laudun, disciple des Grecs,
de Garnier et de Jodelle, veut que la tragédie comprenne cinq
actes séparés par un chœur. Mais, au nom de la liberté de
l'art, il s'oppose à la règle du jour. Au nom de la vraisemblance,
il exclut les personnages allégoriques et les interventions divines. Par là, il brise avec ses devanciers du XVI⁰ siècle.

Cette tragédie irrégulière va foisonner jusqu'après 1630. En
1632 encore, Rayssiguier, auteur dramatique, s'en plaindra :
« La plus grande partie de ceux qui portent le teston à l'Hôtel
de Bourgogne veulent que l'on contente leurs yeux par la
diversité et le changement de la scène du théâtre et que le grand
nombre des accidents et aventures extraordinaires leur ôtent
la connaissance du sujet. » Ce témoignage marque bien les
caractères de la tragédie qui succède à celle de la Renaissance.

Cette sorte de drame admet, avec les sujets antiques, les histoires sacrées, bibliques et chrétiennes ; les Vies de saints sont nombreuses : Jeanne d'Arc, saint Sébastien, sainte Agnès, sainte Catherine, saint Vincent, saint Eustache. Ces pièces tiennent encore des mystères, dont la viyace tradition influence d'ailleurs tout le théâtre sérieux de ce temps.

Plutarque est souvent exploité ; le roman aussi, surtout l'Arioste, le Tasse, les nouvelles italiennes et espagnoles. Cette contagion du roman a plusieurs effets. On s'affranchit des règles. On se tient pourtant, sauf exceptions, aux cinq actes. Mais les chœurs se raréfient, les personnages divins ou allégoriques disparaissent. On garde les visions et les songes, jugés plus vraisemblables. Les unités sont observées ou non, selon l'humeur : on ne s'y contraint jamais. On pratique parfois le mélange du comique et du tragique.

D'autre part, le public aime sur le théâtre, comme dans le roman, les « spectacles d'horreur ». La tragédie, avant 1630, abonde en scènes de violence et de brutalité : meurtres, viols, incestes, vengeances cruelles. Claude Billard, un des auteurs de ce temps, prononce : « Où il y a effusion de sang, mort et marque de grandeur, c'est vraie matière tragique. » Sur tous ces points, le drame français ressemble aux pièces anglaises et espagnoles de la même époque.

De déploration lyrique qu'elle était au XVIe siècle, la tragédie devient action. Le héros exhale encore des plaintes, mais il lutte pour changer son destin. Il n'est plus la victime pitoyable d'une Fatalité, il fait lui-même son malheur par ses passions et par ses fautes. Du même mouvement qui avait fait descendre le lyrisme ronsardien de ses hauteurs guindées avec Desportes, Bertaut et Malherbe, la tragédie tendait, avec les successeurs de Garnier : Billard, Jean de Schelandre, à perdre de son altitude, à se rapprocher de l'homme et de ses passions quotidiennes. Les histoires horribles qu'elle déroulera seront des drames plutôt que des infortunes, et qui prendront leur source dans le cœur d'un homme pareil aux autres. Toutefois, des habitudes antérieures persistent : longues tirades, style emphatique, sentences, antithèses, pédanterie érudite...

Vers 1628, la tragédie est délaissée : on en imprime cinq seulement entre 1627 et 1630 et elles sont sans aucune valeur. Elle renaîtra en 1634 avec la *Sophonisbe* de Mairet.

LA TRAGI-COMÉDIE

La tragi-comédie, qui nous est venue d'Italie, a donné son chef-d'œuvre avec la *Bradamante* de Garnier. Ce genre dramatique emprunte son sujet, en général, à la tradition romanesque française, italienne ou espagnole. Les héros peuvent passer par de grands périls, mais le dénouement est favorable. C'est ce que dira Desmarets de Saint-Sorlin en 1639 : la tragi-comédie est une « pièce dont les principaux personnages sont princes et les accidents graves et funestes, mais dont la fin est heureuse ». Autre différence avec la tragédie : l'intrigue est plus complexe, l'action plus vive, plus traversée de surprises ; elle exclut les chœurs. Le ton peut s'élever jusqu'au tragique et redescendre au familier, voire au comique : il ne s'abaisse pas jusqu'à la trivialité de la farce.

Des tragi-comédies, peu nombreuses, qui ont été composées sous Henri IV, il en surnage quatre qui préfigurent bien celles que devait écrire Hardy : la *Polyxène* de Behourt (jouée en 1597 à Rouen) ; l'*Ethiopique* de O.C. Génetay, tirée d'Héliodore et publiée en 1609 ; la *Marfilie* d'Auvray (publ. en 1609) ; la *Genèvre* de Claude Billard, prise au *Roland furieux* et publiée en 1610.

Disons tout de suite que la tragi-comédie, entre 1628 et 1640, sera le genre le plus populaire. Jean de Schelandre qui, en 1608, a intitulé « tragédie » sa pièce *Tyr et Sidon*, cède en 1628 à la mode et la nomme « tragi-comédie ». Après 1640, la tragi-comédie, concurrencée, puis supplantée par la tragédie, vivotera encore jusque vers 1660, mais en perdant chaque année de sa faveur.

LA PASTORALE

Entre 1620 et 1632, la tragi-comédie a une rivale active dans la Pastorale dramatique. Les premières pastorales proprement dites ont été faites sur le modèle de l'*Aminta* du Tasse, jouée à Ferrare en 1582, traduite dès 1584. D'autres imitent le *Pastor fido* de Guarini, joué à Turin en 1587 ; d'autres la *Diana enamorada* de Montemayor. Bien entendu, Virgile fournit l'atmosphère et les thèmes essentiels.

A partir de 1607, la pastorale subit l'influence irrésistible de l'*Astrée,* où les auteurs découvrent maint épisode à exploiter.

Dans une Arcadie de songe, bergers et bergères se livrent aux ravissements et aux tourments de l'amour. Ils célèbrent l'Age d'or et les félicités de la vie pastorale. L'action qui peut être chargée, se résout neuf fois sur dix en un schéma simpliste : Damon aime Philis, qui aime Arcas, etc. : la chaîne peut lier jusqu'à sept amants (chez Hardy, par exemple). Le satyre, symbole de la passion brutale, se charge de l'élément risible. Magie, reconnaissances, déguisements sont les ingrédients habituels de la fable.

La pastorale sera florissante jusque vers 1632. A dater de là, elle va décliner et disparaître en peu d'années. Vers 1650, elle fera une timide et passagère résurrection.

ALEXANDRE HARDY

Alexandre Hardy est né à Paris, vers 1570-1572, d'une famille bourgeoise qui comptait plusieurs officiers de justice ou magistrats. Sa vie nous est très mal connue. En 1605, il écrira une élégie où il relate une visite qu'il a faite à Nicolas Rapin, à Fontenay-le-Comte. D'après cette pièce, il semble que depuis 1590-1595 il courait les provinces, attaché comme poète et comme acteur à une troupe ambulante. Il est, à une époque, le poète habituel de la troupe de Valleran le Conte.

En 1623, nous le voyons nommé dans un contrat avec Robert Guérin (Gros-Guillaume), Henri Legrand (Turlupin) et Philibert Robin (Le Gaulcher). Il y est qualifié « poète de Sa Majesté » et, à cette date, il fait certainement partie de la troupe.

A l'automne de 1626, il se sépare des Comédiens du Roi : sa veuve entrera en procès contre eux. Il signe un contrat avec les « Vieux Comédiens du Roi », de Claude Deschamps, sieur de Villiers (5 janvier 1627) : il s'engage à leur fournir dix pièces par an pendant six années consécutives, moyennant une part sur la recette.

Dans les Epîtres qui ouvrent le volume de *Théagène et Chariclée* (1623) Hardy se vante d'avoir écrit cinq cents pièces. L'abbé de Marolles lui en attribuera « plus de huit cents ». Cette fécondité est attestée par les contemporains. Théophile s'en ébahissait : il déclarait Hardy « coutumier » de « composer des vers — Trois milliers tout d'une haleine ». D'une pastorale, il affirme que « quinze jours de passe-temps l'ont mise sur pied ». Seul Lope de Vega a fait mieux en abondance et en rapidité. Rappelons-nous qu'à la même époque, Jean-Pierre Camus faisait preuve d'une prolixité analogue et abattait, lui aussi, son roman en quinze jours. Signe d'un temps.

Mais alors qu'il commence de vieillir, Hardy assiste à un changement des conceptions littéraires. Sa valeur de poète, vers 1625, est mise en contestation par la génération montante. Deux jeunes auteurs dramatiques le prennent à partie, contre lesquels il écrit la *Berne des deux rimeurs de l'Hôtel de Bourgogne* (1628). Il meurt de la peste en 1632.

Alexandre Hardy n'a publié que 34 de ses pièces : 12 tragédies, 14 tragi-comédies, 5 pastorales, 3 poèmes dramatiques, parmi lesquels le célèbre *Théagène et Chariclée,* quarante actes répartis en huit journées et qui adapte le roman d'Héliodore traduit par Amyot. Ajoutons que nous connaissons le titre de douze autres pièces.

Hardy se proclame le disciple de Ronsard, qui est, selon lui, « le Phénix de nos poètes ». Il a délibéré d'achever l'entreprise de la Pléiade, en créant cette « tragédie que le grand Ronsard feignoit de heurter, crainte d'un naufrage de réputation ». Il rend hommage à Robert Garnier.

Hardy a fait ses classes d'humanisme. Il choisit ses sujets de tragédie, le plus souvent, dans l'Antiquité : Euripide, Xénophon, Plutarque, Lucien, Virgile, Quinte-Curce, Claudien. Il accepte le cadre et les caractères généraux de la tragédie fondée par Jodelle et Garnier. Il divise sa matière en cinq actes ; il admet d'abord les chœurs, mais il consent qu'on les omette à la représentation et finit par les abolir. Il adopte l'alexandrin. A l'exemple de Garnier, il utilise le messager et la nourrice ; il a recours aux songes, aux présages, aux apparitions. Il aime les longues tirades (celle d'Ariane a 250 vers) ornées de rhétorique ronsardienne. Les allusions mythologiques, les périphrases savantes, les néologismes fabriqués sur le latin abondent chez lui. Il nomme ses maîtres à écrire : « Quant au théâtre, le style du bon Sénèque suivi de Garnier, c'est tout ce qu'un brave homme peut et doit faire. »

Pourtant Alexandre Hardy transforme la tragédie telle que les dramaturges humanistes l'avaient conçue. Il y apporte le sens de l'action. Certes, les monologues élégiaques, les déplorations lyriques ne lui sont pas inconnus. Il y a des drames (par exemple *Panthée*) où il ne se passe pas grand-chose, où la plupart des répliques sont lamentations et récits. Mais le plus souvent, il opte pour le mouvement et la péripétie. Il aime les histoires sombres ; il ne recule pas devant les scènes de tuerie et il lui chaut assez peu des bienséances. Il est telle scène où, si l'on se tient aux indications du texte, une fille est violentée sous les yeux du public.

Les dieux, les oracles, les fatalités du destin ont moins de place chez lui que dans la tragédie du XVI⁰ siècle. Ses héros sont plus agissants et veulent être eux-mêmes les artisans de leur bonheur. Hardy aime les natures bouillonnantes. Il met en conflit des hommes et des femmes enragés d'ambition, de cruauté, d'amour ou de vengeance. Ses caractères sont peu nuancés, capables néanmoins de s'examiner et de peser leurs décisions.

Dans le remuement du spectacle, les unités de temps, de lieu et d'action deviennent ce qu'elles peuvent : Hardy ne paraît

guère s'en soucier. S'il lui arrive de faire tenir les événements
dans les limites d'un jour et d'un décor, c'est que le sujet le
veut ainsi. Tout au plus a-t-on le droit de remarquer que les
tragédies de Hardy sont plus régulières que ses autres drames :
leur durée ne dépasse guère deux jours, les intervalles des
actes sont courts et la scène se restreint à une aire assez
étroite.

Les tragi-comédies de Hardy ont plus d'importance que ses
tragédies, s'il est vrai que la plupart des pièces non publiées
appartenaient à ce genre mixte et s'il est vrai qu'il a contribué
à en répandre la vogue. Dans ce domaine, il puise aux sources
de la tradition romanesque et des nouvelles espagnoles, en particulier de Cervantès. Le principal intérêt de ces drames réside
dans la singularité de l'anecdote plutôt que dans l'analyse des
sentiments et l'étude des caractères.

Chacune de ces pièces expose une aventure qui se déploie
librement dans le temps et dans l'espace. Voici *la Force du
Sang,* imitée de Cervantès. Un gentilhomme de Tolède, nommé
Alphonse, enlève au bord du Tage une jeune fille, la conduit
dans sa propre maison, abuse d'elle, puis la fait reconduire
chez elle les yeux bandés. La jeune fille devient enceinte. Elle
avoue tout à sa mère qui, femme pratique, songe à tirer parti
de l'aventure pour un mariage. Il faudrait retrouver le ravisseur. Mais Alphonse est loin. Le troisième acte nous transporte
en Italie : là, le coupable, rêvant à son passé, se sent pris de
remords et de tendresse au souvenir de Léocadie. Nous voici
de nouveau dans les rues de Tolède : un enfant de sept ans,
le fils de Léocadie et d'Alphonse, est renversé par un cavalier
et relevé par le seigneur Inigue qui le fait transporter dans son
palais. La jeune mère accourt et reconnaît la chambre où, il y a
huit ans, elle a été prise de force. Don Inigue n'est autre que
le père d'Alphonse. Quand celui-ci revient, tout s'éclaire et tout
finit par un mariage. Avec la libre fantaisie qui est le privilège
du roman, Hardy nous a promenés de Tolède à Naples et nous
a représenté une histoire qui s'étale sur huit années.

De même *Félismène,* que Sainte-Beuve a analysée, se passe
en Espagne et Allemagne ; de même *la Belle Egyptienne,*
qui nous fait suivre dans ses pérégrinations une troupe de
gitans. Cette fois nous sommes loin du drame régulier préconisé
par les poètes de l'Humanisme. Il s'agit ici d'un théâtre nouveau, qui ressortit au style baroque. Tous les genres sont
mêlés, l'intérêt est ingénieusement suspendu, tous les tons se
succèdent.

Quant aux pastorales de Hardy, ce sont des tragi-comédies
dont les acteurs sont des bergers et qui déroulent, dans un pay-

sage arcadien, une aventure d'amour. La meilleure sans doute est *l'Amour victorieux ou vengé,* que Saint-Marc Girardin aimait, où l'on voit deux filles dédaigneuses que le malin Cupidon enflamme d'amour pour deux bergers dont elles avaient méprisé les hommages.

En définitive, Alexandre Hardy occupe une place importante dans l'histoire de notre théâtre. Son plus grand défaut est d'avoir manqué de génie. Avec du génie, il eût pu être notre Shakespeare. On l'accuse communément d'écrire mal. C'est vrai qu'il a des pages bâclées. Mais il est probable aussi qu'il y a dans ce jugement l'effet d'un certain anachronisme du sentiment littéraire. Hardy, nous l'avons dit, écrit dans une langue ronsardienne et qui renchérit sur Ronsard d'érudition mythologique et de recherche savante, jusqu'à l'obscurité et un intolérable pédantisme. Il abuse de la « dive escumière » (Vénus), de la « nocturne courrière » (la lune), de « l'espoir nourricier de Cérès » (le blé), de « l'archer d'Idalie » (le soleil). Il ose dire :

> Que l'Erèbe gouffreux son barathre ne m'ouvre.

Les jeunes auteurs lui reprochent, à la fin de sa vie, « la suite confuse de ses paroles mal arrangées ». Mais il tenait mordicus à sa rhétorique ampoulée et méprisait « la prose rimée ou la rime prosée » des disciples de Malherbe. C'était trahir sa faiblesse : Hardy soutenait une cause perdue. Son œuvre est morte avec lui, comme sont morts les innombrables romans de ce temps qui relèvent de la même poétique. Isaac Du Ryer, lors de la querelle de 1628, lui signifie durement que sa gloire est périmée :

> Assez longtemps et trop souvent
> De tes écrits l'on a fait conte (= compte) ;
> Souffre, Hardy, d'ore en avant,
> Qu'une jeunesse te surmonte.

Cette « jeunesse » se rattache avec fierté à « Monsieur d'Urfé » et à Théophile.

Il reste que ce bourreau de lettres, ce forçat du théâtre a laissé des leçons utiles aux dramaturges qui sont venus après lui. Il leur a enseigné à nouer une intrigue, à confronter deux adversaires, à mettre en conflit des passions violentes. Mairet, Rotrou, Tristan l'ont fréquenté avec profit. Corneille, en termes un peu dédaigneux, a reconnu qu'il lui devait des « exemples ». Joyel a prononcé juste quand il a dit, faisant parler Hardy :

> Si la postérité me surpasse et devance,
> Ce sera m'imitant.

Mais, suivant la loi générale, ses héritiers l'ont payé d'ingratitude. C'est probablement la rançon du progrès. Il faut peut-être renier pour dépasser.

LES CONTEMPORAINS DE HARDY

L'activité dramatique entre 1610 et 1630 ne se limite ni au seul nom de Hardy ni à la seule ville de Paris. La province a aussi ses auteurs, ses troupes, ses représentations. Rouen notamment est un centre théâtral actif. Entre 1610 et 1618, on y imprime dix-neuf pièces, contre dix publiées à Paris. Pendant la même période, mis à part l'œuvre de Hardy, plus de quarante pièces paraissent. Nous connaissons les noms de seize auteurs et beaucoup de pièces restent anonymes. A partir de 1619, Paris reprendra la suprématie.

Ces drames se distinguent peu des pièces de Hardy, sauf quelques-uns où persistent les habitudes des mystères. Ils sont pleins de mouvement et n'ont pas peur du sang versé. A quelques exceptions près, on n'y a nul souci de régularité.

Laissons cette foule de talents mineurs. Toutefois, si l'on veut se rendre compte de l'évolution du théâtre entre le début du siècle et 1630, il est intéressant de signaler l'œuvre de Jean de SCHELANDRE (1584-1635).

Ce n'est pas un médiocre. Il a du feu, de l'originalité, de l'invention. Disciple de Ronsard et de Robert Garnier, il publie en 1608 une tragédie, *Tyr et Sidon*. La pièce se maintient à peu près dans le cercle des unités et le ton y est partout empreint de gravité. Vingt ans plus tard, Jean de Shelandre reprend son œuvre. Le temps a marché, la tragédie régulière est abandonnée et l'auteur, ajoutons-le, a peut-être admiré en Angleterre les drames « baroques » de Shakespeare et de Ben Johnson. La tragi-comédie est à la mode : *Tyr et Sidon* devient une tragi-comédie (1628).

Elle se divise en deux journées de cinq actes chacune. L'héroïne, qui, dans la première version, était mise à mort, sera unie à son amant dans la seconde. L'action s'est chargée, elle s'étend maintenant sur plusieurs mois. Les batailles ont lieu aux yeux du public ; les moments tragiques sont entrecoupés de scènes comiques où la licence du ton se porte à la grossièreté et à l'obscénité. Le lyrisme n'y perd rien ; il fait triompher le « forcénement » ronsardien et la boursouflure « baroque ». Jean de Shelandre fait défiler, dans ses métamorphoses éclatantes, toute la mythologie. Il a d'étourdissantes inventions, comme en ce vers, difficile à qualifier :

« O mer, amère mère à la mère d'Amour. »

Son verbe est sonore et robuste. Corneille ne dédaignera pas de lui emprunter un hémistiche (« O rage, ô désespoir ») et des mouvements de grandeur.

La pièce de Jean de Schelandre avait le tort d'arriver trop tard, au moment où la régularité allait l'emporter. L'auteur ne se faisait pas illusion. Dans un sonnet qui introduisait l'œuvre (en sa seconde version), il s'opposait lui-même aux « beaux esprits de ce temps », aux « paroles de prose, en bon ordre agencées » : l'expression est typique et désigne les malherbiens de doctrine ou de pratique. Le ronsardisme, en 1628, est bien condamné.

Depuis environ 1620, en effet, une nouvelle volée de poètes imposaient une mode différente. Trois noms émergent avant 1630 : Racan, Théophile, Mairet. Ces trois poètes apportèrent à l'Hôtel de Bourgogne ce qui manquait le plus à Hardy : le souci d'un style vivant et moderne. Par là, ils firent entrer un théâtre qui avait gagné le sens de l'action, mais qui restait trop échevelé et hérissé, dans le domaine de la poésie telle que la concevaient dorénavant les honnêtes gens de la Cour et de la Ville. Mais leurs œuvres, qu'ils le veuillent ou non, suivent encore sur plus d'un point le modèle de Hardy.

RACAN

Ce n'est pas étonnant pour Racan qui disait lui-même que les pièces du vieux maître « l'excitaient fort ». S'il n'était guère apte à la tragédie — et il faisait profession, d'ailleurs, d'ignorer les Anciens — ses relations avec Honoré d'Urfé et avec l'Hôtel de Rambouillet, où *l'Astrée* faisait fureur, le conduisaient à la pastorale. Ses *Bergeries,* écrites avec l'arrière-pensée de faire la cour à Mme de Termes, une Catherine dont il eut l'idée, le premier, de tourner le nom en l'anagramme d'Arthénice, sont une imitation du *Pastor fido* de Guarini, sauf quelques traits dérobés à *l'Aminte* du Tasse et à *l'Astrée.*

Arthénice est aimée du berger Alcidor et elle le « réciproque ». Ses parents veulent la marier à un berger plus riche, Lucidas. Celui-ci consulte un magicien qui, dans un miroir enchanté, lui fait voir Alcidor en compagnie d'une autre bergère, Ydalie ; heureuse découverte dont il va tirer parti. Au vrai, Ydalie est éprise d'Alcidor, mais il reste, lui, fidèle à son Arthénice. Néanmoins Arthénice, se jugeant trompée, se réfugie dans un couvent de Vestales dont la supérieure, une fille de

saint François de Sales sans doute, se nomme Philothée. Par
bonheur, Alcidor, qui de désespoir s'était jeté à l'eau comme
Céladon, est sauvé, lui aussi, et il accourt. Arthénice s'évanouit
dans le parloir du couvent et tout finit par des mariages.

La pièce fut représentée à l'Hôtel de Bourgogne en 1619
ou 1620 : elle obtint un grand succès. Ce n'est pourtant pas
une merveille de construction et de conduite. Dans la pastorale,
Hardy n'avait rien innové ; il s'était borné à peu près à
augmenter le nombre des personnages, c'est-à-dire des couples
à marier. Racan non plus ne se pique pas d'invention. Il réduit
cependant la part du merveilleux et celle du comique, qu'il
purge aussi de toute grossièreté. Son intrigue offre peu d'intérêt. On pourrait d'ailleurs y distinguer trois actions mal
liées. Le mouvement est lent, les transitions gauches. Dès la
fin du premier acte, tout est prêt pour le dénouement ; la
même situation se retrouve à la fin du second, puis du troisième acte : ces reprises de l'action donnent une impression
d'artifice. Conrart jugeait bien, qui prononçait que « le théâtre » n'y était pas « bien entendu ».

Il y avait pourtant d'heureuses nouveautés dans ces *Bergeries,* et qui expliquent leur succès. Racan, qui a protesté
contre une conception trop rigide de la « régularité », apportait une contribution notable à la cause. Il respecte l'unité de
jour : intention qui se trahit dans l'insistance des personnages
à préciser l'heure qu'il est. Le lieu est assez restreint : il
englobe quelques villages des environs de Paris. La scène en
effet ne se passe pas dans une Arcadie de convention, mais
aux bords verdoyants de la Seine et de l'Oise. Les « bergers »
font un effort louable d'authenticité et décrivent leurs travaux avec exactitude. La beauté des champs, le charme de la
vie rurale, la poésie des vallons, des grottes et des bois sont
exprimés avec une grâce qui, pour être virgilienne, n'en est
pas moins sincère :

> Les ombres des cousteaux s'allongent dans les plaines ;
> Déjà de toutes parts les laboureurs lassés
> Traînent devers les bourgs leurs coutres renversés ;
> Les bergers ont déjà leurs brebis ramenées,
> Le soleil ne luit plus qu'au haut des cheminées.

Le sentiment de l'amour s'exhale avec une vérité délicate,
parfois profonde. Ecoutons Ydalie essayant de faire comprendre
son amour à Alcidor :

> Ce que j'ai dans le cœur se lit dans mon visage ;
> Je voudrais bien le dire et ne le dire point.
> Je sais bien en cela ce que l'honneur m'enjoint
> Et ne puis sans rougir, quoi que je me propose,
> En vous le découvrant en découvrir la cause.

Nous sommes loin de Hardy. A peine si, par endroits, le plaisir est gâté par quelque afféterie italienne ou quelque hyperbole baroque.

La supériorité de Racan, sa nouveauté essentielle, réside dans son talent d'écrivain. Il a mis à profit, le premier en date de nos poètes dramatiques, les leçons de sobriété et de clarté de son maître Malherbe. Le style est limpide et réaliste sans vulgarité. Le vers est coulant, d'une harmonie pleine et suivie. Racan répond aux exigences de « douceur » des Modernes qui, ainsi que nous l'avouait Jean de Schelandre, s'opposaient aux rudesses de Hardy et de ses émules. Signalons ici, en parenthèse, que Hardy le premier avait vitupéré ces novateurs « qui cherchent la perfection de la poésie en je ne sais quelle douceur superficielle » : formule remarquable et qui note bien l'opposition de deux écoles.

A cet égard, le mérite de Racan est considérable. Le poète des *Bergeries* restitue au théâtre une beauté littéraire accessible aux honnêtes gens et il marque une étape importante dans la voie du « classicisme ».

THÉOPHILE

L'un des grands succès dramatiques de ce temps fut, avec les *Bergeries* de Racan, le *Pyrame et Thisbé* de Théophile. La pièce fit « puissante impression » sur Mairet ; Scudéry, en 1635, affirmera encore qu' « il n'est personne qui ne (la) sçache par cœur ».

Composée probablement au début de 1621, la tragédie fut publiée en mai 1623. Elle avait été jouée sans doute, à l'Hôtel de Bourgogne, peu après sa composition, dans le cours de 1621. Un peu plus tard, on la représenta devant le Roi, puis encore à Rambouillet, chez la marquise de Rambouillet, dont la fille, comme Voiture nous l'apprend, tint le rôle de Thisbé.

La source principale, bien entendu, est Ovide (*Métam,* IV, 55 sq.). Il est bon de rappeler que Gongora avait fait de cette légende une petite idylle épique, *Piramo y Thisbe.* Théophile ne lui doit peut-être rien ; en revanche, il est probable qu'il a emprunté à *la Sampogna,* recueil d'idylles du cavalier Marin.

Les deux héros, comme Roméo et Juliette, appartiennent à deux familles ennemies, mais voisines, ce qui permet aux jeunes amants de communiquer par la fente d'un mur mitoyen. Les parents, un roi rival menacent leur bonheur. Ils décident de fuir. Rendez-vous est pris au tombeau de Ninus. Thisbé y rencontre un lion ; elle fuit, laissant tomber son voile. Pyrame

le ramasse, croit que Thisbé a été dévorée et se donne la
mort. Thisbé survient, exhale sa douleur en un long monologue
et se plonge dans le sein le poignard de Pyrame.

La construction du drame est sommaire, la division en actes
est gauche. Les scènes manquent de liaison. Le cinquième acte
est fait de deux grands monologues. Dans l'ensemble, le récit
et la confidence lyrique prédominent sur l'action. Théophile
introduit le personnage de la nourrice et avec elle un certain
élément comique, d'ailleurs peu savoureux. Toutefois, la pièce
marque un progrès sensible vers le « classicisme » : l'action
tient en vingt-quatre heures ; le lieu n'est pas fort étendu : l'auteur prend soin de souligner que le tombeau de Ninus est tout
proche. Sauf quelques répliques familières, le ton est noble,
les convenances sont respectées. Les caractères sont faiblement
accusés : Pyrame et Thisbé ne sont guère distincts. Théophile
est plus doué pour le lyrisme que pour l'analyse des âmes.

Mais son lyrisme atteint à de beaux accents, quand il ne se
laisse pas entraîner — c'est malheureusement fréquent — à
rivaliser de *concetti* avec le cavalier Marin. De là, des inégalités surprenantes. Tantôt une langue dépouillée, sobre, un
naturel savoureux à la fois et délicat. Des répliques où se
présage Corneille :

PYRAME
Je veux que mon amy, sans feinte et sans réserve
Dedans ma passion me complaise et me serve.
DISARQUE
Et quoy, si vostre amy vous avoit veu courir
Dans un danger mortel ?
PYRAME
Qu'il me laissast mourir.

De beaux vers où s'épanche un amour vrai de la nature :

Déesse de la nuit, Lune, mère de l'ombre...
Belle nuit, qui me tends tes ombrageuses toiles...

Tantôt des subtilités affétées : ses jeunes amants oublient
trop souvent leur passion pour faire montre de leur esprit.
Au plus affreux de leur tragédie, ils élaborent les traits les plus
ingénieux. Mais quoi : que nous le voulions ou non, c'est par là
que la pièce a réussi. La fameuse apostrophe à l'arme du
crime :

Le voilà, le poignard qui du sang de son maître
S'est souillé lâchement : il en rougit, le traître,

a été longtemps admirée : une bonne dizaine de dramaturges,
parmi lesquels Mairet en sa *Sylvie* et Puget de La Serre, ont

pris soin de l'imiter. Du reste, on trouve dans *Pyrame* des inventions aussi insupportables. Pyrame, par exemple, s'adressant au fauve qui, croit-il, a dévoré Thisbé :

> En toy, lyon, mon âme a fait ses funérailles...
> Qui digères desjà mon cœur dans tes entrailles...
> Cruel lyon, reviens, je te veux adorer.
> S'il faut que ma déesse en ton sang se confonde,
> Je te tiens pour l'autel le plus sacré du monde...

Bien entendu, il ne suffit pas d'apposer l'étiquette « baroque » à ces vers pour les justifier. Ils nous restent, depuis le XVIIᵉ siècle « classique », parfaitement intolérables. Du moins l'extravagance en est-elle atténuée quand on constate la fréquence du procédé.

Pyrame et Thisbé a exercé une action non négligeable sur le théâtre. Mairet, Scudéry l'ont imité. Théophile est un de ces « modernes » qui, procédant de Hardy, le font oublier et préparent Corneille, qui à son tour les effacera.

JEAN MAIRET (1604-1686)

Sa vie.   Il naît à Besançon en 1604, d'une famille catholique d'origine allemande. Vers 1625, il entre au service du duc Henri de Montmorency et prend part avec lui au siège de La Rochelle. Montmorency était passionné de théâtre : il patronnait déjà Hardy. Mairet se lie avec Théophile, autre protégé du duc. En 1625, il écrit une tragi-comédie tirée de *l'Astrée, Chryséide* et *Arimant*. La pièce a du succès. Mairet donne alors *La Sylvie* (1626), « tragi-comédie pastorale », qui remporte un des plus beaux triomphes du temps. Vient ensuite *Silvanire,* tragi-comédie (représ. 1629-30, publ. en 1631), qui accroît encore la notoriété de l'auteur.

Après la mort de Montmorency (décapité à Toulouse le 30 octobre 1632), Mairet passe chez le comte de Belin, au Mans, autre grand amateur de théâtre et protecteur de Rotrou. Il écrit *les Galanteries du Duc d'Ossonne,* comédie (1632), *Virginie,* tragi-comédie (1633) et *Sophonisbe,* tragédie, qui est représentée avec éclat en 1634. Mairet dès lors est tenu pour le premier dramaturge de son temps. Richelieu et Chapelain le prennent en faveur.

Mais *Le Cid* paraît et d'un coup offusque la gloire de Mairet. Piqué de jalousie, il entre vilainement en guerre contre Corneille, qui de son côté n'est pas d'humeur accommodante. Richelieu, par Boisrobert, imposera le silence à Mairet en octobre 1637.

Le Cid se présentait comme tragi-comédie : Mairet revient à ce genre et, de 1637 à 1640, il fait jouer quatre tragi-comédies. Chose curieuse, il y abandonne les unités qu'il avait si fort défendues. Cette erreur est punie par l'insuccès. Mairet, en 1643, se retire de la carrière théâtrale, non sans amertume. Son talent précoce avait décliné très vite. Il passe dans la diplomatie et, après avoir traversé toute la période classique, il meurt en 1686.

Son œuvre. Les trois premières pièces de Jean Mairet le situent dans la lignée d'Urfé, de Racan (*Bergeries*) et de Théophile (*Pyrane*). Dès ce moment on peut discerner chez lui un penchant à simplifier l'intrigue, à intensifier le mouvement dramatique, à concentrer l'intérêt, à étudier les sentiments. Il aime à mettre « en balance », comme il dit, « l'amour et le devoir ».

La *Sylvie* (1626) inaugure cette œuvre de dépouillement, d'analyse intérieure, de rapidité dramatique et de réalisme « classiques ».

Sylvie déroule une double intrigue. D'une part, Florestan, prince de Candie, s'est épris de la fille du roi de Sicile, Mélophile, à la seule vue de son portrait (coup de foudre indirect connu depuis longtemps des romanciers). D'autre part, Thélame, fils du même roi de Sicile, est amoureux de la bergère Sylvie. La principale donnée, et qui suffirait à un drame bien construit, est l'aventure de Thélame et de Sylvie. Elle ne commence qu'au second acte et jusqu'au cinquième on a le temps d'oublier Florestan qui ne revient se mêler à l'action que pour en dénouer la « fusée » embrouillée. En effet, le roi de Sicile, Agathoclès, qui avait résolu de marier son fils avec l'Infante de Chypre, a « puni les deux amants » à l'aide d'un « sortilège » : il les a privés de la raison, de sorte que Thélame « croit sa bergère morte » et que Sylvie « pense qu'entre ses bras » son amant « a perdu la vie ». Le Roi, touché ensuite de « repentir », « voulut les remettre en leur sens ordinaire »,

mais le magicien ne le peut jamais faire.

Le roi se désole. Mais Florestan « arrive en Sicile par un naufrage ». Il « chasse les démons, casse le miroir enchanté et délivre les deux amants », qui peuvent se marier.

La pièce n'est une merveille ni de construction ni d'originalité. Elle imite trop fidèlement à notre gré les *Bergeries* antérieures, celle de Nicolas de Montreux (1585-1598) et, de plus près encore, celle de Racan. De ses devanciers, Mairet conserve un certain nombre d'artifices et de conventions. Cependant il

marque sur eux un incontestable progrès. Le royaume de
Sicile, où se passe l'action, n'est plus la banale Arcadie que
figuraient les pastorales, mais ressemble bien davantage à une
province française. Ses bergers ont renoncé à la noble extrac-
tion que revendiquaient les gentils pasteurs de *l'Astrée* et des
pièces inspirées de ce roman. Sylvie et ses parents sont, en dépit
de quelques ornements de langage, d'assez authentiques ruraux ;
la jeune bergère n'est pas reconnue à la fin pour être issue
de race royale : elle reste la fille de Damon et de Macée.
Mairet a écarté bien des personnages et des poncifs de la
pastorale italienne : il réduit la part du merveilleux, supprime
le grand prêtre, le satyre, l'oracle. La magie intervient encore,
mais non le magicien.

Plus que Racan et Théophile, Mairet a le sens de l'action
animée et par là aussi marque un pas en avant. Nous avons
beau jeu à dénoncer des maladresses dans la liaison des
scènes et les personnages ne justifient pas toujours leur présence sur le plateau : Mairet laisse des progrès à faire à ses
successeurs.

Telle quelle, *Sylvie* apparut aux contemporains dans une
fraîcheur et une nouveauté qui les ravirent. On admira comme
la vie familière était bien rendue et avec quelle discrète finesse
les sentiments s'exprimaient. Un certain dialogue de la pastorale
se fixa dans les mémoires et fut longtemps « récité, dit Fontenelle, par nos pères et nos mères à la bavette » :

PHILÈNE
Beau sujet de mes feux et de mes infortunes,
Ce jour te soit plus doux et plus heureux qu'à moi.

SYLVIE
Injurieux berger qui tousjours m'importunes,
Je te rends tout souhait et ne veux rien de toy.

PHILÈNE
Comme avecque le temps toute chose se change,
De mesme ta rigueur un jour s'adoucira.

SYLVIE
Ce sera donc alors que d'une course estrange
Ce ruisseau revolté contre sa source ira.

PHILÈNE
Ce sera bien plustost lors que ta conscience
T'accusera d'un crime en m'oyant souspirer.

SYLVIE
Tes discours ont besoin de trop de patience
Adieu, le temps me presse, il me faut retirer.

(Act. I, 3)

Rotrou, en 1634, parlera de *Sylvie* comme d'une œuvre
toujours en vogue. Et l'abbé de Marolles cite ensemble « les
Bergeries de Racan, la *Thisbé* de Théophile et la *Sylvie* de

Mairet », pour les opposer aux vers « désagréables » par leur
dureté du « vieux Hardy ». Il est vrai que le style de
Sylvie témoigne d'un effort de simplicité remarquable : il
est dépouillé des archaïsmes, des mots composés, des lourdes
allusions mythologiques dont Jean de Schelandre encombre
encore son *Tyr et Sidon*. Mairet évite aussi de donner dans
le gongorisme flamboyant qui est un péché favori de Théophile. Son vers est fluide, d'une harmonie sans apprêt. Rien
de génial, mais un talent mélodieux. On songe déjà à Racine,
ou du moins à Quinault.

Silvanire est encore une tragi-comédie pastorale. Tiré de
la *Silvanire* d'Honoré d'Urfé (1625), le sujet se place dans
une ligne fort traditionnelle. Aglante adore Silvanire, dont il
n'obtient que « rigueur ». Hylas, le berger inconstant, cherche à détourner son ami de cette passion et il fait l'éloge du
« change » : « la constance est un songe ». Ménandre, vieillard cupide, père de Silvanire, veut marier sa fille au riche
berger Théante. Aglante, désolé, supplie Hylas de plaider pour
lui auprès de l'insensible. Ce qu'il fait : mais Silvanire se
prétend vouée à Diane et ennemie de l'amour. Hylas lui prédit
qu'elle s'en repentira. En fait, Silvanire souffre de la contrainte
qui lui est imposée par ses parents et elle nourrit une secrète
tendresse pour Aglante.

L'intrigue se complique. Tirinte, aimé de Fossinde, aime
Silvanire et tente de la conquérir par le moyen d'un miroir
magique. Silvanire, sous l'effet du sortilège, tombe malade, elle
fait l'aveu de son amour pour Aglante et perd connaissance :
on la tient pour morte. Tirinte se dispose à l'enlever, mais les
bergers interviennent. Le druide Adamas se prononce au nom
du Ciel en faveur des deux amants. Un chœur célèbre la
« joyeuse catastrophe ».

Sur certains points, la pièce marque un recul par rapport à
Sylvie : Mairet introduit le chœur, qui ralentit l'action ; il
fait intervenir un ministre du Ciel et un oracle.

Mais *Sylvie* avait encore l'irrégularité des drames de Hardy.
L'unité de lieu y était violée : on passait de Candie en Sicile ;
la durée de l'action était indécise, mais excédait largement les
ving-quatre heures. Dans *Silvanire,* le lieu est restreint, bien que
le décor soit assez compliqué ; les événements se déroulent
« entre deux soleils ». Nous aurons à constater que cette
pastorale, à cet égard, a une grande importance historique. Le
style, comme celui de *Sylvie,* se conforme à la conversation des
honnêtes gens : il évite la trivialité, le dialogue a gagné encore
en naturel ; les parties lyriques ont de la grâce et une élégante
limpidité.

Deuxième Partie

L'ÉLABORATION DE L'IDÉAL CLASSIQUE

Chapitre Premier

LA FORMATION DE « L'HONNÊTE HOMME »

Les guerres civiles, déchaînant toutes les férocités et toutes les passions, avaient « brutalisé » les âmes. Le retour de la paix ne peut opérer le miracle de convertir soudain les mœurs et le langage. Ce fut une œuvre lente et laborieuse, à laquelle nous verrons coopérer des forces religieuses, sociales et littéraires.

Au temps de François 1er et d'Henri II, les *Amadis*, renforçant l'influence des cours italiennes, avaient fourni aux mondains un « bréviaire » de civilité ; ils avaient restauré le vieil idéal galant et chevaleresque des Cours d'amour. Culte des Lettres et des Arts, fêtes, tournois, ballets avaient communiqué à l'entourage du Roi un ton et une élégance qui demeurèrent longtemps dans le souvenir des Français. C'est sous le règne d'Henri II que Madame de La Fayette placera le cadre de *la Princesse de Clèves*. Mais ces beaux jours étaient révolus. Les troubles du royaume paralysent la vie mondaine ; la noblesse mène le plus souvent la vie des camps, école de violence et de licence morale.

De tous ceux qui s'étaient formés, dans les batailles, des tempéraments effrénés, le plus retenu n'était pas Henri IV. Si le Vert Galant savait, à l'occasion, tourner un billet délicat à l'une de ses belles amies, en général il leur demandait des satisfactions de la « partie animale » plutôt que des témoignages d'honnête amour. La noblesse des sentiments était son dernier souci : on le vit bien lors des vils marchandages où il s'abaissa pour obtenir sa dernière maîtresse, la très jeune Charlotte de Montmorency. Et sa Cour étale des mœurs soldatesques.

Louis XIII, par timidité et par vertu, fut l'un des plus

chastes rois de France. Mais son règne fut fort agité. Guerre contre les princes et contre les protestants, conspirations de Gaston d'Orléans et de la Reine Mère emplissent les trente années qui suivent l'assassinat d'Henri IV. Les femmes s'en mêlent, telle cette intrigante de haut style, la marquise de Chevreuse, qui réussira un moment, par sa beauté, à troubler Richelieu et qui, jusqu'à la fin de sa vie, ne cessera de conspirer.

Jamais on ne méconnut davantage l'art de se discipliner. On s'emporte dans de furieuses colères et le geste suit aussitôt. En pleine église Notre-Dame, aux funérailles d'Henri IV, les seigneurs se disputent la préséance à coups de poing. Le fait se renouvellera. Les rixes sont quotidiennes, les coups de bâton sont monnaie courante, les duels font rage. Pour un mot de travers, pour un coup d'œil, on tire l'épée, ou l'on s'assigne, avec des seconds, sur le Pré-aux-Clercs. En mars 1607, l'Estoile estime à quatre mille le nombre des gentilshommes tués en duel depuis l'avènement d'Henri IV.

Autre passion délirante : le jeu. Henri IV y a perdu des journées entières et de grosses sommes. On triche sans vergogne, d'où querelles — et nouvelle cause de duels.

D'autre part, les fêtes n'ont plus le caractère de politesse raffinée qui avait prévalu sous les derniers Valois. Elles consistent en ballets licencieux qui favorisent le dévergondage. Le désir sexuel se montre agressif ; les enlèvements ne sont pas rares ; la fidélité conjugale est tenue pour ridicule. De grandes dames se permettent d'étonnantes privautés. Les repas donnent lieu à des goinfreries brutales. « L'excès des vins et des viandes », au dire d'un contemporain, est habituel parmi les gentilshommes.

Dans ce climat de paroxysme, les caractères se durcissent, les sentiments s'exaltent ; mais à aucun moment peut-être de notre Histoire la Cour et la noblesse n'ont offert en exemple des mœurs aussi déréglées.

C'est au sein pourtant de cette société que va naître et se développer un esprit nouveau qui, sans affaiblir ce qu'il y a de vigueur saine dans les tempéraments, les assouplira peu à peu et finira par imposer à la France l'allure de grandeur et de distinction qui caractérisera le siècle de Louis XIV.

L'exemple de Louis XIII ne fut pas sans effet à cet égard : « En sa présence, dit Balzac, les plus débauchés ressemblent aux plus honnêtes. » L'action du pouvoir, quant à la moralité publique, obtient des résultats appréciables : la police de Richelieu assainit les rues, poursuit les duellistes, purifie le théâtre, sévit contre les écrits obscènes, réprime les violences.

Mais cet immense travail de conversion morale et civile a eu
des ouvriers plus profondément efficaces. L'Eglise d'abord.
L'éducation des mœurs est incluse, bien entendu, dans le
mouvement de réforme religieuse qui a fait de cette période « le
siècle des saints ». Il est curieux de constater que la licence
des propos et de la conduite coexiste souvent avec la ferveur
sincère de la dévotion — ce qui rend imprudente l'accusation
d'athéisme ou d'incrédulité. Au déclin de l'âge et à l'heure de la
mort en tout cas, les pires débauchés et blasphémateurs reviennent à Dieu avec une candide piété.

Tout de même, il convient de souligner l'action civilisatrice
des professeurs de bienséance, auteurs de traités ou de
romans.

Rééducation   Il est peu d'époques où l'on ait vu paraître
de la   autant de manuels destinés à enseigner aux
« *politesse* ».   enfants et aux grandes personnes l'art de se
                   bien conduire dans le monde.

On réédite d'abord des œuvres qui avaient été très lues au
xvie siècle. Telle, la *Civilité morale des enfants,* d'Erasme, traduite en 1613 par Claude Hardy. Elle ne s'adresse en effet qu'au
jeune âge. On lui apprend à manger et à boire dans les règles,
à marcher, à se moucher, à se tenir convenablement en compagnie et à l'église. Les grandes personnes y trouvent profit.

Le *Galatée* de Giovanni della Casa (1558) est réédité en
1609 avec traduction. C'est un recueil de conseils aux gens du
monde et un bon manuel de courtoisie. Le professeur de
bonnes manières, dans cet ouvrage, est un gentilhomme,
Galatée, secrétaire d'un évêque. Il insiste sur la conversation,
qui doit être digne, aimable et discrète. Le livre parut propre
à former les gens de condition : une imitation en fut composée
en 1618 à l'usage du collège de La Flèche, tenu par les
Jésuites, sous le titre de *Bienséance de la conversation entre
les hommes.*

On lit toujours, bien entendu, soit dans le texte italien, soit
dans des traductions du xvie siècle, la fameuse *Conversation
civile* de Guazzo, parue à Venise en 1574, où il est traité surtout des qualités que doit avoir un entretien mondain. Les
emprunts que Montaigne a faits à ce livre n'ont pu que lui
donner une nouvelle illustration.

Enfin, on feuillette encore et on réédite l'ouvrage qui avait
enchanté les générations précédentes, *le Courtisan* de Baldassare Castiglione (1528) qui disserte, lui aussi, de la conversation, qui en offre même un modèle exquis, mais qui embrasse
aussi l'ensemble des talents et des vertus qui font le vrai gentilhomme. Ce livre d'or de la Renaissance, qui avait inspiré tous

les traités de civilité et de pédagogie, et Rabelais et Montaigne, a perdu de sa notoriété à l'époque où nous sommes. Mais c'est que la substance, qui en avait passé dans les meilleures pages des *Essais,* se retrouvaient dans des traités français comme *le Parfait Gentilhomme* de du Souhait (1600), *La Guide des Courtisans,* de Nervèze (1606), les *Diverses Leçons,* de Louis Guyon (1604-1610), *le Gentilhomme,* de Nicolas Pasquier (1611), *le Courtisan français* (anonyme de 1632).

FARET

La plus célèbre de ces adaptations du *Cortegiano* est *L'Honnête Homme ou l'Art de plaire à la Court,* de Nicolas Faret (1596 ? - 1646). Ce traité s'inspire en outre de Guazzo et de Guevara (traduit en 1623 sous le titre de *Réveille-matin des Courtisans*). Il est nourri de Montaigne. Il imite de près le *Traité de la Court* de du Refuge (1616). Faret enfin s'est souvenu qu'il avait publié lui-même en 1623 un livre *Des vertus nécessaires à un Prince.*

L'Honnête Homme parut en 1630. Il a un double caractère : traité de morale et manuel de civilité. Mais l'auteur ne sépare pas la politesse de la vertu : « Je ne distingue point... l'honneste homme de l'homme de bien. » La sagesse véritable est celle qui prend pour base « une ferme créance des mystères de nostre foy ». Contre « cette nouvelle et orgueilleuse secte d'Esprits forts », il faut maintenir que la crainte de Dieu est le principe de toute vertu : « Par elle, nous paroissons bons sans hypocrisie, devots sans superstition, prudents sans malice, modestes et humbles sans lâcheté et généreux sans arrogance. » Le sage ainsi conçu peut faire fleurir les vertus au milieu des corruptions de la Cour. Son charme conquiert tous les cœurs et lui fraie la voie de la fortune. Il est permis ici d'accuser Faret de candeur, mais non pas, comme on l'a fait, de contradiction. Ses préceptes sont d'ailleurs pleins de sens, parfois curieux. Le gentilhomme pratiquera les armes, les tournois, la paume, la lutte. Il cultivera la musique, la danse et surtout « les bonnes lettres », source indispensable de vertu. Il ne visera pas à un savoir d' « encyclopédie » : il ouvrira souvent le « livre du monde ». En tout il fuira l'affectation. Le plus haut point de l'art, au-dessus des préceptes de l'art, consiste « en une certaine grâce naturelle », une « certaine négligence qui cache l'artifice et tesmoigne qu'on ne fait rien que comme sans y penser et sans aucune sorte de peine ».

Faret ne craint pas de descendre à des conseils minutieux. Ajustons notre barbe avec soin, pour rendre plus libre le

manger et le parler ; tenons nos dents nettes pour n'incom-
moder point de l'haleine les interlocuteurs ; ayons du discernement dans nos présents : n'offrons pas de « monstres »
(nains ou singes ?) à une femme grosse, ni de miroirs à une
laide, de gants à un religieux, d'armes à un philosophe...

De son propre aveu, Faret a parsemé sa prose de maximes
tirées « des Anciens et des Modernes », mais il a si bien
« engagé et confondu » ses emprunts dans son bien propre qu'il
est impossible de distinguer la jointure. Sa langue est claire
et pure, sa phrase harmonieuse, oratoire un peu, comme il se
doit au temps où professe Balzac, mais sans redondance ni
vaine recherche. Faret est un malherbien ; il a déjà la sobriété
classique.

Son ouvrage, très répandu, engendra une lignée nombreuse
d'*Honnêtes filles,* d'*Honnêtes veuves,* etc. dans les dix années
suivantes. Il a eu son influence, difficile à préciser, mais certaine, dans l'élaboration de l' « honnêteté ». On a de fortes
raisons de penser que Molière a lu le livre : Cléante et Philinte
paraissent bien avoir passé par cette école. Dans certaines
pages de Pascal où l'on croit percevoir la voix de Méré, il est
fort possible qu'on entende un écho de Faret.

MÉRÉ

Mais justement, l'enseignement de Faret sera repris un peu
plus tard, puis consigné par écrit, à l'usage de la génération
suivante, par Méré.

Antoine Gombaud, chevalier de MÉRÉ (1607-1684) a eu
l'ambition de présenter en sa personne et de décrire dans ses
Conversations, ses *Discours* et ses *Lettres* le modèle achevé de
l'honnête homme. Tous ces écrits ne paraîtront qu'après la
période qui nous occupe, entre 1668 et 1682. Mais c'est dès
avant 1630, peut-être, que Méré a commencé à exercer dans la
société la profession de l'honnêteté. Après des études chez les
Jésuites de Poitiers, il est entré, à la fin de 1628, au service
de Richelieu. Mais, déçu dans ses ambitions, il renonce à
parvenir et se donne tout entier aux loisirs de l'esprit et de
la conservation mondaine, non sans y chercher d'ailleurs quelques avantages et commodités de vie. Il entre en relation avec
Balzac, son voisin du pays angoumois ; et Balzac, pendant le
séjour qu'il fait à Paris en 1630-1631, parle de Méré à
Ménage ; il le lui présente, dès cette date, comme « un des
hommes les plus à la mode » dans les ruelles et les salons.
Il est reçu chez Mme de Rambouillet, chez la marquise de
Sablé, chez la comtesse de Maure. Vers 1643 ou 1644, il sera

présenté par Ménage à la duchesse de Lesdiguières et vivra chez elle une dizaine d'années.

La carrière mondaine de Méré sera longue : en 1674, François, duc de La Rochefoucauld, le proclamera « le plus honnête homme » parmi les gens de qualité.

L'honnêteté, pour Méré, est une création essentiellement française : « Je rêvois ce matin, dit-il dans le Discours premier de *La vraie Honnêteté,* sur le mot d'honnête homme que nous avons pris de la langue latine : il est vrai que nous lui donnons un nouveau sens et d'une plus grande étendue, car les Latins ni les Grecs n'avoient point de terme propre pour signifier ce que nous entendons par le mot d'honnête homme. Les Italiens non plus, ni les Espagnols ; les Anglois ni les Allemans, que je sache, n'en ont point... D'où vient donc que nous avons l'avantage de signifier par un seul mot ce qu'on ne peut exprimer dans les autres langues que par une longue suite de paroles ? Ce qui m'en paroît le plus vraisemblable, c'est que, presque en toutes les Cours du monde, chacun s'attache à quelque profession particulière et que ceux qui se mêlent d'un métier n'ont guère d'autre but que d'y réussir. Mais comme la Cour de France est la plus grande et la plus belle qui nous soit connue, et qu'elle se montre si souvent tranquille que les meilleurs ouvriers n'ont rien à faire qu'à se reposer, il y a toujours eu de certains fainéans sans métier, mais qui n'étaient pas sans mérite et qui ne songeoient qu'à bien vivre et qu'à se produire de bon air... » Il est clair que Méré se range dans cette catégorie sociale, qui a le « mérite » de fournir les exemplaires les plus parfaits de l'honnêteté ; et les considérations qui précèdent vont éclairer la définition que l'élégant « fainéant » nous propose maintenant : « Ce n'est donc pas un métier que d'être honnête homme ; et si quelqu'un me demandoit en quoi consiste l'honnêteté, je dirois que ce n'est autre chose que d'exceller en tout ce qui regarde les agrémens et les bienséances de la vie. Aussi de là, ce me semble, dépend le plus parfait et le plus aimable commerce du monde. » Un peu plus loin il ajoute : « Je ne comprends rien sous le ciel au-dessus de l'honnêteté : c'est la quintessence de toutes les vertus ». Faret nous l'avait déjà dit. Mais notre Méré a des formules plus frappées ; celle-ci, par exemple, par où il résume sa doctrine : « Cette science (celle de l'honnêteté) est proprement celle de l'homme, parce qu'elle consiste à vivre et à se communiquer d'une manière humaine et raisonnable. »

Beau programme, qu'il faudrait détailler en conseils. N'attendons pas de Méré qu'il mette le bonnet carré et la robe du

Docteur : ce serait une jolie contradiction. Mais à rassembler les réflexions éparses qu'il a laissées, voici à quoi l'on aboutit.

L'honnête homme, qui doit en toutes choses se guider par la raison, faculté de l'universel, est en quelque façon un « citoyen du monde » : sous toute latitude et dans toute société, il se trouve « dans un pays connu et comme dans sa patrie ». Mais la raison ne suffit pas : « Je connais, dit Méré, des personnes si raisonnables que la raison ne les abandonne jamais. C'est un grand avantage, et je voudrais pourtant, s'il est possible, atteindre à quelque chose de plus haut, qui consiste à demeurer toujours dans les limites de la bienséance. »

Ce sommet de l'humaine civilité, c'est le « cœur » qui donne d'y parvenir. Méré le dit à Mme de Lesdiguières : « Le cœur n'est pas moins nécessaire que l'esprit pour être d'un commerce agréable. » Le cœur, c'est-à-dire non seulement le « sentiment » au sens affectif du mot, mais aussi ce discernement délicat qui s'appelle le « goût » et encore ce « je ne sais quoi » qu'on ne nommerait pas ainsi s'il pouvait se définir, mais qui ne ressortit pas à la raison logicienne, et qui ne s'acquiert que par l'usage du monde.

Le secret du « commerce agréable », l'art de plaire : Méré prétendait en posséder les règles. On peut en formuler quelques-unes : « Penser aux choses qui nous rendent les autres agréables », ce qui se peut dire aussi « Se mettre en la place de ceux à qui on veut plaire ». Ne nous approchons-nous pas ici de ce que le christianisme appelle la vertu de charité ? Plus proche encore de l'enseignement évangélique est la belle réflexion suivante : « C'est... une marque bien sûre d'une âme grande et généreuse de ne pas se déclarer pour le parti le plus éclatant, ni même en certaine occasion pour le plus juste, mais de prendre le plus abandonné. Les malheureux sont toujours à plaindre et leur cause est le plus souvent bonne, et puis, quand elle ne le serait pas, il serait bien de le croire. Les anciens héros ne couraient le monde que pour secourir les opprimés (*allusion intéressante à l'idéal chevaleresque en même temps peut-être qu'à Hercule*) et le parfait modèle des plus rares vertus (*Jésus, bien entendu*) avait pitié de tous les affligés et les consolait dans leurs misères. »

Ne demandons pas à ce mondain, et à l'époque où il écrit, une profession chrétienne plus explicite. Ce qui est sûr, c'est que non seulement il n'exclut pas la « dévotion » de l'honnêteté, mais qu'il affirme que piété et civilité s'harmonisent et se complètent mutuellement.

Mais quoique Méré nous avertisse que l'honnêteté est au

prix d'un certain oubli de soi, il paraît bien lui avoir assigné, pour une de ses fins, la conquête d'avantages personnels. Cette préméditation, si elle a existé, il en a été châtié. En effet, malgré ses succès apparents, le chevalier paraît avoir mal réussi dans le monde. En dépit de ses prétentions de maîtrise en l'art d'agréer, il semble qu'on ne se soit guère fié à lui et qu'on l'ait peu aimé. Il recommandait comme essentielles l'aisance et la souplesse, mais dans sa pratique, on le sentait trop savant, trop expert en statégie mondaine. Sous cette amabilité trop parfaite, on redoutait l'absence de sincérité.

Quoi qu'il en soit, Méré fut regardé comme l'arbitre incontesté du bel air et de la « bonne conversation » ; et ce n'est pas pour lui un mince titre de gloire que d'avoir été pris par Pascal comme un modèle achevé de l'honnête homme.

Dans leur définition de l'honnêteté, Faret et Méré supposent incluse la profession chrétienne ou du moins l'acceptation respectueuse de la « religion de nos pères », comme disait Balzac. Ils n'avaient pas qualité pour préciser quels rapports exacts soutient l'honnêteté avec la dévotion. Et certes ils refusaient l'un et l'autre de « mettre l'enseigne » de théologiens. Ce problème, dès le début du siècle, il avait préoccupé les auteurs spirituels. François de Sales, qui était « tant homme que rien plus », avait fait en somme une obligation aux chrétiens du monde de traduire leur charité en courtoisie. L'*Introduction à la vie dévote,* qui sera lue tout au long du siècle, a pour dessein explicite d'enseigner la dévotion, mais c'est à « ceux qui vivent ès états séculiers » que le livre s'adresse. A ces chrétiens, les règles de la civilité, forme de la charité, ne doivent pas être indifférentes. François de Sales approuve les conversations « qui ont pour but l'honnêteté, comme sont les visites mutuelles et certaines assemblées qui se font pour honorer le prochain ». Nul auteur sans doute, en un autre siècle, n'eût songé à écrire dans un ouvrage de piété : « Pour moi je voudrais que mon dévot et ma dévote fussent toujours les mieux habillés de la troupe, mais les moins pompeux et affétés. Et, comme il est dit au proverbe, qu'ils fussent parés de grâce, bienséance et dignité. »

La morale chrétienne ne peut pas, il est vrai, ne pas impliquer un savoir-vivre. Il demeure significatif de voir un saint évêque attirer l'attention des chrétiens sur les sujets qui préoccupaient l'opinion mondaine : les conservations et les bienséances.

Théophile de Viau.
Gravure de Daret.

Extrait de *la Littérature française*,
par Bédier-Hazard-Martino, Larousse, éditeur.

L'œuvre   A voir le nombre des manuels de civilité
éducatrice   qui paraissent à cette époque — Faret eut
des romans. huit éditions — on ne peut douter qu'ils ne
              répondissent à un besoin et qu'ils n'aient été
lus par un large public. Ils ont eu, c'est certain, une part dans
la rénovation des mœurs et du langage. Mais les préceptes ne
suffisent pas : les exemples ont plus de pouvoir. D'autres
livres s'offraient, plus attachants, où l'on pouvait se former
aux belles manières et au beau parler en consentant seulement
au charme de la lecture et en admirant des modèles accom-
plis de cette « honnêteté » qu'on rêvait : c'étaient les Romans.

C'est peut-être chez les romanciers surtout que le XVII⁰ siècle
a fait son éducation. Les auteurs prétendaient, nous l'avons vu,
à cette utilité et leur dessein ne restait pas stérile, si nous en
croyons Daniel Huet : « Rien ne dérouille tant un esprit, nouveau venu des Universités, ne sert tant à le façonner et le
rendre propre au monde que la lecture des bons romans. Ce
sont des précepteurs muets qui succèdent à ceux du collège
et qui apprennent aux jeunes gens, d'une méthode bien plus
instructive et bien plus persuasive, à parler et à vivre. »
Scarron soutiendra que les bons romans ne sont pas « moins
propres à donner de beaux sentiments que la lecture de Plutarque ». Dès 1610, Vauquelin des Yveteaux, précepteur de
Louis XIII, s'était demandé si les romans ne suffisaient pas
pour instruire un Prince.

Les « histoires » qui précédèrent *l'Astrée* prétendaient bien
à cette efficacité. Elles proposaient des modèles de courtoisie
et de civilité ; elles montraient, par des exemples émouvants,
la beauté des amours chastes et des fidélités respectueuses. Mais
les auteurs, Nervèze, Des Escuteaux, avaient gâté leurs leçons
en faisant parler à leurs héros un insupportable « phébus ».

C'est *l'Astrée,* ce sont les romans et les pastorales issus de
l'Astrée qui fixèrent les lois souveraines de l'amour, ses
exigences, son langage et qui, plus généralement, précisèrent
les règles de la « conversation civile ». Le « bréviaire »
composé par d'Urfé, outre les conseils de maintien et d'éloquence
qu'il donnait, enseignait aux honnêtes gens la subtilité de
l'esprit et la finesse de l'observation. Ses analyses déliées,
des sentiments humains, énoncées dans une langue claire, élégante, pondérée, enchantèrent des milliers d'âmes. *L'Astrée* et ses
émules imposèrent à plusieurs générations cet idéal humain où
s'harmonisent, dans un équilibre merveilleux, l'ardeur sublime
du cœur et les générosités héroïques avec la réserve modeste des
démarches et les pudeurs du discours.

L'Hôtel   On ne se contentait pas en effet de contem-
de Rambouillet. pler dans un miroir lointain ces bergers et
                  ces héros, modèles de si fine courtoisie.
On s'exerçait à les imiter. Ce fut le rôle des salons dont le
plus célèbre fut l'Hôtel de Rambouillet.

Catherine de Vivonne était italienne par sa mère, une Savelli
qui avait épousé à Rome un de nos ambassadeurs, Jean de
Vivonne, marquis de Pisani. En 1600, âgée seulement de douze
ou treize ans, elle est mariée à Charles d'Angennes, qui en
1611 deviendra marquis de Rambouillet. En 1607 elle met au
monde Julie d'Angennes, qui devait être la préférée de ses
sept enfants. Elle avait acheté, en 1599, l'hôtel du Halde, rue
Saint-Thomas-du-Louvre. Elle le fait démolir en 1604 et elle
fait reconstruire un logis sur ses propres plans.

Charles d'Angennes, qui était du parti de Concini, subit,
après la chute du favori (1617), une demi-disgrâce et il fait
retraite dans son hôtel. La Marquise détestait la « cohue » de
la Cour. Elle n'avait « de santé que de l'esprit », selon Chapelain, et sa vie « fort languissante » l'obligeait à se confiner.
Au reste, elle n'aimait pas Louis XIII : « Tout ce qu'il faisait,
nous dit Tallemant, lui semblait contre la bienséance. » Vertueux certes, ce Roi, mais galant homme, point.

Cependant elle avait un goût très vif pour la société. Elle
recevra donc chez elle, dans cette « chambre bleue » qui
deviendra bientôt illustre. Les réceptions commencent vers
1613. La mort de Voiture (1648) en amènera le déclin.

La Marquise ne fut pas la première à ouvrir un salon
Quelques survivantes de la Cour des Valois, la duchesse de
Retz (+ 1603), la duchesse de Rohan, Mme de Villeroy, la
« savante déesse » de Desportes, présidaient à des cercles
lettrés et galants. La reine Margot, rentrée à Paris en 1605,
assemble au château de Madrid et en l'hôtel de Sens de nobles
dames, des gentilshommes, des écrivains. Elle était, nous dit-
on, « le refuge des hommes de lettres » et elle-même se piquait
de beau langage.

D'autres salons, suivant la mode, s'ouvrent. Mais nulle
part le brave cavalier Baldassare Castiglione, s'il fût revenu au
monde, n'aurait retrouvé comme à la rue Saint-Thomas
l'atmosphère de la petite Cour d'Urbin.

Catherine, à qui Malherbe, par une gracieuse anagramme
(imitée de Racan) donne le nom d'Arthénice, était belle et lettrée.
Outre l'italien, elle entendait l'espagnol. Mais elle avait horreur de la pédanterie gourmée. « Bonne, douce, bienveillante
et accueillante », au dire de Segrais, elle vivait d'amitié et de
conversation. Vertueuse sans pruderie, elle était indulgente

aux faiblesses de ses amis, mais n'admettait chez elle ni déportement ni mauvais ton. L'Hôtel de Rambouillet, écrit Tallemant, « était le rendez-vous de ce qu'il y avait de plus galant à la Cour et de plus poli parmi les beaux esprits du siècle. » Fléchier, en 1672, s'écriera : « Souvenez-vous de ces cabinets que l'on regarde avec tant de vénération, où l'esprit se purifiait, où la vertu était révérée pour le nom de l'incomparable Arthénice, où se rendaient tant de personnes de qualité et de mérite qui composaient une Cour choisie, nombreuse sans confusion, modeste sans contrainte, savante sans orgueil, polie sans affectation. » Jugement parfait, où tout est dit.

Ce fut le trait original et le bienfait de l'Hôtel de faire se rencontrer l'aristocratie et les écrivains. On y verra Richelieu, le cardinal de La Valette, le comte de Guiche, qui deviendra duc de Grammont, le marquis de Montausier et son frère cadet qui sera le « mourant » de Julie et finira par s'en faire agréer comme époux ; la Princesse de Montmorency, la duchesse de La Trémouille. Plus tard, y viendront le grand Condé et sa sœur, la future duchesse de Longueville ; Mme de Clermont d'Entragues y fait entrer la chanteuse Angélique Paulet, devenue sage et que, pour sa crinière rousse et son humeur fière, on surnomme la Lionne. Du côté des gens de lettres, les habitués sont Malherbe, Racan, le cavalier Marin, Ménage, Chapelain qui, en 1637, y lira le premier chant de son infortunée *Pucelle* ; Voiture qui, à dater de 1624, s'impose comme l'amuseur breveté de cette aimable société et qui, jusqu'à sa mort en 1648, sera « l'âme du rond » ; Godeau, le « nain de Julie », qui fera ensuite un pieux évêque de Grasse et de Vence. Balzac y parut quelquefois, semble-t-il, mais tard ; il est présent néanmoins par ses lettres, dont s'enchante le délicat auditoire. Vaugelas trouvera là cette « élite » qui lui paraît « former le bon usage » de la langue. En 1640, Corneille y viendra lire son *Polyeucte*. Le jeune Bossuet, vers 1643, fera dans cette élégante assemblée l'essai de son éloquence.

La Marquise recevait, couchée sur une sorte de divan, dans un salon tendu de tapisseries bleuâtres, décorées de scènes pastorales. Le charme de cette « chambre bleue », le secret de sa séduction et de son influence réside dans l'art que l'on y pratiquait de la conversation polie. Arriva-t-on jamais à cette exquise simplicité qui caractérise le courtisan de Castiglione ? Ce n'est pas certain : on avait un peu trop, peut-être, le désir de se distinguer du commun. Mais il faut éviter de confondre l'Hôtel avec un de ces cercles de Précieuses dont Somaize nous a révélé — non sans malignité déformante — le vocabulaire hermétique. Chez la Marquise il n'y eut jamais de bizarreries de langage, sinon par manière de jeu. On « causait » de tout, des nouvelles de la Cour, des événements politiques, de la guerre, de la littérature ; mais on s'efforçait de le faire dans une langue pure, châtiée sans recherche. Au reste, on s'amusait beaucoup à l'Hôtel. Autour de Julie d'Angennes papillonnait une jeunesse qui aimait à rire et n'hésitait pas à jouer aux invités — à Voiture ou au comte de Guiche — de vraies farces de collégiens, avec la complicité active de la Marquise elle-même, qui était fort rieuse. Des promenades à Rambouillet, au château de La Barre, des concerts, des bals, des jeux littéraires emplissent les journées. On représente des pastorales, des comédies, des tragédies comme *Pyrame et Thisbé* de Théophile (en 1627) et la *Sophonisbe* de Mairet, à Rambouillet en 1636. Les invités se répartissent les rôles. On cultive aussi dans cette société — c'est même un de ses engouements les plus vifs — le romanesque des *Amadis* et l'on s'amuse à pasticher dans des lettres « le vieil langaige françois ». Jeux innocents, jeux spirituels. L'impression générale que nous laissent ces réunions n'est pas d'affectation, mais de grande liberté. Certes l'esprit de courtoisie mondaine aime à s'y décorer de littérature, mais avec une élégante discrétion. Au total, on peut croire à ce que Chapelain écrivait à Balzac, le 22 mai 1638 : « Vous ne sauriez avoir de curiosité pour aucune chose qui le mérite davantage que l'Hôtel de Rambouillet. On n'y parle point savamment, mais on y parle raisonnablement et il n'y a lieu au monde où il y ait plus de bon sens et moins de pédanterie. Je dis pédanterie, Monsieur, que je prétends qui règne dans la Cour aussi bien que dans les Universités et qui se trouve aussi bien parmi les femmes que parmi les hommes. »

Il y avait cependant un péché mignon à l'Hôtel. Le 8 janvier 1640, Chapelain raconte à Balzac comment on a tiré les Rois : « Il y a quatre jours que, m'ayant retenu à faire les Rois chez elle, la première fois qu'elle but, elle me porta votre santé de fort bonne grâce ; je la portai ensuite *al Rey Chiquito*, c'est-à-dire à V. (Voiture) qui la reçut avec une apparence d'être bien aise et m'en fit raison deux fois. Après souper *on lut des vers des uns et des autres* et il fut parlé des vôtres comme vous le pouvez souhaiter. » L'amour des petits vers : voilà le faible de la Marquise et de ses habitués. Les plus aimés de ceux qui fréquentent l'Hôtel, ce sont les plus experts dans ce genre badin et léger : Voiture, Godeau, Ménage, Benserade. C'est là qu'il faut chercher le goût dominant de l'Hôtel. Voiture y lance la mode du rondeau. Puis ce sera la vogue des énigmes : l'abbé Charles Cotin y excelle. En 1640 apparaissent les métamorphoses : le même Cotin et Voi-

ture en fabriquent à l'envi. La dureté de Julie d'Angennes, par
exemple, lui vaudra de se voir changée en diamant.

C'est à cet engouement qu'il faut rattacher la trop fameuse
Guirlande de Julie : recueil de madrigaux — plus de quatre-
vingts — composés par différents auteurs, amis et familiers de
l'Hôtel, et qui font parler une trentaine de fleurs variées :
rose, narcisse, angélique, jasmin, œillet, violette, lys, couronne
impériale, etc... Les auteurs principaux en sont Montausier —
qui conçut le dessein et qui écrivit à lui seul seize madrigaux
— Scudéry, Malleville, Conrart (ou Corneille ?), Colletet, Desmarets de Saint-Sorlin, Chapelain, Gombauld, Arnauld d'Andilly père et fils, les trois Habert, Tallemant des Réaux,
Godeau.

Le projet date de 1633 : Chapelain en parle le 9 septembre.
Ce n'était pas une invention inouïe : l'Italie avait donné l'exemple de ces gerbes florales et l'on trouve dans un ouvrage du
chanoine de La Morlière, publié en 1627, une *Guirlande ou
Chapeau de fleurs* dédiée à la comtesse de Saint-Pol, duchesse
de Fronsac.

Il est possible que le recueil ait été offert à Julie une première fois le 1er janvier 1634. Il est plus probable que la guirlande complète, telle que nous la possédons, lui a été présentée
en 1641. Quatre exemplaires, d'admirables manuscrits, en ont
été faits par le calligraphe Nicolas Jarry. Le plus beau, sur
vélin in-folio, fut relié en maroquin rouge par Le Gascon ;
les fleurs sont l'œuvre du dessinateur Nicolas Robert.

Les madrigaux ne pouvaient guère éviter l'ingéniosité un peu
minaudière qui est la loi du genre. Certains sont d'une très
jolie venue. Voici l'*Amarante,* qui s'exprime par la plume de
Gombauld :

> Je suis la fleur d'amour qu'Amarante on appelle
> Et qui vient de Julie adorer les beaux yeux.
> Roses, retirez-vous, j'ai le nom d'immortelle :
> Il n'appartient qu'à moi de couronner les dieux.

Malleville, ayant fait parler l'*Angélique,* trouve cette
chute :

> Et (je) ne mérite plus mon nom
> Si je ne couronne les anges.

On admira beaucoup la *Violette,* présentée par Desmarets :

> Franche d'ambition je me cache sous l'herbe,
> Modeste en ma couleur, modeste en mon séjour ;
> Mais si sur votre front je puis me voir un jour,
> La plus humble des fleurs sera la plus superbe.

Cette « galanterie » eut un grand succès : « une des plus illustres, dit Tallemant, qui aient jamais été faites ». La *Guirlande* résume l'esprit de courtoisie de l'Hôtel de Rambouillet, avec le léger maniérisme qui est habituel à un cercle et qui est la rançon, au surplus, de tout effort d'affinement de l'esprit, des mœurs et du langage.

Madame de Rambouillet, nous dit Segrais, « a enseigné la politesse à tous ceux de son temps qui l'ont fréquentée ». Tallemant, Mlle de Scudéry, vingt autres témoins nous aident à préciser l'influence obtenue par l'Hôtel de Rambouillet. « Rendez-vous de tout ce qu'il y avait de galant à la Cour et de plus poli parmi les beaux esprits du siècle », la Chambre bleue permit aux gentilshommes et aux écrivains de se rencontrer, au grand profit des uns et des autres. Les érudits menacés par la pédanterie furent invités à s'assouplir, à soumettre leur savoir hautain au « simple sens commun » et à « l'usage du monde ». Les auteurs apprirent là les secrets de l'agrément : « plaire » deviendra, pour les classiques, la « règle des règles ». Ils s'efforcent dès lors de concilier dans leurs écrits la science et le naturel, la pureté et l'aisance, l'élégance et la clarté.

D'autre part, l'aristocratie qui, au temps du Béarnais, méprisait les livres, comprendra que l'amour de la littérature est une note distinctive de l'honnête homme. L'exemple de l'Hôtel de Rambouillet — et d'autres salons, comme celui de Madame Des Loges, agissent dans le même sens — vivifia ainsi l'enseignement théorique dispensé par les manuels de civilité et les images proposées par les romans.

La noblesse reviendra, entre 1620 et 1650, de l'ignorance affectée où elle se complaisait, à l'estime du savoir. Le duc d'Enghien fera de brillantes études et Bossuet rappellera, dans la plus belle sans doute de ses *Oraisons funèbres,* quelle était l'étendue que le Prince avait donnée à sa culture : « Son grand génie embrassait tout, l'antique comme le moderne, l'Histoire, la philosophie, la théologie la plus sublime et les arts avec les sciences. » Montausier a l'esprit orné « de toutes les belles connaissances ». Jean Sirmond, en 1643, constate que les « arrangements réguliers » et les « délicatesses du langage » font « partie du luxe ingénieux et de la galanterie du temps ».

Une « gaie science » mise à la mode et portée avec élégance ; la réforme de Malherbe agrémentée par Voiture : en ces formules pourraient se résumer la position littéraire de « la chambre bleue » et le sens de son influence.

CHAPITRE DEUXIÈME

LA FORMATION DE L'ECRIVAIN

LA LANGUE ET LE STYLE

Toute révolution littéraire exige une réforme de la langue et du style. La Pléiade avait commencé par là : la *Deffence et Illustration de la langue françoise* formulait une théorie de l'expression littéraire. Les œuvres ne parurent qu'ensuite.

Ni Malherbe ni Balzac n'ont publié de manifeste. Mais leurs conseils et leur pratique ont fait d'eux les maîtres de langage des écrivains « classiques ».

MALHERBE

La réforme de Malherbe remonte au début du siècle. Dès 1600 il est en possession de ses principes. Mais si l'on peut affirmer que dès 1610 il a déjà conquis dans la poésie une telle autorité que nul ne peut ignorer son enseignement et que ses adversaires eux-mêmes en tiennent compte, on ne saurait dire que ses vrais disciples soient nombreux. Il se heurte à des résistances qui s'obstineront longtemps. Ce qu'il faut surtout voir, c'est que la doctrine malherbienne qui, au principe, concerne la seule poésie, détenait en elle la vertu de réformer tous les genres littéraires. Mais cette contagion s'opère lentement. Ce n'est que vers 1630, par la coopération des grammairiens, des gens de lettres et des salons que l'esprit malherbien a la partie gagnée, que l'avenir est à lui. Ce qui nous justifie d'avoir attendu jusqu'ici pour traiter de sa réforme.

Malherbe, le « tyran des mots et des syllabes » selon Balzac, et qui se nommait lui-même « le grammairien en lunettes et en

cheveux gris », a eu pour première visée de réformer la langue,
de « dégasconner » la Cour et de purifier la diction poétique.
Il s'y attache avec une rude énergie. Les écrivains comme les
honnêtes gens doivent parler pour être entendus. La raison le
veut et c'est au nom de la raison que Malherbe légifère. La
boutade par où il désigne comme ses maîtres de langage les
crocheteurs du Port-au-Foin signifie que le poète, ainsi que le
commun des mortels, doit puiser ses mots dans le lexique
usuel.

Que le poète renonce donc à se forger une langue particulière : rien ne justifie cette prétention. Les bons vers sont
d'abord de la bonne prose. Malherbe commande que le vocabulaire soit simple, sans vulgarité, accessible à chacun. Il
préfère, quant à lui, les termes les plus généraux. La phrase sera
claire, naturelle, pure de « latinerie ». Elle s'interdira les
inversions et fuira l'ambiguïté. Les ornements et images ne
seront admis qu'avec discrétion et seulement s'ils confèrent à
l'idée une énergie de surcroît. Les allusions mythologiques évi-
teront l'air pédant. (Sur ces deux derniers points, Malherbe ne
pratique pas toujours ses maximes.)

Le poète aura pour guide le bon sens, non « l'anticaille ».
Laissons les Grecs : Malherbe les ignore et les méprise. Imitons les Latins avec prudence, les Italiens point du tout, sauf
le Tasse de *l'Aminte*. Malherbe est résolument un « moderne » :
avant lui rien ne vaut. Ronsard n'était qu'un « apprentif » ;
Desportes, gâté d'italianisme, est plein de chevilles, de
« bourre », de dissonances et d'imaginations absurdes.

Libre de modèles livresques, le poète se fera, en revanche,
l'esclave du métier. Ce n'est plus la « fureur », c'est le labeur
formel qui lui gagnera de « nouvelles pensées ». Il travaillera
avec lenteur et minutie. Il cisèlera chaque vers comme s'il formait à lui seul un poème. Il n'admettra que des rimes difficiles et riches, sources d'ailleurs de belles inventions. Il
s'interdira d'accoupler *prendre* et *comprendre, montagne* et
campagne. Il répartira les sonorités dans une harmonie sans
heurt. Pas d'hiatus, pas de rencontre cacophonique. On évitera
le redoublement des voyelles et des consonnes à l'intérieur
d'un vers. Il est de conséquence quelquefois de préférer *pas* à
point. Dans la strophe, les idées seront énoncées et suivies avec
une logique implacable. Un « beau désordre », pour Malherbe,
serait, n'en doutons pas, l'effet, non de l'art, mais de la
paresse.

Les adversaires de Malherbe lui ont reproché sa médiocrité
de pensée, sa faiblesse d'imagination, son purisme vétilleux. Et
il est vrai que l'enthousiasme est méconnu de Malherbe, qui lui

substitue un bon sens raide et court. Boileau ne le suivra pas
sur tous les points. Mais dans l'ensemble, son « économie »
verbale, la discipline qu'il impose à la verve et à la fantaisie,
ses exigences de clarté, de pureté et d'euphonie deviendront
lois rigoureuses du « classicisme », dans la prose comme dans
la poésie.

La prose toutefois avait quelques conseils particuliers à recevoir. Ce fut le rôle de Balzac, l'*unico eloquente*.

BALZAC

Jean-Louis Guez de Balzac est né probablement en 1597 (il
a été baptisé le 1ᵉʳ juin) à Angoulême. Il eut pour parrain le
duc d'Epernon, dont son père était le secrétaire. Il étudie chez
les Jésuites de Poitiers, où il a pour maître le Père Garasse, et,
pour la philosophie, au collège de la Marche à Paris. On le
trouve inscrit, en mai 1615, avec Théophile, à l'Université de
Leyde. Cinq ans auparavant il a rencontré Malherbe, qu'il
regardera comme le père de son esprit. Il subit le prestige et
l'influence de Nicolas Coëffeteau, qui passe alors pour un arbitre de la langue. En 1620, il accompagne à Rome l'archevêque
de Toulouse, Louis de Nogaret, fils du duc d'Epernon et qui
sera, en janvier 1621, cardinal de La Valette. Le séjour s'étend
de septembre 1620 à avril 1622. Balzac rêve d'accéder aux
« belles carrières publiques ». Ces ambitions seront déçues.

Revenu en France, sa santé fort ébranlée, il devient « l'hermite de la Charente ». En 1624, il fait paraître des *Lettres*
dont le succès, d'emblée, est prodigieux. Il est proclamé
« l'unique éloquent », « l'empereur des esprits ». Ce triomphe,
quelques vanteries maladroites, lui suscitent des inimitiés. Une
pluie de libelles s'ensuit, *pro et contra*. La querelle dure six
ans. Balzac est défendu par Malherbe ; Descartes intervient
en 1624 par une lettre élogieuse : double patronage significatif :
c'est celui de la « raison ».

Le « désert » de Balzac n'est pas si profond qu'il n'en
sorte pour venir à Paris. Il y réside en 1624-25, puis de 1626
à 1628. Et de son « hermitage » même il entretient de fréquentes relations avec la capitale. Richelieu lui veut du bien,
lui fait des avances et des promesses qui ne seront suivies
d'aucun effet : l' « abbaye de dix mille écus » restera parole
en l'air. Balzac, qui aime la solitude, l'ombre fraîche de ses
arbres, la rêverie au bord de son canal ou au coin de son feu,
renonce à toute carrière. Il ne renonce pas à la gloire. D'ailleurs la Cour et la Ville l'entourent d'admiration et se disputent l'honneur de recevoir une lettre du grand épistolier.

« C'était, dit Ménage, le présent le plus agréable que les
galants pussent faire à leurs maîtresses. » Il correspond avec
toute la France littéraire : l'Hôtel de Rambouillet, Ménage,
Racan, Voiture, Vaugelas, Boisrobert, Madame des Loges...
Une amitié intime l'unit à Chapelain et à Conrart. Il correspond aussi avec Descartes, qui ne le trouvait pas vide de pensée.
Nommé membre de l'Académie française dès l'origine, il n'y
siégera qu'une fois.

Il y a longtemps, après quelques écarts de jeunesse, qu'il
est revenu à une piété fervente. Il vénère Messieurs de Port-
Royal, il étudie l'Ecriture et les Pères. Jusqu'au terme, il
tiendra la plume avec élégance et fermeté, pour écrire surtout
à son très cher ami Conrart. Il meurt le 18 février 1654. Il est
enterré, selon son désir, dans la chapelle de l'hôpital d'Angoulême, « aux pieds des pauvres qui y étaient déjà inhumés ».

Malherbe avait déclaré, après avoir lu les premiers essais de
Balzac, que ce jeune homme serait le restaurateur de la prose
française.

Il l'a été, et surtout par ses *Lettres,* dont il a publié plus
de vingt livres. Ces épîtres, exercices de style, sont aussi, pour
une part, la revanche d'un ministre manqué. « Il n'a tenu qu'à
la Fortune, dit-il, que ce qu'on appelle Lettres n'ait été harangues ou discours d'Etat. » Richelieu ne les trouvait pas négligeables ; il lui disait : « Les conceptions de vos Lettres sont
fortes. » Elles sont également dissertations de philosophe et
de moraliste qui développent, à la mode de Malherbe, de solides lieux communs. Les plus intéressantes à nos yeux sont les
lettres de critique littéraire (à Scudéry sur le *Cid,* à Corneille...)
où il fait montre d'une pénétration, d'une finesse et d'une largeur de goût peu communes. Enfin une partie de ces épîtres
sont de pure et gratuite décoration : tortillage de civilités
emphatiques, vaines et vides. Balzac en convient le premier :
il se plaint des « fardeaux », des « corvées » que lui imposent ses nobles correspondants. Il s'est fait tort par ces complaisances. Mais il serait peu équitable de le juger sur cette
partie de son œuvre.

Par ses idées littéraires, Balzac, comme Malherbe, est un
moderne. Il consacre la fin de l'hégémonie de l'humanisme
érudit. Foin des pédants. Il admire la « vieille Rome », les
beaux écrits de l'Antiquité grecque et latine. Il les a pratiqués
Mais il refuse de leur emprunter leur matière ni leur manière.
Il ne leur demande, pour se l'assimiler, que le secret de leur
réussite. Balzac s'est attribué le mérite d'avoir « civilisé la

doctrine », c'est-à-dire d'avoir mis à la portée des honnêtes gens la fine fleur du savoir et de la sagesse antiques.

Son *Prince,* son *Socrate chrétien,* son *Aristippe* veulent aller dans le même sens. Cet effort d'assimilation de l'Antiquité permet de rattacher Balzac à Montaigne. Il a refait les *Essais* en les ordonnant et en les traduisant dans une langue claire, mesurée, ample et sonore.

« L'unique éloquent » n'est pas toujours tendu. Il sait, lui aussi, gasconner à l'occasion. *Le Barbon,* où Molière n'a pas dédaigné de puiser, est une satire fort amusante et, sous la plaisanterie, très solide.

Au total, Balzac a trouvé, comme il s'en est flatté, « un certain petit art d'arranger les mots ensemble et de les mettre en leur juste place ». Boisrobert l'a reconnu. Le P. Bouhours aussi : « Nous devons à ce grand homme le bel arrangement de nos mots et la belle cadence de nos périodes. » Et Boileau prononcera : « Personne n'a mieux su la langue que lui et n'a mieux entendu la propriété des mots et la juste mesure des périodes. » Inutile de réclamer contre ces arrêts : ils sont définitifs. Au meilleur sens du terme, Balzac a été le maître de rhétorique de son siècle, d'un siècle épris à la fois de discipline et de grandeur.

VAUGELAS (1585-1650)

Malherbe et Balzac, par leurs conseils et leur exemple, visaient directement à former l'écrivain. Vaugelas lui aussi pense à corriger la langue écrite, mais en apprenant aux auteurs à parler comme les honnêtes gens. « Car enfin, dit-il, la parole qui se prononce est la première en ordre et en dignité » ; et « celle qui est écrite n'est que son image ». Les littérateurs, qui ont justement l'ambition de plaire aux honnêtes gens, se doivent d'abord de s'exprimer avec la « politesse » qui règne chez les personnes du « bel-air ». Ainsi s'élargiront leur audience et leur influence. Ainsi, par l'action de Vaugelas, se rapprocheront encore, suivant un mouvement amorcé depuis le début du siècle, l'écrivain et la société.

Claude FAVRE, seigneur de Vaugelas, baron de Pérouges, naquit en 1585 d'une ancienne famille bressane. Son père, Antoine Favre, « juge-mage de Bresse », et qui sera premier président du Sénat de Savoie, sera aussi le fondateur de l'Académie florimontane. L'enfant prendra ses premières leçons de bon langage français auprès de François de Sales, ami de la famille.

En 1607, Vaugelas entre au service du duc de Nemours, qui

bientôt l'amène à Paris. Il n'y fit pas fortune : il traînera jusqu'à sa mort une existence besogneuse, vivant de traductions, de pensions mal payées, poursuivant un riche mariage et recourant parfois, quand il avait engagé ses terres, à des expédients assez misérables. Ses amis cependant vantaient sa probité et ils l'aimaient pour ses qualités de cœur et sa « grande douceur ».

Vaugelas fréquentait chez le cardinal du Perron et il était le familier de Coëffeteau : deux oracles du beau langage selon lui. Il restera un « adorateur » de Coëffeteau. Il entretient des relations avec Malherbe et Balzac. On le voyait souvent à l'Hôtel de Rambouillet, où il se faisait attentif aux conversations élégantes qui s'y tenaient. Membre de l'Académie française depuis sa fondation, il se vit confier, en 1639, le travail du Dictionnaire.

Il avait commencé vers 1620 à recueillir des *Remarques sur la Langue française* : il les publie en 1647, pour être utile « à ceux qui veulent bien parler et bien écrire ». Il y traite, sans ordre, et à propos de chaque mot, expression ou problème de langage qu'il examine, de la prononciation, de l'orthographe, du vocabulaire, de la phrase et du style.

Vaugelas n'accepte pas d'être traité de grammairien ; il se défend de « faire des lois ». Gentilhomme qui n'ambitionne que de parler purement sa langue, il se dit « un simple témoin, qui dépose ce qu'il a vu et ouï », durant les « trente-cinq ou quarante ans » qu'il a « vécu dans la Cour » et fréquenté les personnes du « bel-air ». Comme son cher Coëffeteau, il prononce qu' « il n'y a qu'un maître des langues » qui en est « le roi ou le tyran », c'est « l'usage ». Entendons bien qu'il y a un bon et un mauvais usage. « Le mauvais usage, dit-il, se forme du plus grand nombre de personnes, qui presque en toutes choses n'est pas le meilleur. » Le bon usage, « au contraire, est composé, non pas de la pluralité, mais de l'élite des voix. »

Précisons : le bon usage est « la façon de parler de la plus saine partie de la Cour, conformément à la façon d'écrire de la plus saine partie des auteurs du temps », les meilleurs auteurs étant, à son goût, Du Perron, Coëffeteau, Malherbe, Balzac, Voiture, Chapelain, Ménage et le traducteur Perrot d'Ablancourt.

Cette définition, on le voit, laisse place à l'arbitraire ; certaines décisions de Vaugelas reflètent ses préférences personnelles et il a commis des erreurs. Son œuvre est essentiellement d'émondage et d'épuration. Il refuse les hellénismes, les latinismes, les archaïsmes, les provincialismes, les locutions trop populaires. Il exige rigoureusement la clarté. Il préfère une langue pauvre, mais « nettoyée », à une langue abondante, mais touffue. Son idéal, c'est un style « clair et débarrassé, élégant et court ».

Malgré les critiques de La Mothe Le Vayer, de Scipion Dupleix et des partisans d'une plus grande liberté, les avis de Vaugelas s'imposèrent. La Cour, la Ville, les écrivains, s'obligèrent à « parler Vaugelas ». A la fin du siècle, Fénelon et La Bruyère réclameront à leur tour contre cette tyrannie, cause d'appauvrissement. Mais en son temps, on applaudissait à Vaugelas et à ses règles, qui satisfaisaient à une aspiration générale. Les *Remarques sur la Langue française* ont contribué à faire prévaloir l' « économie » classique.

LES RÈGLES

Les tendances que nous avons vu se manifester un peu partout dans le domaine littéraire depuis le début du siècle se résument en un mot souvent invoqué par les contemporains : la « régularité ». C'est au théâtre surtout que vont se produire les grands conflits et c'est sur ce terrain que la régularité remportera ses victoires les plus décisives.

Les drames grecs, dans l'ensemble, montraient une tendance à concentrer l'action et la durée de leur sujet. Aristote était fondé à présenter cet usage comme une règle. Il est muet sur l'unité de lieu, mais en fait, dans les tragédies grecques, la scène ne change guère du début à la fin de la pièce. Plaute, Térence, Sénèque se conforment à cette pratique et nos dramaturges du XVIe siècle suivent spontanément leur sillage.

Mais cet exemple n'a pas d'influence sur les auteurs du XVIIe siècle, qui se proclament « modernes ». Hardy, qui rend hommage à Garnier, ne semble pas s'intéresser, nous l'avons constaté, à une « règle des unités ». Aucun de ses contemporains, entre 1607 et 1628, ne fait mention des règles. Corneille, quand il écrivait *Mélite* (1629), ne savait pas « qu'il y en eût ».

Où prend donc son origine la « querelle des unités » ? Il semble qu'on doive la voir, pour une part, dans le succès immense et durable des trois fameuses pastorales italiennes : l'*Aminte* du Tasse, le *Pastor fido* de Guarini, la *Filli di Sciro* de Bonarelli : trois pièces qui respectent à peu près les vingt-quatre heures, dont le lieu est limité à une forêt ou à une île et qui rattachent tous les épisodes à un événement central.

Les dramaturges alors se divisent en deux camps. Les uns marchent sur les pas de Hardy, les autres se rangent du côté des Italiens. Ce n'est qu'ensuite que l'on invoquera l'autorité d'Aristote et des Anciens.

Notons, pour corroborer cette vue, que nul, parmi les réguliers, ne paraît songer à citer en exemple les dramaturges humanistes. Daniel Heinsius, dans son traité *de Tragoediae constitutione* (1611), ne les nomme pas. L'abbé d'Aubignac, en sa *Pratique du Théâtre,* aura besoin d'un effort de mémoire pour se les rappeler. Scudéry, Sarasin et les écrivains de leur époque, lorsqu'ils rappellent les progrès de l'art dramatique, passent sous silence Jodelle et Garnier. C'est Hardy qu'ils désignent comme le fondateur de la scène française, même quand, sur des points importants, ils s'opposent à lui.

Quoi qu'il en soit, nous ne trouvons pas trace d'une discussion sur les unités avant 1628. Mais cette année-là, François Ogier, dans la *Préface* de *Tyr et Sidon,* déblatère contre les règles. Balzac, dans une lettre du 30 septembre à madame des Loges, parle d'une « femme-docteur » qui « n'a point assez de patience pour souffrir une comédie qui n'est pas dans la loi des vingt-quatre heures, qu'elle s'en va faire publier par toute la France ». C'est là un sérieux indice du progrès que fait parmi les personnes du « bel-air » la cause de la régularité.

Poussé par ce mouvement de l'opinion, et conseillé par le comte de Cramail et le cardinal de La Valette, Jean Mairet, vers le même temps, entreprend d'écrire une pastorale « régulière », à l'imitation des Italiens. Le résultat fut *Silvanire,* que nous connaissons, que Jean Mairet fit représenter dans l'hiver 1629-1630 et qu'il publia en mars 1631, munie d'une *Préface* dont nous aurons à examiner le contenu doctrinal.

L'événement fit du bruit et parmi les hommes de théâtre et parmi les savants. De ce moment la question des unités est à nouveau posée en France et durant une trentaine d'années elle sera le pont aux ânes de l'apprenti dramaturge.

Ce qui ne veut pas dire, bien entendu, que le théâtre se trouva transformé du jour au lendemain. Se reportant plus tard à ces années, l'abbé d'Aubignac témoignera que le théâtre, à l'époque où il avait « approché de M. le cardinal de Riche-lieu », était en « grande estime », mais « chargé » de bien des défauts. Il était « principalement vicieux en ce qui concerne le temps convenable à la tragédie... J'avais souffert, dit-il, assez patiemment les mauvaises pièces de nos collèges et même celles de nos théâtres publics : mais j'avoue que je ne pus voir une faute si grossière, en des pièces qui recevaient des applaudissements de toute la Cour, sans en parler. Mais je fus généralement contredit, j'ose dire même raillé et par les poètes qui les composaient avec réputation et par ceux qui les jouaient avec utilité et par tous les autres qui les écoutaient avec plaisir. »

De fait, le succès de la *Silvanire* (avait-il été si éclatant ?) n'avait pas convaincu tous les dramaturges. Mareschal, dans la *Préface* de *la Généreuse Allemande* (impr. en novembre 1630) déclarait avec humeur qu'il refusait, quant à lui, de se laisser contraindre « à ces étroites bornes ni du lieu, ni du temps, ni de l'action, qui sont les trois points que regardent les Règles des Anciens ». Scudéry parle à peu près de même, dans la *Préface* de *Ligdamon et Lidias* (fin de 1631).

Mais d'importants renforts viendront soutenir la cause des unités. Le *Clitandre* de Corneille (fin 1630 ou début 1631), la première tragi-comédie qui ait observé les règles ; le *Pyrandre* de Boisrobert (1631 ou 1632), qui traduit les préférences du Cardinal ; *Les Ménechmes* de Rotrou (entre 1629 et 1633), qui respectent la « régularité » de Plaute. Gombauld, dans la *Préface* d'*Amaranthe* (juillet 1631) fait du zèle : il limite l'action à douze heures.

La comédie, après la pastorale, se convertit aux règles, avec Rotrou et Claveret ; Corneille, dans *La Suivante* (1632-33), observe les unités ; de même, quoiqu'un peu plus largement, dans *la Place Royale* (1633-34).

La tragi-comédie, comme on pouvait s'y attendre, a plus de mal à se conformer à la nouvelle discipline. Elle se soumet cependant. Au reste certains auteurs : Corneille, Du Ryer, Rotrou, tergiversent encore ; ils donnent des gages tantôt à un parti tantôt à l'autre. Le progrès de la régularité se fait avec lenteur.

La tragédie était délaissée. Entre 1630 et 1634, on en compte deux seulement, et d'auteurs médiocres. Elle va ressusciter avec éclat par la *Sophonisbe* de Mairet (1634). Dès 1635, les auteurs y reviendront et en peu d'années elle reprendra le premier rang des poèmes dramatiques.

Nous verrons, en étudiant l'histoire du théâtre, que la *Sophonisbe* contient déjà les principaux caractères de la tragédie classique : un sujet historique (ou pris dans la fable traditionnelle) traité selon le vraisemblable plutôt que selon le vrai ; personnages de haute condition ; trame serrée de l'intrigue, dénouement funeste, respect des unités et des bienséances.

La cause de la régularité avait un soutien puissant dans un homme qui va jouer, jusqu'en 1660, un rôle analogue à celui que remplira Boileau à l'époque classique : Jean Chapelain.

JEAN CHAPELAIN (1595-1674)

Jean Chapelain, né à Paris le 4 décembre 1595, était fils d'un notaire au châtelet. Sa mère avait un goût très vif pour la poésie et elle admirait Ronsard. Il fait de solides études. A la mort de son père, en 1614, il entre au service de Sébastien Le Hardy, sieur de La Trousse, grand prévôt de France, qui lui confie l'éducation de ses quatre enfants. Les dix-sept années de ce préceptorat furent pour lui d'un grand profit : il accumula cette science immense par où il s'égala aux érudits de l'âge précédent.

Chapelain connaît les Anciens, Grecs et surtout Latins, au point qu'il est capable d'apprécier avec compétence la valeur critique des dernières éditions. Homère et Virgile sont ses « divinités ». Il a étudié Aristote et ses commentateurs.

Il sait l'espagnol et traduira la *Vie de Guzman d'Alfarache* : c'est sa première publication (1619-1620). Il préfère de beaucoup les Italiens dont il possède à fond la langue et la littérature ; l'Italie est pour lui « la mère des Arts et le flambeau qui nous a tous éclairés et débarbarisés » ; Jean Chapelain est, avec Ménage, le plus grand italianisant du siècle. Il correspond avec les Académiciens de la Crusca et discute avec eux d'égal à égal sur les points relatifs à leur propre langue.

Enfin, chose qui deviendra de plus en plus rare dans le siècle, il n'est pas ignorant de notre passé littéraire. Vers 1646, il composera un *Dialogue de la lecture des vieux Romans*. Il avait lu Lancelot, Perceval, Tristan : il en discernait la saveur originale et les jugeait avec un sens critique peu commun.

Il a étudié l'œuvre de la Pléiade et il porte sur Ronsard un jugement imparfait sans doute, mais dont on aimerait trouver l'équivalent chez Boileau : « Ronsard était né poète autant et plus que pas un des Modernes. » Il avait « le feu » et cette « égalité nette et majestueuse qui fait le vrai corps des ouvrages poétiques ». Malheureusement il était « sans art » : de là son imitation servile des Anciens, ses abus d'érudition, la négligence de son style.

Sur plus d'un point, on le voit, il est d'accord avec Malherbe, dont il approuve la réforme. Ce n'est pas qu'il reconnaisse en lui un grand génie. Malherbe, dit-il, apparu dans une époque de stérilité poétique, était un « borgne dans le royaume des aveugles ». Ses poèmes sont « de fort bonne prose rimée ». Il a pour lui « l'élocution » et le tour du vers. Mais il s'est trop borné au regrattage des mots et il a négligé l'étude, seule

Jean-Pierre Camus,
Evêque de Belley.

Au presbytère de Saint-Hymer, Calvados.

essentielle, des lois de l'invention et de la disposition : il voulait
que « cette ignorance fût une vertu ».

Il faut donc réhabiliter la « doctrine ». Ronsard avait raison
à cet égard. Mais il ne faut suivre les Anciens que dans la
mesure où ils se sont conformés à l'Idée de l'Art.

Son Idée de l'Art, Chapelain la trouve dans Aristote, dont
il se fait « tout blanc », comme dira Corneille, et plus encore
peut-être dans celui qui passait pour le plus génial commen-
tateur de la *Poétique,* Jules-César Scaliger. Il leur joint les
scoliastes italiens du péripatétique.

De là, il retire une souveraine estime des règles. Il a beau
préciser qu'en poésie le don est essentiel, il ne paraît le dire
que par manière d'acquit. En réalité, il se méfie du génie
naturel, objet d'illusions funestes, et qui n'a pas épargné à
Ronsard sa lourde chute ; il insiste longuement, pesamment,
sur l'importance des « connaissances », des « préceptes inva-
riables », de ces « dogmes d'éternelle vérité » qui ont eu en
Aristote leur Docteur infaillible et qui ne sont, au vrai, que
« la raison même passée en loi ».

Dès 1620, Chapelain était réputé l'un des hommes de France
qui entendaient le mieux la Poétique. Aussi le cavalier Marin
fait-il appel à lui pour présenter au public français son poème
épique l'*Adone.* Chapelain écrivit une *Préface* et l'ouvrage
parut sous son patronage en 1623. La préface fit plus de bruit
que le poème. Elle offre ce paradoxe d'être l'apologie d'un
ouvrage désordonné et d'imposer cependant aux littérateurs la
discipline la plus serrée. Selon Chapelain, il n'est pas de poésie
valable qui ne respecte le Vraisemblable, qui ne tende à l'Universel, qui ne se conforme enfin aux limites des genres et à
la loi des unités.

Désormais Chapelain va s'appliquer à faire prévaloir la
Raison et l'autorité dans l'art littéraire. Il est soutenu dans
cette entreprise par Conrart et Balzac auxquels l'unit une amitié
« sainte et sacrée ». Chapelain, Conrart, Balzac : ce trium-
virat a vraiment détenu, entre 1625 et 1640, un pouvoir considérable dans le domaine de la langue et des Lettres.

Bientôt même Chapelain devient une sorte de contrôleur de
la création littéraire. En août 1633 il est présenté à Richelieu,
auquel il consacre une Ode. Il y célébrait avec la grandiloquence requise « l'Alcide du siècle ». Ce poème, banal et
rocailleux, obtient un brillant succès : Chapelain est reconnu le
prince des poètes français et le successeur de Malherbe. Il gagne
la faveur du Cardinal et se fait désormais le porte-parole du
pouvoir en matière de littérature. A ce titre, il travaille à faire

triompher la « régularité », notamment la loi des unités au théâtre.

Déjà en 1623, dans la *Préface* de l'*Adone*, il observait que les meilleurs poètes dramatiques se sont « prudemment prescrit » le « terme » « d'un jour naturel ». En 1630 il soutient, dans une lettre à Godeau, la « nécessité des vingt-quatre heures dans les pièces de théâtre ». Le Cardinal appuie de son autorité cette prescription, conforme à l'idée qu'il se faisait de la discipline en tout ordre de choses. C'est de Chapelain qu'il se servira pour faire savoir aux beaux esprits qui se réunissaient chez Conrart (Chapelain lui-même en était) qu'il lui serait agréable de les voir former une Compagnie réglée et officielle. C'est Chapelain qui se charge d'élaborer avec Conrart les statuts de l'Académie, qui lui assigne un programme et qui met tout en œuvre pour que l'institution fonctionne selon les vues de son protecteur. Nous le verrons plus loin et nous verrons aussi, dans notre étude de Corneille, la part importante que prendra Chapelain dans la querelle du *Cid*.

Chapelain toutefois n'entendait pas se borner à légiférer. Après les préceptes, l'exemple. Promu grand critique, il voulait se prouver grand poète. Muni d'une doctrine précise et d'un bon jugement, éclairé par les grands maîtres, un auteur laborieux ne peut manquer de produire un chef-d'œuvre. Ce « rationalisme » intempérant fut cruellement châtié.

Chapelain avait entrepris un poème héroïque sur Jeanne d'Arc, *La Pucelle*. En 1633, Arnauld d'Andilly, évêque d'Angers, ami de Chapelain, en fait lire au duc de Longueville deux chants qu'il s'est fait prêter par l'auteur. Les Longueville descendaient de Dunois, compagnon de Jeanne, et leur gloire est intéressée à l'œuvre. Longueville fait dès lors à Chapelain une pension viagère de deux mille écus. Le poème traîna vingt-trois ans. On en parla tout ce temps : ce fut l'âge d'or de *la Pucelle*. Enfin les douze premiers chants parurent en 1656 : catastrophe. La chute ne fut pourtant pas aussi immédiate qu'on l'a dit : elle fut tout de même la plus illustre de notre histoire littéraire. Les douze autres chants devaient rester manuscrits jusqu'en 1882.

Malgré cette infortune — et réconforté il est vrai par des admirations obstinées — Chapelain conserva son prestige. Entre 1640 et 1665, il est le « régent du Parnasse » et sa notoriété est européenne. Certes il prenait de sa gloire un soin attentif ; il fréquentait le monde et savait solliciter l'encens. En 1627 les Arnauld l'avaient introduit à l'Hôtel de Rambouillet. Là, le savant s'est appliqué à se nettoyer de « la crasse de l'école » et à se donner cette urbanité qu'il définit lui-même « un enjouement sage et soutenu d'esprit et d'érudition, avec un tempérament qui s'éloigne autant de la brutalité de nos braves que de la pédanterie de nos latineurs ».

Il y réussit. Il avait d'ailleurs, en dépit des langues malveillantes, l'aménité qui gagne les cœurs et qui faisait oublier ses costumes désuets et râpés. « Il est aimé de tous les gens de bien, disait Gassendi : c'est le plus officieux de tous les hommes ; il n'est pas possible de trouver un meilleur ami. » Madame de Rambouillet n'aurait pas laissé à un cuistre malpropre le soin de présenter la *Guirlande de Julie*. Les madrigaux de Chapelain, ses poèmes galants étaient fort admirés dans le « rond » animé par le sémillant Voiture. Et dans une comédie italienne jouée à l'Hôtel dans l'hiver de 1638, c'est à Chapelain que l'on demanda de tenir le rôle de « l'ami fidèle ».

Autant que son œuvre doctrinale — écrite et surtout orale — le soin qu'il a mis à l'humaniser pour lui concilier l'assentiment des honnêtes gens a fait de Chapelain un artisan, et l'un des plus agissants, de « l'esprit classique ». Ce sera l'œuvre aussi de cet aréopage dont il a été membre fondateur, l'Académie.

Chapelain mènera jusqu'au terme de sa vie sa carrière confortable et honorée. Après la faveur de Richelieu, celle de Mazarin et de Colbert l'a confirmé dans sa position de poète officiel. Il protège les gens de lettres, encourage les jeunes écrivains et il a son influence (qu'on a peut-être exagérée) dans la distribution des pensions et des gratifications royales.

Chapelain, qui a jugé sévèrement Malherbe comme poète, a reçu et transmis le message critique de Malherbe. A son tour, il se verra cruellement fustigé par Boileau. Et néanmoins Boileau recueillera sans le dire et il formulera, à l'usage de sa génération, les préceptes essentiels de sa victime. Il paraîtra raisonnable à Chapelain, ce champion de la raison, de mourir l'année même de l'*Art poétique*.

L'Académie   Platon et sa réunion de disciples au jardin
française.   d'Académos sont les lointains précurseurs
                de notre Académie. Mais c'est de l'Italie,
notre institutrice à tant d'égards, que nous vient plus directement cette invention. Au XVIIe siècle on comptait en Italie une cinquantaine d'Académies. Les occupations n'en étaient pas toujours très sérieuses. « Les bons esprits, disait Gabriel Naudé, vont à ces Académies comme les belles femmes vont au bal ». Seule l'Académie della Crusca fit œuvre utile en publiant un Dictionnaire. En France, au XVIe siècle, Jean-

Antoine de Baïf avait fondé une Académie « dans le voisinage du faubourg Saint-Marcel ». Ronsard, Desportes, Du Perron en avaient fait partie.

Au début du XVIIᵉ siècle, la chambre de Malherbe ne tenait-elle pas lieu d'une petite Académie? Vers 1625, au dire de Jean-Pierre Camus, une « grande et fameuse Académie » commence de se réunir à Paris. Quelle est-elle? On ne sait. Plusieurs sociétés se formèrent, autour du même temps, chez Colletet, chez Granier, chez Marie de Gournay.

« Environ l'année 1629, nous dit Pellisson dans son *Histoire de l'Académie française,* quelques particuliers, logés en divers endroits de Paris, ne trouvant rien de plus incommode dans cette grande ville que d'aller fort souvent se chercher les uns les autres sans se trouver, résolurent de se voir un jour de la semaine chez l'un d'eux. Ils étaient tous gens de lettres et d'un mérite fort au-dessus du commun : M. Godeau, maintenant évê-que de Grasse, qui n'était pas encore ecclésiastique, M. de Gombauld, M. Conrart, M. Giry, feu M. Habert, commissaire de l'artillerie, M. l'abbé de Cerisy, son frère, M. de Serizay et M. de Malleville. » A cette liste, il faut ajouter Chapelain qui, s'il ne fut pas du groupe dès le début, ne tarda pas à s'y joindre. « Ils s'assemblaient chez M. Conrart, qui s'était trouvé le plus commodément logé pour les recevoir, et au cœur de la ville, d'où tous les autres étaient presque également éloignés. »

Valentin Conrart habitait en effet rue des Vieilles-Etuves, près de la rue Saint-Martin. Né à Paris en 1603, d'une riche famille huguenote de Valenciennes, il était conseiller-secrétaire du Roi. Il ignorait le latin et le grec, mais il savait bien l'espa-gnol, l'italien et encore mieux le français. Le « silence pru-dent » dont s'est amusé Boileau ne signifie pas que Conrart a peu écrit, mais qu'il a peu imprimé. On le tenait pour un arbitre de la langue. Godeau, Perrot d'Ablancourt, Vaugelas même le consultaient et déféraient à son avis. Bouhours disait de lui : « Il ne sort rien de ses mains qui ne soit fini et il y a dans tout ce qu'il fait, un certain air d'honnête homme qui me plaît infiniment. » Conrart notait au jour le jour les nouvelles littéraires, analysait les ouvrages parus et en appréciait la valeur avec un sens critique fort aigu. Ses notes formeront plus de quarante volumes manuscrits qui, après sa mort (1675), seront déposés à l'Arsenal, d'où Monmerqué les exhumera au XIXᵉ siècle : mine précieuse de renseignements sur la vie littéraire au XVIIᵉ siècle.

Dévoué à la littérature, Conrart était pour les écrivains l'obligeance même. Bref, un secrétaire, un « parrain » comme il en faudrait un, peut-être, à chaque génération littéraire et comme il n'y en a eu qu'un seul.

Chez Conrart, poursuit Pellisson, les membres du groupe
« s'entretenaient familièrement, comme ils eussent fait en une
visite ordinaire et de toutes sortes de choses, d'affaires, de nouvelles, de belles-lettres. Que si quelqu'un de la compagnie avait
fait un ouvrage, comme il arrivait souvent, il le communiquait
volontiers à tous les autres qui lui en disaient librement leur
avis, et leurs conférences étaient suivies tantôt d'une prome-
nade, tantôt d'une collation qu'ils faisaient ensemble. Ils conti-
nuèrent ainsi trois ou quatre ans et, comme j'ai ouï dire à
plusieurs d'entre eux, c'était avec un plaisir extrême et un
profit incroyable. De sorte que, quand ils parlent encore aujour-
d'hui de ce temps et de ce premier âge de l'Académie, ils en
parlent comme d'un âge d'or, durant lequel, avec toute la
liberté des premiers siècles, sans bruit et sans pompe et sans
autres lois que celles de l'amitié, ils goûtaient ensemble tout
ce que la société des esprits et la vie raisonnable ont de plus
doux et de plus charmant. »

Réelle ou embellie par une mémoire amie du passé, cette vie
paisible ne dura pas. Richelieu, informé par Boisrobert de ces
rendez-vous, invita ces messieurs à constituer un corps et leur
promit la protection royale. Ils se résignèrent : Richelieu était
un homme, dit Pellisson, qui « ne voulait pas médiocrement
ce qu'il voulait ». La première réunion officielle se tient le
13 mars 1634. Le Cardinal ne souffrira dans cette assemblée
que « des gens qu'il connaisse ses serviteurs ». Au demeurant,
il laisse aux membres la liberté de baptiser la compagnie, de
rédiger ses statuts, de déterminer le mode d'élection, de fixer
le programme de travail. C'est Chapelain, nous l'avons vu, qui
dirigea toute cette besogne.

Au début de 1634, Conrart, marié, change de domicile. On
émigre alors chez Desmarets de Saint-Sorlin, au Marais. Le
nombre des membres ayant été fixé à quarante, l'Assemblée
eut à se recruter. Les premiers choisis, outre les fondateurs
susnommés, furent Bautru, Sirmond, Silhon, Colletet, Colomby,
Vaugelas, Gomberville, Balzac, Racan, Voiture, le secrétaire
d'Etat Abel Servien, le chancelier Pierre Séguier. En jänvier
1635, l'Académie ne comptait encore que trente-six membres.
Elle se réunissait le lundi, tantôt chez l'un, tantôt chez l'autre.
Elle trouvera enfin en 1643 un siège régulier chez le chancelier
Séguier, en attendant que Louis XIV l'installe au Louvre
en 1672.

C'est en 1634, le 20 mars, que l'Assemblée résolut de
s'appeler Académie française. Ce titre fut consacré par les
Lettres patentes en vertu desquelles Louis XIII, le 29 janvier
1635, fondait l'institution et en approuvait les statuts. Trois

« officiers » étaient créés pour assure rl'ordre et la marche du corps : « un Directeur, un Chancelier et un Secrétaire », les deux premiers élus pour deux mois, le troisième inamovible (le Secrétaire perpétuel).

Chapelain a dressé le plan de travail : la composition d'un Dictionnaire, d'une Grammaire, d'une Rhétorique et d'une Poétique. Ainsi l'Académie s'appliquera-t-elle « avec tout le soin et toute la diligence possible à donner des règles certaines à notre langue et à la rendre pure, éloquente et capable de traiter les arts et les sciences ».

Les débuts furent difficiles. Non du fait des railleurs, qui furent nombreux, mais sans efficace. Plus gravement, les ennemis de Richelieu, certains auteurs même dénonçaient dans l'Académie, selon Balzac, « une tyrannie » qui méditait de régir les esprits et d'exiger des « faiseurs de livres » une « obéissance aveugle ».

Le Parlement avait quelque crainte semblable et ce n'est qu'en juillet 1637 qu'il enregistra les Lettres patentes délivrées par le Roi en 1635. Encore limitait-il avec soin les attributions de la Compagnie : « Ceux de ladite Assemblée et Académie ne connaîtront que de l'ornement, embellissement et augmentation de la langue française et des livres qui seront par eux faits et par autres personnes qui le désireront et voudront. »

En 1643, l'Académie faillit périr, emportée avec d'autres créations de Richelieu : les ennemis du Cardinal, après sa mort, s'employèrent en effet à détruire ses œuvres. C'est Voiture qui, intercédant pour elle auprès de la Régente, réussira à la sauver.

La gloire et l'utilité de l'Académie française, au cours de la période qui nous occupe, ne résident pas en ce qu'elle a vraiment contribué au progrès de la langue, à l'élaboration des règles du bien-écrire, à la promulgation des lois de la création littéraire. Malherbe, Chapelain, Balzac ont travaillé avant elle et c'est à eux que revient le mérite de la réforme « classique ». L'Académie, orientée par Richelieu, ne fit que pousser à la roue, non sans commettre des maladresses : son intervention contre le *Cid* manque de justesse et d'habileté. Pour le *Dictionnaire,* elle se fera damer le pion par Furetière impatient de ses lenteurs. De fait, le *Dictionnaire de l'Académie française,* commencé en 1639, ne paraîtra qu'en 1694. Sa *Rhétorique* ne verra jamais le jour. La *Poétique* qu'elle avait projetée, c'est La Mesnardière qui la publia, seize ans avant d'entrer chez les Quarante.

Cependant l'Académie a fait œuvre féconde à plusieurs égards. Si elle n'a pas inventé les « règles », elle a mis toute son autorité à en assurer le triomphe. Elle a groupé des écrivains que leur humeur aurait confinés dans la solitude et dont l'appoint s'est révélé utile au labeur commun : Mainard, Saint-Amant, Boisrobert, Colletet. Elle a donné autorité et prestige à des auteurs qui, à nos yeux, ne les méritaient pas, mais qui se sont démontrés des organisateurs et des animateurs de l'entreprise générale. Chapelain est un pauvre poète : il a été néanmoins un excellent serviteur de la Compagnie et, par là, un bon artisan du progrès littéraire.

L'Académie, en outre, a renforcé l'influence de l'Hôtel de Rambouillet et des salons en faisant coopérer, dans son sein, des écrivains « honnêtes gens » et des érudits qui furent, de ce fait, amenés à humaniser leur doctrine, tel encore Chapelain. A l'Académie, on parle français, non latin ni grec, et un français qui se fait aussi pur et souple que possible. S'il y est parfois question de langues étrangères, c'est d'espagnol ou d'italien, non de langues anciennes. Ainsi l'Académie obtiendra-t-elle audience et crédit auprès des gens du monde. Des railleries qu'elle essuie, comme tout corps constitué en France, beaucoup lui viennent des érudits de cabinet, de pédants barbouillés qui lui reprochent ses concessions au public des honnêtes gens, ce dont justement elle se fait gloire. Sous l'influence prépondérante de Conrart et de Chapelain, l'Académie admet des grands seigneurs, des évêques, des parlementaires : elle y gagne une large ouverture sur la Cour et la Ville. Elle évite le péril de devenir un cénacle de savants.

Enfin, la présence dans l'Académie de grands dignitaires de l'Etat et la protection du Roi vont peu à peu conférer au métier littéraire une dignité et un lustre nouveaux ; les gens de lettres ont désormais une existence sociale et une certaine puissance. Sans compter l'avantage d'émarger au budget : la munificence du Cardinal contrastait heureusement avec la lésine dont les poètes, non sans excès, avaient accusé Henri IV. Ce haut mécénat sera rendu plus éclatant encore par Louis XIV.

Chapitre troisième

LA PRECIOSITE

La préciosité du xviie siècle est un phénomène important et complexe qui se place au confluent d'une évolution des mœurs et d'une évolution du goût littéraire. On y trouve un code de bienséance, un style de vie, des règles du bon langage et même une esthétique littéraire.

La notion de préciosité n'a pas toujours été aussi riche. A la fin du xive et au xve siècle, le sens en était plus restreint. Eustache Deschamps vitupère une femme de mœurs apparemment rigides qui met obstacle à ses démarches galantes :

> ... Vieille contagieuse,
> Voulez-vous donc gouverner la contrée
> En béguinant (*en affectant la sainteté*) faire la précieuse
> Pour empêcher toute vie amoureuse ?

« Faire la *précieuse* », on le voit, c'est se donner du *prix* en refusant ou en contenant les hommages masculins. (Molière, en ce sens, dira — et la métaphore est identique — « faire la renchérie »).

Charles d'Orléans confirme le témoignage d'Eustache Deschamps :

> ... Aussi bien belles que laides
> Contrefont les dangereuses (— *coquettes*)
> Et souvent les précieuses.

Il est utile de remarquer que, dès l'origine, le terme est affecté d'un accent de blâme ou d'ironie. Il aura du mal à s'en défaire.

Au xviie siècle, le mot ressuscite (mais il est assez probable qu'il s'était perpétué dans l'usage oral). Il va connaître, à dater de 1650 environ, une fortune inouïe et s'annexer de nouvelles acceptions.

Le chevalier de Sévigné écrit, le 3 avril 1654 : « Il y a une nature de filles et de femmes à Paris que l'on nomme Précieuses, qui ont un jargon et des mines avec un démanchement merveilleux. » Notons qu'ici « démanchement » signifie simplement une contenance ou des façons peu naturelles. Le mot *précieuse* était en vogue depuis quelque temps, c'est certain : l'abbé d'Aubignac, la même année, dans son *Histoire du temps ou Relation du Royaume de Coquetterie* nous suggère en effet que la mode est en train de s'avilir à force de se répandre. Enumérant les dames de divers plumage qui peuplent son royaume imaginaire, il distingue « les Admirables qui n'ont de merveilleux que le nom, les Précieuses, *qui maintenant se donnent à bon marché,* les Ravissantes... les Mignonnes, etc. ».

Langage et manières : c'est à quoi, d'après le chevalier de Sévigné, on discerne les précieuses. Scarron, un peu plus tard, leur donnera le même signalement : du « jargon », un « parler gras », « plusieurs sottes manières » : ce « ne sont enfin que façonnières ».

Nous sommes encore dans le vague. Mais voici venir le naturaliste de l'espèce nouvelle. L'abbé Michel de Pure (1620-1680) publie de 1656 à 1658 les quatre parties de son roman *La Pretieuse ou le Mystère des Ruelles*. Il a exploré la planète de la préciosité (au vrai, ce substantif n'apparaît dans les textes que vers 1670) et il nous livre les résultats, presque trop abondants, de son enquête.

Nous trouvons là plusieurs définitions — et même des refus de définition — de la précieuse. Mais d'abord, à quelle date est-elle née? « Les premiers beaux jours que la paix nous a donnés ont fait cette heureuse production ». La paix : on pense d'abord aux traités de 1648; mais il y eut ensuite la Fronde. Ce n'est que vers 1652 que la paix revint décidément à Paris.

Dire ce qu'est au juste la précieuse est impossible au langage humain : « La pretieuse, de soy, n'a pas de définition : les termes sont trop grossiers pour bien exprimer une chose si spirituelle. »

Essayons tout de même d'en donner une idée. « La pretieuse n'est point la fille de son père ny de sa mère; elle n'a ny l'un ny l'autre, non plus que ce sacrificateur de l'Ancienne Loy » (Melchisédech). Rappelons-nous ici que la Madelon de Molière aura « peine à *se* persuader » qu'elle « puisse être véritablement » la fille de Gorgibus dont « la forme » est par trop « enfoncée dans la matière ». La « pretieuse » de l'abbé de Pure « n'est pas... l'ouvrage de la nature sensible et matérielle :

elle est un extrait de l'esprit, un précis de la raison ». « On dit qu'elles ne se formoient que d'une vapeur spirituelle qui, s'excitant par les douces agitations qui se font dans une docte Ruelle, se forment enfin un corps et composent la pretieuse. » Insistons : « La pretieuse se forme dans la Ruelle par la culture des dons suprêmes que le Ciel a versez dans leur âme. »

Ainsi, le caractère essentiel de la précieuse, c'est qu'elle est Esprit. Mais puisqu'elle fait tant que de prendre un corps, elle le prend à l'image de son esprit. L'abbé de Pure nous informe que les précieuses se recrutent parmi « les plus jolies femmes de Paris et les personnes les mieux faites du royaume ». On nous dit d'une dame qu'elle « est vraiment assez belle pour être pretieuse ». Et quoique leur beauté soit d'origine toute spirituelle, elles ne laissent pas de la cultiver. Molière, autre témoin à consulter (avec prudence) nous apprendra ce qu'il en coûte à Gorgibus en « blancs d'œufs, lait virginal » et autres « brimborions ». L'abbé de Pure, quoique d'Eglise, sait que « la pommade de la moëlle de pied de mouton (Molière retiendra ce trait-là aussi) détrempée » dans « l'eau de veau » est « extrêmement détersive » et nettoie « fort bien le teint ». Toutefois, notre abbé ajoute que ces secrets seraient sans efficacité si les précieuses — et c'est là le vrai principe de leur jouvence éternelle — n'étaient pas consacrées au culte de l'esprit et des choses de l'esprit.

Après la définition de ce miracle de la nature, voyons les lois qui régissent la nation des précieuses. La première établit que le pouvoir appartient à la plus belle : « Ce n'est point comme dans les autres Estats, où l'on consulte les testes blanches et vieillies dans l'expérience... Parmy elles, la plus belle a tout le pouvoir. »

La seconde loi promulgue l'obligation de prononcer des vœux : « On dit qu'il y a une espèce de religion (*c'est-à-dire de congrégation religieuse*) parmy elles et qu'elles font quelque sorte de vœux solennels et inviolables et qu'elles jurent... de garder toute leur vie... Le premier est celui de subtilité dans les pensées ; le second est la méthode dans les désirs (*la discipline des passions*) ; le troisième est celui de la pureté du style. Pour avoir quelque chose de commun avec les plus parfaites sociétez (*allusion à la Compagnie de Jésus*), elles en font un quatrième, qui est la guerre contre le pédant et le provincial, qui sont leurs deux ennemis irréconciliables. Mais pour enchérir encore par-dessus cette dernière pratique, elles en font un cinquième, qui est celuy de l'extirpation des mauvais mots. »

Nous sommes introduits, par l'énoncé de ces vœux, dans le domaine de la morale et de l'esthétique littéraire des précieuses.

Leur morale : entendons par là, surtout, les principes qu'elles adoptent et l'attitude qu'elles s'imposent dans les choses de l'amour. L'un de leurs sujets préférés de conversation, c'est l'amour : elles font leurs délices d'agiter des problèmes de métaphysique et de casuistique amoureuses. Les précieuses que nous présente l'abbé de Pure sont unanimes à condamner le mariage, institution viciée par de honteux abus, corrompue par des calculs d'intérêt et d'ambition ; tyrannie insupportable : véritable martyre enfin de la femme. Les revendications formulées dans la *Pretieuse* sont d'une étonnante hardiesse : mariage à l'essai, divorce, etc. : c'est du féminisme le plus avancé.

Ce qui n'empêche pas les précieuses de s'attacher à l'étude des « passions de l'amour » et à la solution des cas de conscience qu'ils posent. Les belles amies de l'abbé de Pure analysent les différentes espèces d'amour, c'est-à-dire les diverses attitudes que les femmes peuvent prendre en face des avances dont elles sont l'objet. Elles distinguent « l'amour vénal d'*oui* », « l'amour coquet de *non* », « l'amour craintif de *mais* », « l'amour simple de *Eh bien !* ».

Saint-Evremond, en 1656, dans les vers du *Cercle,* corrobore l'attestation : les précieuses sont des analystes subtiles de l'amour. Dans sa ruelle, dit-il, se tient

> ... la Précieuse,
> Occupée aux leçons de morale amoureuse.
> Là se font distinguer les fiertés des rigueurs,
> Les dédains des mépris, les tourments des langueurs ;
> On y sait démêler la crainte et les alarmes,
> Discerner les attraits, les appas et les charmes ;
> On y parle du temps qu'on forme le désir :
> Mouvement incertain de peine ou de plaisir.
> Des premiers maux d'amour on connaît la naissance ;
> On a de leurs progrès une entière science
> Et toujours on ajuste à l'ordre des douleurs
> Et le temps de la plainte et la saison des pleurs.

Voilà pour la doctrine théorique. Quant à la morale pratique des précieuses, les témoins ne sont pas unanimes. Beaucoup les accusaient de refuser l'amour. D'autres les blâmaient ou les soupçonnaient de lui trop accorder.

Cette contradiction a déconcerté certains critiques. « Dès qu'on veut définir, dit Paul Bénichou, la conception précieuse de l'amour en tenant compte de l'ensemble des témoignages, on est arrêté par une surprenante ambiguïté : on s'aperçoit que les contemporains ont reproché aux précieuses tantôt de vouloir bannir l'amour et tantôt de lui faire trop de place. » C'est vrai.

Dans un ballet intitulé *la Déroute des Précieuses,* on lit
notamment :

> Précieuses, vos maximes
> Renversent tous nos plaisirs.
> Vous faites passer pour crimes
> Nos plus innocents désirs.

Boileau, au contraire, dans sa *Satire X,* accuse la préciosité,
corrompue par la lecture des romans, de mener aux plus graves
désordres de conduite.

La contradiction n'est qu'apparente. La précieuse ne hait ni
ne méprise jamais l'amour. Elle a au contraire un culte fervent
pour l'Amour et c'est le fait de celles mêmes qui condamnent
le mariage et ses « dégoûtantes » réalités, comme dit Armande.
Mais l'idéalisme galant des précieuses s'attache à une épuration
de l'amour qui leur paraît une condition majeure de la civilisation morale. Saint-Evremond a fort bien défini la philosophie
érotique des précieuses quand il a écrit : « L'amour est... un
dieu pour les précieuses. Il n'excite point de passion dans
leurs âmes : il y forme une espèce de religion... Elles ont tiré
une passion toute sensible du cœur à l'esprit et converti des
mouvements en idées. »

Cette sublimation peut prendre deux formes. Une forme
extrême, qui est le refus de l'union charnelle : c'est le fait des
prudes, exécrées par tous les auteurs galants ; ce sont celles
que Ninon de Lenclos, au dire de Saint-Evremond, a joliment
appelées « les jansénistes de l'Amour » ; c'est, dans la réalité,
Madeleine de Scudéry ; dans la fiction littéraire, c'est Armande,
du moins celle qui parle dans la scène première des *Femmes
savantes.* D'autres adoptent une ascèse plus mitigée. On épure
l'amour en l'astreignant à un itinéraire long et sinueux, à une
gradation savante et délicate. Saint-Evremond nous l'a dit, la
Carte de Tendre l'illustrera ; Molière dans les *Précieuses ridicules* (scène IV) fera, de ces étapes imposées à la passion, une
description satirique. Entendons aussi Losme de Monchesnay
(satire III *Contre les Femmes*) :

> Quoy, Monsieur, ferez-vous toujours des disparates ?
> Que ne m'épargnez-vous vos visites ingrates ?
> Dans mon tome premier je ne fais rien qu'entrer
> Et vous vous avisez, cruel, de vous montrer !
> Apprenez de Cyrus qu'en galante coutume
> On ne souffre d'un mari qu'au dixième volume.

Bien entendu, cette stratégie peut être une grimace d'hypocrisie, ou le calcul d'une dangereuse coquetterie. Michel de
Pure nous dit que les galantes savent faire valoir leurs grâces

« de douze façons différentes » : elles possèdent l'art, par
exemple, de décocher le sourire de « l'œil gracieux », celui de
« la dent blanche », faire jouer « le faux-semblant » et « le
dédaigneux » pour envelopper leurs victimes dans leurs filets
et les réduire à leur merci. Et ne parlons pas des précieuses
qui, d'abord zélatrices ferventes de l'amour pur, envoient tout
à coup leur philosophie par-dessus les moulins. Qui s'en
étonnera ?

Le troisième vœu des précieuses les engageait à la pureté
du style, le quatrième à combattre le provincial et le pédant,
le cinquième à extirper les mauvais mots. Ces desseins font
une partie essentielle de l'entreprise de renchérissement et
d'idéalisation qui définit la préciosité. « L'objet principal, dit
l'abbé de Pure, et qui occupe tous leurs soins, c'est la recherche des bons mots et des expressions extraordinaires ; c'est à
juger des beaux discours et des beaux ouvrages, pour conserver
dans l'empire des conversations un juste tempérament entre
le style rampant et le pompeux. Elles se donnent encore chari-
tablement la peine de censurer les mauvais vers et de corriger
les passables, de travailler les dons de l'esprit et les mettre si
bien en œuvre, qu'ils puissent arrester les sens, élever le
commerce de leurs plaisirs et les rendre aussi spirituels que
sensibles. » Et l'abbé cite en exemple une de ses ouailles de
ruelle qui « s'est érigée en diseuse de beaux mots... et discours
fleuris ». Furetière, en 1666, parlera encore d'un « beau
réduit » où « on discourait de vers et de prose et où on
faisait les jugements de tous les ouvrages qui paraissaient
au jour ».

Les précieuses ont donc pris à tâche la purification et l'embellissement du langage, la critique des ouvrages littéraires.
Mais il est à remarquer que ces femmes délicates insistent sur
la manière plus que sur la matière. Elles risquent par là d'être
induites à préférer l'ingéniosité à la force de la pensée, le
« fin du fin » à la profondeur. La précieuse, avoue l'abbé de
Pure, donne quelquefois gratuitement « du prix à des choses
qui n'en ont pas ». Ce n'est point tant le beau qu'elles poursuivent que le joli. La préciosité ne sculpte pas, elle cisèle.
Elle n'invente pas, elle décore.

De là, sa prédilection pour les petits genres. La précieuse
— et le précieux, car ces dames ont eu leurs écrivains, et nombreux — se défient de la grandeur, par crainte de la pédanterie et de l'emphase. On cultive l'épigramme, le madrigal, le
rondeau, le sonnet, les énigmes, les bouts-rimés, les métamorphoses ; en prose, la lettre et le portrait. Lorsqu'elle se prend
à un grand genre ou à un grand sujet, la préciosité le découpe
en bibelots. Benserade mettra en rondeaux les *Métamorphoses*

d'Ovide (1676). Avant lui, Mascarille, qui a composé « deux
cents chansons, autant de sonnets, quatre cents épigrammes
et plus de mille madrigaux, sans compter les énigmes et les
portraits », « travaille à mettre en madrigaux toute l'histoire
romaine ».

La préciosité a sévi dans l'épopée, grand genre s'il en est :
mais elle détache un épisode. Elle a sévi dans le roman surtout
qui, il est vrai, n'est pas toujours regardé, au XVIIe siècle,
comme un grand genre. Mais, dans le roman, la préciosité
stylistique s'attache surtout à des pages détachées ou détachables : lettres, dialogues, portraits.

La recherche des « discours fleuris » signalée par l'abbé
de Pure explique la fréquence, dans les œuvres précieuses, de
la métaphore et de l'allégorie : ce sont leurs figures les plus
ordinaires. Toute allégorie, certes, n'est pas précieuse. L'allégorie devient précieuse lorsqu'il y a intellectualisation du sentiment, réduction du beau au joli, poursuite affectée d'une
expression de luxe. L'une des illustrations les plus frappantes
sans doute de ces procédés se trouve dans l'explication que
Madeleine de Scudéry, dans sa *Clélie,* donne de la *Carte de
Tendre.* Les *Œuvres galantes* de l'abbé Cotin nous fourniraient
aussi de bons exemples : rappelons-nous les deux pièces mali-
gnement choisies par Molière pour ses *Femmes savantes.*

La « nation précieuse », qui a eu son explorateur le plus
hardi en Michel de Pure, a suscité, nous venons de le voir,
ses géographes. Citons-en quelques-uns.

En 1654, le marquis de Maulévrier dresse une *Carte du
Royaume des Précieuses :* « On s'embarque, dit-il, sur la
rivière de Confidence pour arriver au port de chuchoter. De
là, on passe par Adorable, par Divine et par Ma chère, qui
sont trois villes sur le grand chemin de Façonnerie qui est la
capitale du Royaume. »

Une *Carte* (anonyme) de l'*Empire des Précieuses* y distingue cinq provinces : Pretieusis, Beau-Parler, Affectation,
Galanterie et Coquetterie. On nous dit que les habitants de
cet Empire « sont de belle stature, courtois, aimables, galants
et curieux d'apprendre », qu'ils « recherchent les beaux mots
et affectent de bien parler ». La province de Pretieusis comprend les villes de Sagesse, de Sérieux, le fort de Jeunesse.
La province de Beau-Parler comprend le mont d'Eloquence, les
villes de Discours-Pompeux, Expression-forte, Mots-nouveaux,
Fantaisie, Esprit-enjoué.

Tristan l'Hermite a tracé, lui aussi, une *Carte du Royaume
d'Amour* (1659) qui, dit-il, est « situé fort près de celui des
Précieuses ».

Mais le chef-d'œuvre, comme on sait, de cette géographie allégorique est cette *Carte de Tendre* élaborée aux « samedis du Marais », dans le salon de Madeleine de Scudéry et publiée par elle, nous l'avons vu, dans la *Clélie,* au premier volume (1654); elle atteste une louable expérience des choses de l'amour et elle codifie par l'image, non seulement les règles de la bienséance mondaine, mais aussi les lois de la prudence morale. C'est la préciosité galante qui est son principal objet; mais la préciosité littéraire y joue sa partie : pour arriver à Tendre-sur-Estime, il faut passer par Jolis-Vers, Billet-Galant et Billet-Doux...

La préciosité a eu ses manies et ses vices, et elle a mérité souvent les moqueries dont les satiriques l'ont accablée. Ne croyons pas tous les détracteurs. Baudeau de Somaize, intéressant à entendre, ne mérite qu'un crédit limité. Son *Dictionnaire des Précieuses* (1660), ses comédies *les Véritables précieuses et le Procès des Précieuses,* et surtout son *Grand Dictionnaire des Précieuses* ou *La Clef de la langue des Ruelles* (1661) sont coupables de confusions et de mensonges. Jamais une précieuse (sauf peut-être une « pecque provinciale »), pour demander son éventail, n'a dit à sa servante : « Commune, allez quérir mon zéphyr ». Si elle souffre des yeux, elle ne se plaint pas d'avoir mal aux « miroirs de l'âme ». Ces métaphores ne sont employées que par divertissement littéraire et dans un cercle d'initiés. Certes le jeu se prolongeait parfois avec excès : toute mode a ses suiveurs imbéciles qui la discréditent. Mais ne prenons pas à la lettre toutes les allégations des contemporains ni les dialogues prêtés par les auteurs de comédies, y compris Molière, à leurs grimaciers et à leurs façonnières. François Ogier, dans son *Apologie pour Monsieur de Balzac,* a protesté avec raison contre un dénigrement outrancier : il fait observer que ces locutions figurées sont la plupart enveloppées dans un contexte qui les explique et les excuse et que c'est un procédé injuste de les faire passer pour locutions usuelles.

On sait d'ailleurs que la préciosité a eu d'heureuses inventions de langage. Dans leur nouveauté, ces créations ont pu avoir un air affecté; mais elles le perdent vite si elles passent dans un usage étendu et entrent dans le parler courant. On attribue aux Précieuses des expressions qui nous sont devenues familières : « faire figure dans le monde », « laisser mourir la conversation », « le mot me manque », « faire assaut de politesse avec quelqu'un », « garder son sérieux », « les bras m'en tombent », etc. : toutes métaphores créées dans les ruelles à la mode et qui ont enrichi le langage.

Mais d'autre part, les Précieuses ne l'ont-elles pas appauvri, ce langage, par la proscription dont elles ont frappé les mots suspects de trivialité « provinciale », ou dont la consonance même était jugée déshonnête ? Il nous faut ici, pour répondre avec équité, élargir notre horizon.

Il est certain que la Préciosité fut une espèce de crise aristocratique du sentiment et de l'expression. Il semble qu'il y faille voir une protestation contre le sans-gêne et la liberté touffue qui régnaient dans la première moitié du XVIIᵉ siècle et d'autre part contre la pédanterie où risquait de s'engoncer la littérature avec les Balzac, les Chapelain, les Ménage. D'une part, les Précieuses raillent, comme Boileau le leur reprochera, les « vains amateurs du grec et du latin » ; d'autre part elles repoussent l'exubérance sans choix des écrivains du Pont-Neuf et de la Samaritaine. En bref : violences baroques, crudités licencieuses, raideurs scolaires, emphase malherbienne, il paraissait aux Précieuses que toutes ces tendances éloignaient la littérature des voies de l'honnêteté : avaient-elles tout à fait tort ? D'un autre côté, leur modernisme décidé les ralliait à la réforme malherbienne et elles allaient encore dans le même sens par le souci qu'elles montraient de la pureté de la langue.

Mais comme toute affectation compromet les meilleurs desseins, la préciosité risquait de dépasser son but et d'appauvrir l'art littéraire en l'écartant de ses sources populaires. Boileau et Molière réagiront avec vigueur et le classicisme évita l'anémie où il serait tombé si l'abbé Cotin et les ruelles avaient imposé leur excessive épuration.

En fin de compte, la préciosité, en favorisant les « anatomies du cœur », a poussé la littérature vers l'analyse morale : le classicisme en est resté marqué. Elle a donné une rigueur accrue à la loi des bienséances. De là, une certaine « spiritualité », parfois outrée, de la littérature sérieuse, le refus de la couleur et du remuement dans la tragédie, et même dans la haute comédie.

Peut-être aussi la police du vocabulaire a-t-elle contribué à une séparation plus tranchée de la langue parlée et de la langue littéraire, à la distinction des mots nobles et des mots de roture. Les auteurs classiques n'ont pas pu échapper tout à fait au mouvement général de raffinement, d'épuration, de discipline, dont la préciosité est la manifestation la plus voyante. Ils y ont contracté quelques manies assez innocentes : ils en ont retenu les leçons de haut maintien, le souci minutieux du langage, la pénétration morale.

Troisième Partie

LA LITTÉRATURE DE 1630 A 1660

Chapitre Premier

LA POESIE LYRIQUE

Situation de la poésie en 1630. « Motin, la Muse est morte, ou la faveur pour elle », s'écriait en 1608 Mathurin Régnier. Ne l'en croyons pas. La ferveur poétique suscitée par le retour de la paix n'a fait que s'intensifier entre 1600 et 1660. Le nombre et le succès des recueils collectifs de vers en seraient une suffisante attestation. Nous en relèverons d'autres preuves.

Pour la commodité de l'exposé et pour respecter les étapes chronologiques de notre histoire, nous avons scindé en deux parties ces soixantes années ; mais il faut bien avouer que ces deux périodes ne s'opposent pas : la seconde développe le mouvement lancé par la première. On peut noter néanmoins, avec une certaine hésitation, quelques différences et innovations.

Après 1630, l'élan lyrique se fait moins ambitieux : l'ode solennelle est plus rare. Desmarets de Saint-Sorlin accuse les nouveaux poètes « de faiblesse et de crainte » : sous couleur de simplicité, ils évitent jusqu'aux apparences de la « fureur ». Peut-être les avertissements d'Horace aux émules de Pindare (*Pindarum quisquis studet aemulari...*), imprudemment enfreints par Ronsard, expliquent-ils en partie cette timidité et, comme dit encore Desmarets, cette « peur de s'égarer », sans compter les ironies de Malherbe. Mais l'ampleur oratoire dont le poète des *Stances à Du Périer* avait donné de si beaux exemples devient elle-même suspecte. L'influence des « coquets » et des « précieux » y est pour quelque chose ; il sera d'ailleurs admis que les « pièces galantes » ne sont pas « les moins difficiles ».

Le baroque, d'autre part, se tempère et s'assagit au cours des années. Il sera relayé par le burlesque : Saint-Amant est

l'un des auteurs qui opèrent ce passage du baroque au burlesque. La satire, après la période brillante qu'elle a connue
sous Henri IV, subit un certain recul, où l'on peut voir un
contrecoup indirect du procès de Théophile : satire et obscénité faisaient souvent alliance dans les recueils comme *les
Muses Gaillardes*. Scarron, génie du burlesque, relance la satire
avec ses *Epîtres chagrines*. Cependant la satire politique, si
l'on met à part l'éruption flamboyante des mazarinades au
temps de la Fronde, est abandonnée au profit de la satire
littéraire.

Quant à la poésie religieuse, elle se maintient vivante. Peut-
être a-t-elle perdu, depuis La Ceppède, une certaine ferveur
brûlante de l'accent, une certaine effervescence baroque. Mais
nous allons rencontrer, au long de notre itinéraire — et notamment parmi les libertins repentis — des poètes religieux ardents,
éloquents, originaux.

La condition du poète s'est relevée sous Richelieu et sa
dignité a été reconnue. L'Académie française donne du lustre
au métier littéraire. Les pensions sont plus nombreuses, si elles
ne sont pas toujours payées avec régularité : Scarron se verra
contraint plus d'une fois de se rappeler au bon souvenir des
ministres du Trésor. Il semble bien toutefois que le « poète
crotté » de la période précédente se rencontre moins fréquemment.

Les tendances de la poésie, le Credo littéraire des poètes se
diversifient, bien entendu, suivant les tempéraments. La réforme
malherbienne s'est imposée largement. On trouve encore des
fidèles de Ronsard ; les admirateurs de Théophile se plaisent
à opposer les droits de leur fantaisie aux règles édictées par
« le tyran des mots et des syllabes ». Mais ces protestataires
eux-mêmes subissent bon gré mal gré la contagion de cet esprit
de discipline et de sobriété qui est maintenant, comme on dit,
dans « l'air » du temps.

Pour éviter la monotonie horizontale d'une énumération sans
alinéas, on est tenté de répartir des poètes de 1630 à 1660 en
plusieurs familles : les malherbiens, les théophiliens, les « amis
de Julie » — ou encore les lyriques sérieux, les badins, galants,
précieux, etc... Ces classifications seraient trompeuses : la plupart de ces poètes — et les meilleurs — refuseraient de se
laisser enclore dans une seule catégorie. Il est à remarquer
d'ailleurs qu'il n'existe plus guère, à l'époque où nous arrivons,
de groupes ni d'écoles. Tout au plus y a-t-il des lieux de
rencontre : salons, cercles d'amitié, cabarets, rendez-vous d'érudits et de lettrés.

Nous suivrons donc bonnement un ordre chronologique appro-

ximatif, en notant chemin faisant les oppositions et les affinités,
les changements de goût et les caprices de la mode.

GOMBAULD (v. 1580 ?-1666)

Vie.   Jean Ogier (ou Oger) de Gombauld naquit en
                  Saintonge, à Saint-Just-de-Lussac près de
Brouage (aujourd'hui canton de Marennes en Charente-Mari-
time). Il est douteux qu'il ait droit à la particule. Conrart la
lui donne : laissons-la-lui. La date de sa naissance est inconnue.
Ce serait 1570 d'après Tallemant ; ce pourrait être 1580 ou
même plus tard, s'il est vrai qu'il vint « fort jeune » à la Cour
et qu'il n'y parut que peu avant 1610. Son père était « de la
Religion », mais le fit instruire dans le catholicisme pour lui
obtenir un bénéfice. Le jeune homme, dès ses seize ans, rede-
vint « huguenot à brûler ». A Paris, épaulé par le marquis
d'Uxelles, il pénètre à la Cour. Il fit, nous dit-on, des vers
pour Henri IV : on ne les a pas retrouvés. La première pièce
qu'on ait de sa plume est un sonnet de 1611 sur la mort du
duc d'Orléans, fils d'Henri IV. Après la mort du Roi, il entre
dans les grâces de Marie de Médicis : Gombauld lui rappe-
lait, paraît-il, un gentilhomme florentin qu'elle avait aimé. Elle
le pensionne à douze cents écus. C'est au sommet de cette
faveur qu'il publia l'*Endymion*. La lune était la Reine Mère
Endymion Gombauld. Le livre fit du bruit. Après la disgrâce
de sa divinité (1617), Gombauld vit rogner sa pension. Il connaît
alors des années difficiles, qu'il endure avec courage.

Gombauld était « grand, bien fait, de bonne mine et sentant
son homme de qualité ». Admirable lecteur, il faisait valoir ses
œuvres, leur donnait tout leur lustre et même un peu plus. Sa
mise était toujours soignée, même au plus dur de la pauvreté.
Il était fort cérémonieux, « grave et concerté ». Saint-Evremond l'appelle « Gombauld la froide mine ». Délicat sur le
chapitre de l'argent, il refusait les dons. Ses amis, touchés de
cette belle fierté, rivalisaient de bons offices : c'était à qui le
ferait gratifier.

Dès 1629 il était en relation amicale avec Conrart. Il fit partie du groupe qui forma le premier noyau de l'Académie française. Il fut de la Commission chargée d'étudier le plan du
Dictionnaire et de la *Grammaire*. On lui demanda un Mémoire
sur les statuts : il proposa que « chacun des Académiciens fût
tenu de composer tous les ans une pièce à la louange de Dieu ».
Le 12 mars 1635, il prononce à l'Académie un discours (malheureusement perdu) sur le « Je ne sais quoi ». On y devait sentir l'habitué de la Chambre bleue : Gombauld était le « Beau

Ténébreux » de la marquise de Rambouillet. Il sera chargé, avec Cerisy, Baro et L'Estoile, d'examiner les vers du *Cid* et de limer le style des *Sentiments de l'Académie*.

Il avait été fort lié avec Malherbe. Ils discutaient sur des questions de grammaire. Gombauld avait gardé une vive admiration pour le réformateur du Parnasse et ne put admettre que l'Académie osât censurer les *Stances* de ce grand poète après sa mort. Gombauld finira par être regardé comme un arbitre de la langue et un maître du métier poétique. On connaît la repartie de L'Estoile : « Malheur à tout homme qui fait des vers et qui n'est pas connu de M. Gombauld, de M. Ménage et de moi. » Très infatué de son génie, il tint rigueur à la reine Christine de Suède de ne lui avoir pas rendu grâces pour un sonnet qu'il avait dédié au roi Gustave. Aussi, lors de la visite que fera la reine à l'Académie (1658), il affectera de rester chez lui.

Gombauld vécut très vieux. Sa santé avait toujours été parfaite ; mais une chute qu'il fit dans sa chambre le mit au lit. Il mourut en 1666.

Œuvre.   L'œuvre de Gombauld est variée : un roman allégorique en prose, *Endimion* (1624) ; une pastorale dramatique, l'*Amaranthe* (repr. 1630, impr. 1631) ; *Les Danaïdes,* tragédie, représentée à une date inconnue, imprimée en 1658 et qui, en dépit de vers bien frappés, sont d'une insupportable emphase. La pièce connut l'un des plus beaux « fours » du siècle. « Je veux redemander la moitié de mon argent, disait Madame Cornuel en sortant du spectacle : je n'ai entendu tout au plus que la moitié de la pièce. » Gombauld publia en outre des sonnets, des épigrammes, des Lettres, des Discours de Religion. Il laissa en manuscrit une tragi-comédie, *Cydippe,* qui a disparu.

L'*Amaranthe,* pastorale en cinq actes, avec chœurs, est exactement contemporaine de la *Silvanire* de Mairet : elle n'a pu l'imiter. Comme Mairet, Gombauld est tributaire de l'*Aminta* du Tasse et du *Pastor fido* de Guarini. La pièce reproduit tous les poncifs du genre : les soupirs d'Alexis, les fiertés d'Amaranthe, les jeux de la jalousie et du hasard, les péripéties et la reconnaissance qui amèneront l'union finale des deux amants, rien qui ne soit rebattu. Mais le poète ne se pique pas d'invention. Il vise d'abord à montrer qu'il « entend les règles » et qu'avec cette science, du jugement et du goût, on peut faire œuvre digne des honnêtes gens. Son second souci est de faire de beaux vers : « une douce majesté qui ne s'élève point outre mesure et qui aussi ne tombe point » : voilà le fin de l'art.

« Ni trop haut, ni trop bas, c'est le souverain style » : le conseil remonte à Ronsard ; Malherbe l'avait recueilli.

A en croire Charles Sorel, l'*Amaranthe* a le mérite d'avoir ennobli le théâtre. A dater de là, les poètes laissèrent « mettre leur nom aux affiches des comédiens ».

Venons à l'œuvre proprement lyrique de Gombauld. Il n'était pas mal doué pour l'épigramme, car il savait condenser. Costar, Ménage, Richelet le proclament sur ce point le rival de Mainard. Certaines de ses flèches sont bien affûtées :

> J'ay cru longtemps en conscience
> Que ce Baron ne savait rien ;
> Mais j'en découvre la science :
> Et je trouve qu'il siffle bien.

Ou celle-ci, plus virulente, sur la « bonté de Cloris » :

> Son beau-frère est son favory ;
> Partout il la suit à la trace.
> Cloris ayme tant son mary
> Qu'elle en ayme toute la race.

Celle-ci encore, admirée du P. Bouhours :

> Colas est mort de maladie :
> Tu veux que j'en plaigne le sort.
> Que diable veux-tu que j'en die ?
> Colas vivoit, Colas est mort.

Les « incomparables sonnets » de Gombauld (ainsi dit Conrart) font sans doute la meilleure part de son œuvre. Boileau consent à le nommer parmi les rares bons artisans de ce genre difficile. Furetière fait de lui « le grand casuiste et législateur » de « l'Isle sonnante ou Terre des sonnets ». Ici, non plus que dans le reste de son œuvre, Gombauld n'ambitionne de découvrir de nouveaux thèmes. Ses sujets, comme ses idées, sont des plus communs. Qu'il chante une Philis insensible, une Amaranthe exorable mais qu'une famille avare donne à un riche vieillard, une Carite changeante et fugitive ; qu'il célèbre leurs « charmes vainqueurs », déplore leurs « rigueurs inhumaines », dénonce leurs « beautés homicides », raconte « les rudes alarmes qui donnent le trépas », les « fers » et la « prison » de l'amour, cet « aimable tyran de notre liberté » ; qu'il aligne sagement les antithèses : les « agréables outrages », les « peines charmantes », les « morts plus douces que la vie », on ne peut avoir l'impression que Gombauld renouvelle le magasin des tropes.

En revanche, il ouvrage l'expression. Il y apporte une briè-

veté tendue, une gravité surveillée et il se compose un air de
distinction et de noblesse. Ce n'est pas que la densité exclue
toujours la redondance. Gombauld sait délayer le verbe « Je
meurs » en quatorze vers peu surprenants. Il a de beaux et
inutiles doublets :

> Quand on cesse d'aymer il faut cesser de vivre
> Et la vie a son terme en celuy de l'amour.

Ses platitudes ne se comptent pas : « Je ne sçay si je meurs
ou si je suis pasmé ; — Du moins je ne vy pas d'une vie ordinaire » ; « Mes flammes à la fin me vont réduire en cendre... »
« Je ne la connais point, je ne l'ay jamais vuë ; — Que sera-ce
de moy quand je l'auray connuë... », etc...

Sa réputation d'obscurité est flatteuse mais usurpée : Gombauld est toujours clair. Et en faire le « Valéry du XVIIᵉ siècle », comme on l'a osé, c'est abuser de la crédulité des gens.

Boileau lui accordait un bon sonnet sur mille. Sévérité excessive : il en a un sur cinquante. Il en a davantage dans ses
Sonnets chrestiens, qui sont de beaucoup les meilleurs. L'Ecriture qu'il traduit ou paraphrase prête à Gombauld le souffle
qui ailleurs lui manque. Quatre ou cinq de ces pièces sont
dignes de figurer dans une anthologie religieuse. Celle-ci, entre
autres :

> La voix qui retentit de l'un à l'autre pole,
> La terreur et l'espoir des vivants et des morts,
> Qui du rien sait tirer les esprit et les corps
> Et qui fit l'univers d'une seule parole,
>
> La voix du Souverain qui les cèdres désole,
> Cependant que l'épine étale ses trésors ;
> Qui contre la cabane épargne ses efforts
> Et réduit à néant l'orgueil du Capitole ;
>
> Ce tonnerre éclatant, cette divine voix
> A qui savent répondre et les monts et les bois
> Et qui fait qu'à leur fin toutes choses se rendent,
>
> Que les Cieux les plus hauts, que les lieux les plus bas,
> Que ceux qui ne sont point et que les morts entendent,
> Mon âme, elle t'appelle, et tu ne l'entends pas.

Au total, Gombauld, disciple de Malherbe, s'est fait avec
quelque bonheur, après son maître, l'artisan de la sobriété et
de la « diligence » classiques. Comme celle de Malherbe, dont
il n'a pas la sûreté, sa poésie est faite d'une scrupuleuse propriété du mot, d'une harmonie étudiée, d'une exacte cadence.
Dans ses moments les plus inspirés, cet ajustement lui obtient

l'ampleur, la vigueur, des sonorités bien accordées. Mais il n'évite pas toujours les pièges du prosaïsme, de la froideur et de la monotonie.

DESMARETS DE SAINT-SORLIN (1595-1676)

Desmarets (ou Des Marests, si l'on tient à une orthographe plus compliquée) est surtout connu comme dramaturge et son théâtre est la seule partie de son œuvre qui ait été sérieusement étudiée — mis à part encore ses écrits spirituels, auxquels Henri Bremond a consacré un beau chapitre. Son œuvre lyrique nous est beaucoup moins familière.

Jean Desmarets, sieur de Saint-Sorlin, est né à Paris en 1595. Dans sa jeunesse, il fréquente le monde où il se fait rechercher pour sa gaieté et son esprit. Il est un des habitués de l'Hôtel de Rambouillet et il collabore à la *Guirlande de Julie* : ses deux madrigaux *La Violette* (que nous avons cité) et *Les Lys* sont parmi les plus jolis de ce recueil.

En 1626 il est présenté à Richelieu et il en fait la conquête : le Cardinal admire l'ampleur de ses connaissances et la variété de ses talents. Le fait est que cet original a des lueurs de génie. Et que ne sait-il pas ? Il est bon latiniste, poète, musicien, architecte à l'occasion ; il disserte avec compétence de philosophie et de théologie. Tallemant lui reconnaît « un esprit universel et plein d'invention ». Mais son savoir est un entassement plus qu'une culture. Après son mariage, il devint Conseiller du Roi, Contrôleur général de l'Extraordinaire des Guerres, Secrétaire général de la Marine du Levant. Il fut un des premiers membres de l'Académie française, dont les réunions se tinrent souvent à son domicile.

Vers la cinquantaine il se tourna vers la plus ardente piété. Retiré en Poitou chez le duc de Richelieu, il y compose de nombreux ouvrages de religion. Il meurt le 28 octobre 1676.

Son œuvre littéraire est multiple. Romans, tragédies, comédies (entre lesquelles *les Visionnaires* (1637), l'un des grands succès du siècle) ; un poème épique, *Clovis* (1657), muni d'une *Préface* importante ; des écrits spirituels : *les Délices de l'Esprit*, où l'on peut trouver une espèce de *Génie du Christianisme,* venu trop tôt et à contre-courant ; l'*Office de la Vierge Marie ;* les *Psaumes de David,* etc...

A la fin de sa vie, il avait polémiqué violemment contre Port-Royal, dont il heurtait de front toutes les doctrines. C'est à lui que Nicole s'adresse au premier chef quand il traite les romanciers et les dramaturges d' « empoisonneurs publics des âmes des fidèles ». Et si Desmarets a passé longtemps pour fou, c'est à ces Messieurs qu'il le doit. Il y prêtait, il est vrai, quelque peu.

Comme poète lyrique, Desmarets a de la fermeté dans la pensée, avec des saillies d'originale fantaisie. Il a le sens du rythme et surtout de l'harmonie. On goûtera sans doute cette demi-strophe inspirée des *Confessions* de saint Augustin :

> Ah, que je t'aimai tard, immortelle Beauté,
>   Splendeur de la Divinité,
> Dans ton être éternel toujours inaltérable !
>   Je n'aime que toi désormais,
>   Beauté fidèle autant qu'aimable,
> Dont l'éclat et l'amour ne finiront jamais.

MALLEVILLE (?-1647)

Claude Malleville est né à Paris avant 1597, peut-être en 1592. Il fut secrétaire de plusieurs grands personnages, en particulier du maréchal de Bassompierre, dont l'emprisonnement à la Bastille, qui dura neuf ans (1631-1640), l'affecta profondément. Malleville faisait partie de ce groupe de lettrés qui se réunissaient chez Conrart et qui fut à l'origine de l'Académie française. Malleville fut un des premiers membres de la Compagnie.

En 1645, il acheta une charge de Conseiller-secrétaire du Roi. Il n'en jouit pas longtemps : il mourut en 1647.

Malleville était un habitué de l'Hôtel de Rambouillet et il contribua par neuf madrigaux à la *Guirlande de Julie : la Couronne Impériale, La Rose, L'Angélique, La Violette, Les Lys, le Soucy, les Soucys et les Pensées, la Flambe* (sorte d'iris), *La Fleur d'Adonis*. Il rivalisa avec Voiture dans la poésie légère : ses rondeaux et ses sonnets sont excellents.

Malleville avait peu publié de son vivant : il ne paraît pas s'en être soucié. C'est en 1649, deux ans après sa mort, que le plus grand nombre de ses vers furent recueillis en un volume. On y trouve des pièces fort diverses : du lyrisme amoureux (sonnets, stances, élégies, chansons) ; des vers de ballet pour la Cour ; des vers lugubres (sonnets funèbres) ; des poésies chrétiennes, des madrigaux, des rondeaux, et enfin des épigrammes qui sont parmi les meilleures du siècle. Beaucoup de vers de Malleville sont encore inédits.

Emile Faguet dit de Malleville qu'il a été « un très bon ouvrier en vers; il eut de l'esprit, de la grâce et sut tourner un couplet non sans poésie. » La formule est trop timide. Il faut affirmer que dans certaines pièces ou dans quelques parties de telle pièce, Malleville prouve qu'il aurait pu être un grand

poète. Il avait l'habileté, la prestesse, la sonorité. Il a manqué
de sérieux, de profondeur et, en un mot, d'âme. Sa poésie
religieuse elle-même (paraphrases de psaumes) a plus d'élégance que d'émotion.

Nous aurons l'occasion de citer plus loin le plus fameux des
sonnets de Malleville. En voici un autre, de robuste facture,
où l'esprit n'altère pas trop la sincérité du sentiment.

> Haïr également et le jour et la nuit,
> Changer à tous propos d'humeur et de visage,
> M'absenter de chacun, avoir l'âme sauvage
> Et marcher sans dessein où mon pied me conduit.
>
> Détester mon repos, aimer ce qui me nuit,
> A mille indignités soumettre mon courage,
> M'obliger de mespris et bénir mon servage,
> Voilà le bel estat où l'amour me réduit.
>
> Je sçay bien que l'oubly guérirait ma folie ;
> Mais alors que je vois la beauté qui me lie,
> Je m'oublie aussi-tost d'oublier ses appas.
>
> Voyez comme ce dieu sçait maintenir sa gloire :
> L'estrange passion qui cause mon trespas
> Vient autant de l'oubly comme de la mémoire.

VOITURE (1597-1648)

Vie.   Vincent Voiture naquit à Amiens en février
1597. Fils d'un riche marchand de vins « fort
connu des grands » et attaché à la Cour, le jeune homme fait
de solides études au Collège de Boncourt, puis il apprend le
Droit à l'Université d'Orléans. Il vient à Paris, est introduit
dans le monde par le Comte d'Avaux, son condisciple de
Boncourt, et se répand dans les salons. Il se mêle aux beaux
esprits, se lie avec Balzac et Malherbe. M. de Chaudebonne,
ami de Balzac et gentilhomme de Monsieur, se prend de sympathie pour lui et le présente à l'Hôtel de Rambouillet (1624
ou 1625). Bientôt il y dîne tous les jours et devient le poète
chéri et le ministre des plaisirs de la brillante société. La
subtilité ingénieuse de son esprit, sa fertile gaieté le prédis-
posaient merveilleusement à cet office. Il dirige les jeux, les
promenades, il lance des modes littéraires, ressuscite le rondeau
et la métamorphose ; il remet en vogue le « vieil langage gaulois » et les *Amadis*. On le proclame « l'âme du rond ».
Aimé et admiré de tous les nobles dames et gentilshommes
qui fréquentent l'Hôtel, ce fils de marchand traite avec les
grands d'égal à égal. Jamais pourtant il ne reniera ses origines

— excepté qu'il ne boira jamais que de l'eau — et il saura
joliment river leur clou aux jaloux qui faisaient rimer Voiture
avec roture.

Gaston d'Orléans, séduit par sa bonne grâce, l'engage dans
sa maison à deux mille livres de gages (1627). Ce maître
fantasque et brouillon l'obligera plus d'une fois à des exils
désagréables et compromettants; notamment entre 1632 et 1634,
il se rendra en mission à Madrid pour le compte de Monsieur,
ce qui lui vaudra d'ailleurs l'amitié d'Olivarès. Il parcourra
l'Espagne, poussera par curiosité jusqu'à Ceuta et reviendra
par Londres et Bruxelles. Il réussit le tour de force de se
maintenir dans les bonnes grâces de Richelieu qui, dès novembre ou décembre 1634, le fait entrer à l'Académie. Voiture
remercia le Cardinal en 1636, après Corbie, par une lettre
apologétique, ferme et lucide, dont l'effet de propagande en
faveur de la politique de Richelieu paraît avoir été considérable.

Cumulant par la suite les prébendes et les pensions, Voiture
sera riche à dix-huit mille livres de rente. Bien lui en prit,
car il était joueur impénitent et malchanceux. Malgré sa petite
taille (on l'appelait *el Rey Chiquito*), c'était un incorrigible
galant. Pour sa punition, il fut harcelé de longues années par
Madame Saintot dont il avait été l'amant et qui s'était mis en
tête de se faire épouser. A cinquante ans, il s'enflamma pour
la plus jeune fille de Madame de Rambouillet, Angélique-
Clarice d'Angennes et commit la sotte inconvenance de se
battre pour elle avec Chavaroche, l'intendant de la maison.
Il mourut peu après, le 26 mai 1648. Sa disparition marquera
le déclin de l'Hôtel de Rambouillet.

L'homme était loyal, généreux, d'une juste fierté, d'un rare
dévouement à ses amis. Il fut beaucoup pleuré.

Œuvre.   Les lettres de Voiture étaient fort estimées :
certains les égalaient à celles de Balzac. On
ne peut partager cette opinion. C'est de lui, plus que de l'épistolier de Charente, que l'on doit dire que ses lettres sont vides.
« Il brode souvent des riens », dit Voltaire avec justesse. Il a
réussi dans « l'ingénieuse familiarité » et « l'enjouement ».
Quoiqu'il sache, dans un compliment câlin, décocher un trait
cruel, il a en général la moquerie amusante et gentille. Ses
hyperboles, si elles sont aussi démesurées que celles de Balzac,
sont allégées d'un sourire. En dépit de ses efforts, cependant
— et de réussites délicates — il ne parvient pas à renouveler
toujours ses procédés. Jamais on n'a tant sué pour dire à tant
de personnes « je vous aime » ou « je vous admire ».

De chacun de ses correspondants, il affirme « sans mentir »
(formule dont il fait un effroyable abus) qu'il n'y a « rien sous

le ciel de si charmant ni de si aimable » ou que « de tous les esprits du monde il n'y en a pas un si grand ». Il a poussé le maniérisme à l'extrême dans la fameuse et exaspérante *Lettre de la Carpe au Brochet.*

Ces cajoleries pourtant ont imposé à l'usage du monde des formules de civilité : Voiture a eu sa part, mal définissable, mais certaine, dans l'affinement du parler et des mœurs.

Il a plus de valeur et d'importance comme poète. Sarasin, dans sa *Pompe Funèbre de Voiture,* fera paraître, au premier rang du « convoy », Ronsard, Desportes, Bertaut et Malherbe. C'était, en même temps que donner une haute place à Voiture, signaler son génie bien français. Au cortège, il eût fallu joindre Marot, un de ses plus authentiques devanciers. Et Voiture a puisé à d'autres sources. Il est familier des Italiens et des Espagnols, mais il les a bien assimilés. Il a connu Lope de Vega, qu'il a pastiché à s'y méprendre, et le cavalier Marin. Il a imité Gongora.

Son œuvre est diverse : élégies, stances, rondeaux, sonnets, chansons, épîtres, ballades, vers en vieux langage. Il ne prétend pas au grand lyrisme :

> J'ai quelque esprit et l'on me tient grand maître
> En ces poulets que les amants font naître.
> Je fais les vers assez passablement
> Et quelquefois je parle galamment.

Sa versification à vrai dire est assez « libertine » : il n'évite pas toujours l'hiatus et ses rimes sont souvent négligées. Voiture pourtant savait le métier ; il avait le goût et la sensibilité qui auraient pu faire de lui un vrai poète. Il a choisi de n'être qu'un amuseur. Il s'alarmait, à la fin de sa vie, qu'on voulût imprimer ses œuvres, bagatelles d'un jour et d'un cercle. C'est un Précieux authentique, dans le bon et dans le mauvais sens du terme. Il a des trouvailles fort jolies, il en a de détestables. Mais il a rendu à la poésie légère le service de la libérer de la rhétorique et de la pédanterie. Il a renouvelé le badinage marotique. Poète de salon, oui, mais avec une grâce et une relative fermeté que le genre ne connaissait pas avant lui. Il transmettra son secret de souplesse et d'agrément à La Fontaine et, par Chaulieu, à Voltaire.

Les vers les plus charmants peut-être, et les plus adroitement audacieux que Voiture ait composés sont les stances qu'il a dédiées à la régente Anne d'Autriche. L'ayant rencontré rêveur dans une allée de jardin, la Reine demanda au poète à quoi il pensait. Voiture improvisa une réponse dont nous devons nous borner à citer un fragment :

Je pensais que la destinée
Après tant d'injustes malheurs
Vous a justement couronnée
De gloire, d'éclat et d'honneurs ;
Mais que vous étiez plus heureuse
Lorsqu'on vous voyait autrefois
Je ne veux pas dire amoureuse,
La rime le veut toutefois...

Je pensois — nous autres poètes
Nous pensons extravagamment —
Ce que, dans l'état où vous êtes,
Vous feriez si, dans ce moment,
Vous avisiez en cette place
Venir le duc de Buckingham...

Je pensois à la plus aimable
Qui fût jamais dessous les cieux ;
A l'âme la plus admirable
Que jamais formèrent les dieux...
A deux beaux yeux remplis de flamme
Qui rangent tout dessous leurs lois.

Devinez sur cela, Madame,
Et dites à qui je pensois.

LES QUERELLES DE SONNETS

Il y eut au XVIIᵉ siècle deux tournois poétiques fameux qui opposèrent les meilleurs sonnettistes du temps.

D'abord le « concours » de la *Belle Matineuse*. Le thème était ancien. Ménage en a étudié les origines dans ses *Miscellanea*. Le premier texte — qui indique le sujet plutôt qu'il ne le traite — se trouve dans le *De natura deorum* (1.I, ch. XXVIII) : Cicéron cite quatre vers de Quintus Lutatius Catulus, consul et poète : « Je m'étais arrêté pour saluer l'aube naissante, lorsque tout à coup Roscius surgit à mes côtés. Pardonnez-moi de le dire, dieux du ciel, ce mortel m'a paru plus beau qu'une divinité. »

Au XVIᵉ siècle, les Italiens reprennent le thème. Joachim du Bellay, dans l'édition de 1550 de l'*Olive*, s'inspire d'Antonio Francesco Rinieri et consacre à une Belle Matineuse l'un des plus parfaits de ses sonnets (« Déjà la nuit en son parc amassait — Son grand troupeau d'étoiles vagabondes... »)

Mais c'est l'Italien Annibal Caro, dont les œuvres poétiques avaient paru après sa mort en 1566, que nos sonnettistes du XVIIᵉ siècle ont imité de préférence.

Sur le conseil de Balzac, Voiture relance la tradition. Sur le modèle d'Annibal Caro, il aligne ces quatorze nobles vers :

Des portes du matin l'amante de Céphale
Ses roses épandait dans le milieu des airs
Et jetait sous les cieux nouvellement ouverts
Ces traits d'or et d'azur qu'en naissant elle étale.

Quand la nymphe divine, à mon repos fatale,
Apparut et brilla de tant d'attraits divers
Qu'il semblait qu'elle seule éclairait l'univers
Et remplissait de feux la rive orientale

Le soleil, se hâtant pour la gloire des cieux
Vint opposer sa flamme à l'éclat de ses yeux
Et prit tous les rayons dont l'Olympe se dore.

L'onde, la terre et l'air s'allumait à l'entour ;
Mais auprès de Philis on le prit pour l'Aurore
Et l'on crut que Philis était l'astre du jour.

Malleville et Tristan l'Hermite entrèrent en lice. Malleville
réussit l'exploit de composer, non pas un seul, mais trois
sonnets sur le thème. Voici celui qui obtint la préférence des
contemporains pour son ampleur lumineuse et son harmonie
savante. Boileau l'admirait.

Le silence régnait sur la terre et sur l'onde ;
L'air devenait serein et l'Olympe vermeil ;
Et l'amoureux Zéphyre, affranchi du sommeil,
Ressuscitait les fleurs d'une haleine féconde.

L'Aurore déployait l'or de sa tresse blonde
Et semait de rubis le chemin du soleil ;
Enfin ce dieu venait au plus grand appareil
Qu'il soit jamais venu pour éclairer le monde.

Quand la jeune Philis, au visage riant,
Sortant de son palais plus clair que l'Orient
Fit voir une lumière et plus vive et plus belle.

Sacré flambeau du jour, n'en soyez point jaloux !
Vous parûtes alors aussi peu devant elle
Que les feux de la nuit avaient fait devant vous.

Le sonnet de Tristan, un peu raide et entaché de maniérisme,
ne paraît pas valoir d'être transcrit.

En 1649, après la mort de Voiture, se déclencha une seconde
et plus fameuse « guerre des sonnets » : celle qui opposa les
Uranistes et les Jobelins.
Voiture avait fait un joli sonnet sur « la mort d'Uranie »,
l'un des plus achevés qu'il ait écrits :

Il faut finir mes jours en l'amour d'Uranie :
L'absence ni le temps ne m'en sauraient guérir ;

Et je ne vois plus rien qui me pût secourir
Ni qui sût rappeler ma liberté bannie.

Dès longtemps je connais sa rigueur infinie,
Mais pensant aux beautés pour qui je dois périr,
Je bénis mon martyre et, content de mourir,
Je n'ose murmurer contre la tyrannie.

Quelquefois ma raison, par de faibles discours,
M'invite à la révolte et me promet secours ;
Mais lorsqu'à mon besoin je me veux servir d'elle,

Après beaucoup de peine et d'efforts impuissants,
Elle dit qu'Uranie est seule aimable et belle
Et m'y rengage plus que ne font tous mes sens.

Aux admirateurs de ces vers, quelque mondaine eut l'idée
de proposer, en lui donnant la palme, un sonnet de Benserade
qui faisait parler, lui aussi, un amoureux transi : précisons que
le sonnet avait paru en 1638 dans les *Paraphrases sur les neuf
Leçons de Job.*

Job, de mille tourments atteint,
Vous rendra sa douleur connue
Et raisonnablement il craint
Que vous n'en soyez pas émue.

Vous verrez sa misère nue :
Il s'est lui-même ici dépeint ;
Accoutumez-vous à la vue
D'un homme qui souffre et se plaint.

Bien qu'il eût d'extrêmes souffrances,
On voit aller des patiences
Plus loin que la sienne n'alla.

Il souffrit des maux incroyables :
Il s'en plaignit, il en parla :
J'en connais de plus misérables.

Aussitôt la guerre s'alluma dans les Etats d'Apollon, comme
on disait alors, et dans les ruelles galantes. On fut Jobelin ou
Uraniste, selon le goût, l'humeur et les amitiés. Le Prince de
Conti tenait pour Job et rassemblait de nobles partisans parmi
les soupirants et les « mourants » à la mode. Mais sa sœur,
la duchesse de Longueville, couronnait l'œuvre de Voiture.
Elle s'agitait, envoyait des « lettres circulaires », sollicitait le
jugement de M. et de Mme de Montausier, de M. et de
Mme de Liancourt et de tout l'Hôtel de Rambouillet. Elle
soutenait qu'on devait préférer Uranie à Job et « la Muse
céleste à un homme galeux depuis la tête jusqu'aux pieds ».
Balzac entra dans la dispute avec une dissertation de qua-

torze pages intitulée *Remarques sur les deux sonnets d'Uranie et de Job*. Les petits vers se mettent à pleuvoir de partout : madrigaux, sonnets, épigrammes.

Au milieu de cette ivresse générale, la comtesse de La Suze garde son sang-froid et prend la parole au nom de la raison :

> L'un se pique pour Job, l'autre pour Uranie
> Et la Cour se partage en cette occasion ;
> Plût à Dieu, toute chose étant bien réunie,
> Que la France n'eût pas d'autre division !

Sarasin glose railleusement le sonnet de Benserade dans une pièce un peu longue, chaque vers de *Job* devenant le vers final de chaque strophe de Sarasin. Au terme de ces stances, Apollon prononçait ce piquant arrêt :

> J'aime les vers des Uraniens,
> Dit-il, mais je me donne aux diables
> Si, pour les vers des Jobelins,
> J'en connais de plus misérables.

En fin de compte, il paraît que l'influence de Mme de Longueville fit triompher les Uranistes ou Uraniens. On sait que Pierre Corneille, sollicité de donner son opinion, s'en tira en bon Normand :

> Deux sonnets partagent la Ville,
> Deux sonnets partagent la Cour
> Et semblent vouloir tour à tour
> Rallumer la guerre civile.
>
> Le plus sot et le plus habile
> En mettant leur avis au jour
> Et ce qu'on a pour eux d'amour
> A plus d'un échauffe la bile.
>
> Chacun en parle hautement
> Suivant son petit jugement
> Et, s'il y faut mêler le nôtre,
>
> L'un est sans doute mieux rêvé,
> Mieux conduit et mieux achevé,
> Mais je voudrais avoir fait l'autre.

GUILLAUME COLLETET (1598-1659)

Né à Paris, Guillaume Colletet est destiné au barreau; mais il se consacre aux Lettres et à l'érudition. Il rendra grand service à l'Histoire littéraire en composant une *Vie des Poètes français* : cent trente biographies, recueil considérable resté

malheureusement inédit et dont le manuscrit sera détruit en
1870 dans l'incendie du Louvre. Par bonheur, un certain
nombre de ces études avaient été publiées séparément.

Ce n'est pas lui, mais son fils François que Boileau a raillé,
lorsqu'il montre « Colletet, crotté jusqu'à l'échine », s'en
allant « chercher son pain de cuisine en cuisine ». Il est vrai
cependant que Guillaume, qui n'était pas « bon ménager »,
finira dans une assez dure pauvreté. Il s'était plaint

> d'être bien chez la Muse et mal chez la Fortune.

Guillaume Colletet est l'auteur d'un grand nombre de vers,
d'une veine originale, parfois réaliste. Il savait tourner le
madrigal tout comme un autre : il en a donné quatre (deux
sur la Rose, un sur le Souci, un sur la Pensée) à la *Guirlande
de Julie* : la chute en est fort galante. Il excellait dans l'épigramme et il a pimenté de satire beaucoup de ses sonnets.
Celui-ci, par exemple :

> Vous devez les appas qui vous rendent si belle
> Aux puissantes faveurs de Nature et des Dieux ;
> Vous devez au soleil la splendeur de vos yeux
> Et votre teint de rose à la rose nouvelle.
>
> Vous devez à Junon votre grâce immortelle
> Vos belles mains d'albâtre à l'Aurore des cieux ;
> Vous devez à Thétis vos pieds impérieux
> Et votre renommée à ma Muse éternelle.
>
> Si vous rendez un jour ce que vous empruntez :
> Aux rayons du Soleil l'éclat de vos beautés,
> Votre teint à ces fleurs que le printemps anime,
>
> Votre grâce à Junon, à l'Aurore vos mains,
> Vos beaux pieds à Thétis, votre gloire à ma rime,
> Il ne vous restera que vos petits dédains.

Auteur de vers licencieux, Colletet avait été impliqué dans
le procès de Théophile et condamné à la pendaison. Mais il
avait réussi à se cacher et bientôt il avait pu revenir à Paris.
Protégé par Richelieu, il fut l'un des fondateurs de l'Académie
française. Il travailla pour le théâtre sous la férule du Cardinal
et collabora à la fameuse pièce des cinq auteurs. Il restera
sincèrement attaché à son protecteur, qui s'était montré, il est
vrai, fort généreux pour le poète.

Guillaume Colletet a composé en outre des traités sur divers
genres poétiques, qu'il réunit à la fin de sa vie sous le titre
d'*Art poétique*. Très bon connaisseur du xvi⁰ siècle, il admirait
beaucoup Ronsard. Il habitait, au faubourg Saint-Marceau, une

maison où avait logé le grand poète. Il lui a consacré deux
beaux sonnets : il y promet l'éternité à sa « sainte mémoire »
et salue en lui

> le père des beaux vers et l'enfant de la Muse

Ce qui ne l'empêchait pas d'admirer aussi Malherbe, qu'il
nommait au premier rang de ses « poètes amis ». Il acceptait
sa réforme de la prosodie et du style. Il pratiquait, lui aussi,
une fermeté concise et nerveuse. Mais de l'ancienne poésie, il
voulait conserver la force d'inspiration, la verve charnue et
concrète, le pittoresque et la vie. Il se refuse à délayer des
lieux communs (sauf quelques concessions à l'époque). Il a un
langage direct, personnel, d'une franchise débridée. Il y a en
lui un Mathurin Régnier qui s'orienterait vers Boileau. Il est
un des témoins de la persistance, au XVIIe siècle, plus tenace
qu'on ne le croit, du culte de Ronsard.

DES BARREAUX (1599-1673)

Jacques des Vallées, seigneur des Barreaux, né à Château-
neuf-sur-Loire, fait de bonnes études chez les Jésuites. En
1625 il est conseiller au Parlement de Paris. Il s'éprend de
Marion de Lorme, il en est trompé et se jette dans une vie
de débauche. Lié avec les pires libertins, il fait des dettes et
se voit contraint de vendre sa charge de conseiller. Tallemant le
traite d'ivrogne et d'insolent. Il affectait une impiété tapageuse
et provocante. Boileau l'a pris pour exemplaire de l'esprit fort.
C'est trop dire : l'incrédulité de Des Barreaux était plus
bruyante que foncière. Vers la fin de sa vie, il se convertit en
pleine lucidité et sincérité. Il passa ses dernières années à
Chalon-sur-Saône : il fréquentait l'évêque du lieu, qui l'invitait
souvent à sa table. Des Barreaux aimait la compagnie d'un
Carme qui lui prêchait la pénitence. Il mourut pieusement,
comme neuf sur dix des « athées » de ce temps, le 9 mai
1673, à Chalon.

L'œuvre de Des Barreaux consiste en poésies amoureuses :
élégies, sonnets, stances, inspirées par Marion de Lorme ; en
poèmes philosophiques (sur la mort, sur l'éternité) ; en pièces
diverses enfin, relatives aux événements du temps ou adressées
à des amis. Le chef-d'œuvre de Des Barreaux est le célèbre
sonnet, un peu emphatique peut-être, qu'il a écrit pendant sa
dernière maladie :

Grand Dieu, tes jugements sont remplis d'équité ;
Toujours tu prends plaisir à nous être propice ;
Mais j'ai fait tant de mal que jamais ta bonté
Ne peut me pardonner qu'en choquant ta justice.

Oui, mon Dieu, la grandeur de mon impiété
Ne laisse à ton pouvoir que le choix du supplice ;
Ton intérêt s'oppose à ma félicité
Et ta clémence même attend que je périsse.

Contente ton désir puisqu'il t'est glorieux ;
Offense-toi des pleurs qui coulent de mes yeux ;
Tonne, frappe, il est temps ; rend-moi guerre pour guerre.

J'adore en périssant la raison qui t'aigrit :
Mais dessus quel endroit tombera ton tonnerre
Qui ne soit tout couvert du sang de Jésus-Christ ?

GOMBERVILLE (1599 ou 1600-1674)

Marin Le Roy de Gomberville nous intéressera surtout comme romancier : c'est par là qu'il est le plus célèbre. Mais il a ses idées sur l'art des vers et, comme plusieurs auteurs de ce temps, il tâche à se tracer une voie entre la « fureur » et la discipline, entre Théophile et Malherbe. Il se dit partisan de « la négligence » et de « l'inégalité ». « L'irrégularité de mon esprit, dit-il encore, ne peut souffrir ces importunes et perpétuelles justesses. Il se plaît au désordre. Il aime les dérèglements ». Cette profession de foi n'empêchera pas Gomberville d'entrer à l'Académie où il prit, même, la défense des *Odes* de Malherbe.

Il avait commencé fort jeune à versifier. Dès l'âge de quinze ans (1614), il publiait un recueil de cent-dix quatrains et de huit sonnets sous le titre de *Tableau du bonheur de la vieillesse opposé au malheur de la jeunesse,* ce qui est plutôt surprenant de la part d'un adolescent.

Ses vrais débuts datent de 1620. *Les Délices de la Poésie française,* cette année-là, publient des vers de Gomberville, qui voisine avec Bertaut, Du Perron, Mainard, Lingendes. Il participe ensuite à plusieurs autres recueils collectifs, notamment le *Recueil La Fontaine.*

Quelques-uns de ses sonnets furent beaucoup admirés, deux surtout : le sonnet *Sur l'exposition du Saint-Sacrement* et le sonnet *Sur la Solitude,* conseil de retraite religieuse dans l'esprit de Port-Royal. Il nous est difficile d'y voir des chefs-d'œuvre.

VION D'ALIBRAY (v. 1600-v. 1650-55)

Charles Vion, sieur d'Alibray (ou de Dalibray) était parisien, fils d'un auditeur à la Chambre des Comptes. Après une brève carrière militaire, il renonce à toute ambition et passe le reste de sa vie à « faire sa cour aux dames et à se divertir avec ses amis » (Goujet). Lié intimement avec Saint-Amant et Faret, il aimait la bonne chère, le bon vin et surtout la poésie. Il avait du savoir, lisait l'espagnol et l'italien, cultivait les sciences ; il s'intéressait aux travaux des savants, fréquentait Grotius et Pascal : il a écrit des vers sur la machine à calculer, d'autres sur le vide ; il a une série de quarante pièces sur le système de Copernic. Par là, Vion d'Alibray annonce la poésie didactique du siècle suivant.

Il n'est donc pas seulement le poète biberon qu'il affectait de paraître. Avouons néanmoins que, dans son œuvre : rondeaux, sonnets, épigrammes, chansons, c'est l'influence du « gros » Saint-Amant qui domine : il a écrit la *Métamorphose de Morille,* celle de *Champignon ;* il a célébré les vertus du fromage de Cantal et arrosé le tout de chansons à boire : « Laquais, que l'on me donne à boire, — Je veux m'enivrer aujourd'hui », etc.

Sur la fin de sa vie, retiré à la campagne, il se convertit et il écrivit des poésies morales et religieuses :

> Songe, songe, mortel, que tu n'es rien que cendre
> Et l'assuré butin d'un funeste cercueil ;
> Porte haut tes desseins, porte haut ton orgueil :
> Au gouffre du néant il te faudra descendre.

Ne concluons pas de ces derniers mots que Vion ne croyait pas à l'immortalité de l'âme : ce « néant » est celui des grandeurs humaines.

TRISTAN L'HERMITE (1601-1655)

Vie.   Né probablement en 1601 au château de Solier dans la Marche, il s'appelait en réalité François de l'Hermite. A vingt ans il prend le surnom de Tristan, voulant faire croire — et peut-être le croyait-il — qu'il descendait du fameux compère de Louis XI. Il appartenait en tout cas à une ancienne et puissante famille. A l'âge de onze ans il fut attaché comme page au marquis de Verneuil, fils naturel d'Henri IV. De bonne heure il se passionne pour

les arts, les sciences et la poésie. De caractère, il était vif,
malicieux, coléreux. A treize ou quatorze ans il commence à
tirer l'épée. Un homme le heurte un jour dans un corridor :
le jeune bretteur dégaine et le blesse gravement. Il s'exile en
Angleterre. C'est du moins ce qu'il raconte dans un admirable
roman autobiographique, *Le Page disgracié* (1643), où il détaille
l'existence remuante qu'il a menée jusqu'en 1621. Il s'y présente sous les traits d'un *picaro* débridé et haut en couleur.
On doit peut-être rabattre quelque chose de ces aventures trop
pittoresques, de ces duels, de ces amours, de ces voyages, par
où Tristan prélude au *Gil Blas* de Le Sage. Il prétend avoir
parcouru l'Angleterre, l'Ecosse, la Norvège. Impossible de vérifier. Il reste certain que la jeunesse de Tristan, comme celle
de Balzac et de Théophile, a été voyageuse et qu'il a exercé
divers métiers : pédagogue, secrétaire, lecteur. On serait tenté
de penser qu'il a servi de modèle au Clindor de *L'Illusion
Comique*. Il est dépensier, joueur et buveur : il le restera peu
ou prou toute sa vie.

Gracié par Louis XIII, Tristan rentre à Paris vers 1621 et
passe bientôt au service de Gaston d'Orléans : il s'y tiendra
plus de vingt ans, sans que cette fidélité lui vaille de grands
profits. En 1646, désespérant d'obtenir un sort honorable, il se
donne à Henri de Lorraine, duc de Guise. En 1649 il est élu
à l'Académie française. Il meurt à l'Hôtel de Guise le 7 septembre 1655.

Œuvre. Tristan l'Hermite est un grand poète dramatique (nous le retrouverons comme tel) et
un grand poète lyrique.

Son œuvre lyrique est la plus importante du règne de
Louis XIII pour sa variété et pour sa valeur.

En 1627, il publie *La Mer,* poème qu'il avait composé en
1625, au siège de La Rochelle, et qu'il dédie à Gaston d'Orléans. Il fait paraître son premier recueil à Anvers en 1633
sous le titre *Les Plaintes d'Acante :* ce fut un grand succès.
Deux autres recueils suivirent : *Les Amours* (1638) et *La
Lyre* (1641).

Le registre de Tristan s'étend sur plusieurs octaves. Il y a
en lui un poète galant et mondain, ingénieux et maniéré, ce
qui l'a fait ranger parmi les « précieux ». Dans certains de
ses sonnets, comme celui d'Icare, l'influence de Desportes est
évidente, et de ce néo-pétrarquisme qui fleurissait dans le salon
de la maréchale de Retz : l'amant pris dans le filet d'une chevelure d'or, laquelle devient ensuite le flot où se noie sa raison ;
l'absence pire que mille morts, la douceur inhumaine de l'objet
adoré...

Plus moderne, on peut discerner dans le plaintif amoureux un suiveur de Marino. Le « concettisme » du cavalier Marin, différent des raffinements pétrarquistes, accorde davantage au plaisir sensuel; il convoque des formes et des couleurs : reflets des cheveux, chatoiement des étoffes. Ici, son invention porte sur le choix des images et l'inattendu de l'expression.

Il peut pousser l'intensité du sentiment et la vivacité de la description jusqu'à la violence baroque. Doué pour le pittoresque, Tristan, dans les *Terreurs nocturnes* par exemple, évoque des visions funèbres et fantastiques où l'on peut soupçonner d'ailleurs l'influence de Saint-Amant.

En Tristan, on aimera surtout l'amoureux fervent de la nature. Certes, on peut, là encore, lui découvrir des modèles. Mais la sincérité du regard et de l'émotion ne fait pas de doute. Dans *Le Promenoir de deux amants,* Tristan se souvient de *La Solitude* de Théophile : mais c'est bien lui qui, au bord d'une fontaine, a trouvé ce symbole charmant et pensif :

> L'ombre de cette fleur vermeille
> Et celle de ces joncs pendants
> Paraissent être là-dedans
> Les songes de l'eau qui sommeille.

Il a aimé avec passion les fleurs, les arbres, les montagnes et

> Le doux concert des oiseaux,
> Le mouvant cristal des eaux,
> Un bois, des prés agréables...

Il s'est ému, à La Rochelle, devant la grandeur sauvage de la mer, et la tempête qu'il dépeint ne doit que peu de chose à la mythologie et à Virgile.

Enfin, on trouve, chez Tristan, plus que chez aucun de ses contemporains, de ces vers souples et mélodieux qui paraissent l'exhalaison directe du sentiment :

> Crois mon conseil, chère Climène :
> Pour laisser arriver le soir,
> Je te prie, allons nous asseoir
> Sur le bord de cette fontaine...

> Penche la tête sur cette onde
> Dont le cristal paraît si noir :
> Je t'y veux faire apercevoir
> L'objet le plus charmant du monde.

Il l'a dit, du reste : loin de toute pédanterie et de toute laborieuse ingéniosité, il cherche :

...un vers qui *lui* plaise
Et plaise aux honnêtes gens.

A la fin de sa carrière, il a entendu, lui aussi, les appels
graves de la religion et il y a répondu avec une mélodieuse
docilité :

Il faut éteindre en nous tous frivoles désirs,
Il nous faut détacher des terrestres plaisirs
Où sans discrétion notre appétit nous plonge.

Sortons de ces erreurs par un sage conseil ;
Et, cessant d'embrasser les images d'un songe,
Pensons à nous coucher pour le dernier sommeil.

Si Tristan a consenti, non sans succès, au maniérisme galant
et aux outrances baroques, il s'est élevé, dans ses meilleurs
moments, à cette pureté sereine et à ce naturel dans l'art qui
préludent aux miracles euphoniques de Racine et de La Fontaine.

GEORGES DE SCUDÉRY (1601-1667)

Vie.   Frère de Madeleine, Georges est né au
Havre-de-Grâce en 1601 : mais la famille
était originaire d'Apt, en Provence : le père était lieutenant du
Roi au Havre. Les deux enfants seront orphelins de bonne
heure. Après d'assez longues années qui nous demeurent obscures, Georges de Scudéry entre dans l'armée : il gardera de
ses exploits un souvenir brillant et inaltérable ; il y a du
Matamore en lui. Au Pas de Suse, en 1629, sous La Meilleraie,
il opéra une retraite qui prit ensuite, dans son imagination, les
dimensions d'un exploit militaire digne des plus grands capitaines. Il paraît cependant que Turenne appréciait ce fait
d'armes. Ce fut en tout cas son chant du cygne.
En 1630, il quitte l'armée, on ne sait pourquoi, et entre
dans la carrière des Lettres, tout en protestant qu'il ne regarde
pas la poésie comme « une occupation sérieuse » : « Je sais
mieux ranger les soldats que les paroles et mieux carrer les
bataillons que les périodes. » Le faiseur d'embarras versifiait
en réalité depuis son adolescence. Il se met à écrire pour le
théâtre. En tête d'une de ses pièces, il se fit graver en costume
militaire ; autour du portrait se lisaient ces mots :

Et poète et guerrier
Il aura du laurier.

Quelqu'un, dit Tallemant, suggéra qu'il fallait lire :

Et poète et gascon
Il aura du bâton.

Scudéry admirait Théophile et composa une ode pour le
défendre, ce qui était courageux. Il le tenait pour le « dieu
des vers ». Il procura en 1632 une édition du poète et, dans
une préface bruyante, il affirmait qu'il n'y avait jamais eu,
parmi les morts ni parmi les vivants, aucun auteur comparable
à Théophile. Il ajoutait : « Si, parmi les derniers, il se rencontre quelque extravagant qui juge que j'offense sa gloire
imaginaire, pour lui montrer que je le crains autant comme
je l'estime, je veux qu'il sache que je m'appelle De Scudéry. »
    Sa sœur, plus équilibrée, était aussi fière de leur nom. Elle
disait : « Depuis le renversement de notre maison... » « Vous
diriez, observe Tallemant, qu'elle parle du bouleversement de
l'Empire grec. »
    Georges de Scudéry, qui avait pour admirateurs Chapelain
et Conrart, fut reçu de bonne heure à l'Hôtel de Rambouillet :
on l'y surnomma « le généreux Astolphe ». Le crédit de la
marquise lui fit obtenir le gouvernement de Notre-Dame de
la Garde à Marseille (1642) : dignité qui fut raillée par
Chapelle et Bachaumont. Mais, nommé en 1650 membre de
l'Académie française — ce qui l'obligeait à résidence dans la
capitale — il abandonna sa charge et revint à Paris. Il y
mourut le 14 mai 1667.
    En dépit de ses rodomontades, dont il se gaussait lui-même
en fin de compte, c'était un homme fort estimable et un ami
fidèle. Nous l'avons vu soutenir Théophile. Il sut défendre
de même la mémoire de Richelieu, son bienfaiteur, dans des
strophes éloquentes et énergiques.

Œuvre.   Nous examinerons ailleurs la production dra-
                matique de Scudéry et son poème épique,
Alaric.
    Son œuvre lyrique nous paraît aujourd'hui le meilleur de
cette « fertile plume » persiflée par Boileau. Il cultiva les
genres en vogue : odes, élégies, stances, sonnets, rondeaux,
épigrammes.
    Poète galant, il écrivit beaucoup pour les dames. Il a colla-
boré à la *Guirlande de Julie* par cinq madrigaux : *La Couronne Impériale, le Souci, le Pavot, l'Immortelle* et *le
Méléagre.* Ils ne déparent pas la collection. Scudéry subit
comme tant d'autres l'attrait du marinisme. Il célébra *la belle
Affligée,* la *belle Pêcheuse,* la *belle Egyptienne,* la *belle
Aveugle,* suivant la mode lancée par le maître du « concettisme ». Il aime à évoquer, lui aussi, des formes sensuelles :

en Scudéry, il y a un peintre — admirateur de Rubens — et qui ne dédaigne pas le réalisme familier.

Disciple de Théophile, il a écrit des vers descriptifs (*Ode de la Tempeste*) : il aime comme lui la solitude sauvage et les paysages mélancoliques. Il a chanté en douze sonnets (médiocres) la Fontaine de Vaucluse. Plus sincèrement, il aime le soleil, auquel il fait hommage de ses meilleures inspirations :

> L'Astre qui fait toutes choses
> M'anime quand je le voi
> Et ce qu'il peut sur les roses
> Il le peut aussi sur moi...
>
> (Bref) Je sens que mon ouvrage
> Est l'ouvrage du soleil.

Ses épîtres familières sont d'un tour heureux, facile, parfois spirituel. Ses vers religieux, composés sur l'invitation de Godeau, sont d'une ampleur un peu convenue.

SARASIN (1614-1654)

Vie.   Né près de Caen, Jean-François Sarasin est de la volée de poètes normands si nombreux à cette époque. Il fut baptisé le 25 décembre 1614. Il était fils d'un trésorier du roi. A vingt ans il vient à Paris. Grâce à l'entremise d'Angélique Paulet, à l'amitié de son compatriote Charleval, de Conrart et de Chapelain, il est introduit à l'Hôtel de Rambouillet.

Il entre au service du comte de Chavigny, que Richelieu avait fait Secrétaire d'Etat aux Affaires étrangères. Sarasin accompagne Chavigny en Italie en 1639. Il le quitte en 1644, après la mort de Richelieu et, un peu plus tard, devient secrétaire du Prince de Conti, frère du Grand Condé. Il est le poète et le familier des Princes et de Madame de Longueville ; il collabore à la Fronde par quelques mazarinades.

Chez Chavigny — et probablement aussi à l'Hôtel de Rambouillet — il a fait la connaissance de Voiture. Il fréquente les mercredis de Ménage, les samedis de Madeleine de Scudéry, il est l'ami de Scarron. Partout, comme Voiture, il déploie ses talents d'amuseur et de poète galant.

Conti partant pour la Catalogne en qualité de commandant de l'armée, Sarasin doit le suivre. Il meurt à Pézenas le 5 décembre 1654, les uns ont dit empoisonné par un mari jaloux, les autres assommé d'un coup de pincettes par Conti.

Sarasin était grand, assez beau, séduisant, les yeux vifs et pétillants de malice. Causeur charmant et spirituel, boute-en-train endiablé, il descendait souvent à la bouffonnerie. Il avait un don d'imitation étonnant et qui faisait la joie de la société de Chantilly.

Sa moralité n'était pas hors de soupçon. Il fut accusé d'avoir dilapidé avec une gourgandine quatre mille livres qui lui avaient été remises pour une mission en Italie. Il épousa une veuve laide mais riche. Marigny et Segrais le tenaient pour un vaurien. Il était cependant serviable et fidèle en amitié. Et il était admirablement doué pour les Lettres.

Œuvre.   Son œuvre est très diverse. Sous l'impulsion de Ménage, il composa des livres d'érudition ; un *Discours sur la tragédie* (1639), adressé à Scudéry ; un *Discours de morale sur Epicure* (1645), inspiré de Gassendi et fort remarquable. Il commença, entre 1645 et 1649, des biographies des rois de France. Nous lui devons deux ouvrages historiques : la *Relation du siège de Dunkerque* (1649) et l'*Histoire de la conspiration de Wallstein,* restée inachevée. Ce sont, dit Fernand Mazade, des « pages d'une prose sérieuse, concise et pure, à la Salluste. »

En poésie, il a abordé beaucoup de genres. Dans sa jeunesse, il a suivi d'abord les traces de Théophile, et avec une docilité parfois un peu excessive. Il a la même conception de la poésie, libre et relevant de la seule « fantaisie ». Par la suite, il tient compte de la réforme malherbienne dont il reconnaît les vertus : mais il ne renonce pas pour autant à son originalité et à ses humeurs vagabondes. Il a préconisé et pratiqué « ce juste tempérament qui fait le style parfait et qui le tient également éloigné de notre prose mesurée (*petit caillou dans le jardin de Malherbe*) et de la hardiesse rude et sauvage des Anciens (*un autre dans celui de Ronsard, compté nommément parmi les Anciens*) ».

Sarasin a écrit des *Eglogues,* imitées de Virgile avec un rare bonheur : il est entré dans le sentiment intime de la poésie virgilienne ; par là, il a fourni une contribution importante à cette tradition pastorale qui traverse toute la poésie française et qui, à cette époque, et depuis l'*Astrée,* connaissait une si brillante vogue. Des nombreuses églogues qui parurent alors, celles de Sarasin sont de loin les meilleures.

Sarasin a pris une part plus grande encore à la poésie légère et enjouée qui, sous le patronage de la « muse marotine », a produit tant d'œuvres et d'œuvrettes à l'époque où nous sommes. Sarasin était lié, nous l'avons vu, à Voiture. Il ne l'aimait pas beaucoup (il y avait entre eux une rivalité d'amu-

seurs) mais il l'a imité, avec son talent particulier. Il a rimé
des ballades, des vaudevilles, des chansons, des madrigaux,
des sonnets. Il est excellent dans l'épître familière ; Voiture,
ici encore, l'avait précédé ; mais tous deux entendent rivaliser
avec leur commun maître Marot.

Voici quelques vers d'une jolie petite pièce intitulée *A Made-*
moiselle Bertaut que l'auteur appelait Socratine :

> Je meurs, c'est par trop marchander
> Pour vous dire ma peine extrême ;
> Enfin il se faut hasarder :
> Socratine, eh bien, je vous aime.
>
> Mon cœur très amoureux consent
> De se ranger sous votre empire ;
> En un mot autant comme en cent,
> C'est ce que j'avais à vous dire.
>
> Maintenant c'est à vous de voir
> Si j'ai de quoi vous satisfaire,
> Car j'irais ailleurs me pourvoir
> Si je n'étais pas votre affaire...
>
> Adieu, la nuit porte conseil :
> Songez à ce que je propose,
> Et demain, à votre réveil,
> Nous résoudrons de toute chose.

Dans ce domaine de la poésie de badinage — de ce qu'on
aimera à nommer, au siècle suivant, la poésie fugitive — Sarasin montre une souplesse et une grâce singulières. Il est possible, ici encore, d'établir une suite, une lignée de poètes légers,
depuis Marot jusqu'à la fin du XVIII° siècle : elle passe par
Voiture, nous l'avons dit, mais aussi par Sarasin.

Enfin notre amuseur a tenté la haute poésie. Il avait dessein
de composer des œuvres épiques. Il nous en a laissé de bons
fragments, tel *Rollon conquérant*. Il a écrit, sur le patron de
Malherbe, des odes et des stances. D'une langue sûre et ferme,
elles ont une noblesse soutenue et une belle harmonie.

Sarasin est mort trop tôt et il a mené sans doute une vie
trop peu sérieuse pour avoir pu donner toute sa mesure. « Il
eût été capable, dit Tallemant, de faire quelque chose de
grand. » C'est vrai. Les fruits n'ont pas tenu la promesse
des fleurs.

L'ABBÉ COTIN (1604 ?-1682)

Vie.   Charles Cotin est né à Paris, en 1604 ou
                peut-être plus tôt : il déclare, en 1663, « au
lecteur » de ses *Œuvres galantes*, qu'il a « soixante ans passés ».

Il fit de solides études, longtemps poursuivies. Il possédera
très bien le latin et le grec; selon Charles Perrault, « il aurait
pu dire par cœur Homère et Platon ». Il saura de l'hébreu
et du syriaque. Il aura de larges lumières sur les littératures
modernes.

Entré dans les Ordres, il se consacre à la prédication, à
l'érudition et à la poésie. Séduisant, spirituel, d'humeur enjouée,
il est bienvenu dans les salons : à l'Hôtel de Rambouillet,
chez la duchesse de Guise, chez la duchesse de Nemours, chez
la Grande Mademoiselle. Il se plaisait dans le commerce des
dames, ce qui lui vaudra de passer pour le parangon de l'abbé
mondain et pour l'un des patrons de la préciosité ridicule :
Somaize le place dans son *Dictionnaire* sous le nom de Cli-
tiphon.

Il vaut beaucoup mieux que cette réputation. Les « galanteries » de l'abbé Cotin n'autorisent pas à mal penser de lui :
ses mœurs sont irréprochables et il n'a jamais perdu de vue
le sérieux de sa profession. Il a placé ses belles amitiés féminines, il l'a déclaré plusieurs fois, sous le signe de la spiritualité platonicienne : les « belles personnes » élèvent sa
pensée à la « première Beauté ».

Dans la *Querelle des Femmes,* relancée par l'abbé de Pure
et Molière, il a pris le parti que lui inspiraient son christianisme
et son expérience morale : les femmes, dit-il, « qui sont heureusement nées sont capables des sciences et des arts comme les
hommes... Les esprits n'ont point de sexe ».

Quant aux écrits de l'abbé Cotin, les brocards de Boileau
ne signifient pas grand-chose, sinon une rancune personnelle.
Molière, lui aussi, qui a eu le flair de choisir les deux piécettes
les moins défendables de Cotin, assouvit une vengeance plutôt
qu'il ne juge une œuvre. Il ne prétend pas, d'ailleurs, faire
coïncider de tout point Cotin et Trissotin : écartons l'idée
absurde que l'auteur des *Femmes savantes* ait voulu représenter comme un coureur de dot un ecclésiastique de soixante-
dix ans...

Charles Cotin, conseiller et aumônier du Roi, doté de bonnes
prébendes, est entré à l'Académie en 1656, après avoir écrit
un *Traité de l'âme immortelle* qui le situe parmi les bons
apologistes de ce temps. Il meurt en 1682.

Œuvre. Les écrits de l'abbé Cotin sont fort divers.
Le prédicateur nous échappe : Boileau l'a
raillé, Charles Perrault l'a exalté : mais ses sermons sont
perdus.

Il est entré jeune dans la carrière littéraire. En 1627 ou
1628, il compose des vers sur la prise de La Rochelle. En

1629, il publie un écrit apologétique, *Discours à Théopompe sur les forts esprits du temps,* intéressant document sur le libertinage. En 1631, les *Regrets d'Aristée sur le trépas de Daphnis* ; Aristée, c'est lui : dans les ruelles, on lui a donné ce surnom. En 1634, la *Jérusalem désolée ou Méditations sur les Leçons de Ténèbres* : on y trouve des strophes vigoureuses et éloquentes. L'année suivante, un poème spirituel, *la Madeleine au sépulchre de Jésus-Christ.* En 1657, il réunira en un volume l'ensemble de ses *Poésies chrétiennes.*

A partir de 1646, Cotin a publié ses écrits mondains : énigmes, rondeaux, sonnets, épigrammes, couronnés par un recueil d'*Œuvres Galantes* en prose et en vers (1663).

Charles Cotin a lancé la mode de l'énigme : il s'est glorifié d'être le maître du genre. Il y prouve une fine ingéniosité. Un souci trop poussé d'élégance et de rareté l'a fait tomber souvent dans le maniérisme. Il s'est moqué pourtant des précieuses et de leurs délicatesses affectées de sentiment et de vocabulaire. Il a protesté contre l'abus de l'adverbe « furieusement ». Ses épigrammes sont parfois acérées : celle-ci, « contre les Pédants » :

> Docteurs en lieux communs sont chez moi sans crédit,
> Je ne prends pas la peine de les lire :
> Ces gens-là n'auraient rien à dire
> Si les autres n'avaient rien dit.

Et il a des sonnets fluides et chantants, où les inflexions de tendresse se nuancent d'un sourire :

> Soulageons notre amour de quelque belle image
> Tandis que le sommeil s'éloigne de nos yeux ;
> Je te voy de l'esprit, jardin délicieux
> Où j'ay porté longtemps les fers de mon servage.
>
> Arbres qui vous parez d'un si riche feuillage,
> Je baise avec respect vos rameaux précieux ;
> Par les beaux soins d'Elise ils montent jusqu'aux cieux
> Et conservent toujours et le frais et l'ombrage.
>
> Beau parc où tant de fois j'ay meslé mes soupirs
> Aux soupirs amoureux des aimables zéphyrs,
> Ne reconnois-tu pas le feu qui me dévore ?
>
> Cabinet enchanté, beaux jasmins, me voicy ;
> Je tâche à reposer en attendant l'aurore :
> Si l'amour peut dormir, il doit dormir icy.

Poète chrétien, une doctrine sûre lui inspire de beaux accents. Dans la *Pastorale sacrée* (1662), il traduit le *Cantique des Cantiques* et présente sur le style biblique, comparé à celui d'Homère et de Virgile, des observations critiques fines et pénétrantes. Dans telle de ses *Lettres* il a stigmatisé l'astrologie judiciaire et ses crédulités. Enfin ses *Odes royales* contiennent des strophes harmonieuses, bien supérieures à l'*Ode* de son ennemi *sur la prise de Namur*.

Les démêlés de Cotin avec Ménage, Boileau, Molière ont donné lieu de part et d'autre à une production satirique abondante, mais entachée de mauvaise foi, d'aigreurs mesquines et la valeur littéraire en est, dans l'ensemble, médiocre. Ces satires ont l'intérêt d'illustrer les querelles d'école qui opposèrent, au XVIIe siècle, les galants et les pédants, les précieux et les « réalistes ».

GODEAU (1605-1672)

Vie.   Antoine Godeau est né à Dreux, le 24 septembre 1605, d'un maître des Eaux-et-Forêts. Sa mère était une cousine de Valentin Conrart. Antoine Godeau était de nature enjouée, « ayant toujours, dit Tallemant, le mot pour rire ». Aussi était-il aimé et recherché, quoiqu'il fût « extraordinairement petit et laid ». Conrart le présente à l'Hôtel de Rambouillet ; il amuse Julie d'Angennes, fille de la Marquise : on le surnomme « le nain de la Princesse Julie ». Voiture lui fera l'honneur d'être jaloux de sa faveur. Parmi le groupe des « Illustres Bergers » (Colletet, François Ogier, Malleville, Philippe Habert), on lui donnait le nom d'Ergaste. Dans les romans, on l'appellera « le Mage de Sidon ».

Antoine Godeau avait goûté, dès ses « plus jeunes ans », dit-il, les « douceurs » des Muses et « l'art victorieux de ces divines sœurs ». Chez Conrart, qui l'aide de ses sages conseils, il rencontre Chapelain et Gombauld, qui l'encouragent à cultiver la poésie. En 1629, il publie une déclaration de principes dans un *Discours sur les œuvres de M. de Malherbe* : il proclame le réformateur « l'honneur de son siècle ». Il s'essaie en même temps dans le genre lyrique par une *Ode* sur la prise de La Rochelle. On y trouve, à propos de la gloire du monde, ces deux vers que Corneille lui empruntera pour *Polyeucte :*

> Et comme elle a l'éclat du verre,
> Elle en a la fragilité.

Godeau éblouit la Chambre bleue par ses versiculets galants. Il rime pour la *Guirlande de Julie* une *Tulipe*. Il était fort

galant lui-même et, comme La Fontaine, volait « d'objet en
objet ».

Il fut l'un des premiers membres de l'Académie française
(1635). Pourtant, cette même année 1635, Godeau prend le
« petit collet ». Il traduit les *Psaumes* et sa version obtient
un grand succès. Au début de 1636 il reçoit le sacerdoce ;
le 21 juin il est nommé évêque et Richelieu lui propose l'évêché
de Grasse : il est sacré en décembre. Un peu plus tard, il
optera pour l'évêché de Vence. Dès lors, Godeau se donne avec
zèle à sa mission pastorale. Il réside, ce qui n'est pas commun.
Il prêche, il crée des séminaires, des écoles, il travaille à la
réforme de son clergé. Bref, il est un des prélats les plus
édifiants de son époque.

L'évêque cependant n'avait pas tout à fait oublié « le nain
de Julie ». Il écrivait à ses amis de Paris ; il reprenait parfois
la plume du poète. Il a chanté la Provence, ses « myrtes »,
ses « jasmins », ses « forêts d'orangers », ses « riches
oliviers ».

Il mourut à Vence en avril 1672.

Œuvre.   Antoine Godeau nous a fait connaître clairement sa position littéraire. Il s'affirme « moderne ». Il tient Malherbe pour supérieur aux Anciens, à
Horace lui-même. Il observe que, la nature ayant toujours la
même généreuse fécondité, il est possible aux Modernes, qui
profitent des leçons des Anciens, de les surpasser. L'avènement du christianisme, d'ailleurs, a permis de grands progrès :
Godeau, dans la préface de ses *Œuvres Chrétiennes,* énonce que
le merveilleux chrétien est supérieur au merveilleux païen. Avec
Desmarets de Saint-Sorlin il est, au XVIIe siècle, un précurseur
de Chateaubriand. Cependant il approuve et sanctionne les
règles posées par Malherbe. Il se déclare partisan décidé de
la discipline poétique ; il la recommande aux poètes : « Cette
nouvelle prison, dit-il, leur est plus avantageuse que leur
ancienne liberté. »

Ecrivain dont les contemporains ont admiré « l'incroyable
fécondité », Godeau a cultivé l'éloquence, l'histoire, l'hagio-
graphie, la morale, la littérature épistolaire. En poésie, il a
pratiqué tous les genres, sauf le genre dramatique : odes, élégies, églogues, stances, sonnets, hymnes, épîtres, poème héroïque
(*Saint-Paul,* 1654).

Il réunit ses vers religieux en 1633 et fait précéder le recueil
d'un *Discours sur la Poésie chrétienne.* Après son sacerdoce,
Godeau a détruit un certain nombre de ses productions galantes.
Mais on en a retrouvé dans les papiers de Conrart. Godeau
a publié des *Cantiques en vers français* (1637), une *Paraphrase*

I. LVDOVICVS BALZACIVS ANN: ÆT:

Facunda nullus ora Gallicæ Pythîus
Potis est referre pictor, et color nullus;
Imago vt extet vera, quem vides, ipse
Sibi sit Apelles vnus, vnicæ Suadæ.

N. BORB.

Guez de Balzac.
Portrait par Claude Mellan.

(Bibliothèque nationale, Cabinet des Estampes.)

Extrait de *la Littérature française,*
par Bédier-Hazard-Martino, Larousse, éditeur.

des Pseaumes de David en vers français (1648), des Epîtres
morales, des Odes sacrées, des Hymnes, de beaux poèmes sur
la Sainte Vierge, sur sainte Madeleine, saint Eustache, sur la
Grande-Chartreuse, sur la Sorbonne, etc.

Dans son œuvre lyrique, Godeau est souvent froid et aca-
démique. Il a la cadence, la sonorité, la fermeté ; il fait tomber
correctement la césure et il soigne la rime. Malherbien par
là, il peut atteindre à de beaux mouvements. A de fastidieuses
tirades, il sait mêler des stances harmonieuses, d'une aimable
sensibilité, d'une ampleur élégante, d'une douceur virgilienne.
Boileau a reconnu en lui un « poète fort estimable » : il faut
aller un peu plus loin et reconnaître un vrai talent à celui
qui a su, en se fondant sur saint Augustin, écrire cette fervente strophe :

> O beauté de mon Dieu, si longtemps négligée,
> De mon aveugle erreur tu ne t'es point vengée !
> Tu m'as vu te quitter pour suivre aveuglément
> La beauté qui n'est pas ton ombre seulement ;
> Et sitôt que mon cœur, enfin rendu plus sage,
> A toi seule voulut rendre un fidèle hommage,
> Ne me reprochant point mes aveugles amours,
> Tu daignas recevoir le reste de mes jours.

PIERRE CORNEILLE (1606-1684)

On connaît peu le poète lyrique : le dramaturge lui a fait
tort. Il a pourtant de très beaux vers.

Corneille a commencé à rimer de bonne heure. En 1632,
il fit paraître, à la suite de sa comédie *Clitandre,* seize pièces
lyriques, sous le titre de *Mélanges poétiques.* Il les introduisait
en ces termes dédaigneux : « Au Lecteur. — Quelques-unes
de ces pièces te déplairont ; sache aussi que je ne les justifie
pas toutes et que je ne les donne qu'à l'importunité du libraire
pour grossir son livre. Je ne crois pas cette tragi-comédie si
mauvaise que je me tienne obligé de te récompenser par trois
ou quatre bons sonnets. »

Ce ne sont pas seulement des sonnets. Il y a des madrigaux,
des stances, des chansons, une ode (*Sur un prompt amour*),
une épitaphe de Didon traduite du latin d'Ausone : on y
voit le jeune Pierre Corneille manier les oppositions symé-
triques :

> Misérable Didon, pauvre amante séduite,
> Dedans tes deux maris je plains ton mauvais sort,
> Puisque la mort de l'un est cause de ta fuite
> Et la fuite de l'autre est cause de ta mort.

Nous constatons, en outre, que Corneille sait donner dans le concettisme tout comme un autre : à preuve ces *Stances sur une absence en temps de pluie :*

Depuis qu'un malheureux adieu
Rendit vers vous ma flamme criminelle,
Tout l'univers, prenant votre querelle,
 Contre moi conspire en ce lieu.

 Ayant osé me séparer
Du beau soleil qui luit seul à mon âme
Pour le venger, l'autre, cachant sa flamme,
 Refuse de plus m'éclairer.

L'air, qui ne voit plus ce flambeau,
En témoignant ses regrets par ces larmes,
M'apprend assez qu'éloigné de vos charmes,
 Mes yeux se doivent fondre en eau...

Si l'on en croyait le *Recueil de Sercy* (1653-1666), Corneille aurait contribué à la *Guirlande de Julie* par trois madrigaux : la Tulipe, la Fleur d'oranger et l'Immortelle blanche ; mais il est plus probable que ce bouquet est de Conrart. Toutefois le même recueil contient plusieurs pièces authentiques de Corneille poète galant et amoureux : sonnets, stances, odelettes, chansons, madrigaux. En particulier, nous y trouvons (dans la cinquième partie), les célèbres et insolentes *Stances* à la marquise du Parc :

Marquise, si mon visage
A quelques traits un peu vieux,
Souvenez-vous qu'à mon âge
Vous ne vaudrez guère mieux...

Enfin Corneille est l'auteur d'admirables vers religieux : *L'Imitation de Jésus-Christ, L'Office de la Vierge,* des *Psaumes,* des *Hymnes.* Nous reviendrons, lorsque nous suivrons la vaste carrière du poète dramatique, sur ces poèmes, qui sont parmi les plus parfaits que nous ait laissés le XVIIᵉ siècle chrétien.

BENSERADE (1613-1691)

Vie. Isaac de Benserade (adoptons l'orthographe simple à laquelle il s'est arrêté en fin de compte), peut-être né en Normandie, a été baptisé à Paris le 5 novembre 1613. Sa mère, paraît-il, cousinait avec Richelieu. Benserade est introduit tout jeune à la Cour et se met sous la protection du Cardinal. Il étudie au Collège de Navarre,

mais se passionne davantage pour le théâtre et les actrices.
Il passera pour être « de peu de savoir ». Doué d'une abondante facilité, il écrit force tragédies, comédies et couplets
galants.

En 1634 il a été présenté à l'Hôtel de Rambouillet. Il n'est
pas certain qu'il y ait été beaucoup reçu : ambitieux et désinvolte, combinant l'audace et la souplesse, il a pu y déplaire.
Il prenait sa revanche ailleurs et remportait des succès dans
maintes ruelles, où, malgré ses cheveux roux ou à cause d'eux,
il était « le beau Benserade ».

Il fait désormais profession d'être le rimeur patenté de la
Cour et de la Ville. Le fameux sonnet de *Job* (1651), mis en
parallèle avec le sonnet *A Uranie* de Voiture, affermit sa
gloire. A dater de 1651, il écrit la plus grande partie des
ballets dansés par le roi au Louvre, à Fontainebleau, puis à
Versailles. Boileau, d'autre part, avouera dans l'*Art poétique*
(IVᵉ chant) que Benserade « amuse les ruelles ». Pensionné
de droite et de gauche, il finira par être l'un des poètes les
mieux rentés du siècle. L'Académie le reçut en 1674 au « fau-
teuil » de Chapelain.

Sur le déclin, il se retire dans sa maison de Gentilly et
s'adonne aux graves pensers. Il meurt pieusement le 20 octobre 1691.

Œuvre.   Laissons de côté l'œuvre dramatique de Ben-
                 serade, très médiocre, bien que sa *Cléopâtre,*
en 1635, ait obtenu un vif succès.

Poète lyrique, il a cultivé tous les genres en vogue : épîtres,
sonnets, stances, élégies, rondeaux, épigrammes, madrigaux,
quatrains.

Son triomphe, ce sont les vers de ballet, qu'il a fournis par
milliers à la Cour jusqu'en 1681. Il eut le génie de renouveler
le genre par un procédé tout simple et d'une sûre efficacité :
il donnait aux personnages de ses ballets le caractère de ceux
qui en tenaient les rôles. De là, un tour épigrammatique fort
savoureux pour les assistants. Il aurait pu provoquer de dangereuses susceptibilités. Mais, au témoignage de Saint-Evremond, Benserade avait « une manière de dire les choses si
agréable qu'il faisait souffrir les pointes et les allusions aux
plus délicats ».

Il composa beaucoup de chansons que le célèbre Lambert mit
en musique. Un grand nombre sont charmantes, notamment la
sérénade « Peut-être dormez-vous, adorable inhumaine », qui
appelle la mélodie. Telles encore, ces « Paroles pour un air » :

Je rougis, je paslis, je soupire où vous estes,
Sans que vous connaissiez mon amoureux transport ;
Beaux yeux, beaux innocens, vous me donnez la mort
Et ne sçavez ce que vous faites.

Bien que mon cœur, bruslé de ces flammes discrètes,
N'espère aucun secours à son tragique sort,
Beaux yeux, beaux innocens, je bénirois ma mort,
Si vous sçaviez ce que vous faites.

Sur commande de la Cour, Benserade mit les *Métamorphoses* d'Ovide en rondeaux : entreprise dont on s'est moqué à bon droit, certes, mais en oubliant de préciser que ces piécettes étaient faites pour commenter des gravures ; et reconnaissons aussi que beaucoup de ces rondeaux atteignent à la perfection du genre. Voici l'un des premiers :

L'HOMME CRÉÉ

Un peu de boue, estre de tant de poids !
L'auteur du monde, observant autrefois
La terre encor neuve, inculte et sauvage :
Ce n'est pas tout, dit cet Esprit si sage,
Il faut un maistre à tout ce que je vois :
Un animal doit imposer des lois.
Et là-dessus, il pétrit dans ses doigts
Je ne sçais quoi qu'il trouve en son passage :
Un peu de boue.

Il confondit l'orgueil des plus adroits,
Il forma l'homme avecque tous ses droits ;
Il y grava des Dieux la vive image.
Mais dans le fond, qu'est-ce que cet ouvrage
Dont sont venus les peuples et les rois ?
Un peu de boue.

Ce délayeur était donc capable de concision. Il en donna encore une preuve bizarre en réduisant deux cent fables en quatrains. N'y cherchons pas la poésie, mais le tour de force est parfois joli. Voici par exemple *Les Loups et les Brebis* :

Aux brebis, une fois, disaient les loups subtils :
« Chassez tous ces mâtins : à quoi vous servent-ils ? »
Les brebis obéirent
Et les brebis périrent.

Ou encore *La Mouche près d'un chariot tiré par six chevaux* :

Un chariot tiré par six chevaux fougueux
Roulait sur un chemin aride et sablonneux.
Une mouche était là, présomptueuse et fière,
Qui dit en bourdonnant : Que je fais de poussière !

Comme presque tous les poètes de ce siècle, Benserade a écrit des vers religieux. Il y a échoué. Il n'était vraiment propre qu'à l'ingénieux badinage et à la préciosité galante. Inégal d'ailleurs, il tombe quelquefois dans le prosaïsme et la platitude. Mais l'habileté fait illusion, et une gaieté qui désarme la censure. Saluons en Benserade un authentique précieux et le dernier poète des « rondeaux, des méatmorphoses et des bouts-rimés » dont La Fontaine dira, en 1669, que « ces galanteries sont hors de mode ». Le dernier en date de cette volée de poètes galants de 1640 : non le dernier en mérite. Mais dès 1660, le goût, devenu plus sévère, dédaignera ces bagatelles.

BREBEUF (v. 1617-1661)

Georges (que d'autres appellent Guillaume) de Brébeuf est issu d'une noble famille normande qui a donné un saint à l'Eglise : Jean de Brébeuf, missionnaire à la Nouvelle-France, martyrisé par les Iroquois en 1649. Notre poète est né à Torigni-sur-Vire, peut-être en 1616. De bonne heure séduit par la Muse, il se lie avec la Normandie lettrée et devient un ami intime des Corneille. A Paris, il entre en relation avec Gomberville, l'abbé de Pure, Madeleine de Scudéry, Conrart, Ménage, Chapelain. Il est protégé par Foucquet.

Brébeuf était né frêle et fut malade toute sa courte vie : « C'est une étrange disgrâce, disait-il, d'avoir un corps dont l'esprit ne se peut aider. » Et il lui semble que, pour lui, « vivre et souffrir n'est quasi que la même chose ».

Il travaillait néanmoins avec ardeur et son œuvre est abondante. Il mourut dans sa province natale, près de Caen, le 25 septembre 1661.

Brébeuf a trois registres. Nous parlerons plus loin du poète burlesque. Plus intéressant est le poète mondain et galant. Un caractère d'aimable courtoisie, un tour d'esprit fin et gracieux le portaient à la préciosité. Il n'évite pas les fadeurs et les fadaises du genre et il lui échappe des pièces dignes d'Oronte :

> Ce petit papillon, ce petit rien qui vole,
> En se jetant dessous votre œil
> Ne fait pas un dessein frivole
> Et ne s'entend pas mal à choisir un cercueil.

Dans ses madrigaux, sonnets, bouts-rimés, chansons, rondeaux, stances, épigrammes, il a convoqué les feux, les glaces, les silences plus éloquents que la voix, et ces « plaintes, absences, jouissances », dont il s'est moqué lui-même. Car il ne se faisait pas d'illusion sur cette partie de son œuvre et il a dénoncé les prétentieuses platitudes de la préciosité. Il maniait assez bien la satire. Il avait « gagé » de composer « cent cinquante épîtres et madrigaux contre les femmes fardées ». Il a réussi ce tour de force et a fait bonne mesure puisque *La Gageure* comprend cent cinquante et une pièces. Temps perdu, papier gâché : l'homme était né pour de plus valables exploits.

Son savoir était étendu : latin, italien, espagnol, poésie, éloquence, théologie et son ambition le haussait aux grands sujets. L'âme ni le souffle ne lui faisaient défaut. « Malgré son fatras obscur — Souvent Brébeuf étincelle », a dit Boileau. Ces dons éminents, mal dégagés encore, apparaissent dans sa *Pharsale* (1658) : il y a bien saisi le génie abréviateur et détonant de Lucain en son vers est fidèle à rendre cette énergie violente.

C'est la poésie religieuse qui est le plus haut domaine de Brébeuf. En ses dernières années, consacrées à la retraite et à la pensée de Dieu, il écrivit, outre un *Traité de la Défense de l'Eglise Romaine,* des vers chrétiens de la plus belle inspiration : les *Entretiens Solitaires* (1660). Ce sont des sermons, d'une chaleur d'accent, d'une éloquence et d'une émotion qui en font une œuvre magistrale, par où Brébeuf égale le Corneille de l'*Imitation*. A preuve les strophes de *L'Inconstance humaine,* où le poète chante le bonheur de l'homme qui a résolu de n'aimer que Dieu :

> Si tôt qu'à ce beau feu son âme se dévoue,
> Il fait un bon usage et des biens et des maux :
> Heureux dedans la pourpre, heureux parmi la boue,
> Il trouve son repos jusque dans ses travaux...
>
> Il éprouve déjà cette paix bienheureuse
> Qui doit après la mort couronner nos souhaits
> Et, consumé pour vous d'une ardeur généreuse,
> Commence à vous aimer pour ne finir jamais !

SAINT-EVREMOND (1616 ?-1703)

Charles de Marguetel de Saint-Denis, sieur de Saint-Evremond, est né en 1616 (selon l'estimation la plus probable) à Saint-Denis-du-Guast près de Coutances. Il fait de fortes études à Paris, chez les Jésuites du Collège de Clermont. Etant cadet, il est destiné à la robe, mais au Droit il préfère l'armée. Il gagne l'amitié du duc d'Enghien qui le fera lieutenant de ses gardes : le duc avait été « touché des agréments de sa conversation ». Saint Evremond se distingue à Rocroi (1643). Il sera maréchal de camp en 1652.

Mais les armes ne le possèdent pas tout entier. Il a le goût
des Lettres et s'adonne à l'étude. Il fréquente aussi les salons
et il y plaît. Il mène une vie assez légère. Tourné à la raillerie
caustique, son esprit de satire, sa verve piquante, s'ils contri-
buent à son succès, lui attirent des inimitiés et des brouilleries.
Il s'aliène l'amitié de Condé (1648) et il se fait enfermer trois
mois à la Bastille par Mazarin.

En 1659 il écrit au marquis de Créqui une lettre dans laquelle
il blâme le Traité des Pyrénées sur le ton de la plus spirituelle
raillerie. Cette lettre est découverte en 1661 et Saint-Evremond,
menacé de la prison, est contraint de s'exiler. Il s'installe en
Angleterre. Sauf un séjour de cinq ans en Hollande (1665-
1670), il demeure à Londres durant quarante ans. A partir de
1675, Hortense Mancini, duchesse de Mazarin, nièce du Cardinal, s'étant établie en Angleterre, Saint-Evremond fréquente
son salon, dont il devient l'âme. En 1689, Louis XIV l'autorise
à rentrer en France. Il remercie avec courtoisie, mais refuse.
Il meurt à Londres le 20 septembre 1703. Il est inhumé à
Westminster, dans le « poet'scorner ».

Saint-Evremond est un gentilhomme, un « honnête homme »
qui ne se pique de rien et ne veut pas mettre l'enseigne d'auteur : jamais il n'a eu la pensée de faire métier d'écrire. Il
appelait ses œuvres des « bagatelles » et des amusements. Il les
refusait aux éditeurs, qui les publiaient à son insu, d'après des
copies fautives. Il y aurait peu de travaux littéraires plus utiles
— et plus intéressants — que d'établir une édition critique des
œuvres de Saint-Evremond.

C'est l'un des hommes les plus séduisants du XVIIe siècle :
galant, spirituel, courtois. Il aime la musique, la lecture et surtout la conversation, pour laquelle il aurait sacrifié tous les
plaisirs. Il est doué d'une intelligence lucide et souple, mais
dont la finesse et l'acuité ont pour rançon la sécheresse, — en
dépit de quelques accents élégiaques qui lui sont échappés çà et
là. Saint-Evremond, épicurien raffiné, n'a jamais connu la
passion. Il s'en vante. Il refrène ses désirs ou leur donne la
bride, à son arbitre. Disciple de Montaigne, il s'applique en tout
à la modération et à une parfaite posssession de soi. Dans
l'amour, il n'a jamais vu que plaisir et prétexte à badinage. Il
est fermé à la vraie grandeur. Libre de pensée, ami de Ninon de
Lenclos, il ne marchande pas son admiration — et sincère — à
la morale chrétienne. Mais, de même qu'il n'a rien compris à
Descartes, il ne trouvait que galimatias et fatras inintelligible
dans les dogmes de la Théologie. Il est un des initiateurs, à cet
égard, de la religion voltairienne.

Saint-Evremond est surtout un critique et un satirique, mais,
naturellement, de bon ton, à l'usage du monde et des salons.

Il s'en est pris aux gens de Lettres (dans sa spirituelle *Comédie des Académistes,* qui est lue dans les salons dès 1638, publ. en 1650) ; aux chefs de l'armée, au pouvoir lui-même, en la personne de Mazarin ; aux Précieuses, dans *le Cercle,* composé en 1656.

Son style est à l'usage exacte de son esprit : alerte, vif, dépouillé, aimable cependant et d'une sobre élégance. C'est l'écriture d'une intelligence toujours maîtresse d'elle-même, qui effleure sans insister ; qui, dans ses formules rapides et légères, laisse toujours à penser, ainsi que La Fontaine en donne le conseil. Il sera pris pour modèle par Le Sage, par Voltaire, qui le rendra plus nerveux et plus acéré. Ce style se transmettra à Paul-Louis Courier et à Anatole France.

Dans l'histoire du lyrisme, Saint-Evremond fait la liaison entre Malherbe et Chaulieu — et Voltaire. Il est déjà du XVIIIe siècle par son scepticisme élégant, son épicurisme spirituel, qui se teinte parfois de quelque tendresse et d'une discrète mélancolie.

Son œuvre lyrique n'est pas très vaste (stances, élégies, sonnets, épigrammes, madrigaux) : mais elle mérite plus d'attention qu'on ne lui en donne communément. Saint-Evremond a la netteté de Malherbe ; il y mêle l'agrément nonchalant de Voiture. Voici quelques vers des Stances sur *les années de la Régence d'Anne d'Autriche,* qu'aimait Sainte-Beuve :

> J'ai vu le temps de la bonne Régence,
> Temps où régnait une heureuse abondance,
> Temps où la Ville aussi bien que la Cour,
> Ne respirait que les jeux et l'amour.
>> Une politique indulgente
>> De notre nature innocente
>> Favorisait tous les désirs.
>> Tout goût paraissait légitime ;
> La douce erreur ne s'appelait point crime,
> Les vices délicats se nommaient des plaisirs...
> Aucun amant qui ne servît son roi,
> Guerrier aucun qui ne servît sa dame ;
> On ménageait l'honneur de son emploi,
> On ménageait la douceur de sa flamme...

Les *Stances au Comte d'Olonne* sont peut-être l'œuvre la meilleure de Saint-Evremond. Il a lu Montaigne et il en a tiré une sagesse qui n'est pas sans mérite, mais qui reste courte, sèche et décevante. On y trouve deux strophes que Musset transcrira telles quelles, sans en nommer l'auteur, au début de son *Espoir en Dieu.*

LA POÉSIE BURLESQUE : SCARRON, DASSOUCY, CYRANO

Le XVIᵉ siècle français avait tiré de l'italien *burla* le mot
burle, écrit aussi *bourle,* et l'adjectif *burlesque* (ou bourlesque),
en leur donnant le sens général de plaisanterie moqueuse, de
facétie piquante. Mais le terme était appelé à une fortune plus
particulière. En Italie, Francesco Berni (1497-1536) et ses disciples s'étaient fait une spécialité de bouffonnerie satirique.
Della Casa, l'un de ses compagnons, déclare que Berni a été « le
véritable inventeur, le maître et le père du style burlesque »
(mais le sens du mot est encore un peu large). Les poètes
bernesques avaient suscité en France de nombreux imitateurs :
Mathurin Régnier, nous le savons, a trouvé chez eux des idées.

Au début du XVIIᵉ siècle, Alessandro Tassoni (1595-1635)
entre dans le mouvement et publie *La Secchia rapita* (Le seau
enlevé) (première éd. 1622), poème héroï-comique dont l'intention est de ridiculiser les procédés épiques employés par les
médiocres suiveurs du Tasse. L'auteur avouait qu'il l'avait
composé *per burlare i poeti moderni.* Mais le ridicule
remonte facilement des poètes modernes aux Anciens : le burlesque, chez Tassoni — que le respect n'a jamais étouffé — prenait déjà l'allure d'une malicieuse parodie d'Homère, de Virgile, des œuvres et des légendes de l'Antiquité. Bracciolini, en
1618, dans son *Scherno degli dei* (Satire des dieux), faisait
rire sans révérence aux dépens de l'Olympe. Nous apercevons
ici l'une des orientations principales que va prendre le burlesque français.

Il a d'autres sources, bien entendu, plus lointaines, plus générales. La plaisanterie scolaire qui s'en prend aux objets les plus
vénérables du savoir existe depuis qu'il y a des écoliers ; et le
Moyen Age clérical est fertile en parodies de ce genre. Bona-
venture Des Périers, dans son *Cymbalum mundi* (1537) en est
un bon héritier.

En France, le burlesque proprement dit date des environs
de 1640. Chez Saint-Amant, qui marque un important relais, il
s'est d'abord appelé le « grotesque ». C'est Sarasin, paraît-il,
qui ressuscita le terme de *burlesque,* appliqué à la littérature.
Mais c'est Scarron qui, d'après Ménage, a pratiqué « le premier ce genre d'écrire » : entendons qu'il en a donné le modèle
achevé.

Le burlesque dérive aussi, en ses débuts, du marotisme.
Scarron a beaucoup fréquenté, il l'avoue, la « muse marotine » :
il trouvait chez Marot l'exemple déjà parfait de l'épître vive,
souple, goguenarde, en vers octosyllabes, notamment dans les

« coq-à-l'âne » : saillies populaires, d'une trivialité que
sauvent l'aisance de la facture, la prestesse de la cadence, la
gaieté sans vraie malignité et aussi l'allusion érudite. Scarron
a donc passé par là : mais il est allé plus loin. Car l' « élégant badinage », au fond, relève d'un autre esprit que la
facétie de Scarron.

Il y aurait risque d'erreur à opposer trop nettement le burlesque à la préciosité : Scarron a brocardé, il est vrai, les
précieux ridicules, mais ce n'est pas dans cette direction que
le burlesque a trouvé sa vraie voie ni son succès. Scarron n'a
jamais eu le dessein exprès de viser les habitués de l'Hôtel de
Rambouillet, parmi lesquels il aurait trouvé bien plutôt des
complices, et par exemple Voiture. Quant à Brébeuf, il pratiquera un ambigu du burlesque et du précieux.

Il est périlleux encore de rapprocher le burlesque du baroque,
avec lequel il a parfois des rencontres. Lorsque le baroque, dans
ses paroxysmes, s'avance plus loin ou s'élève plus haut que la
situation ou les personnages ne le peuvent supporter, il dégrin-
gole dans le burlesque, mais involontaire, et les Scarrons s'en
esclaffent. C'est à peu près tout ce que l'on peut dire d'assuré
à ce sujet.

Le burlesque, dans son tréfonds, représente l'une de ces
tendances immortelles de la nature humaine qui, à un moment
donné de l'histoire littéraire, par la conjonction d'astres favorables, grâce à l'impulsion d'un ou de plusieurs écrivains de
talent, trouvent leur expression séduisante : de là naît un
engouement qui, par les excès où il se porte, les compromet,
les avilit et les décrédite. Ainsi le baroque, la préciosité, certaines formes du romantisme (la mode médiévale, par exemple,
ou le satanisme).

Le burlesque, au surplus, répond à un instinct de défense
et de moquerie à l'encontre de certaines valeurs éminentes
jugées tyranniques ou surfaites. Il s'amuse alors à prêter
à des personnages qui, à ses yeux, incarnent ces grandeurs
prétentieuses, un langage vulgaire, des sentiments grossiers,
des actions basses ou ridicules. Les héros de l'Antiquité se
prêtent excellemment à ce jeu. Ils permettent à des écrivains
en qui revit l'esprit de collège d'assouvir leur rancune contre
Homère, Virgile, Ovide qui, au bout du compte, et les plaisan-
tins le savent bien, ne s'en porteront pas plus mal : ils ne
manquent pas d'ailleurs de faire montre à cette occasion de leur
érudition. Ne disons donc pas sans restriction que le burlesque
est un genre « populaire » ; Scarron se défendra toujours
d'abaisser son talent aux grossières productions du Pont-Neuf ;
et Sorbière, à propos de Scarron, affirmera : « Je ne crois pas
que des personnes sans littérature puissent goûter la fine rail-

lerie ni comprendre les belles allusions de cet incomparable
burlesque. »

« Canular » d'étudiants, le divertissement peut encore traduire l'agacement du « moderne » devant l'hégémonie littéraire
de l'Antiquité. Il peut prêter enfin — on hésite davantage à
s'avancer jusque-là — à des insinuations de libertinage, à une
satire voilée du style de grandeur imposé à une époque par un
Richelieu ou un Malherbe.

SCARRON (1610-1660)

Paul Scarron était fils d'un premier Paul qu'on appelait
l'Apôtre à cause de sa prédilection pour les écrits de son saint
patron et qui était conseiller à la Cour des Comptes. Ni sa
piété ni sa gravité intransigeante de Caton (qui le fera exiler par
Richelieu) ne se transmettront à son fils. Celui-ci naquit à Paris
en 1610 [1]. Sevré d'affection maternelle dès ses trois ans, tombé
entre les mains d'une marâtre, il n'a plus de foyer familial. Ses
études terminées, il se livre au plaisir. En 1629, il est « ensou-
tané » pour recevoir un bénéfice. Trois ans plus tard nous le
trouvons au Mans, « domestique » de l'évêque Charles de
Beaumanoir. Son séjour au pays des chapons se prolongera
jusqu'en 1640, coupé par un voyage à Rome avec l'évêque. Il
versifie sur les ruines de Rome. Déjà s'annonce le burlesque :
un sonnet où il célèbre gravement « les superbes monuments »,
« chefs-d'œuvre des Romains », se termine par une pirouette :

> Il n'est point de ciment que le temps ne dissoude ;
> Si vos marbres si durs ont senti son pouvoir,
> Dois-je trouver mauvais qu'un méchant pourpoint noir
> Qui m'a duré deux ans soit percé par le coude ?

En décembre 1636 il reçoit, à défaut d'une abbaye, une stalle
de chanoine à Saint-Julien du Mans. Il est l'abbé Scarron, il
porte le petit collet, ce qui lui donne des entrées dans le monde
sans nuire à ses plaisirs. Il s'amuse, il joue du luth, il dessine,
il peint, il fait des vers légers. Il fréquente la meilleure société
du Maine, il rencontre Rotrou, Tristan l'Hermite, Costar.

En 1638, un « mal hideux », dont l'origine n'est pas bien
éclaircie, fait de lui un infirme aux « membres tortus », et dont
les douleurs sont sans relâche. Malgré les eaux de Bourbon-
l'Archambault, les répugnants « bains de tripes », les recettes
de charlatans, une paralysie déformante l'immobilise sur une
chaise. Vers 1641, il trace ce portrait de lui-même ; « Mes

___

(1) Noter que la date de naissance indiquée sur l'estampe reproduite dans ce volume est erronnée.

jambes et mes cuisses ont fait premièrement un angle obtus et
puis un angle égal et enfin un aigu. Mes cuisses et mon corps
en font un autre et, ma tête se penchant sur mon estomac,
je ne ressemble pas mal à un Z. J'ai le bras raccourci aussi
bien que les jambes et les doigts aussi bien que les bras. Enfin je
suis un raccourci de la misère humaine », ou, si vous préfé-
rez, « un hôpital allant et venant ».

Il ne lui restait plus de valide que la langue ; mais quelle
langue ! Preste, allègre, malicieuse, une des plus affûtées que
l'on ait entendues à Paris où, pourtant, depuis Villon, ne manquent pas les « bons becs ». Contre le mal, il fit appel au fonds
de gaieté dont la nature l'avait richement pourvu : il eut la
douleur « joyeuse », comme l'en complimente Balzac. Y a-t-il
relation entre la difformité de Scarron et les grimaces de sa
muse « au ridicule museau » ? Toujours est-il qu'il choisit le
burlesque et le porta au plus haut point de perfection où il
puisse atteindre. Peu de poètes ont su badiner comme Marot :
nul n'a su bouffonner comme Scarron. Outre Marot, il eut
Rabelais pour maître et il y a profité — à l'excès.

Il bouffonne dans les épîtres mêmes ou requêtes sérieuses
qu'il adresse aux grands — car il fut un quémandeur acharné
— et il réussit à dérider Richelieu lui-même. La reine Anne
d'Autriche l'agréa un temps comme son « malade » attitré, ce
qui lui procura d'assez beaux écus.

Il bouffonne aussi avec ses amis et belles amies, auxquels il
dédie ses deux *Légendes de Bourbon* (1641 et 1642), ses som-
nets, chansons, stances, cent pièces légères en « vers grotesques », non pas toujours très finement spirituelles, mais d'une
vivacité et d'une drôlerie intarissables.

Il bouffonne surtout aux dépens de l'Olympe. Son *Typhon*
(1644) raconte avec une verve drue, populaire, désopilante souvent, les combats des Géants contre Jupiter. C'est ici le domaine
privilégié du burlesque, de celui qui rabaisse les dits et les
gestes des dieux au parler et aux manières des Halles. Au
temps où la « fable » était familière à toute personne ins-
truite, cet effet de contraste était infiniment plus piquant qu'il
ne l'est pour nous.

Le chef-d'œuvre de Scarron en ce genre, c'est le *Virgile
travesty* dont le premier livre parut en 1648 et dont les autres,
jusqu'au huitième, s'échelonnent jusqu'en 1653. Le succès dès
l'abord fut incroyable. C'est par dizaines que l'on compte les
« travestis » de Virgile, d'Homère, d'Ovide, d'Horace, de
Lucain et des légendes mythologiques composés à l'imitation
de Scarron ; le burlesque devint une mode, une fureur, une
manie. Durant les troubles de la Fronde, période où l'absurdité
et le grotesque se mêlent à l'héroïsme, la flambée s'accrut

encore : cette poésie fantasque faisait saillir vivement la folie
de l'heure et le talent brillant de Scarron y prenait un faux
air de génie. « Burlesque » fut le qualificatif à la mode : le
sens du mot s'élargit et s'affaiblit jusqu'à s'appliquer à toute
pièce d'octosyllabes. Pellisson, dans son *Histoire de l'Académie,*
(1652), nous le dit : « Cette fureur du burlesque était venue
si avant, que les libraires ne voulaient rien qui ne portât ce
nom ; que, par ignorance ou pour mieux débiter leur marchan-
dise, ils le donnaient aux choses les plus sérieuses du monde,
pourvu seulement qu'elles fussent en petits vers. » C'est ainsi
qu'on vit paraître une *Passion de Notre-Seigneur en vers
burlesques,* dont l'auteur, à coup sûr, prétendait bien faire
œuvre de piété.

Scarron fut consterné. Il n'avait pas prévu ce déluge de
sottises, non plus que ne l'avaient redouté les lettrés de goût,
tels Ménage et Balzac, qui avaient d'abord jugé savoureuses
les fantaisies de Scarron et qui dénoncèrent ensuite le fléau.
L'auteur du *Virgile travesty,* dès 1649, déclarait : « Je suis
tout près d'abjurer un style qui a gâté tout le monde. » Il
poursuivit cependant l'œuvre commencée, mais le cœur y était
moins. Il avait annoncé douze livres : il s'arrêta à huit — et
son burlesque, de proche en proche, se défiait davantage des
« coyonneries » et devenait plus « raisonnable ». Le burlesque,
d'ailleurs, se dévalua très vite après la Fronde. En 1660, il
était décrié.

Ne disons pas trop de mal de Scarron. D'abord parce qu'il
s'est condamné lui-même en termes aussi sévères que l'ont fait
ses détracteurs. Ensuite parce qu'il a rendu des services incon-
testables aux poètes de la génération suivante.

Il a sûrement contribué à freiner les débordements des Précieuses, des « fausses », précise-t-il, et des « façonnières » :
il a rendu plus modérés les « pousseurs de beaux sentiments » ;
il a ramené à la mesure les baroques et les déclamateurs. Il a
légué à Molière des convictions et des secrets. Il lui a suggéré
l'idée qu'il est plus malaisé de faire rire les « honnêtes gens »
que de provoquer l'étonnement par le spectacle de la grandeur
tragique. Scarron a souvent opposé les « comiques » aux
« héroïques », pour accuser les derniers de miser sur la facilité
en déployant « de grands vers pleins d'emphase ». Il a donné
à Molière, qui l'a sûrement beaucoup lu, le modèle d'une langue
et d'un vers qui allient et incorporent la verve rabelaisienne,
la raillerie populaire, la souplesse marotique. Il a été un maître
du comique, d'un comique souvent plus verbal que profond,
mais que Molière ne dédaignera pas. Gabriel Guéret fait dire
à Scarron, et on ne peut pas le contester : « Sans moi, il y a

trente ans (*ce qui nous reporte à* 1630) que l'on ne rirait plus
en France. »

Une certaine veine de burlesque, mais décanté, court à travers
tout le XVII° siècle. Boileau, Furetière, La Fontaine en retien-
dront quelques saillies de réalisme moqueur et la démangeaison
de faire çà et là un pied de nez à l'Antiquité.

Scarron enfin a fait revivre pour son siècle le vers léger de
Villon et de Marot. Avec Voiture et Sarasin, il a été l'un des
créateurs de la « poésie fugitive » qui a donné lieu à tant
d'œuvrettes exquises. Voltaire, sans le savoir peut-être, doit
beaucoup à Scarron.

Le pauvre et courageux « torticolis » finit par succomber à
son mal le 7 octobre 1660. On connaît la touchante épitaphe
qu'il s'était composée :

> Celui qui ci maintenant dort
> Fit plus de pitié que d'envie
> Et souffrit mille fois la mort
> Avant que de perdre la vie.
> Passant, ne fais ici de bruit,
> Prends garde qu'aucun ne l'éveille :
> Car voici la première nuit
> Que le pauvre Scarron sommeille.

DASSOUCY (1605-1677)

Charles Coippeau, sieur Dassoucy, est un « enfant de Paris »
comme Scarron. Son père était avocat au Parlement. Comme
Scarron encore, il connut peu la tendresse maternelle et dut
fuir plusieurs fois les colères d'une servante-maîtresse installée
au logis paternel. Il s'adonne à la musique, compose des chansons et se fait entendre à la Cour avec succès. Puis il mène
une vie errante de « poète-musicien », joueur de luth, suivi
de deux jeunes « pages de musique » chargés d'interpréter
ses œuvres. En juillet 1655, à Lyon, il se joint à la troupe
de Molière et des Béjart : il les accompagne à Pézenas et à
Narbonne : « Je ne vis jamais tant de bonté, dira-t-il, tant de
franchise ni tant d'honnêteté que parmi ces gens-là. » Ce
compagnonnage se prolonge jusqu'en février 1656. Dassoucy a
chanté cet heureux temps :

> Qu'en cette douce compagnie
> Que je repaissais d'harmonie
> Au milieu de sept ou huit plats,
> Exempt de soins et d'embarras,
> Je passais doucement la vie !
> Jamais plus gueux ne fut plus gras.

Soupçonné de mœurs infâmes, Dassoucy connaît plusieurs

prisons. A Rome, l'Inquisition l'enferme dans ses cachots, où il moisit plus d'un an. Libéré (1669), il revient en France et donne des concerts. De nouveau arrêté, il est incarcéré à la Bastille, relâché, jeté derechef au Petit-Châtelet pour cinq mois. Enfin, « le plus illustre persécuté de l'univers » à son dire meurt le 29 octobre 1677. Il a raconté fort plaisamment, en quatre livres mêlés de prose et de vers, son existence remuante et colorée.

Dassoucy avait débuté dans la poésie par un *Jugement de Pâris en vers burlesques* (1648); il poursuivit dans la même voie avec un *Ovide en belle humeur* (1650), pendant du *Virgile* goguenard de Scarron, et un *Ravissement de Proserpine* (1653), parodie du poème de Claudien.

C'est sur cette partie de son œuvre que Dassoucy fondait ses espérances d'immortalité. Il plaçait très haut le « genre » burlesque qui, selon lui, représentait « le dernier effort de l'imagination, la pierre de touche du bel-esprit », et dont les « lois » étaient « sévères » autant que celles de l'héroïque. D'après lui, deux poètes en son siècle y avaient fait figure honorable, après quoi la décadence était venue : si le burlesque, pensait-il, a cessé de divertir la France, « c'est que Scarron a cessé de vivre et que j'ai cessé d'écrire ». Il faisait sonner fièrement son titre « d'empereur du burlesque ».

Boileau le fustigera comme l'on sait. Parlant de la fureur du burlesque, il prononcera :

> Le plus mauvais plaisant eut ses approbateurs
> Et jusqu'à Dassoucy tout trouva des lecteurs.

Cette sévérité n'est pas injustifiée. Pourtant ne soyons pas iniques. Dassoucy, après Scarron et avec Cyrano, proteste contre l'affadissement qui, depuis Malherbe, menace la langue; contre cette fausse élégance qui refuse l'épaisseur charnue de la langue populaire. Leurs excentricités, leur propos d'être plaisants à tout prix les ont compromis. Mais ils ont pu concourir, avant Molière et Boileau, à empêcher que la littérature ne tombât aux mains des galants et des pédants. Si le « classicisme » a gardé une certaine verdeur bourgeoise ou populaire, le mérite, pour quelque part, leur en revient.

CYRANO (1619-1655)

Savinien de Cyrano est né, lui aussi, à Paris; il était issu d'une famille sarde établie en France au XVIᵉ siècle. Le Bergerac dont il anoblit son nom était une petite terre de la vallée de Chevreuse. Après des études au Collège de Beauvais à Paris,

il fréquente les cabarets et, comme dit Tallemant, fait « un peu
le fou ». En 1638, il s'engage comme cadet, avec son ami
Le Bret, dans la compagnie des Gardes de M. Carbon de
Casteljaloux, presque tous recrutés sur les bords de la Garonne.
Cyrano avait, de ces méridionaux, l'humeur pétulante, le verbe
fracassant et une épée sujette à des démangeaisons soudaines.
Il se conduisit à la guerre de sorte qu'on le nommait « le
Démon de la bravoure ». Il revint gravement blessé, renonce
au métier militaire (1641), mais restera fort chatouilleux de
la lame. Il prend pension au Collège de Lisieux, fréquente les
écrivains viveurs et libertins, se lie intimement avec Chapelle,
La Mothe Le Vayer, Tristan l'Hermite. Curieux de sciences
et de philosophie, il professe une grande admiration pour Gassendi. Il a pour amis Scarron et Dassoucy. Il étudie, il se
débauche, il se bat, il noircit du papier.

Dès ses premières œuvres, Cyrano se classe parmi les burlesques. Vers 1648, il écrit, d'un « style de matamore », une
préface, qu'il signe Hercule de Bergerac, au *Ravissement de
Proserpine* de Dassoucy. Des *Lettres,* plus factices que celles
de Balzac, témoignent du même génie intempérant. En février
1649, il lance une violente mazarinade, *Le Ministre d'Etat
flambé,* en vers burlesques :

> Ha, ha, je vous tiens, Mazarin,
> Esprit malin de notre France...
> A ce coup vous serez bien fin
> Si vous évitez la potence...

Bientôt il regrette son erreur, se fait « mazarin » et chante
la palinodie. Il se brouille avec Scarron et Dassoucy et fait
rage contre eux; le premier est vilipendé sous le nom de
Ronscar, le second sous celui de Soucidas.

Cyrano mourut en 1655 : il avait été blessé par une poutre
qui lui était tombée sur la tête. D'autres veulent qu'il soit
mort des suites d'une maladie peu honorable. Il fit en tout
cas une fin très pieuse.

Le tempérament volcanique de l'homme se retrouve en l'écrivain. Sa verve sans choix accueillait tous les jeux de mots,
les équivoques et les coq-à-l'âne. Charles Sorel, dans sa *Bibliothèque française,* lui reproche ses « pointes » : Cyrano, dit-il,
cultivait le « style comique ou burlesque » où il « se plaisait
principalement ». Le burlesque néanmoins ne suffit pas à définir
cet « extravagant », qui donne aussi bien dans la préciosité
et le baroque. Ses métaphores sont dignes de Théophile et de
Saint-Amant : l'univers, à ses yeux, est « une tarte que l'hiver
sucre pour l'avaler »; un arbre est « un lézard renversé qui
pique le ciel et mord la terre » : ce sont là de ses moindres

Jean Chapelain.
Portrait par Robert Nanteuil
figurant en tête de *la Pucelle* (1656).

Extrait de *la Littérature française,*
par Bédier-Hazard-Martino, Larousse, éditeur.

trouvailles. Sa *Lettre* au comédien Montfleury, le fameux « entripaillé », est d'une richesse d'images, d'une sonorité et d'une cocasserie étourdissantes.

La « burlesque audace » de Cyrano, comme celle de Scarron et de Dassoucy, sera condamnée par Boileau. Mais si la « raison » de 1660 méprise les turlupinades et les écarts d'une imagination dévergondée, le « talent de mouvement et d'invention » que Charles Nodier accorde très justement à Cyrano n'a pas été sans influer sur certains écrivains classiques.

BREBEUF

Un grand nombre de poétereaux ont exploité la veine burlesque. Inutile de les réveiller. Un écrivain de talent, qui eut des moments de grand poète, Brébeuf, a cru devoir fournir sa contribution à un « genre d'écrire » qui commençait à décliner. Il a écrit une parodie du septième chant de *L'Enéide* (1651) et, en 1656, un *Lucain travesti*. L'entreprise est risquée, il le sait : « Le burlesque, dit-il, a dépravé le goût de tout Paris », si bien que les délicats s'en détournent : « Je sais que tout ce qui tient du Burlesque a perdu la meilleure partie de son agrément. » N'importe : il va tenter de redonner un lustre littéraire au genre : « J'ai tâché de mettre l'enjouement dans la pensée bien plus que dans les paroles et à trouver une raillerie de bon sens et non pas une raillerie bouffonne. » En fait, on peut dire que l'innovation de Brébeuf consiste dans un alliage, non toujours sans saveur, du burlesque et du précieux. Exemple, ce madrigal, dédié à une jeune beauté qui se baigne dans la Seine :

> Au feu, voisins, au feu, on brûle ma rivière !
> Une nymphe...
> Fait tant de feu de la prunelle
> Que sans doute elle va me mettre au court-bouillon.

Vains efforts : ces « inventions » médiocres ne pouvaient sauver le genre. Certes le burlesque est immortel. Mais, sous peine d'écœurer le lecteur, il ne peut jamais être qu'une brève récréation.

CHAPITRE DEUXIÈME

LE ROMAN DE 1630 A 1660

Malgré Charles Sorel et son *Anti-Roman,* le goût des histoires d'amour et d'aventures ne paraît pas subir d'attiédissement. Cependant Corneille, dans *la Galerie du Palais,* vers 1631-1632, affirme que le roman, à cette époque, connaît une éclipse :

DORIMANT
...On ne parle plus qu'on fasse des romans ;
J'ai vu que notre peuple en était idolâtre.
LE LIBRAIRE
La mode est à présent aux pièces de théâtre.

L'examen de la production romanesque après 1630 ne permet pas d'accepter cette assertion. Peut-être Corneille trahit-il ici son goût personnel et la préférence qu'il a pour son propre « genre d'écrire ». S'il y a eu un ralentissement, il n'a pu être que de brève durée. En 1648, Fortin de La Hoguette s'écriera : « C'est une maladie du temps que les romans ». La Fronde causera une baisse générale de l'activité littéraire ; mais, dès la paix revenue, les salons rouverts, la vogue renaîtra de plus belle.

Au début de la période que nous étudions, le roman de chevalerie bénéficie d'un regain de faveur. En 1629, Marcassus réédite, en l'abrégeant et en le rajeunissant gauchement, l'*Amadis de Gaule* (2 vol.). On réimprime les *Perceforest* et autres anciennes histoires. Les héros de nos vieux romans, on le sait, étaient fort admirés à l'Hôtel de Rambouillet et, par contagion, dans les ruelles à la mode.

Toutefois, le genre ne se maintient pas sans quelque changement. La « régularité », de proche en proche, gagne des adeptes et étend sa discipline à tout le domaine littéraire.

« Régulier » signifie d'abord vraisemblable, la vraisemblance
étant la première et fondamentale exigence de la raison. De là,
certaines orientations nouvelles du roman. Vers 1625, c'est
l'aventure qui domine. A partir de 1640, on fait à l'Histoire
une place de plus en plus grande. L'auteur se complaît à rattacher sa fiction à un grand épisode : son roman se passera à la
Cour d'Alexandre ou à Rome, ou au temps des grandes décou-
vertes géographiques. L'histoire romaine jouit dans le roman
de la faveur que lui donnent à la même époque les poètes tragiques. Pour accréditer ses récits, l'auteur multiplie les tableaux
d'ensemble et les portraits de personnages illustres. Il insiste
sur la vérité de ses reconstitutions historiques et de ses paysages.

Chose curieuse et bien significative néanmoins : au nom même
du vraisemblable, on refuse d'admettre des actions et des mœurs
qui risquent de heurter le lecteur. Chapelain, dans son traité
De la lecture des vieux romans, écrit en 1647, énonce la loi :
« Tout écrivain qui invente une fable dont les actions humaines font le sujet ne doit représenter ses personnages ni les
faire agir que conformément aux mœurs et à la créance de son
siècle. » De là, dans le roman, un mélange bizarre de vérité
dans les faits et de fausseté dans l'atmosphère. Un critique protestera, en 1678, dans l'*Extraordinaire* du *Mercure,* à propos
des livres de La Calprenède : « Au lieu de nous donner des
portraits tirés après l'original romain, on nous y donne des
manières de notre siècle toutes pures, excepté qu'on en ôte les
idées de libertinage. »

On « ôte les idées de libertinage » pour obéir à la seconde
exigence de la raison : la bienséance. La « Pretieuse » de
l'abbé de Pure exige que rien, dans les romans, ne puisse
« blesser la modestie ». Ce n'est pas que ces fables s'abstien-
nent toujours de toute scène scabreuse : la violence des passions, sous Louis XIII et la Régence, se reflète plus d'une fois
avec exactitude dans nos histoires et, au surplus, la tradition
des « chevaleries » autorisait ces vivacités. Mais, à voir les
choses en général, on constate une évolution, depuis le début
du siècle, vers une plus grande « politesse » : les scènes familières sont progressivement purgées du réalisme grossier qui les
marquait souvent entre 1590 et 1620. Avec Madeleine de Scudéry, les bienséances imposent décidément leur ascèse rigoureuse. La sage et docte Sapho revient à la tradition d'analyse de
l'*Astrée* et à ses « peintures de l'âme » : elle donne un place
privilégiée aux « anatomies du cœur », aux débats sur la vertu,
le plaisir, l'amour, le mariage ; elle examine les rapports entre
elles de toutes ces notions. Les héros cultivent « l'honnête
amitié » et donnent le modèle de la parfaite civilité.

Pour accentuer l'effet de leurs leçons, les romanciers aiment à introduire des personnages contemporains dans leurs récits : les grands romans de cette époque ont tous leurs clés, et l'on sait que les héros de Madeleine de Scudéry reproduisent les traits de maint gentilhomme et de mainte noble dame du siècle.

La raison veut enfin que tout genre littéraire se conforme à des lois précises d'invention, de disposition et d'élocution. Le roman, qui se souvient de ses origines, se gouverne d'après les maximes qui régissent l'épopée. « J'appelle réguliers, dira Daniel Huet, les romans qui sont dans les règles du poème héroïque ». Mais Boisrobert l'avait déjà prononcé en 1629 : « Les beaux romans tiennent de la nature du poème épique. »

En conséquence, l'auteur prendra pour sujet les aventures « illustres et mémorables » de personnages de haute condition ou du moins d'une qualité exceptionnelle. Madeleine de Scudéry, là-dessus, a ses idées arrêtées : Un lecteur pourra trouver mauvais, dit-elle, que « mon héros et mon héroïne ne soient point rois (*il s'agit d'Ibrahim*) : mais, outre que les généreux ne mettent guère de différence entre porter des couronnes et les mériter,... l'exemple d'Athénagoras doit, ce me semble, lui fermer la bouche, puisque Théogène et Charide ne sont que de simples citoyens. »

A ces hautes âmes, deux occupations conviennent seules : la guerre et l'amour, l'une causée par l'autre et réciproquement. Le roman s'efforcera de se limiter à la durée d'une année et les changements de lieu tiendront compte de cette limitation.

Quant à la composition du livre, les bons auteurs développent « une action principale où toutes les autres sont attachées » : c'est à savoir, en général, le mariage final des deux héros. Mais, « afin de donner de la suspension au lecteur dès l'ouverture du livre », et « à l'imitation du poème épique », ils commencent « leur histoire par le milieu ». Ainsi fait Virgile dans l'*Enéide*. Et c'est par un récit ultérieur, comme celui d'Enée, que l'on apprend le début des événements.

Le style du roman doit être celui qui convient au genre narratif : il ne doit pas être plus « enflé » que « celui des conversations ordinaires ». Le bon auteur ne doit parler « ni comme les extravagants, ni comme le peuple. » Son langage sera celui des « honnêtes gens ».

On le voit : les bons romans de cette époque sont longuement médités, soigneusement élaborés. Malheureusement, selon la loi inéluctable, les rigueurs étroites de la discipline et l'obéissance trop docile à la tradition engendrent le poncif.

Les aventures de nos héros sont un peu trop semblables et les mêmes épisodes y reviennent : combats, duels, tempêtes,

rencontre de pirates, enlèvements. Les rois aiment à se traves-
tir en valets ou en bergers ; les filles se plaisent à prendre des
habits d'homme, tandis que leurs amoureux revêtent des atours
féminins. De là, des amours qui se méprennent et provoquent
les mêmes complications. Il est vrai que les bienséances vont
tendre à raréfier le procédé. Mais d'autres artifices, de médiocre
invention, se perpétuent : reconnaissances, réssurections, oracles,
songes, pressentiments, lettres perdues ou supposées, etc.

Les sentiments des personnages ne sont pas non plus fort
inattendus. L'héroïne est toujours aussi belle d'âme que de
visage, elle porte haut le souci de sa « gloire », s'arme de la
plus rigide sévérité au moindre mot d'amour et bannit l'audacieux hors de sa vue, quelque murmure que son cœur secrètement en fasse. Quant aux héros, dit Tallemant, ils « se ressemblent comme deux gouttes d'eau » et « parlent tous phébus ». Perdus d'amour, ils sont figés de respect et ils n'osent
confier leur cher secret qu'à l'écorce des arbres ou aux parois
d'une grotte, perpétuant d'ailleurs le personnage immémorial
de l'amant « graveur ». Ils ont la larme fluente, le genou flexi-
ble, l'évanouissement facile.

Mais de ces faiblesses, rançon des « âmes sensibles » (ce
n'est pas Jean-Jacques Rousseau qui a inventé l'expression),
ils prennent au combat, bien entendu, de glorieuses revanches.
Et à la Cour ou dans les ruelles, ils ont la conversation la plus
enjouée et la plus spirituelle du monde.

Bref, à tous les romans de ce temps, on peut appliquer le
jugement que Charles Sorel, dans sa *Bibliothèque française,*
prononce du *Grand Cyrus* : « C'est un livre rempli d'aventures
héroïques, où les effets de l'amour sont agréablement mêlés à
ceux de la valeur, avec tant d'exemples conformes à la galanterie de notre siècle et de si charmantes conversations, qu'il n'y
a guère de lecteurs qui n'en soient touchés. »

Ces mérites ne suffisent pas à sauver de la monotonie ces
longues histoires. Quelques auteurs, nous le verrons, ont fait
de louables efforts de nouveauté, notamment par le recours à
l'exotisme. Ils n'ont pas réussi, faute de génie, à élever le roman
à la dignité des grands genres. Ce miracle, c'est à Madame de
La Fayette qu'il était réservé de l'accomplir.

GOMBERVILLE (1599 ou 1600-1674)

Marin Le Roy, sieur de Gomberville, est né à Paris ou aux
environs. Sa vie nous est peu connue. Après avoir mené, semble-t-il, une conduite assez libertine, il se convertit à une grande

piété et donna même assez avant dans le jansénisme. Il fut des grands amis de Port-Royal. Sur la fin de sa vie, il se retira dans l'île Saint-Louis, où il était marguillier de sa paroisse.

Nous avons parlé de lui comme poète. Il est plus important comme auteur de romans. Il trouvait à satisfaire, dans une intrigue chargée et coupée d'épisodes nombreux, un goût, que nous l'avons entendu avouer, de « l'irrégularité » et du « dérèglement ».

Cependant, quand il sera de l'Académie, ce champion de la liberté se rangera aux côtés des plus vétilleux tyrans de la langue. Il voulait, par exemple, en exclure les archaïsmes. Ses contemporains les plus autorisés attestent sa compétence : « Il parle très purement », disait Balzac.

Gomberville se mit de bonne heure à écrire des romans. C'est en 1619 qu'il commence à publier l'ouvrage qui lui tiendra le plus à cœur, qu'il reprendra et remaniera sans cesse : le *Polexandre*. En 1619, il s'intitule *l'Exil de Polexandre et d'Ericlée.*

Deux ans plus tard, en 1621, paraît *La Carithée,* que l'auteur dédie « aux belles et vertueuses bergères » et qui contient « sous des temps, des provinces et des noms supposés, plusieurs rares et véritables histoires de notre temps ». Gomberville y brasse, selon une recette ancienne que *l'Astrée* avait héritée des *Amadis,* un mixture de chevalerie et de pastorale. Les « meilleurs chevaliers du monde », tel Pisandre, après avoir connu des « fortunes extraordinaires », lassés enfin « des incommodités de la cour des rois et des tromperies du monde », prennent « l'habit de berger en l'Ile Heureuse » pour « y écouler doucement » le reste de leurs jours. Ainsi avaient fait les Foréziens d'Urfé.

L'auteur met en scène, sous des masques romains, d'illustres personnages de l'histoire française, rassemblés sans scrupule chronologique : Charles IX, qui s'appelle Cérinthe, y rencontre Louis XIII qui se cache sous l'anagramme de Sivol.

Gomberville — qui entre-temps s'est consacré à des travaux historiques — revient ensuite à son *Polexandre*. Le roman, « revu, changé et augmenté » à plusieurs reprises (1629-1632), s'achève enfin en 1637 : il comprend alors vingt-deux livres en cinq volumes, au total quatre mille quatre cents pages.

Le succès en fut immense et durable. Balzac proclame que « le *Polexandre* est un ouvrage parfait en son genre ». D'après Charles Sorel, le chef-d'œuvre de Gomberville a donné à la France, dans le roman, la supériorité sur l'Espagne et l'Italie. La Fontaine le lira « vingt et vingt fois ».

Ce que les lecteurs y goûtaient, sans le savoir peut-être, c'étaient d'anciens souvenirs : Gomberville avait demandé en

effet plus d'un ingrédient à ses devanciers. Il les connaît
bien. Il s'est inspiré sur plusieurs points — et peut-être même
pour l'économie générale de son œuvre — de *Théagène et
Chariclée*. Les *Amadis* lui ont fourni des accessoires fabuleux :
géants, monstres, rites magiques... Ce salmigondis, Gomberville s'est efforcé de le réduire à la vraisemblance et, comme dit
l'abbé de Pure, de faire que « l'extraordinaire ne laisse pas
d'être raisonnable ». La réussite est douteuse.

D'autant que les additions et remaniements successifs ont
introduit de la confusion dans le déroulement des faits. L'intérêt
principal se transfère d'un couple de jeunes premiers à un
autre, puis à un troisième. Dans le *Polexandre,* dit Charles
Sorel, on « trouve ceci de particulier... que, selon les différentes
éditions, ce roman a changé trois ou quatre fois de scènes et
de personnages ; que Polexandre, qui était Charles Martel,
père du roi Pépin, est encore un prince de la cour du roi Charles IX et est enfin un grand seigneur de France qui vivait
sous Charles VIII et Louis XII, lequel était amoureux d'Alcidiane, reine de l'Ile Invisible. Il semble que l'auteur ait fait ceci
pour montrer qu'il s'est joué de son ouvrage, comme un ouvrier
qui, d'une même cire, fait diverses figures l'une après l'autre,
selon les moules où il la veut jeter. » La louange est ingénieuse, mais elle nous trouve aujourd'hui réticents. Nous félici-
terons toutefois Polexandre de ne pas oublier, sous ses divers
costumes, sa profession de chrétien. Vers la fin du roman, il
se fait missionnaire et convertit de l'idolâtrie à la vraie religion les habitants de l'Ile Inaccessible.

Ce retour à la réalité n'est pas le seul. Gomberville compense
les prodiges incroyables dont il a orné son roman par l'exactitude de certaines évocations historiques et géographiques. Il y
avait chez lui un amoureux de la mer et des évasions aux terres
lointaines. Il nous promène à travers des pays où jusque-là les
romanciers n'avaient pas osé s'aventurer : îles Canaries,
Maroc, Sénégal, Amérique des Incas, Mexique. Nous retrouvons
dans ce récit la substance de ce que Gomara, Garcilasso de La
Vega et Las Casas avaient appris aux lecteurs du xvie siècle.
Le *Polexandre* peut passer pour notre premier roman exotique,
encore que Rabelais, ici, ait frayé la voie.

D'autre part, l'érudition historique de Gomberville, ses reconstitutions de l'ancienne Egypte sont assez remarquables.

Ainsi le *Polexandre* offre-t-il un singulier mélange de féerie
et de vérité, de songe et d'authenticité, qui n'a pas nui à son
influence. En particulier, et c'est un des mérites les plus
sérieux que lui reconnaissent les contemporains, il a su adapter
à son siècle l'idéal de la chevalerie, il a proposé les vertus des
Amadis à l' « honnête homme » du temps de Louis XIII.

Dernier mot sur le *Polexandre* : Gomberville, paraît-il, qui proscrivait le mot *car,* s'est vanté de ne l'avoir pas employé dans son roman. Erreur : dans les deux cents premières pages, on peut le relever une demi-douzaine de fois.

Il est permis d'être bref sur les autres œuvres de Gomberville.

La Cythérée (1639-1640), en quatre volumes, combine le merveilleux mythologique, les enchantements magiques, le paganisme solaire, les prodiges féeriques et la religion du vrai Dieu : le tout au service de deux amants ballotés longtemps par un destin cruel avant d'être unis en mariage. De bons « hermites », venus de nos plus anciens livres de chevalerie, mais rajeunis par l'exotisme égyptien ou libanais, prêtent leur sagesse et leur sollicitude aux jeunes héros, qui leur devront l'heureuse fin de leurs errances.

Enfin Gomberville publie, en 1651, *La Jeune Alcidiane,* qui est une suite du *Polexandre.* « Roman de janséniste », grogne Tallemant. Du moins, c'est une histoire chrétienne que Gomberville, revenu à une ardente piété, entreprit en vue de réparer les ravages qu'avaient pu opérer dans les âmes trop tendres ses autres romans. L'auteur y exalte les vertus de la prière, de la pénitence et de la retraite. Le solitaire Pachôme, « vénérable vieillard, de qui les cheveux et la barbe couvraient une partie du corps », prophétise que l'on verra « le grand Polexandre et la bonne Alcidiane, dépouillés des insignes de la royauté », se retirer dans la solitude et y vieillir heureux dans la paix de Dieu : souvenir des grands pénitents du *Lancelot* en prose — et, peut-être aussi, allusion aux solitaires de Port-Royal. Dans les livres de Gomberville comme dans la plupart des œuvres de ce temps, c'est la religion qui a le dernier mot.

DESMARETS DE SAINT-SORLIN

L'Ariane (1632, dix volumes) de Desmarets de Saint-Sorlin ne peut être passée sous silence : elle fut l'un des romans les plus estimés de l'époque. La Fontaine l'a lu avec plaisir et déclare que « le roman d'*Ariane* est très bien inventé ». Il a d'autres mérites encore.

La scène se passe d'abord à Rome, sous Néron. De là, le lecteur est mené à Syracuse, à Nicopolis, puis en Thessalie. Mélinte et Ariane s'aiment ; leur chaste tendresse éprouvera, comme de coutume, bien des contrariétés. Au second plan, d'autres couples demandent notre sympathie. Jusqu'ici, rien que de banal. Mais La Fontaine a vu juste : les péripéties sont souvent d'une heureuse trouvaille, telle l'évasion de Mélinte à l'aide d'un drap servant de parachute.

Le roman a un fond de tableau historique. Nous assistons aux orgies de Néron et à l'incendie de Rome. Nous entendons prononcer au Sénat de belles harangues. Les caractères sont cohérents et vivants. Mélinte, brave et loyal, a pour compagnon Palamède, dont la gaieté insouciante fait un contraste piquant avec la noble gravité de son ami : Hylas auprès de Céladon.

Desmarets apporte le même souci de variété dans le ton de ses narrations : une haute élégance alterne avec la familiarité et l'enjouement.

Ariane eut des milliers de lecteurs. Boileau, dans son *Dialogue des héros de roman* (écrit en 1665) en reconnaît le succès. Il sera réédité encore au xviiie siècle.

LA CALPRENEDE (1609 ou 1610-1663)

Gautier de Costes, seigneur de La Calprenède, est né au château de « Toulgoud, près de Sarlat, pays de Périgord ». Après avoir achevé ses études à Toulouse, il vient à Paris, entre aux armées, se bat en Allemagne comme cadet aux gardes. La Reine, qui l'a en estime, le fait nommer gentilhomme ordinaire de la Chambre. Il meurt des suites d'une chute de cheval ou d'un accident de chasse, le 20 octobre 1663.

La Calprenède débute par la tragédie : en 1635, il fait jouer une *Mort de Mithridate* qui emporte un vif succès et dont Racine se souviendra. Il donne ensuite huit autres pièces moins notables, puis il passe au roman. C'est d'abord *Cassandre* (1642-1645) en dix volumes, puis *Cléopâtre* (1647-1658), qui en a douze. Il commença un *Faramond* qu'il laissa inachevé en sept volumes : cinq autres furent ajoutés par Pierre de Vaumorière, l'auteur du *Grand Scipion*.

Cassandre nous brosse une large fresque d'histoire grecque : l'action se passe à la fin du règne d'Alexandre et nous assistons, après sa mort, au partage de son empire. Les personnages portent des noms illustres : Alexandre, Darius, Artaxercès, Perdiccas, Lysimachus, Roxane. L'auteur, comme Corneille, tient à fonder ses fictions sur la vérité de l'histoire. Mais, bien qu'il invoque l'autorité de Plutarque, de Quinte-Curce, de Justin, sa reconstitution historique est fallacieuse : en fait, nous sommes en plein xviie siècle galant et minaudier.

L'action principale — car il y en a plusieurs — se place aux environs de Babylone, lors des derniers combats qui opposent Alexandre à Darius. Cassandre est le pseudonyme sous lequel,

un temps, se dissimule Statira, fille de Darius. Oroondate, fils du
roi de Scythie, se déguisera lui aussi sous le nom d'Oronte. Il
est impossible de résumer fidèlement cette histoire aux mul-
tiples péripéties. L'amour d'Oroondate pour Statira sera contra-
rié par cent traverses. La jeune fille est capturée par Alexandre,
qui, par fortune, meurt à temps. La perfide Roxane, au moyen
d'une fausse lettre, séparera les deux amants et fera même passer Statira pour morte. Enfin Oroondate, à force d'exploits
héroïques et d'héroïque fidélité, méritera de voir sa « flamme
couronnée ».

La guerre et la galanterie alternent sans se nuire. Alexandre
et son rival Oroondate savent manier la plume aussi bien que
l'épée. Témoin ce billet que le jeune conquérant adresse à
sa captive, la princesse Statira, et où se balancent les antithèses avec une « furieuse » délicatesse :

« Le vainqueur des vôtres se laisse vaincre à vous seule et
vous seule pouvez ce que toute l'Asie a vainement essayé. Je
rends les armes, belle Princesse, et je tire plus de gloire de ma
défaite que je n'en ai tiré de toutes mes victoires ; mais n'usez
point avec cruauté de celle que vous avez obtenue avec justice
et ne traitez point en ennemi celui qui se déclare votre esclave. »

L'œuvre est diffuse et toutefois la composition s'efforce
d'obéir aux règles du poème épique : afin de respecter une
certaine unité de temps et de lieu, l'auteur confie à des récits,
malheureusement interminables, les incidents qui se sont passés
avant le début de l'action ou qui se déroulent loin de Babylone.
C'est ainsi que, sans changer de place, nous assistons aux
batailles d'Issus et d'Arbelles : maigre compensation à des
développements verbeux et monotones.

Cléopâtre présente le même mérite de construction et les
mêmes défauts. C'est aussi un tableau d'histoire. La scène se
passe à Alexandrie. L'héroïne qui donne son nom à l'ouvrage
n'est pas la célèbre reine d'Egypte aimée de César et d'Antoine, mais sa fille. Elle est « idolâtrée » de Juba (qui s'appellera aussi Coriolan), prince de Mauritanie. A ce premier couple
se joignent, comme dans *Cassandre,* d'autres nobles amants :
Césarion (fils de César et de la première Cléopâtre) et Candace,
princesse d'Ethiopie ; Britomare-Artaban et Elise, princesse
des Parthes : ne citons que les plus illustres. Artaban a eu le
privilège de passer à la postérité comme parangon de la fierté
invincible : il avait d'autres vertus qui en font un des personnages les plus attachants du roman.

Cléopâtre, qui surabonde en faits d'armes surhumains, est
encore un recueil de galantes conversations et de lettres d'un
charmant maniérisme.

Madame de Sévigné, on le sait, se laissait « prendre comme

à de la glu » à cet ouvrage. Tout en criant qu'il y avait
« d'horribles endroits dans *Cléopâtre* », de « grandes périodes »,
de « méchants mots », elle avouait : « La beauté des sentiments, la violence des passions, la grandeur des événements
et le succès miraculeux de leur redoutable épée, tout cela m'entraîne comme une petite fille. »

La Fontaine reconnaît qu'il aime fort, lui aussi, ces beaux
« événements ». Jean-Jacques Rousseau, qui a recueilli et
relancé toute la tradition romanesque, a trouvé plus d'une
inspiration dans *Cassandre* et dans *Cléopâtre*.

Un livre qui obtient ces suffrages ne saurait être sans valeur.
Un recueil formé des meilleures pages de La Calprenède, s'il
était bien présenté, réserverait à beaucoup de lecteurs d'agréables surprises.

GEORGES ET MADELEINE DE SCUDÉRY

Il est impossible de discerner exactement, dans les célèbres
romans parus sous la signature de Georges, ce qui appartient au
frère et ce qui revient à la sœur. On a des raisons de penser,
comme l'affirment certains, que le capitaine (qui a rédigé les
préfaces et les épîtres dédicatoires) a mis la main aux épisodes
guerriers de l'*Ibrahim* et du *Grand Cyrus*. Il demeure probable
que l'ensemble de l'œuvre est de Madeleine (1608-1701).

Trois ouvrages ont fait sa gloire : *Ibrahim ou l'Illustre Bassa,*
paru en 1641 (quatre volumes) ; *Artamène ou le Grand Cyrus*
(1649-1653, dix volumes) ; *Clélie, histoire romaine* (1654-1660,
dix volumes) : au total, près de trente mille pages.

« L'illustre Sapho » a l'ambition d'élever le genre du
roman au niveau où il pourra satisfaire les plus délicats parmi
les honnêtes gens et les plus difficiles parmi les savants. En
vérité, c'est depuis *Amadis de Gaule* que la législation des
convenances morales et sociales et les règles du bon langage
aiment à se formuler par l'organe du roman. Mais trop souvent
les auteurs se laissent entraîner par une fantaisie effrénée et par
la chaleur des passions. Une femme — ce n'est pas surprenant
au temps de la préciosité — assumera le rôle de rappeler les
exigences de l' « honnêteté ».

Le roman doit être, comme tous les autres genres littéraires,
une œuvre de *raison* et de *vérité*. L'intime rapport qui lie
les deux termes apparaît, chez Madeleine de Scudéry (sous la
plume de son frère, peut-être, mais il n'importe) aussi nettement qu'il fera chez Boileau : « Entre toutes les règles qu'il
faut observer en la composition de ces ouvrages, celle de la
vraisemblance est sans doute la plus nécessaire... J'ai essayé de

ne m'en éloigner jamais : j'ai observé pour cela les mœurs, les coutumes, les lois, les religions et les inclinations des peuples ; et, pour donner plus de vraisemblance aux choses, j'ai voulu que les fondements de mon ouvrage fussent historiques. » Ce respect de l'histoire rendra plus croyables les fictions du récit. Tout de même, la romancière nous en fait un peu accroire... Ne doutons pas de sa sincérité : mais constatons que, comme La Calprenède, elle donne à ses Persans, à ses Turcs, à ses Romains le langage et les manières des plus précieuses ruelles de Paris. Mais après tout, Chapelain, nous le savons, l'approuverait.

Sapho tient à nous éclairer sur sa filiation littéraire et sur la place qu'elle revendique dans la tradition romanesque. Elle s'autorise (chose à première vue curieuse, mais où nous pouvons déceler encore l'influence de Chapelain) de *Tristan et Yseult*. Cependant ses grands modèles, ce sont *Théagène et Chariclée* et *l'Astrée :* « Voilà proprement, dit-elle, les vraies sources où mon esprit a puisé les connaissances qui ont fait ses délices. » Et ailleurs : « Je vous dirai que j'ai pris et que je prendrai toujours pour mes uniques modèles l'immortel Héliodore et le grand Urfé : ce sont les seuls maîtres que j'imite et les seuls qu'il faut imiter. »

Le héros d'*Ibrahim ou l'Illustre Bassa* porte deux noms, selon un procédé qui ne nous surprend plus. Il s'appelle Justinian ; mais, frappé de sa bravoure, le Sultan Soliman le fait Grand Vizir : désormais il sera Ibrahim, l'illustre Bassa. Le roman nous raconte ses amours, bien entendu laborieuses, avec Isabelle, princesse de Monaco. Les caractères ont de la finesse et de la vérité. Le sultan Soliman est le plus achevé de ces Turcs honnêtes et tolérants que les romanciers depuis presque cent ans proposaient en exemple aux chrétiens. Il contribuera à relancer la mode des « turqueries », dont *Bajazet* sera le chef-d'œuvre.

Artamène ou le Grand Cyrus : comme les autres héros, celui-ci aura son double état civil. Artamène, prince mystérieux qui commande l'armée des Mèdes, aime en secret Mandane, fille du roi Cyaxare. La jeune fille, enlevée par le prince d'Assyrie, se trouve dans Sinope, et la ville brûle. Artamène part pour la délivrer au péril de ses jours : mais quand il entre dans Sinope, un rival s'est emparé de Mandane. Le jeune héros propose alors une alliance au prince d'Assyrie : ils s'uniront pour arracher Mandane à Mazare, son ravisseur ; après quoi ils se disputeront la jeune fille en combat singulier. Convention d'amants : Cyaxare la prend pour convention politique et fait jeter Artamène en prison. Il lui serait aisé de se justifier en révélant son identité : il est en réalité Cyrus, petit-fils d'As-

tyage, le prédécesseur de Cyaxare ; prince de la famille de Mandane, il est digne de prétendre à sa main. Il pourrait ajouter
qu'il a voulu, sous les apparences d'un aventurier et sous un faux
nom, conquérir tant de gloire au service de Cyaxare qu'il pût
à la fin gagner l'estime de Mandane. Mais il ne dit rien, par respect pour celle qu'il aime. Nous n'apprenons l'histoire que par
le récit d'un confident qui ne nous fait grâce ni d'une bataille
ni d'une périphrase. Libéré de sa prison, Artamène écrit pour
Mandane une lettre qu'elle ne lira que s'il est tué. On le croit
mort. Mandane prend connaissance de la lettre et trahit sa passion. Les deux amants se revoient sans se permettre aucune
effusion. Nouveau combat, nouvel enlèvement de Mandane qu'il
faut aller conquérir une fois de plus au prix de mille dangers.
Enfin les deux amants sont réunis, Cyrus fait accepter ses
hommages à Mandane et le mariage clôt le dixième volume.

Avec *Clélie*, nous quittons l'Asie mineure et la Perse pour
l'Italie. Mais nous ne sommes pas dépaysés, car nous retrouvons les mêmes exploits et les mêmes chevaliers, armés cette
fois à la romaine et affublés de noms latins. Cependant le caractère du roman se modifie quelque peu : suivant une orientation
esquissée déjà dans le *Grand Cyrus,* les péripéties perdent de
leur importance au profit de l'analyse des cœurs. Rappelons que
c'est dans la *Clélie* que parut la *Carte de Tendre.* L'histoire
néanmoins comprend un grand nombre d'exploits guerriers.
L'auteur entre tout de suite *in medias res.* Nous sommes à la
veille du mariage « de l'illustre Aronce et de l'admirable Clélie ». Tandis que les jeunes gens s'entretiennent de leur bonheur, éclate un tremblement de terre : le sol s'entrouvre, des
flammes jaillissent, une pluie de cendres couvre la campagne.
Aronce s'échappe. Arrivé à Capoue, il apprend que Clélie est
vivante, qu'elle a été enlevée par un rival, Horace, et qu'elle
est avec lui à Pérouse. Il y vole. Arrivé au lac de Trasimène,
il se dispose à poursuivre le ravisseur lorsque, appelé au secours
par un vieillard aux prises avec deux assassins, il tire son épée,
met en fuite les malandrins : il a sauvé de la mort Mézence, roi
de Pérouse.

Nous ne savons pas encore qui sont Aronce et Clélie : un
long récit va nous l'apprendre. Mézence avait jadis fait prisonnier le fils du roi de Clusium, Porsenna : ce jeune homme
s'était épris de la fille de son vainqueur, Galerite, et il en avait
eu un fils. Afin de soustraire l'enfant à la vindicte de Mézence,
on l'avait envoyé à Syracuse. Sur le vaisseau qui l'emportait
voyageait un noble Romain, Clélius, qui, au cours d'un naufrage,
sauve l'enfant de Galerite, l'emmène à Carthage et l'élève, sous
le nom d'Aronce, avec une fille à lui, Clélie. A vingt ans les
jeunes gens étaient liés d'un tendre amour. Mais Clélie était

d'une telle beauté que de nombreux soupirants rôdaient autour d'elle. Cependant Aronce, ayant arraché le père de Clélie à un danger mortel et ayant appris par une nourrice quelle était sa naissance, avait obtenu la main de la jeune fille. Le mariage allait se faire lorsque se produisit le tremblement de terre.

Et donc, notre Aronce est à la poursuite d'Horace. Bientôt Mézence apprend que le beau jeune homme auquel il doit la vie n'est autre que le fils de son prisonnier Porsenna et de sa propre fille. Il veut rompre l'alliance des deux amants, mais Porsenna réussit à sortir de prison et s'empare du palais royal. Il fait la paix avec Mézence à condition d'emmener sa femme et son fils. Libre désormais et heureux de voir son père rétabli dans ses Etats de Clusium, Aronce ne va plus avoir qu'une pensée, Clélie. Il la trouve d'abord à Ardée, entre les mains de Tarquin, roi de Rome, qui vient de l'enlever à Horace. Il la poursuit à Rome, mais, là, il tombe en pleine révolution : Lucrèce vient de se tuer. Pire, il est fait prisonnier. Il réussit à s'échapper juste au moment où Brutus et Tarquin sont aux prises et, bien entendu, il se range aux côtés de Brutus. Mais Porsenna, son père, s'est déclaré pour Tarquin : il faut qu'Aronce change de camp. A la fin, Porsenna se détache de Tarquin : Aronce peut donc sans scrupule aller arracher aux Romains sa chère Clélie. Un oracle lui permet de l'épouser.

Comme dans tous les romans précédents, le héros est aussi brillant de galanterie que de bravoure. Il va d'exploits en exploits pour les yeux de sa belle. Au début de la *Clélie,* lorsqu'Aronce et Célère ont délivré Mézence, le vieux roi les encourage par de belles promesses. Mais, nous dit la narratrice, « ils n'avaient que *faire* d'être excités à *faire* de grandes actions, puisque leur propre valeur *faisait* qu'ils n'en pouvaient *faire* d'autres quand ils avaient les armes à la main. » Cette pitoyable phrase — qui trahit l'une des faiblesses du roman de cette époque — exprime l'idéal commun des auteurs : ils veulent exposer à notre admiration des héros parfaits qui, enflammés d'une passion invincible, passent leur vie à s'illustrer par de hauts exploits.

Ces personnages, la plupart, ressemblent, comme des portraits embellis, à des amis de Sapho, à de nobles seigneurs et dames habitués des ruelles, auxquels ils s'offrent, non en vue d'une vaine flatterie, mais comme modèles de vertu et d'honnêteté. Cyrus a des traits du Grand Condé, Mandane est Mme de Longueville ; Mlle Robineau, Mlle Legendre, Mme Cornuel, vingt autres pouvaient se reconnaître.

Ils pouvaient trouver aussi dans ces romans, à leur profit, de fines « anatomies » de leur âme : la « reine de Tendre » a des dons de moraliste et elle met un vrai talent de persuasion

à proposer son idéal d'amitié « galante et délicate ». Si ces
histoires ne vont pas au-delà du mariage, ce n'est pas seulement, on peut le penser, pour se conformer à un usage immémorial. Elle juge, comme les théoriciens de la « cortésie »
médiévale et comme les Précieuses de l'abbé de Pure, que
l'amour parfait n'est pas conciliable avec la vie conjugale, telle
du moins qu'on la pratiquait en son siècle. Et à cet égard,
Madeleine de Scudéry fait entendre d'énergiques protestations
contre l'infériorité intellectuelle, morale et sociale où la femme
est maintenue par l'homme, responsable des lois et des coutumes.

De ces romans — et surtout de la *Clélie* — on pourrait dégager une théorie détaillée des passions. Ici encore, Madeleine de
Scudéry a écouté les échos répercutés d'une longue tradition ;
mais — aidée peut-être du *Traité des Passions* de Descartes
(1649) — elle les a traduits à l'usage de son siècle. A ses
yeux, les passions sont bonnes en leur élan premier. L'amour,
qui est la plus « belle », est aussi « la plus noble cause de
toutes les actions héroïques... Elle n'est lâche que dans le
cœur des lâches et... elle est héroïque dans l'âme de ceux qui
sont véritablement généreux ». Corneille ne parle pas autrement. Racine, lui, aura son idée là-dessus, assez différente.

LE ROMAN COMIQUE ET BURLESQUE

**Le Roman
comique**   Le *Roman comique* fut entrepris par Scarron
en 1648. La première partie parut en 1651, la
seconde en 1657. Deux ans plus tard l'auteur
était en train d'écrire la troisième ; il mourut avant de l'achever. C'est un continuateur qui la mena au terme.

Le titre est à double sens. Nous avons vu, à propos du
burlesque, Scarron lui-même opposer le « comique » à l' « héroïque » : *le Roman comique* veut faire un pied de nez aux
Polexandre et autres *Artamène*. Mais le titre signifie en outre
l'histoire d'une troupe de comédiens ; Scarron racontera, il le
dit, les joies et les déboires de la « vie comique ».

Cette œuvre, l'une des plus originales du siècle, présente des
caractères fort divers. D'entrée de jeu, elle nous jette en plein
burlesque : « Le soleil avait achevé plus de la moitié de sa
course et son char, ayant attrapé le penchant du monde, roulait
plus vite qu'il ne voulait... » : la parodie des grands romans à
la mode et de leur style enflé court ainsi tout le long du livre.
Les nobles combats où s'affrontent les héros de Gomberville
et de La Calprenède se ravalent ici à des rixes dont le prétexte
est toujours dérisoire, le déroulement bouffon et l'issue ridi-

cule : gifles, coups de pied, claques sur les fesses, imprécations, jurements retentissent dans cette histoire comme au
cirque, lorsque les clowns occupent la piste. Procédé trop
facile, peu relevé, Scarron le sait bien, mais qui soulève le rire,
même des délicats, s'ils sont de bonne foi.

Les « amants » des nobles histoires sont toujours beaux et
vertueux. Scarron, parmi ses amoureux, en produit exprès de
grotesques : tel Ragotin, courtaud et ventru, menteur, har-
gneux, fanfaron et, par arrêt du Ciel, éternelle tête de Turc ;
telle encore, Madame Bouvillon, qui porte ses « trente quin-
taux de chair », bavarde intempérante et qui s'entend à déchi-
rer les réputations.

Ce défilé de caricatures, cette accentuation outrancière parfois
du comique n'annulent pas, il s'en faut, l'authenticité de l'histoire. Scarron, s'il grossit le trait, reste un narrateur véridique.
Son livre se fonde sur une observation fidèle des hommes et des
professions qu'il évoque à nos yeux. Les aventures d'une
troupe de campagne : ce sujet lui donne matière à nous
décrire l'existence des comédiens ambulants et quelques scènes
de la vie provinciale. A cet égard, le Roman comique a toujours passé, fort justement, pour un témoignage précieux sur
certains aspects familiers de l'époque Louis XIII.

Les personnages sont saisis sur le vif, à ce point que les
historiens se sont évertués à les identifier. Ils se campent et
s'imposent avec une telle force qu'il nous est impossible de les
oublier : corpulence, allures, costume, gestes, manies, langage,
tout est savoureux et vivant. Le vieux comédien La Rancune,
à demi raté, mais non sans esprit ni talent, « malicieux comme
un vieux singe et envieux comme un chien », railleur et cynique, sournois, d'une froide méchanceté. La Caverne, « née
comédienne, fille d'un comédien », et dont la fille, elle aussi,
fait partie de la troupe ; sages toutes deux, d'ailleurs, sans
pruderie, dans une libre vivacité de manières, la mère veillant
jalousement sur l'honneur de son Angélique. Roquebrune, le
poète « mâche-laurier », dont les œuvres se trouvent chez tous
les épiciers du royaume et qui, lorsque l'inspiration le visite
la nuit, réveille toute une hôtellerie pour accoucher de deux
stances.

Malgré leurs défauts et leurs ridicules, Scarron, de toute
évidence, chérit ses personnages. Il aime, il l'avoue, « cette
nation » des comédiens qui, luttant contre la misère, exposés
aux intempéries, aux voleurs de grands chemins, aux avanies
des hôteliers, en butte à la défiance des autorités, ici applaudis,
sifflés ailleurs, gardent leur fierté et soutiennent avec courage
l'honneur de leur profession.

Les deux « jeunes premiers » du roman, Destin et Mlle de

l'Etoile, ont été traités par l'auteur avec une tendresse privilégiée. Et c'est ici que, malgré lui, — ou peut-être à dessein
— Scarron le burlesque a consenti au romanesque traditionnel.
Destin est un fils de famille que des aléas ont forcé de se
faire acteur. Excellent comédien, il a de l'esprit, il sait son
monde et s'entend, pour défendre ses amis, à manier l'épée.
Mlle de l'Etoile « paraissait plutôt fille de condition qu'une
comédienne de campagne... Il n'y avait pas au monde de fille
plus modeste et d'humeur plus douce. » Les jeunes gens s'aiment et sont engagés dans une aventure aussi embrouillée et
aussi riche en hasards providentiels que celle d'un Aronce et
d'une Clélie.

Cette infusion de romanesque émouvant dans un ensemble
comique imprime à l'histoire une touche de tendresse humaine
sans laquelle, peut-être, la sympathie du lecteur se serait refusée.
Scarron, c'est certain, veut coopérer à cette réhabilitation des
comédiens qui est en train de se faire dans l'opinion et dont
Corneille avait pris sa part dans *l'Illusion comique*. « De
nos jours, dit Scarron, on a rendu... justice à leur profession
et on les estime plus que l'on ne faisait autrefois. »

Sans doute, cette diversité du livre n'est pas sans nuire à
l'unité d'impression. Scarron en fait bon marché, autant que de
l'unité de composition. A l'imitation des Espagnols — mais
c'est tout ce qu'il leur doit — il affecte le désordre et l'inattendu. A *Don Quichotte,* il emprunte les titres désinvoltes de
ses chapitres : « Qui ne contient pas grand chose », « Plus
long que le précédent », « Qui n'a pas besoin de titre »...

Il insère dans son histoire des épisodes qui suspendent l'action : les Espagnols le faisaient ; mais les Français aussi,
depuis *l'Astrée,* le pratiquaient couramment. Si c'est un défaut,
il est bien partagé.

Tel quel, *le Roman comique* est une œuvre qui mérite le
long succès qu'elle a obtenu. La verve, jaillissante, est étonnante de sûreté, de naturel et de drôlerie. La langue est nette,
pure, savoureuse.

La fréquentation de Rabelais et des conteurs du XVIe siècle,
la malice et la prestesse parisiennes, le don de la gaieté se
sont conjugués pour produire ce livre qui aura toujours des
lecteurs.

LES ROMANS DE CYRANO DE BERGERAC

Les voyages fantastiques de Cyrano dans la Lune et dans
le Soleil se sont appelés d'abord *l'Autre Monde.* La première
partie en fut terminée à la fin de 1648. Le Bret la publia en

1657, expurgée des pages estimées dangereuses, sous le titre d'*Histoire comique, contenant les Estats et Empires de la Lune.* En 1662, sous le titres *les Nouvelles Œuvres,* paraît la seconde partie : *les Estats et Empires du Soleil.* Fr. Lachèvre a publié l'intégralité de l'œuvre, avec les variantes, en 1921.

Cyrano a lu avec attention *l'Utopie* de Thomas More et la *Cité du Soleil* de Campanella. Il a la tête bourrée de philosophies diverses et d'écrits ésotériques ; Agrippa de Nettesheim, Giordano Bruno, Gassendi, Descartes lui sont familiers. Il emprunte à chacun, apporte du sien et édifie des assemblages plus ou moins cohérents.

L'idée d'un voyage dans la lune lui est venue, dit-il, de Jérôme Cardan. Mais les Anglais Wilkins et Godwin avaient parlé récemment de la lune, l'un pour dire qu'elle était habitable, le second pour la faire explorer par un homme.

Cyrano imagine d'abord de s'attacher autour du corps des fioles de rosée : la chaleur du soleil les attire et il s'élève. Mais il atterrit en Nouvelle-France. Il construit alors une machine volante à fusées. Après s'être enduit le corps de moelle de bœuf, il s'envole. Lorsque « l'impétueuse ascension des fusées » ne soutient plus la machine, la lune, qui a coutume « de sucer la moelle des animaux », aspire l'astronaute et lui permet d'achever sa course. Il « alunit » dans le « paradis terrestre » : l'Eden était en effet situé sur la Lune ; Adam et Eve, fuyant la colère de Dieu après le péché, se sont exilés sur terre. La lune est le séjour d'une foule de génies, farfadets, fées qui vont et viennent entre les deux mondes ; parmi ces esprits, le démon de Socrate veut bien servir de guide à notre voyageur. Il visite ainsi le pays, dont les habitants sont des géants de douze coudées. Les lunaires se nourrissent de fumées culinaires, à moins que ce ne soit d'alouettes que les chasseurs font tomber toutes rôties. Le visiteur subit de longues conférences de physique, de cosmologie, de philosophie, où quelques vues curieuses, voire profondes, sont engagées dans un fatras souvent illisible.

Pour atteindre le Soleil, Cyrano a conçu un aéronef mis en mouvement ascensionnel par l'action conjuguée de l'air, de l'éther et de la lumière. Le soleil est la patrie des oiseaux. Le voyageur, fait prisonnier par eux, est jugé par un tribunal de pies, de geais et d'étourneaux. Pour être absous, l'homme étant tenu là-haut pour une brute abjecte, l'accusé se fait passer pour singe. Convaincu d'imposture, il est livré aux mouches, mais, au dernier instant, il est gracié sur le témoignage d'un perroquet qui, à Paris, l'a entendu soutenir que les oiseaux raisonnent. Libéré à l'orée d'une forêt, il entend les arbres murmurer du grec : ce sont des chênes savants qui descendent, par un gland qu'apporta un aigle, des fameux arbres de Dodone. Un chêne disert raconte l'histoire de Pylade et d'Oreste métamorphosés en pommiers fraternels dont les fruits communiquent l'amour ou l'amitié : ce qui amène le narrateur à rappeler les plus belles légendes d'amour de la Fable. Le voyageur assiste ensuite, avec Campanella, au combat de la salamandre et de la rémore, qui symbolisent le chaud et le froid. Campanella conduit ensuite le terrien au pays des philosophes, qui sont les principaux habitants du Soleil. A l'apparition de Descartes, l'ouvrage s'interrompt : il est resté inachevé.

Les romans de Cyrano sont un bavardage « de omni re scibili » : l'auteur aborde toutes les sciences profanes et sacrées. Il disserte de la Bible et des religions avec une liberté quelquefois irrévérencieuse, mais qui ne saurait passer pour marque d'athéisme. Il paraît professer l'éternité du monde. L'univers est à ses yeux un immense animal dont les systèmes stellaires sont les membres. Cyrano « prouve » le sentiment des pierres, l'instinct des plantes et le raisonnement des brutes. Son vitalisme sensualiste n'est pas sans grandeur poétique. Mais, penseur faible, il croit le plus souvent concevoir quand il ne fait qu'imaginer : de là, la débilité de ses constructions et de ses négations, qui ont bénéficié d'un crédit excessif auprès des libertins et des incrédules, toujours empressés à se découvrir des ancêtres. Si les billevesées de Cyrano et ses boutades burlesques avaient pris forme d'apologie chrétienne, de quel mépris n'auraient-ils pas accablé ce nouveau Garasse ! *O miseras hominum mentes !*

Après cela, on peut bien donner à Cyrano, si l'on veut, le mérite d'avoir pressenti les montgolfières, les machines parlantes et autres inventions modernes. On lui accordera plus volontiers celui d'un style d'excellente venue, robuste et coloré. Il a le relief et le mouvement (sauf dans ses dissertations confuses). Il cherche la variété et la surprise. Il lui plaît parfois de donner dans le précieux. Voici une belle traduction en périphrase du verbe « s'endormir » : « Le sommeil... m'arrêta prisonnier, enferma mes yeux, ses ennemis déclarés, sous la noire voûte de mes paupières et, de peur que mes autres sens... ne l'inquiétassent dans la paisible possession de sa conquête, il les garotta chacun contre leur lit. » Il est vrai que l'écrivain n'est pas dupe de son verbiage, car il ajoute : « Tout cela veut dire en deux mots que je me couchai sur le sable fort assoupi. »

Cyrano s'amuse souvent des idées et des mots. De ce disciple de Pyrrhon et de Montaigne, il est dangereux de durcir les fantaisies en dogmes. Fontenelle, Voltaire, Diderot le feront : ce n'est pas leur seule trahison.

Le Roman   Antoine Furetière est né à Paris, cette patrie
Bourgeois.   des langues déliées, le 28 décembre 1619.
                Après de bonnes études, il devint avocat et
fut procureur fiscal de l'abbaye Saint-Germain-des-Prés. Il
entra ensuite dans les Ordres pour être habile à un bénéfice :
il obtint un prieuré, puis une abbaye.

Lettré de vaste information, érudit jusqu'à savoir les langues
orientales, joyeux compagnon, railleur incisif, il fréquente les
écrivains, lie amitié avec Pellisson, Molière, Boileau, Racine, La
Fontaine. Aux dîners du Mouton-Blanc, il aiguise son sens
naturel de la satire.

En 1649, il publie un poème burlesque sur le quatrième
livre de l'*Enéide.* Puis il fait paraître des vers satiriques : *le
Voyage de Mercure,* où il s'en prend aux charlatans du savoir ;
les *Poésies diverses* (1655), qui contiennent, outre des stances,
madrigaux, élégies, cinq satires : il y brocarde les marchands,
les procureurs, les médecins pédants, les poètes ; *la Nouvelle
Allégorie ou Histoire des derniers troubles arrivés au Royaume
d'Eloquence :* ce sont encore les grimaces du langage pédant
et précieux qu'il ridiculise. Cette verve donne son chef-d'œuvre
dans *le Roman Bourgeois.*

Furetière aura une fin de vie batailleuse. Académicien depuis
1662, il prend la fâcheuse initiative de publier un *Dictionnaire.*
L'Académie, qui n'avait pas terminé le sien, verra là un geste
indélicat de concurrence et elle exclura Furetière en 1685, après
de longs démêlés et un échange de factums injurieux. Furetière meurt en 1688.

Le Roman Bourgeois parut en 1668, en deux livres. C'est
un roman comique, qui s'oppose exprès aux emphases et aux
artifices du roman héroïque. Dès l'entrée, Furetière se moque
des « exordes » et des récits rétrospectifs des histoires à
« galimatias ». Il racontera, lui, modestement, les faits et
gestes de « bonnes gens de médiocre condition ». Il ne transporte pas le lecteur en d'étranges contrées : on ne quitte pas
Paris et on ne s'éloigne guère, même, de la place Maubert.

La composition est le moindre de ses soucis. L'ouvrage est
fait d'une suite de scènes mal liées et qui ne prétendent qu'à
« peindre l'esprit bourgeois ». Le premier livre raconte
vaille que vaille l'histoire de la niaise Javotte, fille du procureur Vollichon, et de son infortuné prétendant Nicodème.

Le second livre, dont l'attache avec le premier est très lâche,
met en scène, assez méchamment, l'écrivain Charroselles (anagramme transparent de Charles Sorel) et son aventure avec la
fille d'un sergent. Le satirique se tourne ici contre les gens de
justice et les maniaques de procès.

La satire — et le burlesque qui le pimente çà et là — ne

nuisent en rien au réalisme. Ce serait plutôt l'inverse, la fidélité à l'observation minutieuse délayant et affaiblissant le trait.
Furetière veut être un peintre véridique. Et de fait ses portraits
ont une authenticité indéniable. Le procureur Vollichon et sa
femme, la plaideuse Collantine, l'avocat Jean Bedout, les
coquettes qui jouent aux précieuses, les marquis intrigants qui
s'introduisent parmi ces bourgeois, les hommes de lettres, les
juges : toute cette galerie parisienne atteste d'elle-même sa
vérité historique. A cet égard, *le Roman Bourgeois* est un
précieux document : il nous renseigne avec exactitude sur
l'ameublement, le costume, les usages, le langage de ce monde
des « classes moyennes » du XVIIe siècle.

Malheureusement la vision de Furetière, si elle est minutieuse, reste superficielle, étroite, mesquine. Sous prétexte de
véracité, l'auteur reproduit les conversations de ses héros dans
leur prolixité fastidieuse, leur banalité et leur sottise. Il s'amuse
fort, on le sent, à ces inepties : il ne se demande pas s'il ne
lasse pas le lecteur. Il ne se résout pas à faire un choix. Ce
qui est grave, son œuvre manque de cette profondeur qui ne
s'acquiert qu'en vertu de la sympathie. Furetière, à la différence de Scarron, n'aime pas ses personnages : à peu près tous
sont des vicieux, des grotesques ou des benêts. L'humanité,
chez lui, est d'une attristante veulerie. Nous sommes loin de
la poésie qui, nonobstant la vulgarité de certaines pages, s'exhale du *Roman Comique*. Furetière n'a guère que le talent
d'une commère médisante.

Mais il médit bien, dans une langue libre et franche, souple
et diverse, proche du parler des bourgeois de ce temps, dont le
style, lorsqu'ils n'affectaient pas la distinction gourmée, gardait
une saveur populaire. Furetière, à cet égard, est de la famille
de Molière et de Boileau. Il leur a fourni des anecdotes sans
doute, et des mots saisis sur le vif. Racine lui est redevable
pour ses *Plaideurs*.

Les auteurs de romans comiques ont-ils détourné le public des
romans héroïques ? C'est très douteux. En tout cas, ils attestent le succès de ces longues et touchantes histoires, où d'ailleurs une société pouvait se reconnaître et, admirant les vertus
qui lui étaient prêtées, désirer les acquérir.

Mais cette large audience obtenue par les Gomberville, La
Calprenède, Scudéry ne fait pas, chose curieuse, que le genre
romanesque soit promu à un grade plus élevé dans la hiérarchie
des genres. On lit beaucoup de romans, on n'ose pas, en général, prononcer que ce soit une œuvre digne d'un grand génie.
De fait, les auteurs sont des écrivains de second ordre. Beau-

coup gardent l'anonymat ou ne signent que par des initiales. On affecte d'écrire un roman pour s'amuser et au courant de la plume. Nous avons entendu là-dessus Jean-Pierre Camus, un évêque il est vrai. Marcassus affirme n'avoir passé à écrire *Clorymène* que « deux mois ». Un autre rappelle que « ce genre d'écrire n'est que pour un divertissement passager » : affectation, soit, mais qui montre quelle est l'opinion générale.

Desmarets, en 1639, s'efforce de réhabiliter le roman. De même Le Vayer de Boutigny un peu plus tard. Ces apologies étaient donc nécessaires. Elles n'auront guère d'efficacité.

Vers 1660, le public semble se détacher de son engouement. Chapelain écrit, le 15 décembre 1663, à Carel de Saint-Garde : « Notre nation a changé de goût pour les lectures et, au lieu des romans qui sont tombés avec La Calprenède, les voyages sont venus en crédit et tiennent le haut bout dans la Cour et dans la Ville. »

Et il est exact que le roman, pour garder ses lecteurs, change de forme et réduit ses dimensions. Il se présente souvent (avec Madame de Villedieu, par exemple) sous la forme de Mémoires historiques ; et il est significatif que les derniers romans de Madeleine de Scudéry : *Almahide* (1660), *Mathilde* (1667) tiennent en un seul volume. Cette double tendance triomphera dans *la Princesse de Clèves* (1672).

Chapitre Troisième

L'EPOPEE

Le roman a beau passer pour une sorte de poème héroïque et l'on a beau rappeler qu'Aristote n'exigeait pas le vers pour l'épopée, le succès des *Polexandre, Cassandre, Artamène* et tutti quanti ne suffit pas à contenter les admirateurs de l'*Enéide.* Il faut dire davantage : l'existence et la diffusion mêmes des romans rendent plus sensible l'absence d'un Homère ou d'un Virgile français ; le roman, tout compte fait, n'est qu'une épopée au rabais.

L'invitation pressante de la Pléiade restait encore lettre morte. La France n'était pas encore décorée, comme le souhaitait la *Deffence et Illustration,* d'une autre « admirable *Iliade* ou laborieuse *Enéide.* » Elle demeurait sur ce point inférieure à l'Italie sa rivale qui, elle, pouvait se glorifier d'éclatants chefs-d'œuvre. Nos poètes se délectaient au *Roland amoureux* de Boiardo (1487) et au *Roland furieux* de l'Arioste (1516), l'Arioste que Joachim du Bellay avait osé comparer à « un Homère et Virgile ». Surtout, et plus récemment, Le Tasse, avec sa *Jérusalem délivrée* (1581) était parvenu à une merveilleuse harmonie du génie épique et des agréments romanesques.

En regard, nous n'avions à citer que la malheureuse *Franciade* abandonnée par son auteur. Et les quelques conseils que Ronsard, dans ses *Préfaces,* offre au poète héroïque, outre qu'ils étaient dépourvus de l'autorité que seul peut donner l'exemple d'une grande œuvre, restaient fort au-dessous des règles magistrales édictées par Vida, Trissino, Minturno, Castelvetro et autres théoriciens italiens.

La gloire du Tasse, traduit six fois en français de 1580 à 1630, et qui devait l'être encore une fois à la veille de 1660, empêchait donc nos poètes de dormir. Qui donc donnerait à notre patrie cette suprématie qu'elle ambitionnait dans tous les domaines de la littérature ? Question d'autant plus grave quand il s'agit de l'épopée, c'est-à-dire du genre qui, de l'avis à peu près général, l'emporte sur tous les autres.

Certes la tragédie est un haut poème et bientôt nous pourrons espérer de prendre, sur ce terrain, notre revanche sur les Italiens. Et Aristote n'a-t-il pas déclaré la tragédie supérieure à l'épopée, parce qu'elle est accompagnée d'une figuration extérieure et que l'action y est plus concentrée ? Corneille ne va pas manquer d'adopter cette vue si autorisée. Toutefois le prestige du philosophe ne réussissait pas à faire la loi sur ce point capital. Du Bellay, Peletier du Mans avaient toujours parlé du « grand œuvre » avec un souverain respect. Le P. Le Moyne exprime la conviction du siècle lorsqu'il écrit que le poème épique est « le plus noble et le plus important des ouvrages de l'esprit ». Boileau, docile, répètera en 1674 : « Le poème épique est ce qu'il y a de plus grand et de plus noble dans la pensée, c'est l'ouvrage le plus accompli de l'esprit humain. » Et, dans *l'Art poétique,* passant de la tragédie à l'épopée, il énoncera :

> D'un air plus grand encor la poésie épique, etc...

« D'un air plus grand » : c'était bien déjà le sentiment de la France de 1630-1640, qui aspirait à s'exprimer dans une poésie de haut vol. La grandeur héroïque est un besoin des âmes de ce temps : c'est l'atmosphère où se meuvent les contemporains de Richelieu et de Corneille, c'est l'inspiration qui anime la pensée politique, l'élan religieux et artistique : tendance qui se dévoie dans la fureur des duels et qui présidera aux folies de la Fronde. Tout concourt en ces années à orienter les esprits vers les gestes et les œuvres épiques. La vogue de la poésie galante et des vers légers, pauvre refuge de talents mal employés, ne faisait que surexciter les âmes éprises de sublime et elles importunaient le Ciel et la terre pour obtenir l'avènement d'un Homère. La nation exigeait son épopée. C'est vers 1630 que Chapelain, l'un des Princes de la République des Lettres, commence *la Pucelle,* en 1637 que Desmarets se met à un *Clovis.*

La gestation sera longue. Il est communément admis qu'il faut vingt ans pour mener à bon terme une œuvre aussi considérable.

On ne l'entreprend pas, en effet, sans une longue préparation intellectuelle et technique. Le poète héroïque doit posséder à fond les règles du genre. Dans cette vue, il étudie les théori-

ciens ; après quoi il fait une minutieuse lecture des grands
poèmes. Ainsi procède, par exemple, Georges de Scudéry,
avant d'aborder son *Alaric*. « J'ai cru, dit-il, que je ne ferais
pas mal de mettre en ce lieu (*en tête de son poème*) un Discours de l'Epopée, afin de faire voir au lecteur que je n'ai
pas entrepris un si grand bâtiment sans savoir toutes les
proportions et tous les alignements que l'art enseigne. J'ai donc
consulté les Maîtres là-dessus, c'est-à-dire Aristote et Horace,
et après eux Macrobe, Scaliger, Le Tasse, Castelvetro, Piccolomini, Vida, Vossius, Pacius, Ricorbon, Robortel, Paul Benni,
Mambrun et plusieurs autres. Et, passant de la théorie à la
pratique, j'ai relu fort exactement *l'Iliade* et *l'Odyssée* d'Homère, *l'Enéide* de Virgile, *la Guerre civile* de Lucain, *la Thébaïde* de Stace, *les Rolands amoureux* et *furieux* de Boiardo
et de l'Arioste, l'incomparable *Hiérusalem délivrée* du fameux
Torquato, et grand nombre d'autres poèmes épiques en diverses
langues, tels que sont les premiers livres de la *Franciade* de
Ronsard et le *Saint Louis* du P. Le Moyne, et ce beau poème
de la conquête de Grenade, le plus bel ouvrage que l'Italie nous
ait donné depuis Le Tasse. — Or, de l'étude de tous ces préceptes et de la lecture de tous ces poèmes épiques, voici les
règles que j'en ai formées et que j'ai suivies en composant
mon *Alaric*... » Et il ajoute que ces règles, « tirées de celles
d'Aristote, du Tasse, et de tous ces autres grands hommes »
ne peuvent être « qu'infaillibles, pourvu qu'elles soient bien
pratiquées ».

Chapelain n'a pas opéré d'autre sorte.

Le poème héroïque, ainsi que son nom l'indique, doit célébrer
la gloire d'un personnage illustre à travers d'illustres aventures.
Vossius le dit : « personarum illustrium illustres actiones ».
Le Tasse y chantait « les plus hautes vertus de la guerre ».
« Le poème épique est tout guerrier », disait Ronsard. Pourtant le *Moïse sauvé* de Saint-Amant n'est pas guerrier : c'est
bien pourquoi son auteur l'appelle « idylle héroïque ».

Dans notre monde chrétien, il convient que le poème héroïque
soit d'inspiration chrétienne. Scudéry l'affirme : « Le sujet
du poème épique ne doit point être pris maintenant, à mon
avis, des Histoires du paganisme, parce (comme Le Tasse l'a
dit devant moi) que tous ces dieux imaginaires détruisent
absolument l'Epopée en détruisant la Vraisemblance qui en est
tout le fondement. Il faut donc que l'argument du poème épique
soit pris de l'Histoire chrétienne. » Desmarets, pour un motif
plus religieux, est du même sentiment :

> Quittons les vains concerts d'un profane Parnasse :
> Tout est auguste et saint au sujet que j'embrasse.

Il va de soi que le héros ne parviendra aux sommets de sa
perfection qu'en surmontant de difficiles obstacles et notamment en triomphant des séductions de l'amour. Mais ce n'est
que dans les épisodes et non dans le principal de l'action que
ces ornements idylliques peuvent être admis : sans quoi l'auteur
ferait un roman au lieu d'une épopée.

N'oublions pas au surplus que le poème héroïque doit se
proposer pour fin l'édification du lecteur et en particulier l'instruction des Princes. Le P. Le Moyne demande « aux Muses
saintes de travailler pour le sanctuaire ». A cet égard, il faut
oser dire que « le poète (héroïque) est plus propre à enseigner
que le philosophe... Aristote fut bien le maître d'Alexandre
encore enfant et sortant des mains des femmes ; mais Homère
fut le maître d'Alexandre armé et marchant à la conquête de
l'Asie... Et l'on ne peut douter que *l'Iliade* et *l'Odyssée* n'ayent
plus contribué aux grandes choses qu'il a faites que les *Caté-
gories* et les *Analytiques* de son premier maître. » Le P. Le
Moyne, s'appuyant sur une longue tradition, croit que « les
poètes héroïques » ont été « particulièrement envoyés aux Rois
et aux Princes pour les instruire en la science de régner ».

Plus largement, tous les « honnêtes gens » trouveront leur
pâture intellectuelle et spirituelle dans l'épopée. Scudéry y
donnera des cours d'architecture et de bibliographie ; Le Laboureur enseignera la philosophie cartésienne... Des leçons plus
cachées sont proposées au lecteur par le moyen de l'allégorie.
Saint-Amant fait observer que tous les « accidents qui arrivent
à Moïse... contiennent quelque chose de mystérieux. Il y a un
sens caché dessous l'écorce ». L'*Alaric* de Scudéry symbolise
« l'âme de l'homme », le magicien Rigilde représente le Démon,
Amalasonte figure « la puissante tentation de la volupté » ;
« l'invincible résistance » du héros illustre « la liberté du
franc arbitre » ; la prise de Rome, « la victoire de la raison
sur les sens », et ainsi du reste.

Quant à la structure de l'œuvre, le poète observera les lois
essentielles de ce genre d'écrire : l'unité d'action, que Costar,
à propos du *Saint Louis* du P. Le Moyne, définit en disant
que les épisodes doivent être « attachés à la principale action
par les liens naturels du nécessaire et du vraisemblable » règle
qui d'ailleurs est prise d'Aristote. L'unité de temps, en vertu
de laquelle la durée des événements se limite à une année.
En outre, suivant la pratique des Anciens, l'auteur ne commencera pas « ab ovo », c'est-à-dire par succession chronologique
à partir des origines : il prendra les choses « par le milieu »
et c'est dans le cours du poème, par le moyen d'un récit
rétrospectif, qu'il racontera les commencements et les premières
phases du drame.

Le poète élèvera son style à la hauteur du sujet : il parlera une langue mâle et forte, éloignée des douceurs mièvres et des afféteries puériles de la poésie galante.

Suscitées par ces appels et obéissant à ces préceptes, une vingtaine d'épopées parurent entre 1653 et 1673, dont voici les principales :

1653 : Saint-Amant, *Moïse sauvé*, « idylle héroïque ».

1653 : Le P. Pierre Le Moyne, *Saint Louis ou le Héros chrétien* (les sept premiers chants ; en 1658, le poème « achevé » en dix-huits chants, sous le titre *Saint Louis ou la Sainte Couronne reconquise*).

1654 : Antoine Godeau, *Saint Paul*.

1654 : Georges de Scudéry, *Alaric ou Rome vaincue*.

1656 : Jean Chapelain, *la Pucelle* (les douze premiers chants).

1657 : Desmarets de Saint-Sorlin, *Clovis ou la France chrestienne* (en vingt-quatre chants). En 1673, édition revue en vingt chants.

1664 : Louis Le Laboureur, *Charlemagne*.

1666 : Carel de Sainte-Garde, *Childebrand* (titre changé plus tard en *Charles Martel*).

Tout n'est pas méprisable dans ces épopées dont il est partout entendu qu'elles sont « mort-nées » et le lecteur qui s'y aventure ne s'ennuie pas autant qu'il pouvait le redouter.

La plus mauvaise est certainement *la Pucelle* de Chapelain. Est-il utile de jeter encore une pierre à l'auteur qui fut l'un des plus lapidés de notre histoire littéraire ? Bornons-nous à dire que nous avons en cette affaire l'exemple, rare à ce degré, d'un écrivain qui était probablement né pour l'érudition, peut-être pour la critique, mais qui n'avait aucun don de poète et qui a voulu rimer « invitis Musis et Apolline nullo ».

Certaines bévues nous laissent pantois. De l'aveu même de l'auteur, ce n'est pas Jeanne qui est la véritable héroïne du poème, c'est Dunois : quelles verges pourraient châtier pareille sottise ? Mais Chapelain s'est assez puni lui-même par le labeur surhumain qu'il s'est imposé et l'obstination essoufflée qu'il met à « suivre les préceptes ». Y compris l'obligation de l'allégorie : la France, c'est l'âme chrétienne ; le roi est la volonté ; Jeanne est la grâce. Hélas, on a rarement travesti plus gauchement plus noble dessein.

Le style ne contribue pas peu à cette faillite. Boileau a maudit, on le sait,

> ...l'auteur dur, dont l'âpre et dure verve
> Son cerveau tenaillant, rima malgré Minerve.

Ce pastiche n'est pas plus caillouteux que les vrais alexandrins de Chapelain. Le pire, c'est qu'il les a faits consciemment, croyant rencontrer la vigueur mâle et la tension héroïque. De là, des perles de ce genre, relevées d'ailleurs par l'impitoyable critique :

> De ce sourcilleux fort la ceinture terrible
> Borde un roc escarpé, hautain, inaccessible,
> Où mène un endroit seul et de ce seul endroit
> Droite et roide est la côte et le sentier étroit.

Moins mal écrit, l'*Alaric* de Scudéry a aussi ses ridicules. Boileau, encore lui, s'est moqué de la fanfare par où le capitan « gascon » entonne son poème :
    « Je chante le vainqueur des vainqueurs de la Terre... »
Cette fière inspiration ne se maintient pas. Scudéry, qui a toujours eu du matamore, ne peut se tenir d'étaler son érudition et sa connaissance des règles. Pour la Reine Christine de Suède, à qui son poème est dédié, Scudéry célèbre les vertus du savoir :

> L'homme avec la science est au-dessus de l'homme...
> Il quitte la matière où son être le range
> Et d'homme qu'il   était il devient presqu'un ange...
> Il sait de tous les corps toutes les fonctions...
> Et pour dernier bonheur il se connaît lui-même.

Le savoir est contenu dans les livres. Scudéry, sous ce prétexte, impose à son lecteur, par l'intermédiaire d'un ermite bibliophile, un catalogue d'ouvrages qui forme « le Cercle entier de l'Encyclopédie » et qui ne tient pas moins de quatre cents vers : c'est là une des « cent quarante-sept descriptions » dont l'auteur d'*Alaric* se flattait d'avoir embelli son poème, à la manière d'Homère. La puérilité emphatique du « gouverneur de Notre-Dame de la Garde », sa scolarité laborieuse et vaine ne doivent pas nous rendre injustes. Ici comme dans ses strophes lyriques, Scudéry trouve soudain d'heureuses inspirations. Pour décider Alaric à la guerre, Radaguise lui sert un discours qui n'est pas indigne de Corneille :

> Toute terre a des fruits, partout vivent des hommes ;
> Aussi ne craignons rien en l'état où nous sommes.
> Si nous sommes vainqueurs, rien ne nous manquera ;
> Si nous sommes vaincus, la mort nous sauvera.

Nous montons d'un degré encore avec le *Clovis* de Desmarets de Saint-Sorlin, meilleur poète d'ailleurs, à tous égards, que Scudéry.

Alaric ne prétendait guère que flatter Christine de Suède, descendante supposée du roi des Goths. *Clovis* part d'une pensée infiniment plus haute. Dans le *Discours au Lecteur* de l'édition de 1673, Desmarets prend la défense du « merveilleux chrétien » et dénonce vigoureusement les auteurs qui, en vertu d'un faux respect de la Religion, « ne veulent pas la traiter en Poésie ». C'est ainsi que Desmarets précède de cent cinquante ans le *Génie du Christianisme*.

Son épopée ne manquerait pas de grandeur, si Desmarets n'avait pas cédé fâcheusement à la tentation du romanesque galant. On peut se demander si le plus cher souci de son Clovis est de bâtir la France ou de conquérir Clotilde, qui lui est sans cesse dérobée par l'enchanteur Aubéron, ministre de Satan. Il est vrai que l'allégorie peut ennoblir cette poursuite, comme elle donne un sens spirituel aux prodiges que Desmarets a multipliés à l'excès dans ses épisodes.

Quoi qu'il en soit, les beautés de détail sont nombreuses et nous retrouvons en Desmarets le vrai poète qu'il sait être parfois, à l'imagination vive, aux inventions fortes ou gracieuses, à la noble éloquence. Un bataillon d'élite, composé de cinquante couples de fiancés, se fait massacrer à Tolbiac. Le chef de cette radieuse troupe, Aigoland, dit à son amante :

> Contre tant de païens, pour Christ il faut mourir, —
> Eh bien, mourons pour Christ, dit la vaillante Argine :
> Soit accomplie en nous la volonté divine ! —
> Tous répètent alors : Mourons pour notre foi
> Et pour le nom du Christ et pour sauver le roi.

Parmi ces jeunes héros dont les corps, après la victoire, jonchent le champ de bataille, on en retrouve deux qui, avant de mourir, se sont tracés mutuellement sur le front une croix de sang. Le poète capable de cette trouvaille n'était pas une âme médiocre.

Mais le chef-d'œuvre incontestable de l'épopée au XVIIe siècle, c'est le *Saint Louis* du P. Le Moyne, de la Compagnie de Jésus.

Boileau le janséniste le jugeait, paraît-il, un peu « fou » : mais il reconnaissait en lui un grand poète. Le P. Le Moyne possède les « règles » autant que personne : ce sera d'ailleurs tant pis pour lui comme pour les autres. Mais il estime plus nécessaire l'inspiration. L'enthousiasme, selon lui, — qui du reste se réfère à Platon et Horace — est « comme la seconde âme du poète ». C'est par là que l'auteur d'un poème héroïque se hausse au niveau spirituel du personnage qu'il entreprend de célébrer : un « esprit extatique » leur est commun et

également nécessaire. Faute de cette « fureur » vous serez
un « versificateur poli, un juste Rimeur, un Grammairien harmonieux » : un Poète? Jamais.

Notre époque pourtant aurait besoin de vrais poètes. Nos
auteurs se sont réduits à être des « bateleurs de réduits »
et des « plaisants de ruelles ». Peut-être quelques-uns d'entre
eux auraient-ils mérité d'obtenir « la mission nécessaire pour
réussir » dans la haute poésie, et cette ordination qui fait du
poète « le commis du magistrat éternel, le coopérateur et
l'agent de Dieu. » Mais les infortunés, s'ils ont reçu ce don,
« en ont fait un mauvais usage et l'ont étouffé dans la chair
et dans la graisse ». On peut déjà entrevoir, dans ces quelques
formules, la hauteur de vues et la vigueur originale du jésuite-
poète.

Le P. Le Moyne, lui, osera se présenter au « sanctuaire ».
On ne peut lui reprocher d'avoir mal choisi son héros. Il n'a
garde, lui, de chanter un Childebrand. Saint Louis : quelle
plus belle figure d'homme et de saint, quelle plus aisée à faire
entrer de plain-pied dans l'épopée ?

Hélas, les quinze mille vers que lui consacre le P. Le Moyne
n'ont pas su se maintenir à la hauteur de la merveilleuse histoire. C'est d'abord faute d'une bonne entente du sujet. Les
sacro-saintes règles ont fait une victime de plus. Le Père
croyait qu'elles lui imposaient un dénouement heureux : il a
cru comprendre qu'il lui était enjoint de glorifier son héros
d'un triomphe terrestre. A cet effet, déformant l'histoire — assez
belle pourtant dans sa vérité — il suppose que le but de la
septième croisade était la conquête de la sainte Couronne
d'épines sur les Sarrasins, alors que la relique était en France
depuis 1239, offerte qu'elle avait été à Saint Louis par Jean
de Brienne, roi de Jérusalem et Baudouin, empereur de Constantinople. C'est cette conquête fictive de la relique insigne qui
clôt le dix-huitième chant. Ainsi le Père Le Moyne se prive-t-il
de nous faire admirer son héros dans ses défaites et dans sa
captivité, c'est-à-dire dans la plus admirable partie de son
histoire.

En outre, comme l'événement essentiel n'aurait pas suffi à
remplir les dix-huit chants, l'auteur gonfle son poème d'épisodes accessoires : et en avant la machinerie traditionnelle des
dragons, des fantômes, des enchantements magiques et des
prodiges infernaux ! L'imagination d'ailleurs du P. Le Moyne,
qu'il avait un peu chaude, lui fait dépasser la mesure et chacun
sait que renchérir sur le sublime est le sûr moyen d'attraper
le grotesque. Nous pourrions, il est vrai, invoquer ici le baroque : l'absolution demeurerait insuffisante et un certain prosaïsme, au surplus, compromet l'effet de grandeur. Le Nil, par

exemple, changé en fleuve de sang par Moïse, glace d'épou-
vante la mer qui le reçoit :

> Il donna de l'horreur aux nochers qui le virent
> Et l'haleine faillit aux vents qui le sentirent.

Le géant qui garde la fontaine Matarie « semblait un sapin
marchant sur le terrain ». Ailleurs, c'est un sanglier traqué
qui se retourne menaçant, effrayant,

> et l'épieu même en sue en la main du chasseur.

Ailleurs encore, les traits de la foudre font songer à

> des canons à carreaux qui font du feu sans poudre.

Mais une moisson de beaux vers, plus abondante que chez
n'importe lequel de ses confrères de l'épopée, pourrait être
faite chez notre poète. Deux chevaliers, dans un jardin, aperçoivent

> ... un figuier qui paraît à leurs yeux,
> De ceux qui les premiers saluèrent les cieux
> Quand le temps, jeune encore, et la terre encor pure
> Etalèrent au jour leur première verdure.

Un chrétien, condamné au feu avec sa femme, l'entretient
du paradis :

> Là, de notre bûcher toutes les étincelles
> Nous formerons un dais d'étoiles éternelles.

Ici, le baroque, au service d'une idée sublime, s'appelle la
grande poésie. Mais, chez le P. Le Moyne comme chez les
autres artisans de poèmes héroïques, les réussites sont déflorées
par de trop longues défaillances, les trouvailles par des erreurs
essentielles.

L'intention de ces poètes était louable, sincère leur zèle
patriotique et religieux. Ils voulaient compenser la défection
de Ronsard et doter la France du « grand œuvre » qui lui
manquait. Fervents chrétiens, ils estimaient que la religion
de l'Evangile pouvait inspirer des vers plus beaux que ceux
de *l'Iliade* et de *l'Enéide*.

Ils pensent que Malherbe a ravalé, en même temps que la
fonction du poète, la notion de poésie. Ils reconnaissent la
justesse de ses critiques et l'utilité de sa réforme. Mais ils ont
foi dans la puissance de l'enthousiasme. Ronsardiens, malherbiens : peut-être cette position en porte à faux était-elle diffi-

cilement tenable ? Trop scolaires plutôt, ils n'ont osé consentir
à la « fureur » qu'en gardant les yeux fixés sur leur manuel
du « parfait poète héroïque » et en suivant du doigt le détail
de la recette, comme une cuisinière pusillanime.

Les procédés ont étouffé en eux l'inspiration. Deux au moins
d'entre eux étaient capables de quelque chose de grand : « nes-
cio quid majus... » : Desmarets, Le Moyne. Il ne subsiste de
leur œuvre que quelques centaines de beaux vers que personne
ne lit plus, égarés qu'ils sont dans un fatras poussiéreux.

L'échec de ces poèmes héroïques, survenant après l'avorte-
ment de la *Franciade,* sera de grave conséquence. Il sera désormais admis sans recours que nous sommes incapables de
l'épopée. Daniel Huet prononcera, désabusé : « Notre nation,
notre âge, notre goût sont ennemis des grands ouvrages. Nous
sommes dans le siècle des colifichets ». Et Bussy-Rabutin, en
1672, tout aussi pessimiste : « Un poème épique ne peut réussir
en notre langue : il est aisé de le prouver par des exemples.
Le *Moïse,* le *Saint Louis,* la *Pucelle,* le *Clovis* et l'*Alaric* en
sont de bons témoignages. »

Dans cette faillite, le « merveilleux chrétien », déjà suspect
aux yeux de théologiens rigoristes, était entraîné et tombait
en discrédit. A partir de 1660, la « fable » reprend possession
de la littérature.

Chapitre quatrième

LE THEATRE : GENERALITES

Après 1630, l'art dramatique prend un nouvel essor. En 1631, André Mareschal affirme que le théâtre est « le divertissement le plus beau des Français ». Il exprime l'opinion générale. A cette promotion, divers facteurs ont contribué.

D'abord l'arrivée de nouveaux talents. A partir de 1628-1630, nous voyons paraître Rotrou, Corneille, Scudéry, Du Ryer, bientôt suivis de Boisrobert, Mareschal, Tristan, Pichou. Mais si ces jeunes poètes ont écrit pour le théâtre, c'est qu'ils avaient l'espoir fondé d'y faire une belle et profitable carrière : « Sint Maecenates, non deerunt, Flacce, Marones ». Joachim du Bellay l'avait répété : le théâtre ne fleurira que sous la faveur des princes. Mécène paraît : il s'appelle Armand de Richelieu. Sa main dispense les honneurs et les pensions et il a pour le théâtre un goût passionné. Sous l'impulsion et la protection impérieuse de ce « dieu tutélaire des Lettres », les auteurs s'ingénient. Bientôt la plupart des dramaturges, « pour avoir entrée, comme dit Balzac, auprès de Son Eminence ducale », pour plaire aux savants aussi et aux courtisans du pouvoir, vont s'efforcer de composer leurs pièces « dans les règles » : Chapelain y a converti le Cardinal. Toutefois les poètes de « vercoquin » regimbent sous l'aiguillon, dénoncent la tyrannie arbitraire des « réguliers ». D'où vont sortir belles controverses : mais aussi, un surcroît d'intérêt pour les choses du théâtre.

Plus largement subventionné, l'art dramatique peut embellir ses « échafauds », trier son public, payer moins chichement acteurs et auteurs. Corneille fera savoir, dans *l'Illusion Comique* (1636), que :

> Le théâtre est un fief dont les rentes sont bonnes.

Suivons les manifestations de ce progrès et ses étapes.

SITUATION MATERIELLE ET MORALE DU THEATRE
DE 1630 A 1660

Les troupes   Les Comédiens du Roy, nous l'avons vu, se
et les acteurs   fixent en décembre 1629 à l'Hôtel de Bour-
                    gogne, dont la salle leur a été attribuée par
arrêt du Conseil Royal. La troupe du Prince d'Orange a disparu cette même année. En 1630, la compagnie de Charles Le
Noir et de Montdory s'établit à Paris. En 1634, elle ouvre
un nouveau théâtre au Jeu de paume du Marais. Ainsi la
capitale, qui va reprendre à la province la prééminence dramatique, dispose de deux troupes permanentes. Il y a, des deux
côtés, des sujets de grande valeur.

Montdory, au Marais, est tenu pour le meilleur acteur de
France. Cultivé, il est en relation avec les beaux esprits.
Richelieu, paraît-il, « l'affectionnait fort » et le pensionnait.
Il est bien venu des grands seigneurs de la Cour. Chapelain
et Balzac font profession d'estimer et d'admirer le « Roscius
moderne ». On aimait sa voix d'or, la noblesse de ses attitudes
et de sa diction. Il opposait à l'emphase gesticulante de certains de ses confrères une sobriété et une retenue qui ne nui-
saient en rien à la puissante expression de son jeu. Les passions se peignaient sur son visage dans toutes leurs nuances.
Corneille, en 1635, dans une élégie latine, attribuait le « feu »
et la « grâce » de ses vers au talent de Montdory : « Forsan
et inde ignis versibus, inde lepos ». Il créa, dans *le Cid,* le
rôle de Rodrigue : il y fut éclatant. Mais le plus beau triomphe
de sa carrière, c'est dans la *Mariamne* de Tristan qu'il le remporta. Quand Montdory y tenait le rôle d'Hérode, nous dit
le P. Rapin, « le peuple n'en sortait jamais que rêveur et
pensif ». C'est en jouant ce personnage terrible, dit-on, que
Montdory, en août 1637, fut frappé de paralysie. Il dut renoncer au théâtre. D'Orgemont le remplaça à la direction du
Marais. Il mourut oublié en décembre 1651.

Sa réputation était balancée par celle de Bellerose. De son
vrai nom Pierre Le Messier, il a suivi dès 1609 la troupe de
Valleran. Vers 1620, nous le trouvons parmi les Comédiens du
Roi. A cette date, la troupe doit sa notoriété au trio des
« farceurs ». Mais, en décembre 1632, Gaultier-Garguille
meurt. En mars 1634, ce sera le tour de Gros-Guillaume.
Turlupin survivra jusqu'en mars 1637. Mais dès 1634, Bellerose, que son goût portait vers les rôles de héros, peut imprimer
une nouvelle orientation à la troupe, dont il devient le chef
à la mort de Gros-Guillaume (1634). Le fait n'est pas sans

favoriser l'essor de la tragédie. Bellerose interprétera les grands rôles de Corneille (Horace, Cinna...). Tallemant, Scarron lui reprochent une certaine affectation. Sa popularité était grande néanmoins. De l'avis général, il était le meilleur comédien de l'Hôtel. Il mourra en 1670.

Sa femme, bien qu'elle fût grosse « comme une tour », était, au gré de Tallemant, « la meilleure comédienne de tout Paris ». Sa chevelure, « d'un blond ardent », éblouit le rousseau Benserade qui faillit se faire comédien pour son amour.

Beauchasteau, qui s'appelait François Chastelet, entre aux Comédiens du Roi en 1626. En 1634, il passe au Marais, mais reviendra à l'Hôtel vers 1642. Bellerose, quand il avancera en âge, lui cédera les rôles d'amoureux. Beauchasteau tiendra le rôle du Cid quand on jouera la pièce à l'Hôtel. Il meurt en septembre 1665.

Sa femme, née Madeleine du Pouget, était « une sûre comédienne », dit Tallemant. Elle créa le rôle de l'Infante dans le *Cid*. Dans les princesses, elle était excellente. Elle sera l'une des victimes de Molière dans *l'Impromptu de Versailles,* qui n'épargnera pas son époux.

Après Montdory, le plus talentueux des comédiens de son temps fut Floridor. De son vrai nom Josias de Soulas, né entre 1608 et 1613, il était de noble famille. Il fait de bonnes études, devient soldat, puis se fait acteur. Après une obscure carrière de comédien itinérant, il appartient, en 1638, au théâtre du Marais. Il y succèdera à D'Orgemont comme chef et orateur de la troupe. En 1647, il achète la charge de Bellerose et prend la direction de l'Hôtel de Bourgogne. Il est probable qu'il créa tous les grands rôles de Corneille à partir d'*Horace*. Il est certain qu'il a créé le rôle de Pyrrhus dans *Andromaque* et celui de Néron dans *Britannicus*. D'après Donneau de Visé (1663), « sa démarche, son air et ses actions ont quelque chose de si naturel qu'il n'est pas nécessaire qu'il parle pour attirer l'admiration de tout le monde ». Grand, la taille bien prise, il séduisait par une voix harmonieuse, tendre, sans mièvrerie et par des manières élégantes sans afféterie. Il meurt en 1671.

Deux mots enfin sur la tête de Turc de Cyrano et de Molière, Zacharie Jacob dit Montfleury. Né en Anjou après 1610, il reçoit une bonne instruction et entre comme page chez le duc de Guise : du moins c'est là un on-dit assez consistant. Il s'attache à une caravane de comédiens. Nous le trouvons à l'Hôtel de Bourgogne en janvier 1639. Il se fait une spécialité des rôles de rois et d'empereurs : sa corpulence lui donnait de la majesté. Il les tient presque tous de 1644 à 1667. Il créa le personnage de Prusias dans *Nicomède* et celui d'Oreste dans *Andromaque*.

Son obésité lui attira les moqueries de Cyrano et Molière a raillé le comédien « entripaillé » pour son « emphase » et son « ton démoniaque ». Montfleury pourtant fut admiré de Richelieu et de Saint-Evremond. Tallemant n'hésite pas à le mettre au-dessus de Floridor et Baron l'appelle « son maître ».

A suivre la carrière de ces comédiens, on s'aperçoit que la condition des gens de théâtre s'est grandement améliorée depuis le début du siècle. Elle continuera de s'élever. Sans doute, il y a encore des aléas et des moments difficiles. Le Marais faillit sombrer lorsque le Roi lui retira six de ses meilleurs acteurs pour les transférer à l'Hôtel de Bourgogne. La Fronde fut une période pénible à passer. Bellerose s'en plaint amèrement : le « bourgeois », dit-il, préfère « porter son argent à la halle pour avoir de la farine ». Le *Courrier burlesque* nous apprend que :

> L'Hôtel de Bourgogne ferma ;
> La troupe du Marais s'arma

(c'est-à-dire que plusieurs acteurs descendirent dans la rue pour faire le coup de feu).

> Jodelet n'eut plus de farine
> Dont il pût barbouiller sa mine.

Après 1650 la vie théâtrale reprit peu à peu. L'art dramatique, sous Louis XIV, poursuivra son magnifique épanouissement. Les hommes recommenceront à « courir au théâtre », selon un mot de Chapelain, « comme au plus agréable divertissement qu'ils puissent prendre ».

Ce divertissement a cessé d'ailleurs d'être mal famé. La condition morale des comédiens s'est relevée, en même temps que les bienséances s'imposaient aux auteurs. Le pouvoir s'en est occupé, Richelieu y tenait. En 1635, la *Gazette* du 6 janvier signale déjà que l'on « a banni du théâtre tout ce qui pouvait souiller les oreilles les plus délicates ». Jean Mairet, l'année suivante, écrivant à Corneille, affirme que « les plus honnêtes femmes fréquentent maintenant l'Hôtel de Bourgogne ». Les auteurs se font gloire de donner dans leurs pièces du lustre à la vertu. Rotrou se flattait d'avoir rendu la Muse « d'une profane qu'elle était, une véritable religieuse ». Richelieu, homme d'Eglise, se préoccupait de réhabiliter le théâtre, condamné par une longue tradition chrétienne.

Enfin, le 16 avril 1641, paraît la célèbre déclaration de Louis XIII en faveur des comédiens. Après leur avoir interdit « de représenter aucunes actions malhonnêtes ni d'user d'aucunes paroles lascives ou à double entente qui puissent blesser l'honnêteté publique », le Roi ajoutait : « Nous voulons que leur exercice, qui peut innocemment divertir nos peuples de diverses occupations mauvaises, ne puisse leur être imputé à blâme ni préjudicier à leur réputation dans le commerce public. »

Ce décret a eu un retentissement considérable et la vogue du théâtre s'en est fort accrue.

Les salles   Pour répondre à cet engouement, de nou-
et le public   velles salles sont devenues nécessaires.

L'Hôtel, jusqu'en 1647, est toujours « le vieil Jeu de paume » que nous avons connu. Mais à cette date, cédant à de longues instances des comédiens, les Confrères de la Passion consentent à des embellissements. La scène est allongée et surélevée, les loges de scène sont supprimées ; on construit des loges pour les acteurs, au-dessus et au-dessous de la scène.

La salle du Marais, plus récente d'ailleurs que l'Hôtel, reste identique dans l'ensemble. Il est probable qu'à dater de 1650, lorsque ce théâtre se spécialisa dans les « pièces à machine », des aménagements furent opérés.

Mais d'autres salles s'offrent au public. Celle du Palais-Cardinal, construite en 1637 par Lemercier dans le goût italien. Elle est inaugurée en 1641 avec la *Mirame* de Desmarets (le 14 janvier). Malheureusement, après la mort du Cardinal, elle sera délaissée et tombera dans un état lamentable. Elle sera restaurée plus tard et offerte à Molière en 1660.

La grande salle du Louvre est la plus vaste de Paris : quarante mètres de long, dix-huit de large. Elle se prête merveilleusement aux grandes fêtes de la Cour.

La salle du Petit-Bourbon est un peu moins grande : trente-cinq mètres sur quinze. Elle a servi en 1614 aux Etats généraux, puis le Roi y a donné des ballets. A partir de 1653, on y voit jouer des comédiens italiens. Cinq ans plus tard, le Roi la met à la disposition de Molière. Elle sera démolie en octobre 1660 pour permettre l'édification de la colonnade du Louvre. C'est alors que Molière émigrera au Palais-Royal.

Ces salles sont fréquentées par un public moins mêlé et moins bruyant que celui de 1620 à 1625. Chapelain, en 1639, interdit au poète de théâtre de chercher à « complaire aux Idiots » et à la « racaille ». Scudéry méprise la foule, cet « animal incapable de goûter les bonnes choses ». La Ménardière dit de la tragédie : « Le sort de cette reine serait bien malheureux si elle devenait la proie d'une multitude brutale. » Soit. Mais on peut se demander si Hardy lui-même s'adressait

au grand nombre. A lire ses drames, on en peut douter. Le
peuple des crocheteurs, des clercs et des pages venait-il pour
la pièce sérieuse ou pour la farce qui la suivait ? Toute la
clarté souhaitable n'est pas faite sur la qualité des habitués du
théâtre entre 1600 et 1660. On est bien tenté, en attendant
plus amples informations, de retenir, en gros, le jugement de
Petit de Julleville : « Le peuple (*entendons celui des marchands, artisans et* « *personnes mécaniques* ») ne compte plus
en littérature à partir de la Renaissance. » Disons au moins
que si les auteurs dramatiques ont dû avoir égard à ce public
à la fin du XVIᵉ et au début du XVIIᵉ siècle, ils se sont ensuite
adressés, sous la pression de leurs aristocratiques protecteurs,
à un auditoire de condition plus relevée et de goûts moins
frustes.

MANIFESTES ET DISCUSSIONS THEORIQUES

Les jeunes auteurs de 1630 : Du Ryer, Auvray, Rayssiguier,
André Mareschal se proclament « modernes ». Ils désavouent
Hardy, qu'ils jugent engoncé dans un archaïsme scolaire et
désuet ; mais ils repoussent d'autre part certaines contraintes
que veulent leur imposer les partisans de la régularité. André
Mareschal, en 1630, dans la préface de *la Généreuse Allemande,* réclame en faveur de la liberté de l'art dramatique.

Déjà, deux ans auparavant, François OGIER, « parisien »,
avait présenté les mêmes revendications dans la *Préface* du
Tyr et Sidon, seconde version, de Jean de Schelandre. Ce document curieux, qui peut passer pour un des premiers chapitres
de la Querelle des Anciens et des Modernes, fait pressentir,
par les arguments qu'elle met en jeu, la *Préface de Cromwell.*
C'est à la fois un acte d'affranchissement à l'égard des
Anciens et une mise en discussion serrée du problème des
unités. François Ogier attaque les admirateurs aveugles de
l'Antiquité. Ces « doctes », dit-il, « disent que notre tragi-
comédie n'est pas composée selon les lois que les Anciens ont
prescrites pour le théâtre, sur lequel ils n'ont rien voulu représenter que les seuls événements qui peuvent arriver dans le
cours d'une journée ». Mais ce système, qui se justifiait chez
les Grecs dont la tragédie était une liturgie aux rites étroits
et immuables, présente chez nous de graves inconvénients. On
fait « eschoir en un même jour quantité d'accidents et de
rencontres qui, probablement, ne peuvent être arrivés en si
peu d'espace » ; on introduit « à chaque bout de champ des
messagers pour raconter les choses qui se sont passées les jours

précédents et les motifs des actions qui se font pour l'heure sur le théâtre... Il est plus commode à une bonne hôtellerie qu'il n'est convenable à une excellente tragédie d'y voir arriver incessamment des messagers ». Aussi « les poètes ont été contraints de quitter peu à peu la pratique des premiers qui s'étaient resserrés dans des bornes trop étroites ; et ce changement n'est pas si nouveau que nous n'en ayons eu des exemples dans l'Antiquité », notamment dans l'*Antigone* de Sophocle.

L'imitation inconsidérée, d'ailleurs, fausse le jeu naturel d'une littérature : « Je dis que l'ardeur trop violente de vouloir imiter les Anciens a fait que nos premiers poètes ne sont pas arrivés à la gloire et à l'excellence des Anciens. Ils ne considéraient pas que le goût des nations est différent aussi bien aux objets de l'esprit qu'en ceux du corps et que, tout ainsi que les Mores, et, sans aller si loin, les Espagnols, se figurent et se plaisent à une sorte de beauté toute différente de celle que nous estimons en France et qu'ils désirent en leurs maîtresses une autre proportion de membres et d'autres traits de visage que ceux que nous y recherchons... ; de même il ne faut point douter que les esprits des peuples n'aient des inclinations bien différentes les unes des autres et des sentiments tout dissemblables pour la beauté des choses spirituelles.

« Il ne faut donc pas tellement s'attacher aux méthodes que les Anciens ont tenues ou à l'art qu'ils ont dressé, nous laissant mener comme des aveugles ; mais il faut examiner et considérer ces méthodes mêmes par les circonstances du temps, du lieu et des personnes pour qui elles ont été composées, y ajoutant et diminuant pour les accommoder à notre usage, ce qu'Aristote eût avoué : car ce philosophe, qui veut que la suprême raison soit obéie partout et qui n'accorde rien à l'opinion populaire, ne laisse pas de confesser en cet endroit que les poètes doivent donner quelque chose à la commodité des comédies pour faciliter leur action et céder beaucoup à l'imbécillité et à l'humeur des spectateurs. »

Ogier va jusqu'à justifier le mélange des genres par les même motifs qu'on alléguera au XIXe siècle : « De dire qu'il est malséant de faire paraître en une même pièce les mêmes personnes traitant tantôt d'affaires sérieuses, importantes et tragiques et, incontinent après, de choses communes, vaines et comiques, c'est ignorer la condition de la vie des hommes, de qui les jours et les heures sont bien souvent entrecoupés de rires et de larmes, de contentement et d'affliction, selon qu'ils sont agités de la bonne ou de la mauvaise fortune. »

Ne nous récrions pas toutefois sur l'originalité de ce précurseur de Victor Hugo. Lope de Vega avait déjà écrit : « La

nature même nous donne l'exemple... du mélange du comique
et du tragique et c'est de tels contrastes qu'elle tire sa beauté. »

Quoi qu'il en soit, l'autorité de François Ogier ni les récla-
mations des jeunes « modernes » n'arrêteront le mouvement
puissant qui, appuyé par les « doctes » et encouragé par le
Cardinal, poussait l'art dramatique à entrer dans la contrainte
des règles.

Jean MAIRET nous le montre. En 1629, il porte à la scène,
nous l'avons vu, la *Silvanire* d'Urfé et il en fait une pastorale.
Sa pièce est représentée au cours de l'hiver 1629-30. Jean
Mairet a fait entrer son action dans le cadre des unités. Par
là, sa pièce marque une date dans l'histoire du théâtre : elle
convertit à la régularité un genre « libertin » jusque-là : elle
contribue à faire triompher la technique « classique ».

Non par son succès : il ne semble pas qu'elle ait très bril-
lamment réussi. Mais par la *Préface* dont Mairet la fait précéder en la publiant, en mars 1631.

Il rappelle au Comte de Cramail ce qui l'a porté à son
dessein : « Il peut y avoir deux ans que Mgr le Cardinal de
La Valette et vous me persuadâtes de composer une pastorale
avec toutes les rigueurs que les Italiens ont accoutumé de
pratiquer en cet agréable genre d'écrire... Le désir que j'eus
de vous plaire à tous deux me fit étudier avec soin sur les
ouvrages de ces grands hommes, où, après une exacte recherche,
à la fin je trouvai qu'ils n'avaient point eu de plus grand
secret que de prendre leurs mesures sur celles des Anciens,
Grecs et Latins, dont ils ont observé les règles plus religieusement que nous n'avons point fait jusqu'ici. Je me suis donc
proposé de les imiter. »

Jean Mairet énonce fortement que c'est de la vraisemblance,
exigence primordiale de l'art, que dérivent les règles dramatiques. Il insiste surtout sur l'unité de temps : « La... condition... la plus rigoureuse est l'ordre du temps, que les premiers
tragiques réduisaient au cours d'une journée et que les autres,
comme Sophocle en son *Antigone* et Térence en son *Héautonti-
moroumenos* de Menander ont étendu jusqu'au lendemain, car
c'est toute la même règle et la même condition aux comédies
qu'aux tragédies. Il parait donc qu'il est nécessaire que la
pièce soit dans la règle au moins des vingt-quatre heures...
Cette règle, qui se peut dire une des lois fondamentales du
théâtre, a toujours été religieusement observée parmi les Grecs
et les Latins. Et je m'étonne que, de nos écrivains dramatiques,
dont aujourd'hui la foule est si grande, les uns ne se soient
pas avisés de les garder, et que les autres n'aient pas assez
de discrétion pour s'empêcher au moins de les blâmer... Pour

moi, je dois ce respect aux Anciens de ne me départir jamais
ni de leurs opinions ni de leurs coutumes, si je n'y suis obligé
par une claire et pertinente raison. »

On le voit : la régularité avait des adversaires nombreux et
ils ne se rendront pas du jour au lendemain. Mareschal, nous
l'avons entendu, proteste qu'il ne s'enfermera point dans « ces
étroites bornes ni du lieu ni du temps ni de l'action, qui
sont les trois points principaux qui regardent les règles des
Anciens ». Scudéry refuse, lui aussi, de respecter « ces bornes
trop étroites ».

Au contraire, Gombauld renchérissait sur les rigueurs de
Mairet. Lorsqu'il publie son *Amaranthe,* une pastorale, en
juillet 1631, il déclare, dans la *Préface,* qu'il réduit l'unité de
temps à douze heures.

Surtout, les réguliers bénéficiaient de l'appui considérable
de Chapelain, en qui Balzac reconnaissait « le génie d'Aristote ». Dans une lettre à Godeau datée du 29 novembre 1630,
connue sous le nom de « lettre sur les vingt-quatre heures »,
Chapelain défend le principe des unités et réfute les objections
que Godeau lui avait présentées. Chose curieuse, le critique
écarte l'autorité d'Aristote; il ne lui souvient pas d'ailleurs
si le philosophe a traité cette question des vingt-quatre heures.
Il ne fournit pas « des lois », dit-il, mais « des raisons ».
Or, la raison fondamentale qui doit obliger tous « les bons
poètes dramatiques à cette observation » de la règle, c'est la
loi de la vraisemblance. Dans un poème « représentatif » tel
que le poème dramatique, c'est l'œil qui « sert de juge » ;
on ne peut lui « en faire voir que selon son étendue » et
« il ne saurait voir qu'une chose d'un regard » ; son action
est « limitée à certain espace ». Le poète ne peut donc représenter deux lieux ni deux temps différents. C'est d'ailleurs ce
qu'avaient bien compris les Anciens : « Il ne nous est demeuré
aucune pièce de l'Antiquité qui ne soit dans cette observance ».
il suit de là que le meilleur poème dramatique n'est pas celui
« qui embrasse le plus d'actions » ; mais au contraire il n'en
doit contenir qu'une et encore « de bien médiocre longueur ».
Il serait à souhaiter que le temps de l'action n'excédât pas
celui de la représentation; et il est à conseiller que le drame
« se termine entre deux soleils », soit en douze heures. En
tout cas il ne faut pas dépasser vingt-quatre heures. Et qu'on ne
dise pas que les entractes permettent au spectateur de perdre la
notion du temps et au poète, par conséquent, de placer huit jours
ou dix ans dans cet intervalle. Chapelain nie qu'on puisse imposer « raisonnablement » à l'imagination une telle convention.
Le principe de l'imitation et de la vraisemblance conduit

même Chapelain à regretter l'emploi du vers rimé au théâtre :
« l'absurdité » lui semble énorme. Les Italiens, les Espagnols
écrivent leurs pièces en prose ou en vers non rimés : « nous
seuls, les derniers des Barbares, sommes encore en cet abus ».

Ainsi légiférait en poésie dramatique, au nom de la raison
la plus étroite, l'un des esprits les plus anti-poétiques de notre
littérature.

Deux théoriciens du théâtre, admirateurs de Chapelain et
bons serviteurs du Cardinal, viennent bientôt, à grand renfort
d'érudition, soutenir la cause des unités : La Ménardière et
l'abbé d'Aubignac.

Jules de LA MÉNARDIÈRE était un médecin de Paris, attaché
à Madame de Sablé et grand ami de Chapelain dont il devait,
après *La Pucelle,* devenir un violent adversaire. Il était un
confident de Richelieu. Il fit paraître en 1639 une *Poétique.*
Dans un discours-préface, il nomme toutes les autorités critiques dont il s'est inspiré. En premier lieu vient Aristote, « le
Paranymphe de la Poésie..., le plus grand esprit du monde...,
le génie de la nature..., prodige de savoir qui n'a jamais
eu de semblable dans l'intelligence des Arts »... « J'ai estimé,
dit-il, qu'il fallait... ne pas s'éloigner des sentiments d'un
esprit qui doit être nommé divin même dans les Lettres humaines ». Et en vérité La Ménardière suit Aristote de très près.
Sa *Poétique* peut être dite le premier commentaire en français
de la Poétique d'Aristote.

Scaliger qui, lui, avait écrit en latin, est le second maître
de La Ménardière : ce grand Jules-César de l'Escalle, « le
plus merveilleux esprit qui ait paru aux derniers siècles » et
dont la *Poétique* est un « travail prodigieux admiré de tous
les doctes ». Après Scaliger, vénérons Heinsius, « l'ornement
du septentrion » et « le plus savant des interprètes qui ont
traduit le philosophe ».

Mais il est une autorité que La Ménardière place au-dessus
de toutes les autres : la Raison. Aristote n'est si grand que
pour avoir été « le maître de la Raison ». Pour La Ménardière
comme pour Chapelain, la loi essentielle de l'Art est la Vraisemblance. La vérité peut parfois être incroyable et par là
répugner à la raison ; d'ailleurs la vérité (historique) est chose
particulière : l'Art doit s'attacher à l'Universel.

La Ménardière est surtout le législateur des bienséances :
il y consacre plusieurs chapitres. Le poète, qui doit avoir en
vue le profit moral du spectateur, est tenu à choisir des personnages « qui aient de nobles habitudes et des sentiments exemplaires, bien qu'ils commettent quelques fautes ».

Quant aux unités, il les faut respecter, mais sans excès de

rigueur : « Plus une fable est serrée, plus elle a de perfection » : toutefois, La Ménardière admet qu'on aille un peu au-
delà des vingt-quatre heures. Pour le lieu, il accepte que la scène
s'étende aux limites d'une ville ou même d'un petit pays.

L'ouvrage de La Ménardière obtint d'emblée le suffrage de
Chapelain, qui écrivit à Balzac : « Le livre traite de la Poétique
selon la doctrine d'Aristote... C'est une chose assez merveilleuse
qu'un médecin... soit devenu tout d'un coup... maître des
poètes... Néanmoins cela ne laisse pas d'être admirable et la
France en vérité lui a obligation de sa témérité et même de
ses fautes puisqu'il lui a donné un corps qu'elle n'avait point
et qui lui était si nécessaire ». Quant à Balzac, il en restait
« tout ébloui ».

L'abbé d'AUBIGNAC (1640-1676), lui, n'est pas un amateur.
Son œuvre est celle d'un spécialiste, le meilleur qui ait écrit
avant 1660. Elle était appréciée de Boileau et Racine l'annota
de sa main.

François Hédelin était le fils d'un avocat au Parlement qui
acheta, en 1610, une charge de lieutenant général à Nemours.
C'est là que s'écoula son enfance. Il apprit d'abord le latin,
puis, tout seul, le grec, l'italien, la poésie, la géographie, l'histoire, d'autres sciences encore. A dix-huit ans, il avait eu
l'idée de fonder avec ses camarades de Nemours une Académie
poétique. Il commença l'étude du Droit, devint avocat, puis
abandonna le barreau pour prendre les Ordres (vers 1627),
ce qui lui valut la petite abbaye d'Aubignac au diocèse de
Bourges. Il entre alors comme précepteur chez le duc de
Fronsac, neveu de Richelieu et s'adonne quelques années à la
prédication. Vers 1640 il se tourne vers le théâtre. Il produit
à la scène trois tragédies en prose (sous l'influence peut-être
de Chapelain, qu'il connaît depuis 1637). Il publie *Cyminde,*
que Colletet transposera en vers ; *Zénobie,* qui fut peut-être
représentée vers 1640 ; et *la Pucelle d'Orléans,* qui semble
avoir été jouée en prose, avant d'être versifiée par Benserade
ou La Ménardière. Il fit paraître plusieurs opuscules pour
défendre Térence contre Ménage. Avant Molière, il tourna en
dérision les Précieuses dans sa *Nouvelle Histoire du temps,*
Relation véritable du Royaume de Coquetterie. Après 1660
il se mêlera encore à des batailles littéraires, en particulier à
propos de la *Sophonisbe* de Corneille. Sur ses derniers jours,
il fit un recueil de ses œuvres religieuses.

C'était un abbé passablement original, de mœurs dignes,
mais d'humeur batailleuse : d'après Tallemant, il était « tout
de soufre ». Il alliait à un vif esprit critique un sens avisé
des applications pratiques.

A l'instigation de Richelieu, il commence vers 1640 un traité du métier dramatique. Il ne le fera paraître qu'en 1657 sous le titre de *la Pratique du Théâtre*. Certes Aubignac connaît à fond la théorie de l'art théâtral. Mais son œuvre est celle d'un savant qui a mis la main à la pâte, qui sait les difficultés de la mise en scène et dont le grand maître est le bon sens. « Les règles du Théâtre, dit-il dès le début de son livre, ne sont pas fondées en autorité, mais en raison. Elles ne sont pas établies sur l'exemple, mais sur le jugement naturel. Et quand nous les nommons l'Art ou les Règles des Anciens, c'est parce qu'ils les ont pratiquées avec beaucoup de gloire. »

Mais parce qu'Aristote est le Docteur de la Raison, il faut que l'auteur de théâtre commence par s'appliquer « à la lecture d'Aristote ». Ensuite il lira Horace ; puis il « feuillettera » leur commentateurs : Heinsius, Vossius, La Ménardière. Surtout « qu'il lui souvienne que Scaliger dit seul plus que tous les autres, mais qu'il n'en faut pas perdre une parole, car elles sont toutes de poids. »

« L'essence du poème dramatique », d'après Aubignac et « le fondement de toutes les pièces de théâtre », c'est la vraisemblance. « C'est une maxime générale que le vrai n'est pas le sujet du théâtre, parce qu'il y a bien des choses véritables qui n'y doivent pas être vues et beaucoup qui n'y peuvent pas être représentées. » « Ce n'est pas que les choses véritables soient bannies du théâtre : mais elles n'y sont reçues qu'en tant qu'elles ont de la vraisemblance ; de sorte que, pour les y faire entrer, il faut ôter ou changer toutes les circonstances qui n'ont point ce caractère et l'imprimer à tout ce qu'on veut représenter. »

L'abbé d'Aubignac est un fervent défenseur des unités, qui lui semblent exigées par la vraisemblance. L'unité d'action va de soi : « C'est un précepte d'Aristote qu'un poème dramatique ne peut comprendre qu'une seule action » principale.

Mais le critique insiste bien davantage sur les unités de lieu et de temps : il en est le législateur le plus rigoureux. Le drame doit se passer « sur un théâtre déterminé ». Si l'auteur « fait paraître » ses personnages « en divers lieux, il rendra son poème ridicule par le défaut de la vraisemblance ». Un poète maladroit mettra « la France dans un coin du Théâtre, la Turquie dans l'autre et l'Espagne au milieu. Tantôt les acteurs paraîtront dans la Salle du Louvre, tantôt sur un grand chemin et aussitôt dans un parterre de fleurs. Il dispose une toile verte pour faire passer quelqu'un sur mer, de France en Danemark, et remplit tout de ridicules imaginations et de pensées directement opposées à la vraisemblance. »

La représentation devant être l'image exacte d'une action

réelle, « cette vérité bien entendue nous fait connaître que le
lieu ne peut pas changer dans la suite du poème » dramatique,
« puisqu'il ne change point dans la suite de la représentation ».
—- « Qu'il demeure donc pour constant que le lieu où le premier acteur qui fait l'ouverture du théâtre est supposé doit
être le même jusqu'à la fin de la pièce. »

Non moins sévère est la doctrine personnelle de l'abbé d'Aubignac touchant l'unité de temps. La durée de la représentation,
dit-il, est d'environ trois heures. L'expérience nous apprend
que « les comédies ne peuvent durer plus de trois heures sans
nous lasser ni beaucoup moins sans paraître trop courtes. »
Conséquence : une pièce comprend environ quinze cents vers,
« parce que c'est tout ce qu'on peut réciter en trois heures ».

« L'autre durée du poème dramatique est celle de l'action
représentée en tant qu'elle est considérée comme véritable... et
c'est celle qui de notre temps a été le sujet de différents avis. »
L'abbé commence par rappeler que, suivant Aristote, « la tragédie doit être renfermée dans un tour de soleil ». Après quoi
il brosse un petit tableau historique de cette « observance ».
Jodelle et Garnier s'y conformèrent. Mais dans la suite, et par
la faute de Hardy surtout, le désordre se mit dans le théâtre :

« Il me souvient d'avoir remarqué des poèmes si déréglés
qu'au premier acte une princesse était mariée ; au second nais-
sait le héros son fils ; au troisième, ce jeune Prince paraissait
dans un âge fort avancé ; au quatrième il faisait l'amour et des
conquêtes ; au cinquième, il épousait une Princesse qui vraisemblablement n'était née que depuis l'ouverture du théâtre et
sans même qu'on en eût ouï parler. » Ouvrages « monstrueux »
et impossibles à nommer.

L'abbé d'Aubignac rappelle ensuite que la règle du Jour
parut d'abord étrange et qu'elle fut combattue. « Et quand je
pensais là-dessus alléguer les Anciens... on me payait de cette
belle réponse qu'ils avaient bien travaillé pour leur temps, mais
qu'en ce temps ici ils eussent passé pour ridicules, *comme si la
Raison vieillissait avec les années.* »

Le critique vient alors à examiner ce qu'Aristote entend dans
« un tour de soleil », et il prononce qu'il ne peut s'agir du
« jour naturel » ou de vingt-quatre heures, mais du « jour
artificiel », c'est-à-dire de l'espace compris entre le lever et le
coucher du soleil. Car en général on n'agit point la nuit ; et
l'auteur, s'il utilisait les vingt-quatre heures, serait obligé de
prévoir le temps auquel les personnages prendraient « leur repos
et leurs repas ».

Donc ne dépassons pas huit à dix heures : les critiques italiens l'exigent et Scaliger, plus rigoureux, mais aussi plus
raisonnable, veut que l'action « s'achève dans l'espace de six

heures ». — « Il serait même à souhaiter que l'action du poème ne demandât pas plus de temps dans la vérité que celui qui se consume dans la représentation ».

Le meilleur moyen de respecter cette règle « est d'ouvrir le théâtre le plus près qu'il est possible de la catastrophe », ou, en d'autres termes, de prendre l'action « à son dernier point et, s'il faut ainsi dire, à son dernier moment ». Ce faisant, d'ailleurs, le poète aura « plus de liberté d'étendre les passions et les autres discours qui peuvent plaire ».

On voit à quel point l'abbé d'Aubignac a préparé et annoncé la tragédie de Racine.

HISTOIRE SOMMAIRE DES GENRES DRAMATIQUES DE 1630 A 1660

La Tragédie, en 1630, a disparu, ou peu s'en faut. Mahelot, décorateur de l'Hôtel de Bourgogne, dans la liste qu'il dresse des pièces qui sont au répertoire, ne mentionne, sur un total de soixante et onze pièces, que deux tragédies. Mais, à la fin de l'année 1634, un contemporain écrit : « La mode du cothurne est revenue. » C'est Jean Mairet qui l'a fait revenir par sa *Sophonisbe,* représentée le 18 décembre 1634. Bien qu'il déclare avoir pris son sujet dans Tite-Live et Polybe, on ne peut douter que Mairet se soit inspiré de la *Sofonisba* de Trissino, qui avait été traduite par Mellin de Saint-Gelais en 1559 et portée sur la scène à Blois. Mairet doit aussi quelques détails à l'*Africa* de Pétrarque.

Mais le jeune auteur modifie les données de ses devanciers pour faire entrer son drame dans le cadre des unités et le conformer aux bienséances. Chez le Trissin, la pièce débutait par un dialogue conventionnel : Sophonisbe racontait à sa suivante Herminia toute sa vie passée. La tragédie de Mairet nous jette d'emblée dans l'action : la pièce commence par une discussion animée entre Sophonisbe et son vieil époux Syphax. Le double drame militaire et moral est engagé. Cirta, assiégée par les Romains et leur allié Massinisse, est sur le point de tomber. Sophonisbe a prévu l'événement et elle a fait tenir à Massinisse un billet où, en termes décents, mais clairs, elle lui avoue qu'elle ressent pour lui « plus que de la bienveillance ». Elle n'a jamais aimé son vieux mari et elle dira un peu plus tard à sa confidente Phénice qu' « un secret destin » l'a soumise à une passion fatale :

> ... L'amour, pour mes crimes,
> M'alluma dans le cœur ces feux illégitimes.

Syphax a intercepté le message. Il maudit Sophonisbe et se précipite à la mort. C'est là une invention de Mairet : « Je l'ai fait mourir à la bataille, afin que le peuple ne trouvât point étrange que Sophonisbe eût deux maris vivants. » Hardy n'aurait pas eu ce scrupule. Les bienséances commençaient à prendre force de loi.

Autre habileté : tout le deuxième acte est consacré à la prise de la ville et ainsi se trouve reculée jusqu'au troisième l'arrivée de Massinisse et sa rencontre avec Sophonisbe : nous serons moins exposés au lyrisme incontinent de jadis. Il est permis de penser que les deux protagonistes en viennent un peu vite au baiser : c'est un reste de liberté que le « classicisme » abolira, et d'ailleurs Mairet est pressé par les vingt-quatre heures. Mais cette scène essentielle est bien placée, au cœur du drame ; et la lutte entre Massinisse et ses alliés romains — qui lui interdisent le mariage avec Sophonisbe — est ramassée dans les deux derniers actes. Les belles déplorations du temps de Garnier sont réduites à la « plainte de Massinisse sur le corps de Sophonisbe » : cinquante vers à peine, après quoi le malheureux amant se plonge un poignard dans le sein.

Jean Mairet nous explique cette autre violation de l'Histoire : s'il a donné la mort à Massinisse, qui en réalité « vécut jusques à l'extrême vieillesse », c'est que, « la fin de la Tragédie étant la commisération, je ne la pouvais pas mieux trouver qu'en le faisant mourir » : paroles qui éclairent d'avance le génie de la tragédie classique.

L'unité de jour est respectée. Les personnages le soulignent un peu lourdement — et par là ils nous incitent à juger que les événements sont un peu pressés. Mais il est à remarquer que les circonstances exigeaient des décisions rapides : il est donc aisé de justifier l'auteur. L'unité de lieu est aussi naturellement observée : tout se passe dans deux pièces contiguës séparées par une tapisserie et sur une place proche.

Le style, d'une facilité cursive parfois molle et redondante, reste toujours limpide. Dans quelques scènes, le ton s'abaisse à une familiarité voisine du comique. Mais ailleurs, Mairet trouve la période ferme et noble qu'il avait déjà essayée dans sa *Sylvie* et qui sera portée à la perfection par Corneille et Racine. Ainsi, dans le discours de Massinisse à Sophonisbe :

> Madame, je sais bien que c'est renouveler
> Ou croître vos ennuis que de vous en parler ;
> Et qu'il me siérait mieux d'avoir la bouche close
> Que de vous consoler du mal que je vous cause.
> Mais vos dieux et les miens, à qui rien n'est secret
> Savent qu'en vous perdant, je vous perds à regret ;

Et qu'en quelque façon mon bonheur m'importune
Pour ce qu'il ne me vient que de votre infortune.
Mais puisque le Destin, pour montrer qu'il vous hait,
N'a pas laissé la chose au gré de mon souhait,
Trouvez bon que mon cœur vous jure par ma bouche
Que très sensiblement votre douleur le touche...
Ne m'étant pas permis d'empêcher vos misères,
Je ferai pour le moins qu'elles vous soient légères ;
Et si je ne le puis, j'aurai soin en tout cas
Que de nouveaux malheurs ne les aggravent pas
Et qu'on vous traite en reine et non pas en captive.

Par ses qualités de concentration, de rapidité, par l'importance primordiale qu'elle donne au conflit des passions, la *Sophonisbe,* malgré ses gaucheries, mérite la réputation qu'elle a acquise d'être la première tragédie classique. Elle eut un long succès. Corneille témoignera en 1663 que la pièce « depuis trente ans » est admirée sur le théâtre et qu'elle « y dure encore ».

La *Sophonisbe* met la tragédie à la mode : en 1635 et 1636, on en compte quatorze, autant que de tragi-comédies. Jean Mairet, au surplus, a orienté les auteurs vers la tragédie à sujet historique, romain de préférence, qui met en jeu de grands intérêts et de nobles passions, exprimés dans une langue majestueuse. Les règles ne sont pas observées partout. Et, sous l'influence persistante de la tragi-comédie, certaines pièces présentent des disparates de ton, le familier s'abaissant jusqu'au comique ; certains auteurs osent faire voir des meurtres sur la scène.

Après 1637, le succès du *Cid* a pour effet immédiat de relancer la tragi-comédie. Jusqu'en 1639, en trois ans, contre vingt-trois tragédies, paraissent trente-trois tragi-comédies. Par suite, se produit un certain recul des unités : neuf tragédies seulement se limitent aux vingt-quatre heures. On prend des libertés aussi avec l'unité de lieu. Mais, à dater de 1640, la tragédie reprend son essor et l'observance des règles fait un progrès décisif. Corneille est entré en lice. Entre 1640 et 1642, sur les vingt-cinq tragédies nouvelles qui paraissent (contre vingt-cinq tragi-comédies), trois sont de lui. Parmi les vingt-deux autres, dix-huit respectent l'unité de jour, toutes s'efforcent de resserrer le lieu, quatre réussissent à faire tenir le drame dans une seule chambre.

Après 1642, Corneille exerce une influence de plus en plus forte. Les sujets romains dominent, les autres sont tirés de la fable ou de l'histoire grecque, rarement de l'histoire moderne. Entre 1643 et 1648, on compte trente-six tragédies, trente-deux tragi-comédies. Encore faut-il dire que certaines pièces

annoncées comme tragi-comédies prendraient tout aussi justement le nom de tragédies. Il est vrai que l'inverse se vérifie
également.

Depuis 1630, les bienséances ont fait de grands progrès. Les
gens du « bel-air » et les femmes élégantes fréquentent le
théâtre ; il faut ménager la délicatesse de ce nouveau public.
Après 1640, les spectacles de violence et de sang deviennent
plus rares. On ne voit plus de cadavres sur la scène et les
batailles sont reléguées dans la coulisse.

La Fronde, nous l'avons dit, paralyse l'activité dramatique.
Entre 1649 et 1652, on voit paraître seulement six tragédies
nouvelles. Corneille quitte la scène en 1651. Le public s'est-il
fatigué des spectacles d'héroïsme surhumain et des discours de
vertu ? Peut-être. Toujours est-il que le goût se porte vers la
comédie à l'espagnole et vers la tragi-comédie qui revient en
faveur. La paix rétablie, la vie nationale reçoit une implusion
nouvelle. Le jeune Louis XIV aime le théâtre ; les mécènes, et
parmi eux le fastueux Foucquet, favorisent les poètes. Ils se
lèvent nombreux. Thomas Corneille remporte un succès considérable avec son *Timocrate* (16 décembre 1656) : la tragédie
alors, parmi les productions dramatiques, reprend le premier
rang.

La tragi-comédie et la pastorale avaient connu en 1630 une
vogue inouïe : ces deux genres bénéficiaient du succès des
romans ; le public se plaisait aux coups d'éclat, aux intrigues
chargées, à l'héroïsme guerrier. Mais les progrès de la régularité
obligent le théâtre à s'assagir. La première tragi-comédie qui
se conforme aux règles est le *Clitandre* de Corneille (1630-31).
Boisrobert emboîte le pas, avec *Pyrandre et Lisimène* (1631 ou
1632). Puis Jean Mairet, en 1633, avec *Virginie*. Il s'ébahit lui-
même de ce tour de force :

> Dieux, en ce peu de temps qu'enferment deux soleils
> Peut-il bien arriver des accidents pareils ?

C'est une réflexion que le spectateur pourra faire, en ce
temps, à propos de mainte pièce, y compris *le Cid*.

La régularité gagne de proche en proche et les auteurs s'y
conforment avec une maîtrise accrue. D'autre part, la tragi-
comédie, nous l'avons noté, se rapproche de la tragédie : elle
représente « des accidents graves et funestes », elle emprunte
souvent ses sujets à l'Histoire ; le ton est élevé ; mais le
dénouement est heureux. Encore certaines tragédies (*Nicomède*,
par exemple), ne feront pas scrupule de se terminer favorable-

ment. La seule différence parfois que l'on puisse relever entre
les deux genres, vers 1640-1650, c'est la préférence que montre
encore la tragi-comédie pour la galanterie romanesque, y compris dans les sujets historiques.

La comédie, en tant que genre distinct, n'a qu'une existence
indécise avant 1630. Comme on le pense bien, le public n'est pas
privé pour autant de spectacles à rire : la farce poursuit sa
carrière florissante et le « trio des farceurs » de l'Hôtel de
Bourgogne lui aurait donné, s'il en eût été besoin, une nouvelle
vigueur. D'autre part, la tragi-comédie et la pastorale dramatique présentent souvent des scènes plaisantes, voire gaillardes,
et des personnages risibles : le soldat fanfaron, par exemple,
ou le satyre, sans compter la cohorte traditionnelle des vieillards
dupés et des maris trompés. Cependant la tendance impérieuse
qui fait prévaloir la discipline et classifie les genres ne pouvait
manquer d'aboutir à la restauration de la comédie proprement
dite. Ce sera l'œuvre de Corneille, avec Rotrou, Claveret, Du
Ryer et autres jeunes auteurs. Grâce à eux, la comédie en
cinq actes, en alexandrins, purgée peu à peu des situations
scabreuses et des grossièretés de langage que maintenait la
force, deviendra, au même titre que la tragédie, un spectacle
digne d'être offert aux honnêtes gens.

Corneille entre en lice le premier avec *Mélite* (1629), suivi
de Rotrou avec *la Bague de l'Oubli* (1629) : deux hirondelles
qui annoncent le printemps d'un genre promis à un éclatant
épanouissement.

Cependant, jusqu'en 1642, le nombre et la valeur des comédies restent médiocres. La tentative de Corneille et de Rotrou
est mal suivie. Les éléments comiques demeurent encore engagés dans la pastorale et la tragi-comédie. Deux auteurs seuls
sont dignes d'être nommés : Claveret et Du Ryer. Claveret, avec
l'Esprit fort (1630-31), introduit le premier l'unité de temps
dans la comédie. Du Ryer, par ses *Vendanges de Suresnes*
(1633 ?), crée la comédie de mœurs contemporaines : le cadre
est familier, comme dans les *Bergeries* de Racan, les caractères
vivants et authentiques, le dialogue souple et preste. D'autre
part, la comédie emprunte à la tragi-comédie le secret de
nouer une intrigue complexe : ainsi se présente-t-elle chez
Rotrou et chez Scudéry, qui aiment les imbroglios et les effets
de surprise.

L'une des œuvres les mieux venues de ce temps est une
comédie de Mairet, *les Galanteries du Duc d'Ossonne* (1632 ?).
L'observation y est juste, nombreuses les allusions piquantes à

la vie quotidienne du temps ; le comique a de la vigueur, servi par un style rapide et allègre. Mais les unités y sont parfaitement méconnues.

Les emprunts à l'Italie sont visibles un peu partout, à travers les éléments de farce « gauloise ». Ils sont plus marqués dans *Le Railleur,* d'André Mareschal (impr. 1637), bien adapté toutefois aux mœurs françaises.

La comédie proprement satirique est représentée à cette époque par deux œuvres remarquables : *Les Visionnaires* (1637) de Desmarets de Saint-Sorlin, et la *Comédie des Académistes,* de Saint-Evremond.

Comme le titre l'indique, *les Visionnaires* mettent en scène des fous, ou plus précisément des maniaques. Trois sœurs, d'abord, filles d'Alcidon : Mélisse, dont le cerveau a été mis à l'envers par les romans, est « amoureuse d'Alexandre le Grand » ; Hespérie, qui s'imagine que les hommes reçoivent le coup de foudre aussitôt qu'ils l'aperçoivent ; Sestiane, qui n'a en tête que la « comédie » et qui passe son temps à dresser des pièces en cinq actes, à propos de tout ce qu'elle voit ou entend. A côté d'elles, un capitan, qui a la carrure et l'énormité du « miles gloriosus » de la comédie latine ; un « poète extravagant », qui pousse au paroxysme les enflures de l'école ronsardienne et son parler truffé de grec ; Filidan, amoureux imaginaire, qui se pâme à la moindre évocation d'une beauté ; Phalante, qui se croit un Crésus et qui décrit par le menu les châteaux qu'il possède en Espagne. La pièce est une parade d'excentriques sans nuances, sans humanité, sans réalité. Ce grossissement abusif, défaut capital de la pièce, est aggravé par l'absence d'action : ce n'est qu'un défilé de mannequins qui viennent tour à tour agiter leur marotte. Mais la charge est enlevée avec un brio étonnant, le comique y est savoureux et le style est éblouissant.

L'œuvre eut un immense succès. Louis XIV la saura par cœur, à ce qu'on dit. Molière, qui la joua, lui emprunta quelques traits : Hespérie est un premier crayon de la Bélise des *Femmes savantes.*

La *Comédie des Académistes* circulait dans les ruelles dès 1638 : elle prend pour cible les membres de la jeune Académie française, réunis alors chez le chancelier Séguier : Chapelain, Godeau, Gomberville, Desmarets, Gombauld, etc... Elle les fait paraître sous leur propre nom et les raille d'une verve fine et cruelle. La dispute entre Godeau et Colletet a peut-être servi à Molière pour le tournoi Vadius-Trissotin. Mais la pièce ressortit à la satire plutôt qu'au genre dramatique.

Vers 1640-1642, Antoine Le Métel d'Ouville, frère de Boisrobert, qui avait vécu en Espagne, met à la mode la comédie espagnole. Entre 1642 et 1646, il publiera quatre pièces imitées de Calderon et d'autres auteurs. Scarron y vient en 1645, puis Thomas Corneille à partir de 1649, puis Boisrobert ; nous sommes alors envahis par l'Espagne de cape et d'épée, fertile en rendez-vous nocturnes, en intrigues amoureuses parfois pathétiques, en billets doux clandestins... Le titre, le cadre restent le plus souvent espagnols. L'élément comique est fourni par le valet couard, rusé, bouffon. L'intrigue, chargée, recourt souvent aux mêmes expédients, tel le changement d'habits entre le maître et le domestique. A travers ces touches de « couleur locale », se glissent des évocations voulues de mœurs bien françaises, par exemple dans *L'Amour à la mode*, de Thomas Corneille (1651). Cette invasion espagnole refluera entre 1655 et 1660.

Chapitre Cinquième

LE THEATRE (suite)
LES CONTEMPORAINS DE CORNEILLE

A la distance de trois siècles, le génie de Corneille nous apparaît si éclatant qu'il relègue dans l'ombre les dramaturges qui, en même temps que lui, ou avant lui, ont travaillé à la grandeur du théâtre français. Les contemporains, bien entendu, ne pouvaient pas avoir cette vue sommaire. Que Corneille se soit élevé assez vite au-dessus de ses rivaux, c'est certain. Mais jusqu'en 1650, il s'en faut que sa gloire éclipse le renom de Tristan, de Du Ryer, de Rotrou.

En 1656 encore, Jean Magnon, dans la *Préface* de sa *Jeanne de Naples,* énumère les talents du théâtre. Il nomme bien « l'inimitable Corneille » en premier lieu ; mais il le fait suivre d'une cohorte d'auteurs dont chacun a droit à son épithète flatteuse : « le pompeux Scudéry, l'ingénieux Desmarets, le fécond Rotrou, le grave Du Ryer, le délicat Tristan, l'enjoué Scarron et l'agréable Boisrobert. »

Parmi ces étoiles de deuxième ou de troisième grandeur, quelques-unes au moins méritent d'être signalées, ou même tirées, au moins pour un moment, d'une injuste pénombre. Deux, trois peut-être de ces auteurs avaient du génie et feraient à eux seuls l'illustration d'une littérature. Nous sommes trop riches.

Ces contemporains de Corneille, nous les faisons passer avant lui, contrairement à l'usage. Ce n'est pas seulement parce que, dans une procession, ce sont les moins dignes qui marchent les premiers. Mais c'est aussi que certains d'entre eux ont, sur tel ou tel point, frayé ou facilité la voie à leur grand confrère qui, en outre, a prolongé sa carrière plus qu'eux tous.

SCUDÉRY ET LA CALPRENÈDE

Expédions d'abord deux auteurs plus connus dans l'histoire du roman, mais qui n'ont pas laissé de cueillir des applaudissements aux jeux de la scène.

Georges DE SCUDÉRY, que nous avons rencontré comme poète lyrique et comme collaborateur de sa sœur la romancière, avait commencé, ou presque, par le théâtre. Dès 1630, il donne une tragi-comédie pastorale, *Ligdamon et Lidias ou La ressemblance,* qui sera suivie de quinze autres pièces jusqu'en 1644 : ce n'est pas sans cause que Boileau raillera « la fertile plume » de Scudéry.

Avant 1635, il se consacre à la tragi-comédie et il refuse de de se soumettre aux règles. Mais le succès de la *Sophonisbe* de Mairet le fait réfléchir. Il s'engage dans la voie de la tragédie à ce sujet historique, avec *la Mort de César* (1635), qu'il tire de Plutarque. Dans son *Avis au Lecteur,* Scudéry affirme que sa pièce respecte les unités. Elle commence en effet le matin et finit le lendemain matin. Les lieux représentés sont tous dans Rome : le Sénat, une rue qui y conduit, les demeures de César, d'Antoine et de Brutus. Mais Scudéry n'est pas entré dans l'esprit du nouveau système dramatique. Sa pièce relève d'une conception lyrique, discoureuse, passive de la tragédie. Le « matamore des Lettres » est d'ailleurs plus doué pour la mise en scène, pour les spectacles pathétiques que pour l'analyse des passions et l'agencement d'une intrigue. Nul conflit de sentiments, ni dans l'âme de César, ni dans celle des conspirateurs, ni entre les adversaires. Un seul événement : la mort de César, que Scudéry s'est montré incapable de consacrer cinq actes à préparer. Plusieurs scènes sont totalement vides d'action, le cinquième acte n'est qu'un épilogue. Bref, il n'y a qu'un seul moment tragique et le reste est rhétorique. La pièce pourtant remporta un certain succès.

Une seconde tragédie suit de près la première : *Didon* (jouée en 1635-36). Scudéry s'est probablement repenti d'avoir consenti aux règles : il les abandonne. Sa *Didon,* qui met en scène tout le quatrième chant de l'*Enéide,* est bâtie comme une tragi-comédie. Scudéry l'avoue : ma pièce, dit-il, « est un peu hors de la sévérité des règles, bien que je ne les ignore pas ; mais souvenez-vous... qu'ayant satisfait les savants par elles, il faut parfois contenter le peuple par la diversité des spectacles et par les différentes faces du théâtre. » Corneille, à ses débuts, s'exprime de même.

La pièce est de ton très variable : épique, pathétique, galant, comique. Elle a pourtant un certain mérite d'action dramatique variée et allante. Et Scudéry a contenté son goût pour la mise en scène : *Didon* comporte onze changements de décor.

Après quoi Scudéry abandonne franchement la tragédie et revient à la tragi-comédie à sujet romanesque ou historique. Il tira notamment, d'une nouvelle de Cervantès, *l'Amant libéral* (1638) et, d'un roman de Madeleine, sa sœur, *Ibrahim* (1643). Il a tenté de rivaliser avec le Corneille du *Cid* par *l'Amour tyrannique* (1637-38) : on y trouve un Don Diègue, un Don Gormas orgueilleux, un Rodrigue écartelé entre l'amour et l'honneur. Mais ce n'est qu'un médiocre mélodrame.

Au total, Scudéry est, malgré lui parfois, un bon témoin du mouvement qui portait le théâtre vers la « régularité » et aussi de la difficulté que les auteurs éprouvent à dégager nettement la tragédie de la tragi-comédie. Avant 1635, Scudéry suit la trace de Hardy : scènes pathétiques, effets de surprise, rhétorique enflée. Ensuite, il s'assagit, s'efforce à la concentration dramatique et à la sobriété des procédés. Il n'y réussit guère. Il plaisait cependant à Balzac par un « je ne sais quoi de noble et de grave ». Chapelain lui accordait la « vigueur », mais il lui déniait le « jugement ».

La Calprenède, comme Scudéry, après avoir passé par le théâtre, auquel il donna neuf pièces, s'établira dans le genre romanesque.

C'est l'exemple de Mairet qui amena La Calprenède, ainsi que beaucoup d'autres, à la tragédie, et romaine. Sa première pièce est une *Mort de Mithridate* (fin 1635). Il imite d'ailleurs la *Sophonisbe* dans la mise en œuvre de son sujet. Lui aussi, il applique ses efforts à la peinture des caractères et au heurt des passions ; et lui aussi s'ingénie, avec un appréciable succès, à entrer dans la discipline des unités. Le drame est intéressant, les personnages ont un beau relief, l'action ne traîne pas. On peut dire qu'après la *Sophonisbe* de Mairet et la *Mariamne* de Tristan, la pièce de La Calprenède est la meilleure tragédie de celles qui ont précédé le *Cid*.

Richelieu en fut très content, et Grenaille proclame la pièce « un chef-d'œuvre au jugement des habiles ». Elle eut une grande notoriété et s'imposa comme un des modèles de la tragédie nouvelle.

Nous passerons sur les tragi-comédies de La Calprenède, même sur sa *Bradamante* (1636) : elles ne brillent pas par l'originalité.

Sa seconde tragédie est tirée de l'histoire anglaise : *Jeanne, Reyne d'Angleterre* (1636). Depuis le XVIe siècle, les Français s'intéressaient beaucoup aux choses d'outre-Manche. Mont-chrestien avait écrit l'*Ecossaise*. Mais La Calprenède traite l'Histoire en romancier et en rhéteur, curieux de situations pathétiques plus que de vérité authentique et plus amateur de beaux discours que de pénétration des âmes. Par là, cette seconde tragédie, qui tient de la tragi-comédie, marque une baisse par comparaison avec la première.

La Calprenède reste dans l'histoire d'Angleterre avec *le Comte d'Essex* (jouée probablement en 1637, impr. en 1639). C'est son chef-d'œuvre. L'auteur proteste dans l'*Avis au Lecteur* de sa fidélité historique : « Si vous trouvez quelque chose dans cette tragédie que vous n'ayez point lu dans les historiens anglais, croyez que je ne l'ai point inventé et que je n'ai rien écrit que sur de bonnes mémoires que j'en avais reçues de personnes de condition. »

La pièce est de structure classique. Elle tient dans les vingt-quatre heures ; elle se passe dans deux ou trois lieux d'un même quartier de Londres. Cette fois, La Calprenède a réussi à nous présenter un vrai conflit de passions et des analyses de sentiments fort déliées. L'originalité principale de la pièce consiste dans le choix d'un sujet d'histoire non seulement moderne, mais contemporaine.

La Calprenède, après cet effort de modernité, revient à l'histoire romaine : et c'est *la Mort des Enfants d'Hérode* (jouée probabl. en 1638, publ. 1639). La tragédie avoue dans le sous titre qu'elle est une « suite » de la *Marianne* de Tristan. Elle ne vaut pas la *Marianne* et La Calprenède tombe au-dessous de lui-même : il avait fait mieux avec *le Comte d'Essex*.

Il donna enfin une contribution, en 1643, au courant chrétien qui se manifeste alors dans la tragédie : *Herménégilde,* écrite en prose, fut probablement représentée dans le même temps que *Polyeucte*.

C'est par *la Mort de Mithridate* surtout que La Calprenède a coopéré à l'établissement de la tragédie classique. Dans quelle mesure ? C'est difficile à dire. Ce qui est plus aisé à déceler, c'est une certaine grandiloquence, une insistance de galanterie maniérée où il est permis de saisir une pointe d'accent périgourdin. En tout cas, que La Calprenède ait fini dans le roman n'est pas pour nous étonner.

TRISTAN

Tristan, dont nous avons étudié le génie lyrique, a montré dans l'art dramatique des dons éminents. Il a écrit huit pièces : cinq tragédies, une tragi-comédie, une pastorale, une comédie.

La *Marianne* (jouée en 1636, impri. en 1637), qui est la première pièce de Tristan, est aussi son chef-d'œuvre et la tragédie
la plus belle qui ait paru entre la *Sophonisbe* et *le Cid*.
   L'histoire est tirée des *Antiquités judaïques* de Josèphe.
Alexandre Hardy l'avait traitée dans sa *Marianne*. Le sujet est
d'un beau tragique. Hérode, le massacreur des Innocents a
« usurpé le lit et la liberté de Marianne, avec la couronne de
Judée ». Il l'aime avec passion, mais elle ne peut s'empêcher de
voir en lui le meurtrier de sa famille. Salomé, sœur d'Hérode,
mue par une folle jalousie, excite son frère contre Marianne.
Calomniée, elle dédaigne de se défendre, se laisse condamner
à mort et marche au supplice sans faiblir.
   Il n'est pas douteux que Tristan a eu dessein exprès de
s'opposer à son devancier et il nous montre, ce faisant, dans
quelle direction s'orientait le théâtre de ce temps : « Je ne me
suis pas proposé de remplir cet ouvrage d'imitations italiennes
et de pointes recherchées ; j'ai seulement voulu décrire, avec un
peu de bienséance, les divers sentiments d'un tyran courageux
et spirituel, les artifices d'une femme envieuse et vindicative et
la constance d'une reine dont la vertu méritait un plus favorable destin ; et j'ai dépeint tout cela de la manière que j'ai cru
pouvoir réussir dans la perspective du théâtre, sans m'attacher
mal à propos à des finesses trop étudiées et qui font paraître
une trop grande affectation en un temps où l'on fait plus d'état
des beautés qui sont naturelles que de celles qui sont fardées. »
   De fait, Tristan a dépouillé l'intrigue des éléments dont
Hardy l'avait chargée et ralentie ; il a élagué la rhétorique et
l'érudition mythologique. Dans son drame, les situations ont
pour cause profonde le caractère des personnages ; le conflit
est dans les âmes et le dénouement est le résultat logique des
passions déchaînées. Marianne est une belle création : âme d'une
fierté indomptable, elle reçoit la mort « d'un visage assuré ».
Cet héroïsme risquait de la faire inhumaine. Tristan lui a
prêté quelques attendrissements : elle compatit à la douleur de
sa mère, elle pleure ses enfants au moment où elle va les quitter : « racinienne » par là autant que par ailleurs elle est
« cornélienne ».

> Ma mort est à la fois contrainte et volontaire ;
> Mène-moi sans scrupule affronter le trépas ;
> Hérode le désire et je ne le crains pas.
> En cet heureux départ, si quelque ennui me presse,
> Il vient de la pitié des enfants que je laisse,
> Qui, dans la défaveur et l'abandonnement,
> Seront, pour mon sujet, traités indignement.
> Ils restent sans appui, mais, ô grand Dieu, j'espère
> Que tu leur serviras de support et de père,
> Ta haute Providence ouvrira l'œil sur eux.

> Imprime dans leurs cœurs ton amour et ta crainte,
> Fais qu'ils brûlent toujours d'une ardeur toute sainte...
> Et, s'ils sont opprimés en observant ta loi,
> Que, vivant sans reproche, ils meurent comme moi.

Hérode est fidèle à son personnage historique : jaloux, violent, cruel. Sa passion furieuse pour Marianne le rend toutefois digne de pitié. Tristan a su marquer avec sûreté les étapes qui conduisent Hérode au crime et à la démence, noter les alternances de cette nature démesurée, qui flotte de l'amour à la haine :

> Ah, ne puis-je savoir si j'aime ou si je hais ?

Montdory, dans les emportements de désespoir frénétique où s'abandonne Hérode après la mort de Marianne, faisait passer parmi les spectateurs un frisson de terreur. Ces scènes de folie nous paraissent aujourd'hui un peu longues ; mais, ainsi que nous aurons le loisir de le constater encore, elles étaient à la mode dans le roman et au théâtre.

Tristan s'est efforcé visiblement de conformer sa pièce aux exigences des « réguliers » : la durée de l'action se limite à quelques heures ; le lieu est très restreint, par comparaison avec la plupart des pièces du moment ; mais ce n'est pas encore la concentration à laquelle Tristan parviendra plus tard : la scène représente la salle du trône, les deux chambres d'Hérode et de Marianne, la prison et une rue.

La tragédie reçut un accueil enthousiaste. Scudéry, dans ses *Observations sur le Cid,* la mentionne comme un des succès du jour. L'abbé d'Aubignac l'assimile au *Cid* en ce qu'elle met en lumière une « belle passion ». Tristan, après *Marianne,* est regardé comme un des grands maîtres de l'art dramatique, à côté de Corneille.

Panthée, tragédie jouée fin 1637 ou début 1638, impr. 1639. Tristan, cette fois encore, va sur les brisées de Hardy. Le sujet est tiré de la *Cyropédie.* Panthée, vertueuse épouse d'Abradate, est tombée au pouvoir de Cyrus qui la confie à son ami Araspe. Celui-ci en tombe amoureux. Cyrus sauve Panthée des poursuites du galant. En reconnaissance, Panthée persuade son époux de rallier la cause de Cyrus. Il est tué dans une bataille. Panthée se donne la mort. Hardy avait fait de cette histoire une pièce simple, forte, cohérente.

Tristan s'y est élevé moins haut que dans *Marianne.* Il eut le tort, peut-être, d'hésiter entre deux héros. Alors que la lumière devait tomber sur Panthée, il a donné une trop grande importance au rôle d'Araspe (il est vrai qu'il avait écrit la pièce pour Montdory) ; de là, une certaine gaucherie de la conduite et du dénouement. La tragédie admet quelques scènes de comédie et de pastorale. Les unités sont observées : l'action dure douze heures et la scène se circonscrit à quelques lieux limitrophes : un camp, un bois, la rive d'un fleuve.

Le poète tragique se souvient du poète galant. Son Araspe est un amoureux transi, divisé de passions contraires et qui, s'il s'exprime trop souvent dans la langue maniérée de l'époque, sait trouver des accents plus directs :

> O désordre confus de desseins différents !
> Je déteste son nom, je la hais, je l'abhorre,
> Je la fuis, je la crains et si (= pourtant) je l'aime encore.
> Je sens mon feu s'éteindre et puis se rallumer ;
> Je ne la puis haïr, je ne la puis aimer.

Après *Panthée,* Tristan produit coup sur coup trois pièces dont la date de représentation est incertaine et qu'il publiera en 1645.

Une tragi-comédie, *la Folie du Sage,* peut-être jouée en 1642. Tristan contribue à convertir la tragi-comédie aux règles. L'action, qui se termine en quelques heures, se passe dans deux ou trois chambres d'un même palais. La folie était à la mode. Beys, dans son *Hôpital des Fous,* avait fait paraître des personnages de fous « savants » ou « sages » : un philosophe, qui se croit Jupiter, un astrologue qui se prend pour le soleil, etc... Mais Tristan lui-même, dans sa jeunesse, — c'est du moins ce qu'il raconte dans son *Page disgracié* — avait souffert, au cours d'une maladie, d'un délire bavard et érudit.

Un roi de Sardaigne s'éprend de Rosélie, fille d'Ariste, un savant seigneur de la Cour. Le roi la demande au père : « Trouvez bon... qu'elle soit ma maîtresse ». Ariste, indigné, refuse et exhorte sa fille, qui d'ailleurs aime Palamède, à préférer « la mort au déshonneur ». Rosélie prend du poison. Ariste, devenu fou, se répand en imprécations contre « les philosophes anciens » : il les énumère en une étourdissante litanie qu'il termine en jetant « sur le théâtre » les livres de ces imposteurs. Mais Rosélie, à qui l' « opérateur », méfiant, n'avait servi qu'un narcotique, reprend vie. Ariste, après des accès de folie « médicale », recouvre la raison. Le roi, repentant, consent au mariage de Rosélie et de Palamède.

L'histoire est de médiocre valeur, le dénouement par trop désinvolte, les personnages peu consistants. La pièce ne vaut que par la verve et par l'originalité des scènes de démence érudite.

Tristan revient à la tragédie avec *la Mort de Sénèque,* probabl. jouée en 1643-44 par l'Illustre Théâtre et dont la source principale sont les *Annales* de Tacite. Les événements se déroulent en quelques heures, dans le palais de Néron et dans les jar-

dins de Mécène qui l'entourent. L'action est mal unifiée : il y
a deux centres d'intérêt successifs, la mort de Sénèque et la
conjuration de Pison. Sénèque est absent, même, durant le
troisième et le quatrième acte. Toutefois le premier acte prépare
adroitement les événements qui suivent et l'intérêt est habilement ménagé.

Sénèque est assez émouvant. Il est présenté comme un chrétien de désir converti par saint Paul (c'est à *la Cour Sainte*
du P. Caussin que Tristan a emprunté directement la légende).
Néron est bien campé : sa vanité d'auteur et de musicien, sa
duplicité mitigée de superstition sont mises en bon relief. Mais
les rôles les plus dramatiques sont ceux des deux femmes en
conflit, Sabine Poppée et Epicaris (ce dernier rôle joué par
Madeleine Béjart). Leur dialogue est d'un admirable mordant.
Les conjurés sont nettement dessinés, chacun avec son indi-
vidualité. Le style est clair, vigoureux jusqu'à une belle trivialité, exempt de toute recherche.

La tragédie n'eut pas grand succès. Sans doute le public fut-il
déçu par la pâleur et la passivité de Sénèque — et peut-être
fut-il heurté aussi par le mélange du ton familier et du verbe
sublime. A cette date, on était déjà sévère sur la séparation des
genres. *La Mort de Sénèque* demeure néanmoins une des belles
tragédies romaines du XVIIe siècle, digne de figurer à côté
d'*Horace* et de *Britannicus*.

*La Mort de Chrispe ou les Malheurs domestiques du Grand
Constantin,* tragédie jouée par Molière en 1644, publi. 1645. Ce
fut la plus populaire, avec *Marianne,* des tragédies de Tristan.
Fauste, seconde femme de Constantin, s'éprend de Chrispe,
son beau-fils. Le jeune homme la repousse. Fauste le calomnie
auprès de Constantin qui fait empoisonner son fils. Prise de
remords, Fauste avoue son crime : l'empereur la fait exécuter.
On le voit : c'est le sujet de *Phèdre.* Les caractères sont faibles,
sauf celui de Fauste, assez fortement sculpté. Le style est
médiocre, la versification molle.

Le plus remarquable en cette pièce, c'est sa « régularité »
parfaite. L'unité d'action est sans reproche, le temps réduit à
moins de vingt-quatre heures, le lieu à une seule chambre. Les
scènes sont exactement liées. Peu de pièces de cette époque ont
atteint à cette concentration. C'est ce qui explique sans doute le
succès qu'elle a remporté.

Osman, tragédie, jouée probabl. en 1647, publ. en 1656. Le
sujet en est pris d'un événement tout récent : l'assassinat du
jeune sultan en 1622. Les « turqueries » étaient en vogue au
roman et au théâtre. Osman s'est épris de la fille du Muphti
sur la foi d'un portrait (poncif déjà fatigué). Quand la jeune
fille paraît à ses yeux, il est déçu (ceci est original) et il la

renvoie. Elle, qui a été frappée d'amour pour Osman, entre en
fureur et elle se joint aux janissaires en révolte. Le sultan
dompte d'abord les insurgés, mais ils finissent par l'emporter et
Osman est massacré. La fille du Muphti, désespérée, se tue.

Tristan apporta une grande attention à l'exactitude des
mœurs et usages turcs. A cet égard, Osman l'emporte sur toutes
les pièces ottomanes du siècle, sans en excepter *Bajazet*.

On doit reprocher à cette tragédie de Tristan — la dernière — la lenteur de son action ; certaines scènes se répètent
sans profit. Les personnages secondaires sont uniformes. Deux
beaux rôles : Osman et la fille du Muphti. Osman, fier de sa
naissance, emporté et tyrannique. La fille du Muphti, d'une belle
violence dans sa fureur amoureuse, est une digne sœur d'Her-
mione.

Les unités, comme dans la pièce précédente, sont observées à
la perfection. Tout le drame se passe dans une seule salle, au
prix de l'invraisemblance qu'on reprochera toujours à ces
sortes de « palais à volonté ».

Nous pouvons passer rapidement sur les deux dernières
œuvres de Tristan : *Amaryllis,* pastorale (1652), qui n'est,
avoue l'auteur, que « la Célimène de M. Rotrou accommodée
au théâtre ». L'œuvre de Rotrou était faible. La version de
Tristan ne vaut guère mieux. Elle eut néanmoins un vif succès.

Le Parasite, comédie (1653) : Tristan regardait ce « poème
tout burlesque » comme un « petit divertissement ». La pièce
a pourtant une réelle valeur : la conduite en est ingénieuse et
aisée, le comique franc et de bon aloi. Elle fait paraître des
personnages traditionnels de la Comédie italienne : la Nourrice,
le Capitan, le Parasite. Elle témoigne de la persistante vitalité
du genre.

Tristan, comme tous les dramaturges de son temps, se rattache à Garnier et ne peut se dispenser des leçons de Hardy. Il
aime le style sentencieux à la Sénèque et son éloquence, comme
celle de ses devanciers, reste un peu raide et empesée. Mais il
construit son drame avec économie et fait converger la lumière
sur les âmes. Il a le sens de la « scène à faire », il sait ménager la « suspension » ; ses dialogues sont souvent admirables
de netteté, de force, de vivacité, ses personnages palpitants de
vraie passion. Il a su exprimer avec délicatesse l'amour paternel
et l'amour conjugal, comme il a su déployer toutes les violences
cruelles de la jalousie. Nous retrouvons ici le génie du poète
lyrique.

Son vers est naturellement mélodieux. Il soigne la rime, il
trouve des images qui ont de l'éclat. Mais, faute de travail,
de temps ou de santé, il se tolère des négligences, il laisse

passer des vers faibles et lâches. Tout de même, par ses dons et par ses réussites, il est, à n'en pas douter, le frère aîné de Racine et l'un des grands noms de notre théâtre.

DU RYER (vers 1600-1658)

Pierre Du Ryer était le fils d'un poète, Isaac Du Ryer, lequel était secrétaire du grand seigneur lettré Roger de Bellegarde. Pierre naquit à Paris vers 1600. Après des études de droit, il est reçu avocat au Parlement. Entre 1621 et 1633 nous le trouvons secrétaire de la Chambre, puis « conseiller et secrétaire du roy et de ses finances ». De 1634 à 1641, il est au service de César, duc de Vendôme. Mais son maître, accusé d'avoir conspiré la mort du Cardinal, doit s'exiler en Angleterre. Du Ryer connaît alors la gêne. Avant un second mariage qui, sur le tard, arrangera ses affaires, il est obligé de vivre de travaux de librairie : il est, avec Perrot d'Ablancourt, l'un des plus abondants traducteurs du temps. En 1646, il a été élu à l'Académie, avant Corneille qui, habitant Rouen, ne remplissait pas la condition exigée de résidence à Paris. Il meurt en novembre 1658.

Du Ryer commença par la poésie lyrique et, comme beaucoup de versificateurs du temps, il célébra le siège de La Rochelle (1629).

Mais de bonne heure il ambitionne de se faire un nom au théâtre. Il appartient à un groupe de jeunes écrivains (Auvray, Pichou, Mareschal, Tristan...) qui, résolument « modernes », prétendaient supplanter Hardy. Pierre Du Ryer s'attaque d'abord à la tragi-comédie. Après Hardy, il fait plus que personne, entre 1628 et 1634, pour élever ce genre au premier rang des poèmes dramatiques.

Sa première pièce, *Arétaphile,* fut probablement jouée en 1628. Elle était tirée de Plutarque (*Vertus des femmes*). Le héros prend les armes pour recouvrer son trône occupé par un usurpateur. Il y avait là-dedans de l'amour, du patriotisme et des vues politiques : l'auteur semblait encourager la révolte des nobles contre le pouvoir royal. Gaston d'Orléans appelait *Arétaphile* « ma pièce ». C'est un drame pittoresque et animé : du meurtre, du poison, un cadavre sous la lune... Cependant un certain conflit de passions n'est pas exclu ; mais il n'est pas question, bien entendu, de respecter les unités. Quant au dialogue, il donne dans la galanterie raffinée qui était à la mode.

Une seconde tragi-comédie, *Clitophon,* jouée probablement en 1629, est encore moins régulière. Elle est tirée d'un roman grec de Tatius, *Clitophon et Leucippe,* qui avait été déjà mis à la scène par Hardy. C'est un tissu d'aventures effroyables, assez lâchement unifiées.

Argenis et Poliarque (1629) est encore une tragi-comédie, en deux journées, que Du Ryer extrait du célèbre roman de Barclay, *Argenis*. Il y a beaucoup de mouvement et de spectacle : un château, un bois, un temple, la mer. Les personnages ont la même diversité : roi, princes, chevalier errant, paysans, docteur, marin. Il y a des déguisements et des batailles. Le génie de Hardy s'impose toujours à Du Ryer. Notons une nouveauté qui a de l'avenir : l'auteur insère des stances dans son dialogue.

Passons sur *Amarillis,* une pastorale à l'italienne, publiée anonyme en 1650 et dont l'authenticité n'est pas sans conteste.

Lisandre et Caliste, tragi-comédie, fut jouée à l'Hôtel de Bourgogne, probablement en 1630 (publ. 1632). C'est encore un roman qui est à la source de cette pièce : *l'Histoire tragicomique de notre temps sous les noms de Lysandre et de Caliste,* d'Audiguier (1616). L'action est plutôt diffuse et les unités sont violées. La scène est en France. Le décor, multiple et pittoresque, nous est connu grâce à Mahelot, décorateur de l'Hôtel de Bourgogne. A droite une chambre où le mari de Caliste est tué ; à gauche, un rocher creusé en caverne et surmonté d'un « hermitage ». Au fond un palais. A la fin du premier acte, le palais disparaît, découvrant la rue Saint-Jacques, le Châtelet, l'étal sanglant d'un boucher et une fenêtre « vis-à-vis d'une autre fenêtre grillée pour la prison où Lisandre puisse parler à Caliste. »

Remarque intéressante : c'est dans cette pièce que, pour la première fois, un personnage est appelé « suivante » : anoblissement de la nourrice traditionnelle.

Alcidémon, tragi-comédie, probabl. jouée en 1632, publ. 1634, est tirée d'un roman grec d'Eumathius. C'est la première pièce de Du Ryer qui se conforme aux unités : vingt-quatre heures, plusieurs lieux, mais voisins. Est-ce un hasard ? Est-ce une expérience tentée par l'auteur ? Le fait est que les deux pièces suivantes reviendront à l'irrégularité. *Alcimédon* est aussi la première pièce où les scènes sont liées par la présence des personnages (liaison « de présence », par opposition à la liaison « de fuite »). Il y a progrès, en outre, dans le dessin des personnages : une femme, Rodope, est d'une violence qui fait présager la Médée ou la Rodogune de Corneille :

La plus prompte vengeance est toujours la plus douce ;
La colère se perd dans le retardement
Et qui se venge tôt se venge doublement.

Ces vers suffisent à mettre en valeur la vigueur de style de Du Ryer dans ses bons jours. La pièce, nous dit-on, fut accueillie avec « de favorables applaudissements ».

Cléomédon, encore une tragi-comédie, jouée en 1634 (impr. 1635). C'est à *l'Astrée* que Du Ryer emprunte son sujet. L'abbé d'Aubignac a loué la « belle intrigue » de la pièce. La régularité est en recul, mais l'action est rapide et bien ménagée. On y assiste à un saisissant renversement de « fortunes ». Le vers est vif et dramatique :

> Et comme un jeune cœur est bientôt enflammé,
> Il me vit, il m'aima, je le vis, je l'aimai.

Du Ryer excelle dans les maximes politiques :

> Pour vivre sans révolte, un peuple qui murmure
> Veut des rois de naissance et non pas d'aventure.

La pièce fut fort applaudie.

Du Ryer se tourne alors vers la comédie ; il fait jouer, probablement en 1633, *Les Vendanges de Suresnes* (impr. 1636).

Plusieurs dramaturges : Racan, Rotrou, Claveret, avaient déjà situé leur scène dans les environs de Paris. Mais Du Ryer, s'il leur doit l'idée de ce décor contemporain, réussit mieux que tous ses devanciers à créer une véritable comédie de mœurs, vivante et plaisante.

Le décor représente, dans le fond, le mont Valérien, couronné de son fameux ermitage. Au bas, une rue de Suresnes et la rive de la Seine. « Aux deux côtés du théâtre », des vignes « façon de Bourgogne, peintes sur du carton taillé à jour ». Les personnages sont des « bourgeois de Paris » et quelques villageois. Autour des jeunes premiers Florice et Tirsis, l'élément comique est assuré par les parents de Dorimène, couple qui préfigure Monsieur et Madame Jourdain, et qui donne occasion à l'auteur de brosser un tableau satirique de la vie conjugale ; par Guillaume, vigneron pansu, biberon, railleur perpétuel, que jouait le célèbre farceur Gros-Guillaume ; par Lisette enfin, villageoise délurée, en qui se trouve déjà le caractère de la soubrette du XVIIIe siècle.

La structure de la pièce est un peu sans-gêne, la progression lente ; l'action néanmoins est animée par un duel et un enlèvement. Le dénouement est artificiel : un héritage vient à propos fléchir la volonté d'un père cupide et permettre l'union des deux amants. Le lieu est assez restreint : Suresnes et ses environs ; mais la durée s'étale sur plusieurs jours. Les bienséances ont

Tel fut le Celebre Voiture,
L'Amour de tous les beaux Esprits :
Mais bien mieux qu'en cette peinture,
Tu le verras dans ses escris. D.P.

Champaigne Pinx.   Nanteuil Sculpebat 165...

Vincent Voiture.
Portrait gravé par R. Nanteuil, d'après Ph. de Champaigne,
et figurant en tête de l'édition de 1650 de ses Œuvres.

Extrait de *la Littérature française*,
par Bédier-Hazard-Martino, Larousse, éditeur.

fait des progrès depuis l'*Eugène* de Jodelle. Les oreilles délicates cependant pouvaient être froissées par quelques verdeurs de langage.

Bref, la comédie de Du Ryer, moins bien élaborée que celles de Corneille, moins bien écrite, est plus gaie et elle annonce plus directement Molière.

Du Ryer écrira encore deux tragi-comédies : *Clarigène* (1637 ou 1638) qui, par la simplicité de son intrigue, par la priorité qu'elle donne au conflit moral, par son resserrement temporel et local, rapproche le genre tragi-comique de la tragédie. *Bérénice* (publ. 1645), en prose ; l'héroïne de Du Ryer n'a que le nom de commun avec la princesse juive que Racine immortalisera. L'intérêt de la pièce repose sur une substitution d'enfants et se dénoue par une reconnaissance ; la « suspension » est habilement ménagée. L'œuvre, de faible valeur, eut peu de succès.

Après la *Sophonisbe* de Mairet, Du Ryer, suivant le courant général, s'est tourné vers la tragédie, et à sujet romain : et c'est *Lucrèce,* probabl. jouée en 1636, impr. 1638. Le ton tragique ne s'y soutient pas toujours. Du Ryer insère dans ce sombre drame des scènes de vie familière que l'on ne trouve guère, pour l'ordinaire, dans la tragédie. Quelques passages sont nettement de comédie. Cependant les bienséances sont respectées. L'action se limite aux vingt-quatre heures, le lieu se réduit à deux chambres de la maison de Collatin. Et Lucrèce est la première des tragédies à pratiquer une exacte liaison des scènes.

Cette contribution donnée à la mode de l'histoire romaine, Du Ryer choisit de traiter un sujet moderne : *Alcionée* (repr. 1637, impr. 1640) est extrait de l'Arioste. Mais cette matière romanesque, Du Ryer la réduit à l'extrême et il fait converger toute la lumière sur les débats de sentiment. Le seul événement extérieur est le suicide du héros, placé à la fin du cinquième acte et préparé tout au long de la pièce. Ainsi les unités sont-elles observées sans peine. Il faudra attendre la *Bérénice* de Racine pour trouver pareille réussite. Les caractères sont fort intéressants : Lydie, fille de roi, qui doit peut-être quelques traits à Chimène, déchirée entre son amour et l'honneur familial qui lui interdit une mésalliance ; un roi qui tempère son orgueil par la prudence politique ; le héros, Alcionée, dont la bravoure et la ferveur amoureuse gagnent la sympathie, malgré les crimes dont il se rend coupable.

La pièce, qui posait des problèmes politiques, eut par là du succès auprès de Christine de Suède : la Reine, dit-on, se la fit

lire trois fois dans le même jour. La Rochefoucauld y prit sa
devise de Frondeur et d'amoureux :

> Pour obtenir un bien si grand, si précieux,
> J'ai fait la guerre aux rois : je l'eusse faite aux dieux.

Le grand public applaudit très fort et la tragédie eut aussi le
suffrage des doctes. Ménage la dit « une pièce admirable et qui
ne cède en rien à celles de M. Corneille. Il y a des vers merveilleux et elle est très bien entendue. » L'abbé d'Aubignac en
fut transporté et il la savait par cœur. Il souligne son mérite
de concentration en termes dont Racine se souviendra : « Les
petits sujets entre les mains d'un poète ingénieux et qui sait
parler ne sauraient mal réussir... Nous en avons vu l'effet dans
l'*Alcionée* de Monsieur Du Ryer, tragédie qui n'a point de
fond et qui néanmoins a ravi par la force des discours et des
sentiments. » Et ailleurs : « Une pièce qui n'aura presque
point d'incidents, mais qui sera soutenue par d'excellents discours ne manquera jamais de réussir ; nous en avons vu
l'exemple dans l'*Alcionée* de Monsieur Du Ryer : il n'y eut
jamais de tragédie moins intriguée et pourtant en avons-nous
vu peu qui aient eu un plus favorable succès. » Scarron la
cite parmi les meilleures pièces du temps. Saint-Evremond et
Marmontel lui accorderont la même admiration.

Après cette incursion dans le romanesque moderne, Du Ryer
s'adresse à l'Antiquité sacrée. Il compose un *Saül* (probabl.
joué en 1640, publ. 1642). Au XVIᵉ siècle, nous le savons, les
pièces bibliques avaient été nombreuses, surtout chez les dramaturges protestants. Du Ryer est le premier auteur qui ait
porté à la scène, en le conformant à la régularité, un sujet
biblique. Il s'en glorifie : « Je demande... qu'on me sache bon
gré d'avoir au moins essayé de faire voir sur notre théâtre la
majesté des Histoires saintes. Comme j'ai eu cet avantage d'y
faire paraître le premier des sujets de cette nature avec quelque
sorte d'applaudissement, si j'en ai mérité quelque chose, je
souhaite pour ma récompense que je serve en cela d'exemple
et que mes Maîtres, je veux dire ces grands Génies qui ren-
draient l'ancienne Grèce envieuse de la France, deviennent mes
imitateurs dans un dessein si glorieux. » Il y avait vingt ans
qu'on ne voyait plus de drames religieux — du moins dignes
d'être cités — sur les scènes françaises ; et si les « maîtres »
dont parle Du Ryer sont Corneille et Rotrou, et si c'est lui qui
leur a suggéré l'idée de *Polyeucte* et de *Saint Genest* (ce qui
demeure douteux pour *Polyeucte*), reconnaissons-lui le droit
de s'en glorifier.

Du Ryer s'est certainement inspiré du *Saül furieux* de Jean de La Taille. Son originalité n'en est point diminuée. Il met en vive clarté l'âme divisée de son héros et le montre accomplissant une progressive et émouvante purification. Il y a là une sorte de combat entre l'Homme et le Destin qui rappelle la tragédie grecque. Du Ryer ne néglige pas le spectacle extérieur. En particulier la scène où la pythonisse d'Endor fait apparaître à Saül l'ombre de Samuel est d'une grandeur shakespearienne. Malheureusement les autres personnages sont bien pâles auprès de Saül. On dirait une pièce qui a été composée pour un acteur « vedette » entouré de médiocrités.

Il faut croire cependant que *Saül* avait mérité des éloges à son auteur, car Du Ryer fait paraître bientôt une seconde tragédie biblique : *Esther* (jouée probabl. en 1642, impr. 1644). A vrai dire, Du Ryer a traité l'histoire en sujet politique plutôt qu'en sujet religieux : il décrit une intrigue de palais qui aboutit à faire accéder une femme au pouvoir royal et à faire choir un premier ministre. *Esther*, à la différence de *Saül*, semble avoir été composée pour une troupe sans « vedette » : aucun caractère n'y est très saillant. Le mélange du comique et du tragique eût classé la pièce, quelques années auparavant, parmi les tragi-comédies. Mais les règles y sont parfaitement observées. Racine a sûrement lu l'*Esther* de Du Ryer.

L'abbé d'Aubignac a fait sur cette pièce une curieuse remarque : « Nous avons vu sur notre théâtre l'*Esther* de Monsieur Du Ryer, ornée de divers événements, fortifiée de grandes passions, et composée avec beaucoup d'art ; mais le succès en fut beaucoup moins heureux à Paris qu'à Rouen ; et quand les comédiens nous en dirent la nouvelle à leur retour, chacun s'en étonna sans en connaître la cause. Mais pour moi, j'estime que la ville de Rouen, étant presque toute dans le trafic, est rempli d'un grand nombre de Juifs, les uns connus et les autres secrets, et qu'ainsi les spectateurs prenaient plus de part dans les intérêts de cette pièce toute judaïque par la conformité de leurs mœurs et de leurs pensées. »

Scévole (joué par l'*Illustre Théâtre* de Molière au début de septembre 1644, impr. 1647) est le chef-d'œuvre de Du Ryer. Il est fort possible que notre auteur ait été incliné à choisir ce sujet par le succès d'*Horace* et de *Cinna*. Car, dans *Scévole*, il s'agit, comme dans *Horace*, d'une exaltation de la patrie romaine et, comme dans *Cinna*, nous voyons un monarque magnanime accordant son pardon à un homme qui a voulu l'assassiner. Il est vrai que le goût de Du Ryer l'a porté, dès ses débuts, vers ce genre de drames. En tout cas, s'il y a un poème cornélien qui ne soit pas de Corneille, c'est bien celui-là.

L'histoire de Mucius Scaevola était bien mince pour fournir la matière d'une tragédie. Du Ryer a fait comme Corneille : il l'a étoffée par des épisodes de son invention. Il imagine, par exemple, que Junie, fille de Brutus et amante de Scévole, est amenée prisonnière dans le camp de Porsenne et de Tarquin, où elle peut conférer avec son amant du meilleur moyen de sauver Rome. Là, Junie se fait aimer de Porsenne et de son fils, ce qui cause de beaux remous de sentiments. Mais le principal personnage de la pièce est Rome elle-même, dont la grande ombre plane sur tous les acteurs du drame, dont l'amour inspire Junie et Scévole et dont la force morale, illustrée par le jeune héros qui n'hésite pas à se brûler la main droite, frappe d'admiration Porsenne et le décide à lever le siège.

La pièce est bien construite et elle dresse devant nous de grands caractères : Porsenne, le sage et magnanime monarque ; Tarquin, le roi en exil, l'émigré sans délicatesse, amer et cruel ; Scévole, le farouche patriote, adouci d'une exquise galanterie ; Junie, fervente républicaine à la façon de l'Emilie de Corneille, mais qui reste plus féminine. Les beaux vers abondent, qui pourraient être attribués à Corneille. Telle, cette apostrophe de Scévole à Porsenne :

> ... Je suis Romain, Porsenne ;
> Et tu vois sur mon front la liberté romaine.
> J'ai, d'un bras que l'honneur a toujours asservi,
> Tâché, comme ennemi, de perdre l'ennemi ;
> Et maintenant qu'un sort, plein d'horreur et de blâme,
> M'expose à la fureur que j'allume en ton âme,
> Je n'ai pas moins de cœur pour souffrir, pour mourir,
> Que j'en ai témoigné pour te faire périr.
> J'avais conclu ta mort : ordonnes-tu la mienne ?
> J'y cours d'un même pas que j'allais à la tienne.
> Enfin, je suis Romain, et de quelques horreurs
> Que tu puisses sur moi signaler tes fureurs,
> Le propre des Romains, en tous lieux invincibles,
> C'est de faire et souffrir les choses impossibles.
> Frappe, voilà mon cœur : mais ne présume pas
> Par mon sang répandu te sauver du trépas...

La pièce remporta plus de succès que n'importe laquelle des tragédies contemporaines, mises à part celles de Corneille et le *Venceslas* de Rotrou. Elle fut représentée cinquante-quatre fois par les comédiens français entre 1681 et 1747, et rééditée à plusieurs reprises au XVIIIe siècle. A la veille de la Révolution, elle tenait encore l'affiche.

Encouragé par son succès, Du Ryer écrit encore une pièce patriotique : *Thémistocle* (rep. en déc. 1646 ou janvier 1647, impr. 1648). Mais le génie de l'auteur est en baisse. La pièce est pauvrement construite ; l'action, dans les deux premiers actes, est presque nulle ; peu de scènes sont intéressantes. C'est une médiocre mouture de Corneille. La politique y est pâle et la galanterie fade.

Nous pouvons passer sous silence les dernières pièces de Du Ryer : *Nitocris* (1649), *Dynamis* (1650), *Anaxandre* (1654) : Du Ryer a épuisé sa veine créatrice et ne fait que se répéter faiblement.

Au total, Du Ryer a sa place importante dans l'histoire de la tragédie classique. Il a contribué à lui annexer de nouvelles provinces, telles que la Bible. Il a montré, le premier avant Racine, qu'on pouvait faire une belle tragédie sur un sujet fort mince. Il a fait voir à la scène des caractères nobles, bien individualisés et d'un robuste relief. Il est enfin, dans ses moments inspirés, l'un de nos excellents poètes dramatiques. On doit regretter qu'il se néglige trop souvent et tombe alors dans une rhétorique verbeuse et molle. Ses envolées sont belles, mais mal soutenues.

JEAN ROTROU (1609-1650)

Jean Rotrou est né à Dreux en 1609 d'une famille qui fournit trois maires à la ville au XVIe et au XVIIe siècle. Il vient à Paris de bonne heure, sans doute pour y faire des études de Droit et se faire recevoir avocat. Mais bientôt il se consacre à la poésie dramatique. Il fréquente Pichou et Mareschal, c'est-à-dire le groupe des jeunes ambitieux qui veulent renouveler le théâtre. Il entre dans la carrière par une petite porte : il se fait « poète à gages » et écrit des pièces pour les Comédiens du Roi à l'Hôtel de Bourgogne. Débuts fâcheux : si Jean Rotrou est à bonne école pour acquérir l'habileté technique, il contracte aussi l'habitude de composer trop vite. Mais, en octobre 1632, il est présenté à Chapelain par le Comte de Fiesque et par un « mécène » qui, selon toute vraisemblance, est le comte de Belin. Chapelain opine qu'il est « dommage qu'un garçon d'un si beau naturel ait pris une servitude si honteuse » ; il ajoute : « Il ne tiendra pas à moi que nous ne l'en affranchissions bientôt. » On doit penser qu'en effet Rotrou, à peu de temps de là, fut libéré de la poésie à gages. Richelieu le prend sous sa protection : Rotrou est l'un des « cinq auteurs » que le Cardinal patronne et gratifie. Il collabore à la *Comédie des Tuileries* jouée le 4 mars 1635. Il se lie avec Corneille d'une vive et fidèle amitié. Entre les deux poètes, l'admiration est mutuelle.

En 1639, Rotrou quitte Paris : Richelieu l'a fait nommer lieutenant particulier du Comté et Bailliage de Dreux. Il se

marie l'année suivante : il aura six enfants. On connaît sa mort
héroïque. Une épidémie ayant éclaté à Dreux, il se tient à son
poste et succombe à la contagion (27 juin 1650). Quoique les
premiers témoignages soient postérieurs de cinquante ans à
l'événement, on doit tenir cette histoire pour véridique.

Rotrou menaçait d'être une sorte de Hardy, pour la fécondité : en 1634, c'est-à-dire six ans après ses débuts, il déclarait
avoir composé trente pièces. De sa nombreuse production,
heureusement ralentie à dater de 1634 et élaborée désormais
plus à loisir, il nous reste trente-cinq pièces : dix-sept tragi-
comédies, douze comédies, dont certaines pourraient s'appeler
pastorales, six tragédies : Rotrou a parcouru tout le domaine
dramatique et son œuvre, par ses dimensions, sa variété, ses
caractères originaux, l'a fait nommer par Voltaire le « fondateur du théâtre » : formule excessive, assurément, mais qui en
partie se justifie.

Tragi-   Il commence par la tragi-comédie. Suivons-
comédies. le d'abord dans ce genre. *L'Hypocondria-*
               que ou le Mort amoureux (1628, impr.
1631) donne dans la mode des « folies ». Un amant perd la
tête en apprenant la nouvelle (fausse) de la mort de sa bien-
aimée. Le sujet peut remonter à la farce du xvie siècle. L'intrigue est ténue, mais l'action a le mouvement habituel à la
tragi-comédie : enlèvement, bataille, meurtre sur la scène. La
scène de folie a un certain intérêt clinique. Rotrou, plus tard,
demandera pour cette pièce l'indulgence du lecteur : « Il y a
d'excellents poètes, mais non pas à l'âge de vingt ans. »
    Dans *Céliane* (1631 ou 1632, imp. 1637), il s'agit d'un amant
qui, généreusement, veut céder sa « maîtresse » à un ami qui
s'est épris d'elle. Déguisements, combats, menaces de suicide,
querelle d'amoureux, va-et-vient de sentiments contraires. La
pièce, mal construite, n'est pas sans intérêt. Le succès qu'elle
remporte a pu tenir, en particulier, à une scène où l'héroïne,
déguisée en jardinier, étale une surabondante érudition florale.
Cette tragi-comédie nous révèle le talent de Rotrou pour les
discussions amoureuses et la peinture des caractères.
    Les Occasions perdues (1633, impr. 1635) sont empruntées à
Lope de Vega, qui sera l'une des sources préférées de Rotrou.
La pièce, qui offre son contingent normal de rencontres imprévues, de déguisements et de méprises, est spirituelle, active,
gaie. Elle contient un joli couplet sur l'inconstance féminine.
    Passons sur *l'Heureuse Constance* (1633, impr. 1635), sauf

à signaler que Rotrou bâtit sa pièce en « contaminant », selon
le procédé courant chez les dramaturges latins, deux pièces de
Lope. La fusion est opérée d'une main experte.

Cléagène et Doristée (1634) est adaptée d'une nouvelle de
Charles Sorel. Enlèvement, meurtres, travestissement. De sa
source, l'histoire garde le caractère débridé et le comique pica-
resque. On y assiste pourtant à un conflit de l'honneur et de
l'amour.

Jusqu'ici, Rotrou s'est peu soucié de régularité : le génie de
la tragi-comédie s'y prête mal. Dans *l'Heureux Naufrage*
encore (1634, impr. 1637), l'action s'étale sur plusieurs mois.

Mais *l'Innocente Fidélité* (1634 ou 1635, impr. 1637) cherche à plaire aux doctes. Les unités d'action et de temps sont
respectées et les divers lieux où se passe le drame sont suffisamment proches les uns des autres. Au demeurant, Rotrou use
de toutes les libertés du genre : un anneau magique permet
toutes les surprises ; il y a des scènes de violence, le sang coule
sur la scène. Pourtant Rotrou est en progrès pour l'essentiel :
les caractères sont d'un dessin vigoureux et les scènes de passion atteignent à une rare intensité.

Agésilan de Colchos, tiré d'*Amadis* (1635 ou 1636, impr.
1637) ne mérite qu'à peine d'être nommé. Rotrou ne se soutient pas. *Les Deux Pucelles* (fin 1636, impr. 1638), empruntées à Cervantès, violent les unités d'action et de jour ; et si le
lieu est étroitement circonscrit, c'est parce que le drame le
veut ainsi plutôt que par souci de régularité. Mais Rotrou
fait voir comme il sait, quand il le veut, ramasser une matière
diffuse, la concentrer, l'unifier et lui donner ainsi une grande
force dramatique.

Avec *Laure Persécutée* (1637, imp. 1639), nous avons une des
tragi-comédies les plus agréables de Rotrou, celle d'ailleurs qu'il
a lui-même préférée. Il l'a écrite alors qu'il faisait partie de
l'équipe du Cardinal. C'est encore Lope de Vega (*Laura perse-
guida*) qu'il a exploité, mais avec liberté et originalité : plusieurs scènes appartiennent en propre à Rotrou. Ici encore,
nous retrouvons les artifices banals de la tragi-comédie, et ses
déguisements et ses méprises peu vraisemblables. Mais l'action
est rapide, les caractères ont de la vérité et de la poésie, le
dosage est habile du comique et du pathétique. Rotrou atteint
parfois à une force qui n'est pas sans évoquer Shakespeare. La
pièce s'ouvre sur un coup de théâtre hardi qui nous plonge
d'emblée dans le feu du drame : Orantée, fils du souverain
de Hongrie, est incarcéré par son père :

> Seigneur, au nom du Roi, j'arrête votre Altesse.

Surtout, on a rarement montré avec tant d'intensité et de délicatesse les mouvements contraires soulevés dans un jeune cœur par la tendresse jalouse et passionnée. Saint-Marc Girardin déclare qu'il n'a jamais lu à ses auditeurs de Sorbonne la scène seconde de l'acte IV sans provoquer une émotion attendrie. Orantée, qui se croit trahi par Laure, exhale devant sa porte ses tourments intérieurs, les combats d'une âme torturée de rancune et palpitante d'un amour invincible :

> Je l'avoue à toi seul, oui, je l'avoue, Octave,
> En cessant d'être amant, je deviens moins qu'esclave,
> Et si je la voyais, je crois qu'à son aspect
> Tu me verrais mourir de crainte et de respect.
> Je ne sais par quel sort ou quelle frénésie
> Mon amour peut durer avec ma jalousie ;
> Mais je sens en effet que, malgré cet affront
> Dont la marque si fraîche est encor sur mon front,
> Le dépit ne saurait l'emporter sur la flamme,
> Et toute mon amour est encore en mon âme.

Le maniérisme galant — ou baroque en ses images — par où s'exprime la passion devient supportable, et même il retrouve sa fraîcheur par la vertu de cette tendresse si jeune et si effervescente. La pièce eut du succès et de nombreuses éditions.

Bélisaire (1643, imp. 1644) est une tragi-comédie à dénouement funeste : nous sommes au temps où, à l'inverse, la tragédie peut avoir une fin heureuse. Le fameux général de Justinien a repoussé les avances amoureuses de l'impératrice Théodora. Furieuse, elle essaye de le faire assassiner : en vain. Elle le calomnie alors auprès de l'empereur. Justinien, courroucé, fait mettre à mort Bélisaire.

Rotrou a écarté du sujet tout élément plaisant. Mais d'autre part, il a évité de représenter sur la scène Bélisaire les yeux arrachés et le visage ruisselant de sang, comme on n'eût pas manqué de le faire quinze ans auparavant. Les unités sont observées, avec une certaine invraisemblance : il est difficile de croire que l'action puisse tenir en vingt-quatre heures.

Une scène remarquable est celle où Théodora avertit Antonie, « maîtresse » de Bélisaire, que si, au cours d'une entrevue qu'ils doivent avoir, elle donne à son amant la moindre marque d'amour, il sera aussitôt mis à mort :

> ... Si, par quelque signe ou public ou secret,
> Par quelque mouvement de joie ou de regret,
> Vous rendez votre amour visible à Bélisaire ;
> Si par un seul regard vous rallumez ses feux...
>   ... il n'a pas plus de vie

Qu'il ne lui faut de temps pour se la voir ravie.
Vos regards lui seront des traits envenimés
Et vous l'assassinez enfin si vous l'aimez.

Il semble bien que nous ayons ici la source de la fameuse scène de *Britannicus* et des menaces de Néron à Junie.

Si *Célie ou le Vice-Roy de Naples,* sauf quelque trouvailles piquantes, est sans grand intérêt, il n'en va pas de même de *Dom Bernard de Cabrère* (1646, imp. 1647). Rotrou a puisé dans la comédie espagnole. Il nous représente les déconvenues répétées d'un malchanceux, Dom Lope de Lune — qui est en réalité le principal personnage de la pièce — et qui, malgré ses exploits et l'appui sincère que lui donne l'heureux Dom Bernard, ne parvient pas à se faire remarquer du Roi. Ce monarque, Dom Pèdre d'Aragon, n'est guère qu'un soliveau que l'auteur rend exprès distrait ou sommolent lorsqu'on lui parle de Dom Lope. Celui-ci n'est pas plus heureux en amour qu'en ambition : il reçoit un « poulet » enflammé qu'il croit écrit par l'Infante : en réalité il émane d'une « vieille fille décrépite » dont Rotrou nous détaille complaisamment la repoussante figure : les portraits de vieilles sont un des poncifs, nous le savons, de la poésie baroque.

La pièce n'est pas plus construite que ne le seront *les Fâcheux* de Molière : nous n'avons qu'une suite d'épisodes mal liés qui se terminent tous à une déception de Dom Lope : pièce à « tiroirs », d'ailleurs amusante.

La dernière tragi-comédie de Rotrou est *Dom Lope de Cardone* (1649, impr. 1652) : titre emprunté à Lope de Vega. Le genre tragi-comique est sur son déclin, le talent de Rotrou aussi, qui se répète faiblement.

La tragi-comédie de Rotrou, bien entendu, tient du roman. Elle en a les agréments et les faiblesses. Saupoudrée d'*Amadis* et d'*Astrée,* pimentée d'emprunts espagnols et italiens, elle met en œuvre, pêle-mêle, les artifices habituels : rapts, duels, déguisements, naufrages, reconnaissances et rencontres miraculeuses. Les dénouements sont du « dieu de la machine ». C'est de la féerie souvent gratuite, du caprice baroque. Rotrou paraît ici ou là se moquer de lui-même, des conventions du genre, de son langage trop adorné : n'est-ce pas parfois malgré lui qu'il consent, travaillant sur commande, aux routines des acteurs et au goût du public ? Mais, à travers le fatras de ces intrigues tarabiscotées, des âmes se révèlent, ardentes, spontanées, spirituelles et d'une séduisante jeunesse.

Comédies.   Ces réflexions valent, dans une large mesure, pour la comédie de Rotrou.

La Bague de l'Oubly (1629, impr. 1635) est, dit l'auteur, « la

seconde pièce qui est sortie de mes mains ». Il avoue qu'elle
est « une pure traduction » de Lope de Vega (*Sortija del
Olvido*). Dès ce coup d'essai dans la comédie proprement dite,
Rotrou assure qu'il a travaillé à rendre « modeste » la Muse
du genre : « J'ai pris tant de peine à polir ses mœurs que, si
elle n'est belle, du moins elle est sage et que, d'une profane, j'en
ai fait une religieuse » : c'est beaucoup dire, et la religieuse
se permettra encore des libertés peu conventuelles. Il reste
vrai que nous sommes à l'époque où, sous la pression de Richelieu, le théâtre tâche laborieusement à s'épurer et Rotrou prend
sa part sincère de l'entreprise.

La Bague de l'Oubly marque une date dans l'histoire dramatique en ce que cette pièce est la première qui soit empruntée
au théâtre espagnol. Mais déjà le génie « classique » est à
l'œuvre : Rotrou abrège son modèle, le soulage des références
mythologiques et condense la matière. Le succès prouve que la
comédie littéraire pouvait provoquer le rire et concurrencer
victorieusement la farce grossière. La pièce de Rotrou, ainsi,
a frayé la voie au genre que devaient bientôt illustrer Claveret,
Mareschal, Corneille et Desmarets, en attendant Molière.

Encouragé, Rotrou choisit plus haut son modèle et il « habille
à la française » les *Ménechmes* de Plaute. Ses *Ménechmes* à
lui (1630-31), impr. 1636) atténuent en effet les licences du
latin pour se conformer aux bienséances : la prostituée de
l'original cède la place à une respectable veuve ; ainsi l'atmosphère de la pièce et le caractère des deux frères gagnent en
moralité. Les mœurs et les coutumes sont modernisées. L'action
est unifiée. La durée est la même dans la pièce de Rotrou que
chez Plaute : elle se réduit à moins de douze heures. Le lieu,
suivant Mahelot, est restreint à quelques « maisons et rues ».
C'est ainsi que l'influence du comique latin peut avoir favorisé
l'établissement des règles.

Dans la comédie suivante, *Diane* (1632-33, impr. 1635), les
unités sont observées à dessein exprès. La pièce a été commandée à Rotrou par le comte de Fiesque, qui a fort bien pu
suggérer au poète cette soumission aux lois nouvelles du
théâtre : la noblesse avait pris parti pour elles. La source est
la *Villana de Xetafe* de Lope de Vega, mais Rotrou a remanié
cette histoire d'enfant abandonné. C'est une comédie d'intrigue
plutôt que de caractère ou de mœurs, avec des évocations pastorales.

La *Célimène* (1633, impr. 1636) est une vraie pastorale, mais
« habillée en comédie », suivant l'aveu de l'auteur : à cette date,
la pastorale tombait en décri. La pièce développe un schéma
littéraire trop connu : une fille trahie par son amant se déguise
en homme pour séduire sa rivale. Les Italiens et les Espagnols

avaient usé et abusé de la recette. Tristan, nous l'avons dit,
rhabillera *Célimène* en pastorale sous le titre d'*Amarillis* : sa
version aura plus de succès que celle de Rotrou.

La Belle Alphrède (1635-36, imp. 1639) pourrait aussi bien
s'appeler tragi-comédie. Une fille délaissée de son amant se met
à sa poursuite. Une tempête la jette sur les côtes de Barbarie
où, par un hasard prodigieux, elle retrouve l'infidèle. Des
Arabes l'attaquent, elle le délivre à coups d'épée. Les amants
sont ensuite capturés par des pirates, dont le chef se trouve —
autre miracle — être le père d'Alphrède. Passons sur les
aventures suivantes : nous sommes dans le romanesque le
plus irréel. Nul souci des unités, cela va sans dire : on passe
d'Angleterre en Afrique et l'action se développe sur plus d'un
mois.

Nous revenons à la source humaniste avec *les Sosies* (1637,
impr. 1639), adaptés de l'*Amphitruo* de Plaute. Le latin avait
forgé le mot « tragi-comédie » pour qualifier sa pièce, parce
qu'elle mettait en scène des divinités, personnages qui en principe ne daignent paraître que dans la tragédie. Rotrou appuie
sur le comique, mais au reste il suit Plaute d'assez près, sauf
quelques modifications : le prologue, par exemple, est dit par
Junon. Dans deux scènes où, chez Plaute, Alcmène monologue,
Rotrou la fait dialoguer avec sa « suivante » Céphalie. Ces
changements, et l'accentuation du ton comique rendaient plus
vivante la pièce : Molière les adoptera pour son *Amphitryon*
qui doit beaucoup à l'œuvre de Rotrou.

On reste en deçà des vingt-quatre heures : l'action commence au milieu de la nuit (prolongée il est vrai) et s'achève
dans l'après-midi suivant. Le lieu est unique : tout se passe
devant la maison d'Amphitryon.

La pièce remporta un bon succès. Chapelain déclare, dans
une lettre du 22 janvier 1637 : « Depuis quinze jours, le public
a été diverti du *Cid* et des *Deux Sosies* à un point de satisfaction qui ne se peut exprimer. »

Puisque Plaute réussit, Rotrou redonne du Plaute : ce sont
les Captifs ou les Esclaves (1638, impr. 1640), adaptés des
Captivi. Seulement Rotrou prend beaucoup plus de liberté,
cette fois, avec son modèle. Il change plusieurs noms, modifie
l'histoire, crée des personnages nouveaux. Le résultat est discutable : la pièce en devient plus romanesque, mais elle est
moins bien bâtie que celle de Plaute. Les unités de lieu et de
temps sont respectées, l'unité d'action est imparfaite.

La Sœur (1645, impr. 1646) est dérivée, on devrait presque
dire traduite, de la *Sorella* de Della Porta (1589). Cependant
Rotrou a retouché certains rôles, supprimé le parasite, changé
la nourrice en « suivante ». Il abrège, resserre, unifie.

La Sœur est une comédie d'intrigue fondée sur une substitution d'enfants et riche en hasards, rencontres, reconnaissances. Une Aurélie, changée au berceau, se croit Sophie et se trouve en réalité Eroxène : c'est tout simple. Une « marque au bras en forme de raisin » permet de découvrir la « supposition ». La « voix du sang » joue aussi sa partie. L'imbroglio se dénoue par un « miracle inouï » : l'aveu est de l'auteur.

Les caractères sont aussi conventionnels que les données de fait, mais ils sont doués d'une vie surprenante. Le plus intéressant est probablement Ergaste, valet fécond en expédients, « fourbe signalé ». Le comique est assuré par lui, ainsi que par les « turqueries » dont l'auteur use avec une fantaisie très réjouissante.

L'action est conduite avec désinvolture, les scènes sont mal liées ; mais les unités — il le faut bien à cette date — sont respectées. Molière puisera largement dans cette pièce dont la verve jaillissante et les inventions cocasses n'ont d'autre prétention que de faire rire. Dans *le Bourgeois Gentilhomme,* il se souviendra que :

> Le langage turc dit beaucoup en deux mots.

L'exposition des *Fourberies de Scapin* ressemble fort à celle de *la Sœur. Le Médecin malgré lui, le Dépit amoureux* doivent quelques détails, semble-t-il, à la comédie de Rotrou. Le fameux mot « sans dot ! », le verbe « engendrer » (au passif : avoir pour gendre) s'y trouvent aussi.

On le voit : les comédies de Rotrou sont loin d'être sans valeur et leur contribution au développement du genre est considérable. Rotrou n'a pas réussi de chef-d'œuvre total. Sa comédie est encombrée des accessoires de la tragi-comédie : l'action est surchargée (sauf louables exceptions), romanesque, trop abondante en coups de théâtre. Des scènes tragiques s'y rencontrent. Mais il n'est que d'élaguer de ces œuvres ces artifices baroques et les belles qualités de Rotrou apparaissent : vivacité de l'action, relief des caractères, force comique, style verveux et original. Si nous n'avions pas Molière, auquel il a facilité la besogne, Rotrou, comme auteur de comédies, brillerait davantage.

Tragédies.   Toutefois son talent le plus authentique et ses préférences le portent au genre dramatique le plus élevé. Il l'a dit dans son *Saint Genest :*

> Mon goût, quoi qu'il en soit, est pour la tragédie ;
> L'objet en est plus haut, l'action plus hardie
> Et les pensers pompeux et pleins de majesté
> Lui donnent plus de poids et plus d'autorité.

La première tragédie de Rotrou est antérieure à la *Sopho-*
nisbe de Mairet : c'est *Hercule mourant,* dédié au cardinal de
Richelieu et qui fut représenté en février 1634 (imp. 1636). Le
modèle est Sénèque. Mais Rotrou en a fait une adaptation large
et libre : il y montre un talent dramatique bien supérieur à
celui du poète-philosophe latin. Dans la mise en scène cependant, Rotrou ne sait pas se dégager des prestiges de la tragi-
comédie et, par là autant que par la date, sa tragédie est plus
éloignée que la *Sophonisbe* de l' « économie » classique. Elle
accorde trop au spectacle. Croyons-en Mahelot, qui note en son
Mémoire : « Au cinquième acte, un tonnerre ; et après
le ciel s'ouvre et Hercule descend du ciel en terre dans une
nue ; le globe doit être empli de douze signes et nues et les
douze vents, des étoiles ardentes, soleil en escarboucle trans-
parente et autres ornements à la fantaisie du feinteur. »
Par ces artifices de machinerie et par l'éclat du décor,
Rotrou essayait de remettre à flot la tragédie. Ce n'était pas la
bonne voie : Mairet allait la trouver. A certains égards, pourtant, *Hercule mourant* est déjà un drame classique, en dépit de
son insuffisant resserrement. Mieux que ses devanciers, mieux
que Robert Garnier, il sait prendre sa distance à l'égard de son
modèle ; il sait assembler les fils d'une histoire et tisser son
intrigue. Il a l'instinct des « scènes à faire » et l'art d'affronter
des passions contraires. La durée se limite aux vingt-quatre
heures, l'espace ne s'étend pas au-delà de trois ou quatre cents
pieds. L'unité d'action n'est pas sans reproche, mais à cette
époque on en avait une conception assez large. Le style est
encore loin de la simplicité racinienne : le maniérisme baroque
y fait admirer ses ciselures et l'on passe de l'emphase à la
trivialité. Tel quel, ce drame a coopéré efficacement à la restauration de la tragédie.

La seconde tragédie de Rotrou est *Crisante,* probabl. jouée
en 1635, imp. 1640. Rotrou, c'est singulier, ne semble pas avoir
été touché d'émulation par l'exemple de Mairet. Il paraît abandonner la voie où lui-même il était entré et faire nargue aux
unités. L'action de *Crisante* exige plusieurs jours et un lieu
plus vaste qu'une ville. Rotrou donne encore beaucoup au spectacle, sans négliger pourtant les conflits de sentiments. La
pièce est du reste intéressante, forte, animée, brutale même par
endroits : on s'égorge sur la scène, on y montre une tête coupée.
Les bienséances ne s'imposent pas encore à Rotrou. On est tenté
de se demander s'il n'a pas voulu engager la tragédie dans la
voie mitoyenne d'un drame à grand spectacle qui fût en même
temps un débat psychologique. Nous assisterons encore de sa
part à des tentatives de ce genre. S'il a parié là-dessus, il a

perdu. Mais plutôt peut-être, Rotrou essayait-il, sans idée pré-
conçue, de déployer son talent dans tous les sens, comme le fera
en somme Corneille. Car nous le voyons revenir à la régularité dans la tragédie suivante.

Antigone fut jouée probablement en 1637, publ. en 1639 : à
cette date, les règles faisaient davantage peser leur empire.

Rotrou s'inspire de l'*Antigone* de Sophocle et, plus immédiatement, de l'*Antigone* de Garnier. C'est à Garnier qu'il a pris
l'idée de fondre en une seule pièce l'histoire des deux frères
ennemis Etéocle et Polynice et le drame d'Antigone. Racine le
lui a reproché, dans la *Préface* de sa *Thébaïde* : « Ce sujet
avait été autrefois traité par Rotrou sous le nom d'*Antigone ;*
mais il faisait mourir les deux frères dès le commencement de
son troisième acte. Le reste était en quelque sorte le commen-
ment d'une autre tragédie, où l'on entrait dans des intérêts tout
nouveaux et il avait réuni en une seule pièce deux actions
différentes, dont l'une sert de matière aux *Phéniciennes* d'Euripide et l'autre à l'*Antigone* de Sophocle. Je compris que cette
duplicité d'action avait pu nuire à sa pièce, qui d'ailleurs était
remplie de quantité de beaux endroits. » Ainsi, Racine
reproche à Rotrou une « contamination » par où il
contrevient à l'unité d'action. Le procédé de Rotrou peut néanmoins se défendre, même à ce point de vue : le poète a su
habilement unir les deux intrigues et son œuvre est supérieure
en intérêt dramatique à celle de Racine.

Observons ici la différence de conception qui sépare les deux
dramaturges : Rotrou tenant, comme Corneille, pour la tragédie « implexe », Racine préférant la tragédie simple, aussi peu
chargée de matière que possible.

Rotrou, une fois de plus, manifeste dans *Antigone* son goût
pour le pittoresque. On y voit la reine Jocaste entrer la chevelure en désordre : en une scène pathétique, elle adjure ses
enfants de se réconcilier, alors qu'ils se font face, l'épée en
main, sous les murs de la ville. Il faut admirer aussi la rencontre nocturne, à la lueur d'une lampe blafarde, de la sœur et
de la jeune veuve de Polynice qui, sur le champ de bataille,
s'embrassent en mêlant leurs larmes. A la fin de la pièce, apparaît au spectateur le corps d'Antigone couchée dans sa tombe.
Visions touchantes, d'une grandeur mélancolique, auxquelles
il est dommage peut-être que le théâtre classique ait renoncé.
Car on ne peut pas dire que Rotrou ait négligé la peinture des
âmes au profit du spectacle des yeux : son Antigone, d'un
héroïsme qu'on peut trouver hautain, garde sa séduction et les
combats en son cœur de la crainte et de l'espoir émeuvent en
nous une sympathie profonde.

En 1645, Racan déclarait que l'*Antigone* de Rotrou était une des quatre plus belles pièces qu'il eût vues.

Le succès de sa tragédie incita Rotrou à puiser de nouveau à la source grecque. Ce fut *Iphigénie* (1640, impr. 1641). Cette fois, Rotrou renonce à la contamination : il s'en tient au seul Euripide, qu'il suit fidèlement dans ses grandes lignes. Il fait cependant subir aux caractères des modifications notables pour les rendre plus dramatiques et plus acceptables au public français. Son héroïne est plus énergique et plus active qu'elle ne l'est dans la pièce grecque. Achille est un galant héros de roman, qui loue les « beaux yeux » de la Reine et qui tombe, dès la première vue, amoureux d'Iphigénie. Ici encore, Rotrou soigne le décor. La scène représente, au fond, la mer immobile. Agamemnon paraît, dans la pénombre du petit matin, une lanterne à la main. Au dénouement, la déesse fait une belle entrée aérienne, portée sur un nuage, environnée d'éclairs et de tonnerres. Les unités sont à peu près respectées.

Racine a fait plusieurs emprunts à cette pièce, comme à la précédente.

Le public, semble-t-il, ne fut pas très chaleureux. Aussi Rotrou va-t-il changer de manière et de sujet. Et la tragédie suivante sera un chef-d'œuvre : le *Véritable Saint Genest,* joué probabl. en 1645, impr. 1647.

L'épithète peut paraître étrange au lecteur qui n'est pas un familier du XVIIe siècle. On la trouve souvent dans les titres de pièces et de romans : le *Véritable Coriolan,* de Chapoton (1637) ; la *Véritable Sémiramis,* de Desfontaines (impr. 1645), etc. On distinguait ainsi l'œuvre d'une autre, antérieure, de même titre : Chapoton oppose sa pièce au *Coriolan* de Chevreau. De même Rotrou : Desfontaines avait fait jouer, probablement en 1644, une tragédie que Rotrou a sûrement lue et qui s'intitulait l'*Illustre Comédien ou le Martyre de Saint Genest.* Lors de sa représentation, pourtant, le drame de Rotrou s'appelait, croit-on, le *Feint véritable,* traduction de *lo Fingido Verdadero* de Lope de Vega. Rotrou explique ce titre — ou sous-titre — dans le dernier vers de sa pièce : le comédien-martyr a voulu

> D'une feinte en mourant faire une vérité.

Il s'agit en effet d'un acteur, Genest, qui joue, devant l'empereur Dioclétien, le personnage d'un martyr chrétien, saint Adrien. Au moment capital de son rôle, il est touché par la grâce et il confesse sa foi devant l'auditoire. Dioclétien l'envoie à la mort.

Rotrou s'est inspiré du drame d'un Père jésuite, le P. Cellot, *Hadrianus Martyr* (publié en 1630 et 1634). Les tragédies sacrées tirées de la vie d'un saint étaient très nombreuses à cette époque. Le *Saint Genest* de Rotrou offre une particularité : à l'intérieur de la tragédie, on assiste à une autre tragédie. La formule n'est pas de l'invention de Rotrou : Gougenot, en 1631-32, avait fait jouer une *Comédie des Comédiens :* Scudéry avait fait de même en 1632, sous le même titre. Corneille avait porté la recette à sa perfection, en 1635, dans son *Illusion Comique.*

Ce tableau de la vie familière des comédiens était piquant et attachant. Le public était curieux des détails quotidiens d'une profession qui prenait une importance croissante. On voit, dans le *Saint Genest,* les acteurs préparer et répéter leur rôle ; on y entend une conversation de métier entre Genest et le décorateur. Cette peinture des coulisses, Molière y aura recours dans *l'Impromptu de Versailles.* Le mélange qui en résulte, du familier, du plaisant et du tragique est, chez Rotrou, agréablement dosé. On peut lui reprocher d'avoir fait un peu trop longue la « pièce intérieure ».

Dans le drame de Lope de Vega, la conversion du comédien était l'effet d'un miracle physique : tandis qu'il jouait, l'acteur avait la vision soudaine de flammes dans le ciel. Chez Rotrou, ce prodige extérieur se réduit à une voix céleste qui n'est, en somme, que l'organe sensible de l'appel divin qui résonne en l'âme du comédien. Le drame est, pour l'essentiel, intérieur.

Il n'est pas niable que Rotrou ait subi l'influence de *Polyeucte.* L'imitation est assez sensible en certaines scènes, comme dans les stances que Genest exhale dans sa prison et dans lesquelles, ainsi que Polyeucte, il affirme son mépris des biens du monde. Certes Rotrou a su donner à l'héroïsme chrétien une expression qui ne fait pas figure trop pâle à côté des dialogues sublimes de Corneille. Mais dans la conduite et l'orientation spirituelle du drame, il reste fort au-dessous de son émule et ami. Natalie, épouse d'Adrien, au lieu d'être convertie comme Pauline par l'exemple de son époux, se trouve, en vertu d'un procédé romanesque commun dans le théâtre de Rotrou, une chrétienne clandestine. Rotrou n'a pas eu le génie d'inventer cette ascension sublime de Pauline, ce progrès d'une âme vers la lumière.

Le style est moins tendu et plus coloré que celui de Corneille et il est facile de cueillir dans la pièce de beaux vers isolés, éclos par enchantement et chargés de poésie, ainsi que des tirades pathétiques qui auraient place dans une anthologie, comme cette profession de foi de saint Genest :

> Je renonce à la haine et déteste l'envie
> Qui m'a fait des chrétiens persécuter la vie ;
> Leur créance est ma foi, leur espoir est le mien ;

Paul Scarron.

« Je suis ce poëte fameux — En proie à des douleurs
cruelles — Qui seul appris aux Ris, aux Jeux — L'art de
folâtrer avec elles. »

C'est leur Dieu que j'adore, enfin je suis chrétien.
Quelqu'effort qui s'oppose à l'ardeur qui m'enflamme,
Les intérêts du corps cèdent à ceux de l'âme ;
Déployez vos rigueurs, brûlez, coupez, tranchez :
Mes maux seront encor moindres que mes péchés.
Je sais de quel repos cette peine est suivie
Et ne crains point la mort qui conduit à la vie.
J'ai souhaité longtemps d'agréer à vos yeux :
Aujourd'hui je veux plaire à l'empereur des cieux.
Je vous ai divertis, j'ai chanté vos louanges ;
Il est temps maintenant de réjouir les anges ;
Il est temps de prétendre à des prix immortels,
Il est temps de passer du théâtre aux autels.
Si je l'ai mérité, qu'on me mène au martyre :
Mon rôle est achevé, je n'ai plus rien à dire.

Les unités sont respectées sans effort : l'action ne prend que
quelques heures. Le décor se réduit à l'antichambre d'un palais
et à une prison.

Venceslas est la tragédie de Rotrou qui fut la plus populaire.
Quelques-uns la mettent au-dessus de *Saint Genest*. Elle fut
jouée probablement à la fin de 1647, imprimée en 1648.
    Comme *Le Cid, Venceslas* s'est d'abord appelée « tragi-comé-
die ». Mais les premières rééditions, en 1648, lui restituent son
vrai nom de tragédie, bien que le dénouement en soit heureux.
La source de *Venceslas* est un drame de Francisco de Rojas
Zorilla, *No hay ser padre siendo rey* (On ne peut être père
quand on est roi). Mais, comme toujours, Rotrou prend une
large liberté avec son modèle. Des parties considérables sont de
son invention ; il recrée les caractères, il supprime les rôles
comiques, il change le dénouement.
    Venceslas, roi de Pologne, a deux fils : Ladislas, nature vio-
lente et Alexandre, plus insignifiant. Ladislas aime Cassandre,
qui aime Alexandre auquel elle s'est promise en secret. Ladislas,
une nuit, aperçoit un homme chez la jeune fille. Il juge que c'est
Frédéric, favori du Roi qu'il déteste et qu'il croit aimé de Cassandre. Il le tue. En réalité, il a tué son frère Alexandre. Le
Roi condamne Ladislas à mort. Le peuple se révolte. Le Roi,
fléchi par le vœu universel, mais ne voulant pas trahir son
devoir de juge, abdique en faveur de Ladislas qu'il rend ainsi
inviolable.
    Venceslas ne peut pas nier sa dette envers l'auteur du *Cid*.
Certaines scènes et certains vers imposent l'évidence. Cassandre, comme Chimène, demande la tête du criminel. Il y a un
personnage d'infante amoureuse. Venceslas, au dénouement,
invoque « le temps », comme le roi Fernand, pour faire espérer
à Ladislas que Cassandre se laissera gagner à son amour. Telle
réplique évoque irrésistiblement des souvenirs cornéliens :

> La servir, l'adorer et mourir à ses yeux...
> Qui veut vaincre est déjà bien près de la victoire...
> Se faisant violence, on s'est bientôt dompté
> Et rien n'est tant à nous que notre volonté.

Mais Rotrou a sa valeur propre et elle est grande. La beauté de la pièce réside surtout dans les caractères de Venceslas et de Ladislas. Rotrou a su rendre pathétique le combat qui se livre dans l'âme du vieux Roi entre son office de juge et sa tendresse de père. Ladislas est un amoureux farouche, presque brutal dans son ardeur ; mais il a une vraie grandeur, de la noblesse, de l'héroïsme. Rotrou conforme sa pièce aux exigences intérieures et extérieures du « classicisme ». Les unités sont observées et, quoique le goût de notre auteur pour le remuement pittoresque se montre encore, le romanesque de Rojas s'est transmué, pour l'essentiel, en drame psychologique.

On trouve dans *Venceslas,* néanmoins, de beaux vers descriptifs qui sont devenus rares, à cette date, dans la tragédie régulière :

> Déjà du jour, Seigneur, la lumière naissante
> Fait voir, par son retour, la lune pâlissante
> Et va produire aux yeux les crimes de la nuit...
> ... Est-ce vous, Ladislas,
> Dont la couleur éteinte et la vue égarée
> Ne marquent plus qu'un corps dont l'âme est séparée ?
> En quel lieu, si saisi, si froid et si sanglant,
> Adressez-vous ce pas incertain et tremblant ?

La pièce eut plus de trente éditions entre 1648 et 1907. La troupe de Molière la joua quinze fois entre 1659 et 1680 et la Comédie Française deux cent vingt-sept fois entre 1690 et 1857.

La dernière tragédie de Rotrou, *Cosroès,* est à placer, pour la valeur, au niveau, ou peu s'en faut, des deux précédentes. Jouée probablement en 1648, elle fut publiée en 1649.

Le même Jésuite auquel Rotrou avait emprunté *Saint Genest,* le P. Cellot, lui procure encore son sujet. Le *Chosroès* du Révérend Père avait paru dans le recueil qui contenait l'*Hadrianus* (la source première est dans les *Annales* de Baronius). En outre, Rotrou demanda des idées à Lope de Vega. Mais son imitation, il faut le répéter, reste toujours originale. Rotrou imprime sa marque à la matière dramatique qu'il s'approprie.

Cosroès, roi de Perse, est détesté de ses sujets. Il a deux fils : Siroès, né d'un premier lit et Mardesane, fils de la seconde épouse Sira. La marâtre, qui gouverne son époux, le pousse à désigner Mardesane pour son successeur. Le peuple se soulève et donne le pouvoir à Siroès.

Le seul résumé de l'histoire fait soupçonner que Corneille s'en est inspiré pour son *Nicomède* (début 1651). Chaque personnage de *Cosroès* a sa réplique dans *Nicomède* et les deux intrigues se ressemblent étrangement. A Cosroès correspond Prusias, roi peu aimé de ses sujets, mari dominé par sa seconde femme. Siroès, Nicomède : deux « fillâtres » lésés dans leurs droits et soutenus par la faveur populaire. Attale et Mardesane : deux fils du second lit, sympathiques d'ailleurs et qui n'approuvent pas le procédé de leur mère. Enfin, Laodice, « maîtresse » de Nicomède, a pour sœur aînée Narsée, épouse de Siroès. Le parallélisme est frappant. Il est vrai que Rotrou, de son côté, avait pu trouver des idées fécondes dans *Théodore, Rodogune* et *Héraclius* de Corneille, où s'agitent des haines de femmes et des intrigues politiques.

Quoi qu'il en soit, les caractères dressés par Rotrou, sans égaler les créations géniales de son ami, sont admirables de vigueur et riches d'humanité. Cosroès, hanté par le souvenir de son père Hormisdas qu'il a tué et que ses remords font sombrer dans de noirs accès de démence : faiblesse qui le livre au pouvoir de sa seconde femme. Sira, créature énergique, cruelle et rusée, dont la chute soudaine est amenée avec une grande habileté dramatique. Siroès, héros d'une indomptable volonté, paralysé pourtant par le respect qu'il doit à son roi et père : cause de pathétiques remous dans cette âme de passion. Mardesane, un peu terne d'abord dans sa loyauté scrupuleuse, mais qui se relève à l'heure du péril et affronte la mort avec un généreux mépris. Figures vraiment tragiques, trop oubliées et qui sont parmi les plus belles de notre panthéon littéraire.

Cette pièce, par sa construction serrée, par la progression bien ménagée de l'intrigue, par la grandeur pathétique des intérêts qu'elle met en jeu et des âmes qu'elle oppose, est une des œuvres exemplaires de notre théâtre classique.

Que le « classique » soit un « baroque dompté », on le voit plus nettement que nulle part dans l'œuvre de Rotrou. Génie libre et capricieux, héritier de Hardy et de son foisonnement désordonné, Rotrou commence par l'exubérance déréglée de la tragi-comédie et de la tragédie romanesque. Sa fécondité est d'abord excessive, ses coups de tête diversement heureux. Auteur à succès, pressé de commandes, il ne prend pas le loisir d'affiner ses sujets et de ciseler tous ses vers. De là, ses faiblesses, ses négligences, ses poncifs. Sa galanterie donne dans le gongorisme, son tragique dans l'emphase et la trivialité.

Libéré des servitudes du poète à gages, contraint et persuadé par les exigences des réguliers, Rotrou se convertit peu à peu à une discipline plus sévère de la composition et du style. Ce ne fut ni sans peine ni sans retours. Rotrou, comme son ami Corneille, n'est pas entré de plain-pied dans l'empire des unités. La fantaisie et la fougue de l'inspiration font souvent distendre les lisières.

Ce n'est pas toujours regrettable. Rotrou est un vrai poète qui a gardé quelque chose du grand lyrisme de Garnier. Et sa sensibilité mélancolique et tendre, ou ardente et sombre, son imagination forte et colorée, ces dons qui l'ont fait comparer à Shakespeare, lui font trouver des situations saisissantes ou touchantes, créer des personnages charmants ou farouches, écrire des vers tour à tour pittoresques ou sévères, d'une densité métallique ou d'une fraîcheur exquise.

Rotrou a exercé une longue influence : Molière, Regnard, Quinault, Marivaux l'ont admiré et ont cherché dans son œuvre des idées et des suggestions. Racine l'a lu et relu et ce lui fut sûrement d'un grand profit. Certes, l'auteur de *Bérénice* et de *Bajazet,* le créateur d'Oreste et de Néron, d'Iphigénie et de Monime s'est élevé plus haut que Rotrou. Mais on ne peut s'empêcher de croire que son exemple a encouragé Racine à développer ses dons de poète des passions : des ardeurs déchaînées et des tendresses délicates, des fidélités héroïques et des frénésies criminelles.

SCARRON

En 1645, année où Scarron commence à écrire pour le théâtre comique, la mode, au dire de La Martinière, « était de piller les poètes espagnols ». D'Ouville avait donné l'exemple. Scarron suit le courant. Mais sa vivacité d'intelligence et sa libre humeur le sauvent des imitations serviles. Héritier d'ailleurs de la farce française, de la verve rabelaisienne et du badinage marotique, il insufflera un esprit original dans la matière comique importée d'Espagne.

Les auteurs castillans, dans leurs pièces mêlées de romanesque parfois tragique, avaient introduit un personnage chargé de dérider l'histoire : le « gracioso », valet bavard, vantard, égrillard, goinfre et poltron, au demeurant fertile en ruses et dévoué à son jeune maître. Mais ce rôle restait souvent factice, mal lié à l'intrigue : Scarron aura le mérite de le rattacher plus étroitement au drame.

L'interprète était tout trouvé : un acteur spécialisé dans l'emploi de valet et qu'un irrésistible don comique avait rendu l'idole des foules parisiennes. Julien Bedeau, né à la fin du XVIᵉ siècle, avait débuté, sous le nom de Jodelet, dans la troupe

de Montdory ; passé à l'Hôtel de Bourgogne en 1634 sur
l'ordre du Roi, il était revenu au Marais vers 1640. Son « nez
de blaireau », son visage enfariné, sa voix nasillarde, son jeu
goguenard lui avaient gagné, depuis plus de vingt-cinq ans,
une incroyable popularité. Scarron lui doit le succès de ses premières pièces.

Le Jodelet ou le Maître Valet, joué vers janvier 1645, publié
la même année. La fable et les personnages sont dus à Francisco de Rojas ; mais Scarron, dans ce patron, taille sa pièce
à lui : il élague le romanesque, unifie l'intrigue, la rend plus
claire, renforce le comique. Il y glisse des allusions satiriques
aux mœurs françaises et aux auteurs de son temps. La comédie
présente une double histoire d'amour. Don Juan d'Alvarade
vient à Madrid pour épouser Isabelle de Roxas. Ayant conçu
des doutes sur la vertu de la jeune fille, il prend les habits de
son valet et Jodelet joue le rôle de son maître. Une seconde
intrigue se lie à la première et y apporte des aspects tragiques :
le frère de Don Juan a été tué en duel par Don Louis, cousin
d'Isabelle, et sa sœur Lucrèce abandonnée par le même Don
Louis. D'où conflits de l'amour et de l'honneur familial. Bien
entendu, Isabelle s'éprendra du pseudo-valet, Lucrèce épousera
Don Louis et tout finira dans une embrassade générale. L'affaire s'est réglée dans le même lieu en moins de vingt-quatre
heures.

Scarron, influencé sans doute par son modèle et peut-être
aussi par le goût du public, maintient dans sa comédie des
situations et des dialogues de tragédie. Mais il ne peut refréner
longtemps sa veine burlesque et plusieurs scènes ou
répliques parodient Corneille : les stances ridicules de la servante Béatrix, par exemple :

> Pleurez, pleurez, mes yeux, l'honneur vous le commande...

La pièce eut un grand succès de rire. Molière la représenta
quinze fois entre 1659 et 1662 et, entre 1680 et 1791, elle fut
jouée 217 fois par la Comédie-Française.

Le public réclame des « Jodelets ». Scarron, l'année suivante
(1646), lui donne *les Trois Dorotées ou le Jodelet souffleté*
(impr. 1647). En 1651, la pièce s'intitulera *Jodelet duelliste.*
C'est encore une adaptation libre de l'espagnol. Jodelet, qui a
reçu un soufflet d'un autre valet nommé Alphonse, doit se
battre en duel. Il le déplore :

> Ah ! qu'être homme d'honneur est une sotte chose
> Et qu'un simple soufflet de grand ennuis nous cause !

Ses fanfaronnades et ses lâchetés font le principal de la

pièce. On y rencontre aussi un Don Félix, don Juan de niveau
vulgaire et dont Jodelet est le Sganarelle. Tout lui chaut :

> La fille de dix ans et la sexagénaire...
> Ont en *lui* un amant qui leur fait les yeux doux.

Il l'avoue :

> C'est moins par passion que j'aime que par vice.

Au fond, il ne brûle que « pour lui-même ». Dans quelques
scènes, Scarron fait mine de s'élever à la vraie comédie de
mœurs. Mais on retombe vite dans la bouffonnerie, pour la
plus grande joie du public, qui cette fois encore, applaudit fort.

On s'attendait que Scarron exploitât son succès. Pour un
motif inconnu, il abandonna le Marais et Jodelet. Il n'y perdit
rien. *Dom Japhet d'Arménie,* joué probabl. dès 1647, mais
publié seulement en 1653, est une des pièces du siècle qui obtin-
rent le plus éclatant succès au théâtre et en librairie : onze
éditions au XVIIe siècle. La troupe de Molière la jouera 34
fois. Entre 1680 et 1786, elle aura 253 représentations. Gérard
de Nerval, admirateur de Scarron, méditait de la faire remonter
à la scène.

L'intrigue en est pourtant médiocre. Dom Japhet, fou de
l'empereur Charles-Quint, se retire à Orgas après fortune faite.
Il y est en butte à mille farces et quolibets et doit abandonner
le pays. Dans cette pièce, pour la première fois, le personnage
bouffon devient le protagoniste et l'intrigue romanesque passe
au second plan. Héros burlesque, Dom Japhet caricature la
noblesse, ridiculise le courage, parodie le langage précieux. Il
« métaphorise » jusqu'à l'absurde et refuse d' « altérer son
jargon », signe de sa « noblesse antique » et de son « bel-
esprit ». C'est une marionnette sans humanité dont les autres
personnages tirent les ficelles à leur gré.

Mais la pièce projette une gerbe prodigieuse de traits plaisants et de scènes risibles, elle déploie une verve sonore, dont
on est tenté de penser qu'elle a provoqué l'émulation de Victor
Hugo.

L'Héritier ridicule ou la dame intéressée (rep. en 1649,
publ. 1650) sacrifie encore davantage la vérité humaine au
comique de situation et de mots. Don Diègue a lieu de croire
qu'Hélène de Torrez ne l'aime que pour ses écus. Il présente
à la belle son valet Philippin qu'il fait passer pour Don Pedro
de Buffalos. La sotte se laisse prendre à la ruse et elle est
confondue. Le procédé sera repris par Molière dans les *Précieuses.* Chez Scarron, les caractères sont poussés à la charge.
Philippin tient le langage et commet les âneries les plus invrai-

semblables. Mais le rire, ici comme ailleurs, emporte tout. La comédie fut jouée au moins 40 fois par la troupe de Molière. Elle eut neuf éditions au XVIII° siècle.

L'Ecolier de Salamanque (1654) est une tragi-comédie. La pièce a des accents cornéliens et prouve que Scarron était capable de se hausser à la noblesse tragique. Mais le démon du burlesque est le plus fort et ne peut s'empêcher d'introduire une Béatrice effrontée et un Crispin goguenard, « moitié cuistre et moitié gredin ».

N'allons pas demander à Scarron de nous donner dans son théâtre une image réelle de la vie. Ses drames sont peu croyables, ses caractères faibles et superficiels. Il n'a pas aimé ses personnages comme il a fait ceux du *Roman comique* : il s'est servi d'eux, parfois pour émouvoir, surtout pour faire rire. Son œuvre est trop hâtive : il y manque le souci de l'art, le soin consciencieux du détail. Cependant Scarron fut un bon ouvrier de la comédie « classique ». Il a créé, à l'aide du « gracioso », le valet, bien français, qui va s'installer dans le répertoire. Il a campé des servantes que Molière ne laissera pas en chômage. Il a sensiblement amélioré le style de la comédie en y faisant entrer, avec l'abondance de Rabelais, la malice et la souplesse alertes de Marot et de Voiture. Son vers jaillissant, nerveux et bien rythmé, sa langue nette et pure rendent plus acceptable la licence parfois effrontée des propos. On peut approuver le mot des frères Parfait : Scarron « ouvrit la carrière au dialogue comique sur le théâtre ». Ce qui est important dans l'histoire du genre, il a introduit dans la comédie en vers, pour la vivifier, pour satisfaire à la fois les doctes et le populaire, la bouffonnerie et la farce. Molière, qui admirait « le jeu du théâtre » de Scarron, qui a passé par les Jodelets, qui les a joués souvent, retiendra la recette et perfectionnera la méthode. S'il a réussi dans « l'étrange entreprise » de « faire rire les honnêtes gens », ceux du parterre comme ceux des loges, il le doit en partie à Scarron.

CHAPITRE SIXIÈME

CORNEILLE

1. — *LA JEUNESSE ET LES PREMIÈRES ŒUVRES*

Pierre Corneille est né le 6 juin 1606 à Rouen d'une famille de souche normande qui, de la tannerie, s'était haussée à la magistrature. Le grand-père Pierre Corneille avait été conseiller référendaire à la Chancellerie du Parlement de Normandie. Barbe Houël, sa femme, était la nièce d'un greffier criminel. Son fils, un Pierre encore — l'aîné, dans beaucoup de familles françaises, portait le prénom du père — licencié ès lois, était avocat au Parlement de Normandie et Maître des Eaux-et-Forêts en la Vicomté de Rouen ; il avait épousé la fille d'un avocat de Rouen, Marthe Le Pesant. On comptait un grand nombre de prêtres et de religieuses dans la parenté. Le terroir, la religion, le Palais : triple et solide enracinement par où s'explique plus d'un caractère de l'œuvre cornélienne.

Des frères et sœurs dont notre Pierre était l'aîné, Antoine, né en 1611, se fera prêtre ; Marthe, née en 1623, sera la mère de Fontenelle ; Thomas, plus jeune que Pierre de dix-neuf ans, le suivra dans la carrière littéraire.

En 1615, Pierre entre chez les Jésuites de Rouen, au collège du Grand-Maulévrier, bel édifice construit à la fin du siècle précédent et que fréquentaient alors près de deux mille élèves. Les études y étaient solides. Pierre, élève brillant, parcourt le cycle avec célérité. A quatorze ans, il a fini sa rhétorique et obtient le premier prix de versification latine. Après une année de « logique » (philosophie) au cours de laquelle il fait connaissance avec Aristote, et une année de Physique (sciences), il dit adieu aux révérends Pères : il leur gardera toujours une tendre

et fidèle reconnaissance. Il écrira en 1668 à son ancien maître
le P. Delidel :

> ... Comme je te dois ma gloire sur la terre,
> Puissé-je te devoir un jour celle des Cieux.

Il a dix-sept ans. Il a choisi la carrière de la robe et, après
une année de Droit, licencié ès lois, il prête serment, le 18 juillet
1624, comme avocat stagiaire au Parlement de Normandie.
A-t-il plaidé ? On en doute, pour de bonnes raisons. Si Pierre
Corneille pensait juste et écrivait bien, il parlait mal. Fontenelle avoue que la prononciation de son oncle « n'était pas tout
à fait nette ». Euphémisme respectueux : Corneille bredouillait.
Aussi, quatre ans plus tard, Corneille décide-t-il d'entrer dans
la magistrature purement civile. Son père lui achète deux
charges : celle d'avocat du roi au siège des Eaux-et-Forêts
et celle de premier avocat du roi en l'Amirauté de France au
siège général de la Table de marbre du Palais de Rouen. Il
n'est pas indifférent de noter que le grand chef de l'Amirauté
était Richelieu. Corneille remplira ce double office, avec conscience, pendant vingt-deux ans, ce qui explique sa longue résidence à Rouen et le retard de son entrée à l'Académie française.

Il avait commencé fort jeune, nous pouvons en être sûrs, à
faire des vers français. Dès le collège peut-être il avait eu quelques amourettes, dont témoignent, semble-t-il, les octosyllabes
légers qu'il adressait à un ami :

> J'avais des Philis à la tête,
> J'épiais les occasions ;
> J'épiloguais mes passions,
> Je paraphrasais un visage,
> Je me mettais à tout usage :
> Debout, tête nue, à genoux,
> Triste, gaillard, rêveur, jaloux,
> Je courais, je faisais la grue
> Tout un jour au bout d'une rue.

Il est vraisemblable aussi que Corneille fut charmé, vers sa
vingtième année, par les beaux yeux d'une jeune fille de bonne
famille. On veut qu'elle se soit appelée Catherine Hue. Le jeune
homme ne put l'épouser, refusé peut-être par les parents. Corneille fera dire à Philis, dans *la Place Royale* :

> On dispose de nous sans prendre notre avis ;
> C'est rarement qu'un père à nos goûts s'accommode.

Il conserva de cette aventure un souvenir durable et tendre

et, ajoutons-le, reconnaissant : il lui dut sa vocation de poète. C'est du moins ce qu'il affirmera huit ans plus tard, dans *l'Excuse à Ariste* :

> J'ai brûlé fort longtemps d'une amour assez grande
> Et que, jusqu'au tombeau, je dois bien estimer,
> Puisque ce fut par là que j'appris à rimer...
> J'adorai donc Philis ; et la secrète estime
> Que ce divin esprit faisait de notre rime
> Me fit devenir poète aussitôt qu'amoureux :
> Elle eut mes premiers vers, elle eut mes derniers feux.

Au dire de Thomas Corneille et de Fontenelle, la première pièce de Pierre Corneille, *Mélite,* a son origine dans cette aventure de cœur.

LES PREMIÈRES PIÈCES DE CORNEILLE : DE *MÉLITE* AU *CID*

Une tradition qui paraît solide présente ainsi l'histoire des débuts de Corneille au théâtre : une troupe de comédiens, à laquelle appartenait le fameux acteur Montdory, donnait à Rouen une série de représentations ; Corneille avait écrit une comédie, *Mélite ;* il la fait lire à Montdory, qui la trouve bonne, l'emporte à Paris, où elle obtient des applaudissements. Désormais Corneille, pour quelques années, sera le fournisseur de la troupe de Montdory qui, en 1634, formera le théâtre du Marais.

A quelle époque se passait l'événement ? D'après Fontenelle ce serait en 1625. Il n'est pas impossible que Corneille ait commencé d'écrire sa pièce à cette date. Mais, pour différents motifs, il est difficile d'admettre qu'elle ait été représentée avant la fin de 1629 ou le début de 1630. Elle fut publiée en 1633.

Mélite
ou
Les fausses lettres.

Si Corneille, comme on le veut, a puisé son sujet dans son aventure amoureuse, il faut reconnaître tout de même que l'intrigue met en œuvre des thèmes, des procédés et des personnages familiers du public. « Cette pièce, dira Corneille en 1660, fut mon coup d'essai... Je n'avais pour guide qu'un peu de sens commun avec les exemples de feu Hardy, dont la veine était plus féconde que polie, et de quelques modernes qui commençaient à se pro-

duire. » Dans la *Dédicace* de la pièce, Corneille avouait qu'elle
était l'œuvre « d'un homme qui ne pouvait sentir que la
rudesse de son pays ». Humilité excessive, mais dont il prend
aussitôt sa revanche : il se glorifie d'ennoblir le théâtre comique en écrivant pour les « honnêtes gens », sans recourir aux
moyens grossiers en usage avant lui : « On n'avait jamais vu
jusque-là que la comédie fît rire sans personnages ridicules tels
que les valets bouffons, les parasites, les capitans, les docteurs,
etc... » Pour le coup, il se flatte : la pastorale dramatique avait
déjà banni ces amuseurs trop faciles et elle présentait des
scènes d'un franc comique. Il reste vrai que Corneille nous
produit « quatre amants » de bonne compagnie, fils et filles
de gentilshommes ou de magistrats parisiens et qui ne croient
pas nécessaire de se déguiser en bergers.

Eraste se plaint à son ami Tircis de la froideur que lui témoigne Mélite. Tircis, qui a horreur du mariage, se moque de lui
en termes savoureux :

> ... L'hymen en soi-même est un si lourd fardeau
> Qu'il faut l'appréhender à l'égal du tombeau.
> S'attacher pour jamais aux côtés d'une femme !
> Perdre pour des enfants le repos de son âme !
> Voir leur nombre importun remplir une maison !
> Ah, qu'on aime ce joug avec peu de raison !

Mais dès que Tircis a vu Mélite, il est vaincu, se déclare et
supplante son ami. Eraste se venge en lui faisant passer des
lettres soi-disant écrites par Mélite à un troisième prétendant.
Tircis, désespéré, annonce qu'il va se tuer. Mélite à cette nouvelle s'évanouit. Eraste, croyant à la double mort de son ami et
de sa maîtresse, est pris d'une crise de démence. Il se croit
aux Enfers et interpelle toutes les divinités du Styx : la scène
est tragique plus que plaisante. A la fin les « morts » ressus-
citent, Tircis épouse Mélite et on donne à Eraste, pour le
dédommager, Cloris, sœur de Tircis.

Aucun des ressorts utilisés par Corneille n'était neuf. Les
lettres supposées étaient un artifice banal dans le roman. Nous
avons vu, à propos de Rotrou, que les scènes de folie étaient à
la mode. L'action est assez lâche et, comme on aura souvent
à le remarquer chez Corneille, elle traîne quelque peu aux derniers actes. Plusieurs scènes sont superflues. La nourrice,
exigée par la tradition comique, est à peu près inutile : elle est
juste bonne à fournir des éléments de farce : Corneille aurait
dû la reléguer avec le « valet bouffon » et le « docteur ».

Les unités ne sont pas observées. La pièce, dira plus tard
Corneille, « n'avait garde d'être dans les règles, puisque je
ne savais pas alors qu'il y en eût. » Cependant le lieu se

réduit à la seule ville de Paris : on est déjà loin de « cet
horrible dérèglement qui mettait Paris, Rome et Constantinople
sur le même théâtre ». Pour l'unité de temps, Corneille avoue
que non seulement la durée de l'action dépasse le jour, mais
qu'il y a « une inégalité d'intervalle entre les actes qu'il faut
éviter » : il se passe huit ou quinze jours entre le premier et
le second, autant entre le second et le troisième, une heure
seulement entre le troisième et le quatrième, moins encore entre
le quatrième et le cinquième.

Le tour de main du jeune auteur est déjà remarquable. Le
dialogue est d'une délicatesse de touche, d'une grâce ironique
dont furent charmés les honnêtes gens de la Cour et de la Ville.
Le comique manque de force, il ne manque pas de vérité. Corneille dénoncera en 1660 les « pointes » de *Mélite*. Et il est
vrai que, tout en raillant les amants qui « donnent sur le phébus », il lui arrive d'y consentir lui-même. Mais en général, le
langage, dans cette comédie, n'est pas plus affecté qu'il ne
l'était dans les conversations élégantes de 1630. On trouve des
obscurités : Corneille se perd parfois dans des analyses que
rend plus embrouillées encore un jeu alambiqué de pronoms
personnels et d'adjectifs possessifs : ces recherches, Corneille
aura de la peine à y renoncer. Quel spectateur a saisi du premier coup ces vers trop ingénieux :

MÉLITE

Je ne reçois d'amour et n'en donne à personne :
Les moyens de donner ce que je n'eus jamais ?

ERASTE

Ils vous sont trop aisés ; et par vous désormais
La nature pour moi montre son injustice
A pervertir son cours pour me faire un supplice.

La pièce, après une ou deux représentations indécises, attire
un brillant public et tient l'affiche durant tout l'hiver 1629-
1630.

Ce succès fit connaître le jeune auteur à la Cour. Il gagne
des protecteurs puissants ; il nommera bientôt parmi eux le
duc et la duchesse de Liancourt, le duc de Longueville, gouverneur de Normandie, Madame de La Maisonfort. Désormais il
fera dans la capitale des séjours fréquents.

Clitandre ou l'Innocence délivrée, tragi-comédie, rep. probabl.
fin 1630 ou début 1631, impr. 1632.

Après le coup d'essai de *Mélite,* il faut nous figurer Corneille comme un jeune auteur à la fois passionné de théâtre,
ambitieux et habile, qui va s'efforcer de concilier les exigences
de l'art, le goût du public et les injonctions des critiques tenants

des règles. Il a d'ailleurs conscience que son talent lui permet d'aborder tous les genres dramatiques et il veut tenter toutes les formes. Nul écrivain n'a été plus soucieux et curieux de se renouveler, d'un bout à l'autre de sa carrière. « Jamais, dit-il fièrement dans la *Préface* de *Clitandre,* deux pièces (*il parle de Mélite*) ne partirent d'une même main plus différentes d'invention et de style ».

Diverses raisons l'invitent au changement. Il a rencontré à Paris les poètes partisans des unités et qui se groupent autour de Mairet ; et Mairet vient de remporter un beau succès, du moins auprès des doctes et de certains grands seigneurs, par une tragi-comédie régulière, *Silvanire.* D'autre part, il serait bon de contenter les amateurs de pièces « implexes », qui avaient trouvé *Mélite* trop pauvre de matière. Or, la tragi-comédie, précisément, qui aime les péripéties, les surprises, l'imbroglio, le romanesque, a tout pour les satisfaire. Concilier une intrigue chargée avec le respect des unités n'est pas facile : Corneille y montre son savoir-faire : « Il ne faut pas moins d'adresse à réduire un grand sujet qu'à en déduire un petit. »

En fait de complication, Clitandre fait bonne mesure. L' « argument » par où Corneille essaie de résumer l'histoire ne tient pas moins de neuf pages (une seule avait suffi pour *Mélite*) ; et la chaîne des « incidents » est si serrée qu'il est difficile de comprendre le drame à la première audition : « le moindre défaut d'attention », avoue l'auteur, fait perdre pied sans remède. N'essayons pas de raconter ces aventures touffues. Corneille a voulu prouver qu'il était capable de composer une pièce plus « embarrassée » que *Mélite*. Il aura toujours la tentation de confondre l'art avec la difficulté vaincue et, de son commerce avec Hardy, il gardera une prédilection pour les drames enchevêtrés.

Le décor de *Clitandre* est multiple : un château proche d'une forêt, une prison, une caverne. Comme il est fréquent à cette époque, la tragi-comédie participe de la pastorale. De même que chez Rotrou, on respire dans *Clitandre* l'air des bois et des champs, on y goûte l'ombre des ormeaux, l'aube y blanchit la cime des futaies ; et, après un orage, le soleil.

> ... de ses rayons essuie
> Sur *les* moites rameaux le reste de la pluie.

Saluons ces évocations champêtres, elles ne reparaîtront plus. La pièce est d'ailleurs d'un remuement et d'une violence très « baroques » : âmes farouches et emportées, tentatives de viol, œil crevé, assassins masqués, tempête, éclairs. Les procédés, l'attirail n'ont rien qui surprenne. Inutile de chercher dans

la pièce des allusions à des événements contemporains : rien de
plus douteux que les rapprochements que l'on a pu faire. Il
n'est pas à croire que l'habile Normand se fût ainsi aven-
turé.

Clitandre est donc une tragi-comédie d'une bonne veine courante. Mais Corneille fait un effort — le premier — pour se
conformer aux unités. Les lieux, divers, sont proches les uns
des autres. Et l'action peut tenir sans trop de mal dans les
vingt-quatre heures. L'auteur ne nous promet pas d'ailleurs que
sa conversion à la régularité soit sans retour. Si, dit-il, « j'ai
renfermé cette pièce dans la règle d'un jour... ce n'est pas que...
je me sois résolu à m'y attacher dorénavant. Aujourd'hui quelques-uns adorent cette règle, beaucoup la méprisent ; pour moi,
j'ai voulu seulement montrer que si je m'en éloigne, ce n'est pas
faute de la connaître ». Nous avons, ici encore, un bon Normand.

L'importance de *Clitandre* tient surtout en ceci, que nous
avons en ce drame le premier essai de Corneille dans le genre
que devait illustrer le *Cid*. Une remarque est d'ailleurs à
faire, et qui vaut pour toutes les premières pièces de Corneille :
on y relève de nombreux vers tragiques, des maximes fortes,
des pensées nobles, admirables de densité, de sonorité et d'éclat.
A n'en pas douter, le génie du jeune poète est là : il est doué
pour la haute tragédie.

Dans *l'Examen* de 1660, Corneille s'accusera d'avoir abusé
des « pointes », comme dans *Mélite*. Il ne lui souviendra plus
qu'en 1630, la mode baroque imposait ces ornements.

La Veuve, ou le Traistre trahi, repr. 1631-32 ?, impr. mars
1634.

C'est une comédie. Corneille revient dans le sillage de *Mélite*,
dont il s'inspire d'ailleurs expressément. Il a constaté sans doute
que le public se lasse du romanesque d'aventures et des pays
étranges, qu'il prend goût à la peinture de la vie familière et
contemporaine. La scène est à Paris. Les personnages sont
d' « honnêtes gens » du temps de Louis XIII, comme ceux de
Mélite : Philiste est né « gentilhomme ». « La comédie,
déclare Corneille, n'est qu'un portrait de nos actions et de nos
discours » : le portrait sera plus frappant s'il nous montre des
démarches et des visages qui nous sont connus. Dans ce décor
quotidien (il y a bien un enlèvement, mais qui ne donne lieu à
nulle scène violente), Corneille fait évoluer des âmes fines et
subtiles. Philiste, timide Céladon, aime Clarice, jeune veuve :
si Corneille lui a octroyé le veuvage, c'est en vue de lui donner,
ainsi que Molière le fera pour Célimène, une plus grande
liberté de parole et d'allure. Alcidon feint d'aimer Doris, sœur

de Philiste, mais il aspire en réalité à la main de Clarice. Avec la complicité de la nourrice, il enlève la veuve, mais il est tôt démasqué et confondu. Philiste épousera Clarice.

Corneille exprime avec une délicatesse parfaite les pudeurs de l'amour naissant et nous offre de jolies scènes de tendresse. En contraste, il fait lamenter une fille menacée d'être mariée contre son cœur :

> Il faut que mes désirs, toujours indifférents,
> Aillent sans résistance au gré de mes parents
> Qui m'apprêtent peut-être un brutal, un sauvage :
> Et puis cela s'appelle une fille bien sage !...

La pièce est mieux construite que *Mélite*. On y trouve encore deux actions, qui aboutissent à deux mariages, mais elles sont bien enchaînées. Corneille avoue, dans *l'Examen de Mélite,* que son cinquième acte pourrait « passer pour inutile ». Il avoue « la même chose » pour *la Veuve*. Nous verrons que Corneille, qui fait à la perfection les trois premiers actes, ne remplit pas toujours sans peine les deux derniers. Les scènes sont encore mal liées.

Le style est celui de la conversation. Corneille (*Au Lecteur*) déclare qu'il n'a voulu faire « qu'une prose rimée » ; dans *l'Examen,* il souligne que son style, depuis *Mélite,* s'est rendu « plus net, plus dégagé des pointes ». Des contemporains, même, lui reprocheront d'être tombé dans le style « bourgeois ». Ils exagèrent : on entend encore des galanteries musquées : « belle inhumaine », « soupçonneuse beauté », etc...

Quant aux règles, le Normand montre la même circonspection qu'à propos de *Clitandre :* « Pour l'ordre de la pièce, je ne l'ai mis ni dans la sévérité des règles, ni dans la liberté qui n'est que trop ordinaire sur le théâtre français... J'ai donc cherché quelque milieu pour la règle du temps et me suis persuadé que, la comédie étant disposée en cinq actes, cinq jours consécutifs n'y seraient point mal employés. » Un jour par acte : la solution est élégante.

« Pour l'unité de lieu et d'action, ce sont deux règles que j'observe inviolablement : mais j'interprète la dernière à ma mode, et la première, tantôt je la resserre à la seule grandeur du théâtre, tantôt je l'étends jusqu'à toute une ville, comme dans cette pièce. » Remarquons, ici encore, ce mélange de souplesse docile et de libre originalité qui tient à la nature foncière de Corneille. Ce jeune homme ne va pas au hasard : il cherche sa voie avec perspicacité et en effet il n'y a pas d'auteur dramatique qui ait davantage réfléchi sur l'art du théâtre.

La pièce paraît avoir été accueillie avec une grande faveur.

La Galerie du Palais, ou l'Amie rivale, comédie repr. probabl. en 1632, impr. 1637.

Encore un « portrait » de la vie contemporaine et quotidienne : Corneille, après le succès de *la Veuve,* fait un pas de plus dans cette voie. Il innove pourtant. Plutôt, il adopte une nouveauté que quelques auteurs (Baro, Du Ryer) avaient risquée avec bonheur : représenter sur le plateau des boutiques parisiennes et faire dialoguer les marchands avec leurs chalands. « On tire un rideau et l'on voit le libraire, la lingère et le mercier chacun dans sa boutique. » L'auteur avoue qu'il a choisi son titre de façon à « exciter la curiosité des auditeurs » : c'est le sous-titre qui indique le sujet. La merveilleuse estampe d'Abraham Bosse, reproduite dans tous les manuels, nous montre la Galerie du Palais de Justice et ses étalages, fréquentés par d'élégants seigneurs et de nobles dames.

Corneille accomplit encore un progrès vers le naturel. Il écarte tout romanesque de décor et d'aventures, tout emprunt à la tragi-comédie. Il est encore question d'un duel, mais on sait que le fait est courant à l'époque où se passe l'action. Corneille remplace la nourrice par une « suivante ».

L'intrigue oppose Dorimant à Lysandre dans leurs entreprises sur la belle Célidée. L'histoire prend d'ailleurs un tour imprévu : Lysandre, dédaigné de Célidée, essaie de piquer sa jalousie en feignant un autre amour : nous ne sommes pas loin encore des querelles de *l'Astrée* et de ses jeux galants. Mais la ruse de Lysandre tourne à sa « confusion » et il s'avouera

> ... désespéré du mépris de ses flammes,
> Sans conseil, sans raison, pareil aux matelots
> Qu'un naufrage abandonne à la merci des flots.

Cette scène de douleur n'est pas du tout dans le registre de la comédie. Mais les nuances sont souplement ménagées, dans ces alternances de la coquetterie, de la jalousie, des faux courroux et des duperies réciproques.

Le dialogue a gagné en simplicité, en brièveté, surtout lorsque les personnages devisent sous les arcades du Palais. « Le style, dit Corneille, est plus fort et plus dégagé des pointes » que dans la comédie précédente. C'est vrai. La langue même de la galanterie se fait plus dépouillée. Il faut cependant avouer que la vraisemblance des situations et du langage est obtenue aux dépens de la force comique.

Quant aux unités, Corneille ne se résout pas à s'y conformer entièrement. Si l'unité de lieu est convenablement respectée, l'action, comme dans *la Veuve,* dure cinq jours. La pièce eut un vif succès.

Corneille poursuit sur sa lancée et, avec une étonnante rapi-

dité d'exécution, il présente peu de temps après une œuvre de
la même veine.

La Suivante, repr. probabl. en 1632 ou 1633, impr. 1637.
Encore une comédie familière et dont la scène est encore à
Paris. Le romanesque, pour le coup, est totalement banni, au
point que l'action manque de relief. Mais Corneille a créé un
personnage attachant et original : Amarante, la « suivante »,
confidente et amie de sa maîtresse, est une jeune fille de bonne
naissance et d'éducation relevée que des revers de fortune ont
contrainte de se mettre en service. Corneille avait introduit
une suivante dans *la Galerie du Palais* : mais Florice, qui
avait été mariée et qui n'était plus jeune, tenait encore de la
« lena » antique. Ici, le personnage est décidément purifié de
toute vulgarité. Corneille a su peindre avec justesse les obstacles qu'une condition sociale médiocre peut opposer au libre
essor des sentiments. Il n'a pas osé pousser trop loin dans cette
direction, crainte de tomber dans le tragique. Il est assez pénible déjà de voir la pauvre fille, en punition il est vrai de sa
fourbe, condamnée en fin de compte à une solitude amère et
révoltée. Bien que Corneille ait tenu à rappeler, dans *l'Epître*
dédicatoire, que sa comédie consiste surtout dans un jeu « d'intrigues » et que « les passions n'y entrent que par accident »,
il fait preuve d'une belle habileté à disséquer les caractères et à
éclairer le fond des âmes. Entre ses mains, la comédie est en
bon chemin de s'ennoblir.

Un peu effacée malgré tout, la pièce n'eut pas grand applaudissement. Elle était pourtant régulière. Corneille s'en explique
(*Epître*) : « Il n'y a qu'une action principale à qui toutes les
autres aboutissent ; son lieu n'a point plus d'étendue que celle
du théâtre et le temps n'en est point plus long que celui de la
représentation. » Mais le Normand intervient encore et nous
livre au demeurant des aperçus fort intéressants de ses conceptions
dramatiques : « J'aime à suivre les règles ; mais, loin de me rendre leur esclave, je les élargis et resserre suivant le besoin qu'en
a mon sujet... Puisque nous faisons des poèmes pour être représentés, notre premier but doit être de plaire à la Cour et au
peuple et d'attirer un grand nombre à leurs représentations. Il
faut, s'il se peut, y ajouter les règles, afin de ne déplaire pas
aux savants et recevoir un applaudissement universel. » Plaire
à la Cour, aux doctes et au parterre : ce sera l'ambition de tous
les classiques, notamment de Molière et de Racine.

La Place Royale ou l'Amoureux extravagant (ou encore,
selon d'autres éditions, *le Mariage extravagant*), comédie
représ. en 1633-34, impr. 1637.

Instruit par le médiocre succès de *La Suivante,* Corneille
modifie sa manière. Il persiste néanmoins à prendre pour
théâtre un lieu bien connu des Parisiens. La Place Royale (auj.
place des Vosges) était alors le « promenoir » à la mode, le
rendez-vous des élégants et aussi des duellistes. On trouvait
sous les arcades des galeries un abri commode en cas de
pluie. Henri IV aurait souhaité, dit-on, que tout Paris fût
construit dans ce style.

Mais, au milieu de ce décor contemporain, Corneille fait
évoluer des personnages au caractère beaucoup plus accusé que
ceux des pièces précédentes. Philis est une figure de comédie des plus piquantes : spirituelle, rieuse, désinvolte, raillant
les beaux sentiments. Angélique, en contraste, est une âme de
passion, fidèle jusqu'à la mort, mais préférant renoncer à
l'amour s'il n'est pas excusif et absolu. En face d'elle, Alidor,
création énigmatique de Corneille, et qui porte assurément une
estampille « baroque », et en qui on a voulu voir le premier
exemplaire du « héros cornélien ». Nous vérifierons. En
attendant, remarquons que son auteur le taxe lui-même d' « extravagance », encore qu'il lui garde une visible sympathie.
Alidor aime Angélique ; mais il a décidé de ne jamais subir
la « tyrannie » de l'amour. On l'a dit un « maniaque de la
volonté ». C'est inexact : Alidor est un maniaque de l'indépendance. Il prétend à cette chimère de concilier le don et le
refus de soi :

> Je veux la liberté dans le milieu des fers.
> Il ne faut point servir d'objet qui nous possède ;
> Il ne faut point nourrir d'amour qui ne nous cède ;
> Je le hais s'il me force et quand j'aime, je veux
> Que de ma volonté dépendent tous mes vœux.

Il affirme, et sincèrement, qu'il « idolâtre » Angélique ; mais
parce que sa beauté, trop parfaite, le « soumet en esclave à
trop de tyrannie », il l'offense de propos délibéré et la cède
à son ami Doraste. Angélique, finalement désabusée, entre au
couvent. Alidor, surmontant, c'est probable, une secrète décon-
venue, se glorifie d'avoir reconquis sa chère liberté.

Corneille s'explique sur l'étrangeté de son héros dans *l'Epître*
(à un personnage inconnu) : « C'est de vous, Monsieur, que
j'ai appris que l'amour d'un honnête homme doit toujours
être volontaire ; qu'on ne doit jamais aimer en un point qu'on
ne puisse n'aimer pas ; que, si on en vient jusque-là, c'est une
tyrannie dont il faut secouer le joug ; et qu'enfin la personne
aimée nous a beaucoup plus d'obligation de notre amour alors
qu'elle (= l'amour) est toujours l'effet de notre choix et de
son mérite que quand elle vient d'une inclination aveugle et

forcée par quelque ascendant de naissance à qui nous ne pouvons résister. » En réalité Alidor est plus complexe que ce
schéma. Mais quoi qu'il en soit, Corneille a essayé de brosser
un portrait de « généreux » supérieur à toutes ses passions,
maître de toutes ses impressions : il a forcé le trait jusqu'à
une dureté inhumaine. Mais l'ébauche est à conserver : elle servira de point de départ à des créations plus parfaites.

Dans la touchante et noble Angélique, on peut apercevoir
aussi une esquisse des futures héroïnes de tragédie.

Le style de *la Place Royale* est supérieur à celui des pièces
précédentes, où l'on trouvait une concision pénible et des
obscurités laborieuses. Ici, il est admirable de propriété, de
force et d'élégance. Corneille a eu tort de médire de son œuvre
dans *l'Examen* de 1660. Les unités sont à peu près observées,
avec cette liberté, encore courante à cette époque, que certaines
scènes se passent à l'intérieur d'une maison et qu'on est amené,
dans la scène suivante, à l'extérieur.

S'il faut tout dire, cependant, on a l'impression, depuis *Mélite,*
que Corneille tourne un peu en rond : ses intrigues se répètent, et ses procédés. Il est temps qu'il change de genre. D'autre
part, on sent qu'il s'oriente, de proche en proche, vers la tragédie. Son vrai génie va bientôt se révéler.

Médée, tragédie, rep. 1634-35, impr. 1639.

En 1634, la tragédie, qui avait à peu près disparu de la
scène, ressuscite : Rotrou donne un *Hercule mourant,* puis
Jean Mairet connaît un grand succès avec *Sophonisbe.* Corneille, prompt à saisir les invites de l'opinion, entre dans le
genre à la mode.

Deux types de tragédie s'offrent à lui : la tragédie historique romaine (telle la *Sophonisbe*) et la tragédie mythologique
imitée de Sénèque (tel l'*Hercule mourant*). Il choisit la seconde
espèce, et peut-être par un attrait confus pour la violence et
l'emphase, il emprunte à Sénèque le sujet de *Médée* : le personnage avait de quoi le séduire : orgueil intraitable, énergie
sauvage, ce caractère, dans le registre tragique, ferait un beau
pendant à l'extravagant Alidor.

Comme Rotrou, il fait subir des modifications à la tragédie
de Sénèque, trop discoureuse et faite pour la lecture. Il y introduit le mouvement et le bariolage de la tragi-comédie baroque : prodiges, sorcellerie, cruauté révoltante. L'apparition
sur la scène de Créon et de sa fille Créuse brûlés par les artifices magiques de Médée et ruisselants de sang est un spectacle insoutenable.

Corneille, d'autre part, a donné au personnage de Jason, écrit pour Montdory, une ampleur qu'il n'a pas dans Sénèque ; mais il ne peut le sauver d'être odieux. Tout ce qu'il a pu faire pour ce professionnel du mariage d'intérêt, c'est de le doter d'un cynisme qui l'étoffe quelque peu. Mais le rôle central, celui qui a les complaisances de l'auteur, c'est l'atroce Médée. Corneille ici surpasse Sénèque de très haut. Son héroïne, au milieu des avanies qui devraient l'accabler, garde intacte sa fierté farouche. Elle est l'incarnation d'une volonté de puissance, d'une liberté intérieure que rien ne peut fléchir.

> Dans un si grand revers que vous reste-t-il ? — Moi,
> Moi, dis-je, et c'est assez...
> Oui, tu vois en moi seule et le fer et la flamme,
> Et la terre et la mer et l'enfer et les cieux
> Et le sceptre des rois et la foudre des dieux.

Cette mégalomanie pousse Médée hors de l'humanité ; mais son orgueil ne fait que porter à l'excès une ambition de grandeur et d'autonomie qui paraît séduire Corneille. A son dam ou à sa gloire ? L'avenir nous le dira.

L'Illusion comique, comédie, repr. 1635, impr. 1639.

C'est « un étrange monstre », a dit Corneille. « Le premier acte n'est qu'un prologue, les trois suivants font une comédie imparfaite, le dernier est une tragédie et tout cela, cousu ensemble, fait une comédie. » Précisons. La pièce est composée en effet de trois parties, mais concentriques : telles trois boîtes qui entrent l'une dans l'autre. La pièce extérieure, qui contient et présente les autres, peut s'intituler : « la recherche du fils perdu ». Un bon gentilhomme breton, Pridamant, est en quête de son fils Clindor qui, à la suite d'une semonce un peu forte, s'est enfui de la maison paternelle. Après de longs circuits infructueux, le malheureux père vient en Touraine implorer le secours d'un magicien. Alcandre (c'est le nom de ce « démon du savoir ») le fait assister, comme en un film cinématographique, à la vie de son fils. Cette « projection » constitue la pièce médiane, qui peut s'appeler « les aventures de Clindor ». Le prodigue, après vingt métiers, est devenu le valet d'un Matamore. Il s'est épris d'Isabelle, la « maîtresse » du fanfaron, ce qui ne l'empêche pas, à l'occasion, de courtiser Lise, la servante de la jeune fille. Clindor, attaqué par un rival, le met à mort, est emprisonné, s'enfuit avec la complicité d'Isabelle et de Lise. Pour échapper à la justice, tous trois s'engagent dans une troupe de comédiens. Ici, après un entracte où s'est interrompu le « film », commence la troisième pièce, intérieure à la seconde : « le meurtre de Théagène ». La troupe interprète une tragédie. Clindor, dans le rôle de Théagène, trompe sa femme Hippolyte (jouée par Isabelle) avec l'épouse du prince Florilame ; surpris, il est égorgé par les « domestiques » du prince. Pridamant, que le « mage » facétieux n'a pas prévenu, croit avoir assisté au meurtre de son fils et il exhale sa douleur. Mais (changement à vue) voici Clindor, Isabelle et leurs camarades autour d'une table, se partageant la recette. Pridamant, soulagé, ne trouve pas pourtant fort honorable que son fils ait pris cet état. Mais Alcandre le détrompe par une belle apologie de l'art dramatique et du métier de comédien.

Ces « pièces dans une pièce » étaient à la mode. Mais Corneille l'emporte sur ses devanciers par l'habileté du métier. Sa construction est parfaite, la « couture » des trois parties ingénieusement effectuée. Notons en passant que Corneille a trouvé le moyen de respecter et de violer à la fois les unités : si la projection du « film » ne prend guère plus de deux heures, les aventures de Clindor, présentées en deux épisodes, se sont étalées sur une durée considérable et en des lieux très divers.

L'Illusion comique est une comédie et en effet les scènes plaisantes y sont nombreuses. Mais il s'y trouve des éléments de tragi-comédie : duel, prison, évasion, et de tragédie, dans le drame de Théagène. Le comique est fourni surtout par Matamore, énorme caricature de Capitan, qui tient de Plaute, du Moyen Age des farces, de la Comédie italienne et de ces *Rodomontades espagnoles* comme celle qui avait paru à Rouen en 1627 et où l'on ridiculisait les « traîneurs d'épée ». On a observé depuis longtemps que les bravades de Matamore paraissaient préluder, sur le mode parodique, aux nobles répliques de Rodrigue, de Don Gormas et de Don Diègue. Mais il y a danger, ici, d'abuser des ressemblances verbales. Il est assez évident que la fausse bravoure et la vraie s'expriment dans un langage semblable, mise à part, bien sûr, l'énormité de certaines épithètes et comparaisons. La différence essentielle est dans le ton et le contexte. N'insinuons pas que Corneille pourrait se moquer de ses héros futurs.

Clindor est un fils de famille tombé dans la « bohème » et le parasitisme. Ingénieux flatteur, aimable conteur de fleurettes, il s'ennoblit dans l'épreuve, brave la mort sans trouble et conquiert la sympathie par la sincérité de son amour pour Isabelle. La jeune fille, sous des apparences de légèreté, est sérieuse : elle ne consent à suivre son amant que moyennant promesse formelle de mariage ; elle a le courage de sacrifier à l'amour une vie bourgeoise de « mal mariée ». Lise est un premier crayon, spirituel et agréable, des soubrettes qui animeront la comédie du XVIIIe siècle.

Quant au titre de la pièce, il signifie, au sens propre, l'opé-

ration magique qui évoque la vie des comédiens. Il suggère
aussi l'illusion parfaite procurée par le théâtre, comme l'a
éprouvé le bon Pridamant. Ne poussons pas à des interpréta-
tions plus ésotériques. Disons seulement que cette fantaisie,
qui brode joliment sur le thème du « change » et du faux-
semblant, qui superpose des plans contrastés, qui mêle le prestige et la vérité, qui fait voisiner la poésie et la vulgarité, la
couardise et la vaillance, l'esprit et la sottise, est un des
modèles les plus achevés du théâtre baroque.

Autre nouveauté digne de remarque : ce plaidoyer pour le
théâtre inséré par l'avocat Corneille dans sa pièce : document
important de l'histoire dramatique et de l'histoire des mœurs.

> ... A présent le théâtre
> Est en un point si haut que chacun l'idolâtre ;
> Et ce que votre temps voyait avec mépris
> Est aujourd'hui l'amour de tous les bons esprits,
> L'entretien de Paris, le souhait des provinces,
> Le divertissement le plus doux de nos princes,
> Les délices du peuple et le plaisir des grands ;
> Il tient le premier rang parmi leur passe-temps ;
> Et ceux dont nous voyons la sagesse profonde
> Par ses illustres soins conserver tout le monde
> Trouvent dans les douceurs d'un spectacle si beau
> De quoi se délasser d'un si pesant fardeau.
> Même notre grand roi, ce foudre de la guerre,
> Dont le nom se fait craindre aux deux bouts de la terre,
> Le front ceint de lauriers, daigne bien quelquefois
> Prêter l'œil et l'oreille au Théâtre françois.
> C'est là que le Parnasse étale ses merveilles ;
> Les plus rares esprits lui consacrent leurs veilles ;
> Et tous ceux qu'Apollon voit d'un meilleur regard
> De leurs doctes travaux lui donnent quelque part.
> D'ailleurs, si par les biens on prise les personnes,
> Le théâtre est un fief dont les rentes sont bonnes ;
> Et votre fils rencontre, en un métier si doux,
> Plus d'accommodement qu'il n'eût trouvé chez vous.
> Défaites-vous enfin de cette erreur commune
> Et ne vous plaignez plus de sa bonne fortune.

En même temps que le métier d'acteur, et plus hautement, est
exaltée la profession d'auteur dramatique. Certes on a fait du
chemin depuis le temps des poètes à gages, suiveurs faméliques
des caravanes « comiques ».

Jusqu'ici toutefois, Corneille n'est que le plus brillant talent
de son époque. Il n'a apporté aucune innovation profonde dans
la conception de l'art théâtral. Il a délivré la comédie des
comparses de bas étage et lui a donné le ton de la bonne
société. Il s'est forgé une langue un peu abstraite, obscure parfois, mais serrée et sonore. Jamais plus belle voix n'a retenti
sur la scène. Mais il ne peut passer encore pour un météore

ou un « monstre sacré ». C'est pourquoi tous ses confrères
l'applaudissent. En conciliant au théâtre l'estime des honnêtes
gens, il leur élargit la voie. Vingt auteurs lui font la cour et
lui dédient des pièces liminaires, quand il publie *La Veuve*.
Ils vont bientôt se retourner contre lui. C'est que l'heure du
talent est passée : le génie va éclater, avec *Le Cid*.

Les « Cinq   A l'époque où nous sommes (1634-35), Riche-
Auteurs ».   lieu étend son impérieuse protection sur les
                 Lettres. Il rassemble en un corps officiel le
groupe d'amis qui se réunissaient chez Conrart. En janvier
1635, l'Académie française est fondée. Le Cardinal récompense
le bon esprit des écrivains en leur servant une pension et en
leur assurant sa bienveillance. Corneille sera bientôt compris
dans ces munificences pour une annuité de quinze cents livres.
    En 1635, Richelieu, qui a des prétentions poétiques, mais
qui manque de loisir, a formé une équipe de cinq écrivains
chargés, sous son inspiration, de rédiger des « comédies ». Les
élus sont le favori Boisrobert, le ronsardien Guillaume Colletet,
Claude de l'Estoile, Rotrou et Corneille. Le Cardinal propose un
sujet et un titre dans le goût du jour : *La Comédie des Tuileries*. Un prologue, composé par Colletet, décrit le jardin. On
pense que Corneille est l'auteur du troisième acte. Mais l'intrigue est au-dessous du banal et du médiocre. La pièce est
représentée à grand éclat le 4 mars 1635. Un Avant-Prologue
en prose, de Chapelain, donnait de l'encens aux « cinq auteurs »
et à leur patron. Ils signeront une seconde pièce, *L'Aveugle de
Smyrne* (1637), puis une troisième, perdue, *La Grande Pastorale* (1637). Il est douteux que Corneille ait collaboré à ces
deux productions. Il s'est entendu reprocher par le Cardinal
de « manquer d'esprit de suite ». Le maître n'aimait pas les
résistances et le fier Normand détestait les contraintes. Certes,
pour les intérêts de sa carrière et de sa bourse, il acceptait
de flatter les puissances. Mais il n'était pas disposé à leur
sacrifier l'indépendance de son génie. Du reste, il avait d'autres desseins en tête.

2 — DU CID A PERTHARITE

Le Cid.   *Le Cid,* représenté au Marais fin décembre
                1636 ou début janvier 1637, publ.. mars
1637. La pièce est dédiée à la marquise de Combalet, qui sera
en 1638 duchesse d'Aiguillon, nièce de Richelieu et de « grand
crédit » auprès de son oncle.
    Un on-dit, qui date du XVIII⁰ siècle, assure que c'est sur le

conseil de M. de Chalon, secrétaire des commandements de la
Reine, que Corneille s'est inspiré de Guilhen de Castro. Il
n'avait pas besoin de ce guide. L'Espagne, celle de Lope de
Vega et de Cervantès, avait suscité chez nous des dizaines de
romans, de nouvelles et de tragi-comédies. On peut penser
que Corneille, qui devait aux Espagnols autant qu'à Plaute
le Matamore de *L'Illusion,* pouvait se tourner de lui-même
vers cette Espagne héroïque, exaltée, qui lui offrait des
caractères comme il les aimait.

Les *Mocedades del Cid,* les « Jeunesses », ou, si l'on veut,
les « Enfances » du Cid (publiées à Valence en 1621), sont
un vaste poème scénique divisé en trois journées, dont chacune, sauf la première qui est resserrée en vingt-quatre heures,
s'étend sur une longue durée. Le tout occupe plus de trois
années. Dans la première journée, qui a pour théâtre le palais
de Ferdinand 1er à Burgos, Rodrigue est armé chevalier par le
Roi en présence de la Cour et de Chimène. Puis on assiste, dans
la salle du Conseil, à la scène du soufflet. Don Diègue, rentré
chez lui, éprouve ses trois fils. Rodrigue se montre seul digne
de venger son père. Sur la place qui s'étend entre le palais
et la maison de Don Diègue a lieu la provocation et le duel.
La deuxième journée, riche d'incidents, nous fait voir Chimène et son amant face à face dans l'appartement de la jeune
fille. Rodrigue, après cette scène, part pour la guerre contre
les Maures. Il les met en déroute et amène leur chef qu'il a
capturé. Chimène paraît alors en habits de deuil, exigeant
encore le châtiment du criminel : le Roi la congédie avec respect. La troisième journée, après nous avoir fait connaître la
passion secrète que l'Infante nourrit pour Rodrigue, est
coupée par un long hors-d'œuvre. Rodrigue, en pèlerinage,
rencontre un lépreux, le soigne et le fait manger : le lépreux
est saint Lazare, qui bénit le jeune homme et lui prédit la
gloire. On revient ensuite au sujet principal : un duel entre
Martin Gonzalès, terrible champion aragonais, et le Cid tran-
chera un différend qui oppose la Castille et l'Aragon et en
même temps décidera du sort de Chimène. Rodrigue est vainqueur et, comme il y a trois ans que dure le débat, le mariage,
sur l'ordre du Roi, a lieu séance tenante. Ainsi, suivant la
coutume, le Roi a rendu à l'orpheline « homme pour homme ».

Au cours de ce long poème, le ton ne se maintient pas
dans l'épique, non plus que dans le tragique : des scènes triviales, des mots de comédie égayent l'histoire, selon la tradition des mystères du Moyen Age.

Le premier mérite de Corneille fut d'élaguer un sujet si
touffu et d'en isoler le drame essentiel. Il y était conduit par
les exigences des règles, auxquelles il s'était rallié. Il écarte les

épisodes secondaires, réduit le nombre des personnages, supprime ou adoucit les brutalités et les plaisanteries. Même simplifié et resserré, le drame aurait pu rester dans la catégorie des tragi-comédies chères à Hardy et à Rotrou. Le trait de génie de Corneille, ce fut d'aller droit à l'âme des protagonistes. Il fait tomber toute la lumière sur son jeune couple d'amoureux et il déclenche entre eux ce combat d'honneur, cette émulation de grandeur qui vont les pousser, la mort dans le cœur, à rendre infranchissable l'obstacle qui les sépare, en vue de se montrer d'autant plus dignes l'un et l'autre.

Disons toutefois que le drame, dans certaines de ses données, ne se comprend bien que dans une perspective espagnole et dans une perspective courtoise. La coutume féodale oblige le Roi à rendre à Chimène, en la personne de Rodrigue, l'appui qu'elle a perdu par la mort de son père. D'autre part, la tradition de l'amour courtois, qui s'était perpétuée par les *Amadis* et *l'Astrée,* explique certaines attitudes de Rodrigue et notamment l'obstination qu'il met à vouloir mourir de la propre main de Chimène. La jeune fille, de son côté, ne peut pas demeurer en reste de « générosité » avec son amant. Rodrigue a sacrifié, non pas certes son amour, mais la « possession » de Chimène à l'honneur, s'élevant ainsi au-dessus des communs sentiments. Chimène pourrait, en vertu de la coutume, accepter sans scrupule la main de Rodrigue. Mais elle doit, pour que s'égalent et se rejoignent leurs âmes, s'imposer le même renoncement. Les murmures douloureux de son cœur de femme, on peut les entendre sous les inflexions de ces vers « raciniens » : si mon père, dit-elle, était tombé d'une autre mort,

> ... Contre ma douleur j'aurais senti des charmes,
> Quand une main si chère eût essuyé mes larmes.

Mais elle ne fléchit pas, non plus que Rodrigue. Corneille leur assigne des hauteurs surhumaines : ils y parviendront. Et Chimène ira répétant tout au long de la pièce, pour maintenir en elle le sentiment de son devoir, sa cantilène monotone : « Mon père est mort..., mon père est mort... »

Mais alors, l'obstacle étant insurmontable, les deux amants pourront-ils s'unir ? Le Roi, au dénouement, le fait espérer. Chimène se tait. Elle a dit, il est vrai :

> Sors vainqueur d'un combat dont Chimène est le prix.

Mais, sans parler de la répulsion qu'elle éprouve à se voir livrée à Don Sanche, elle a eu honte de ce mouvement et elle s'est reprise. Corneille, on le sait, a hésité et, en définitive,

il ne répond ni oui ni non. Mais il sait bien quel est le sentiment là-dessus du spectateur, qui, lui, est libre de choisir. Qui
ne prendrait parti pour ces jeunes gens ? On leur est reconnaissant de leur sublimité. Mais on juge que tant d'angoisses
et de combats méritent le bonheur.

Une belle histoire en vérité et qui a de l'avenir : Corneille
a trouvé là sa formule dramatique et, pour l'essentiel, il s'y
tiendra.

L'emprunt à Guilhen de Castro, quelque géniale transfor-
mation qu'ait opérée Corneille, a eu tout de même quelques
inconvénients. On a reproché à Corneille d'avoir gardé le personnage de l'Infante. Le reproche n'est pas sans justesse.
Répondons, après Napoléon, que c'est donner un plus haut
prix à Rodrigue que de le faire aimer d'une fille de roi. Il y
a plus : l'Infante, qui « donne ce qu'elle n'ose prendre »,
accentue le caractère courtois du drame : elle répète le geste
séculaire de la dame qui choisit elle-même une épouse à son
chevalier. Elle remplit aussi une fonction dramatique : elle
est là, comme une menace ou une protection pour les deux
amants, selon qu'elle obéit aux élans de sa passion ou aux
« impressions » de sa « gloire ». Témoin de leur amour et de
leur vaillance, elle aussi torturée et généreuse, elle contribue à
intensifier la vibration de noblesse et de passion de cette tragédie. Et enfin, ne faudra-t-il pas toujours, ou presque, quatre
amants à Corneille ? L'Infante aime Rodrigue, qui aime Chimène, aimée aussi de Don Sanche. Tous ces cœurs éperdus
nous font admirer de beaux mouvements et de pathétiques
orages de tendresse.

Le drame espagnol ne facilitait pas à Corneille, on s'en
doute, l'observation des unités. A vrai dire, le Cid est tout
aussi « régulier » que la plupart des tragédies ou tragi-comédies de ce temps. Mais Corneille doit avouer que « la règle
des vingt-quatre heures presse trop les incidents de cette
pièce. » C'est une « incommodité » que visiblement il déplore :
avis aux pédants qui ont forgé ce carcan.

Pour le lieu, la pièce se passe tout entière à Séville : c'est
une « unité » dont Corneille a toujours souhaité qu'on se
contentât. Mais il n'a pu réussir un resserrement plus parfait : « le lieu particulier change de scène en scène : et
tantôt c'est le palais du roi, tantôt l'appartement de l'Infante,
tantôt la maison de Chimène et tantôt une rue ou place publique. » Nous n'aimons pas beaucoup, aujourd'hui, ce décor
multiple et les incertitudes qui parfois en résultent.

L'action, vers la fin, perd de sa rapidité. L'acte cinquième
traîne un peu : il faut laisser à Don Sanche et à Rodrigue le

temps de se battre ; Corneille comble l'intervalle par une apparition de l'Infante et par un dialogue de Chimène et d'Elvire :
deux scènes que l'on peut justifier à la rigueur, mais dont la
nécessité n'apparaît pas évidente.

Le succès foudroyant, éclatant de sa pièce surprit Corneille.
Ce ne fut, au premier moment, qu'un cri d'admiration, jusque,
dit Fontenelle avec malice, parmi les hommes de guerre et les
mathématiciens.

Cet espagnolisme romanesque avait de quoi séduire les
contemporains de Louis XIII. Et le public s'enivra de beaux
vers. Jamais la langue de Corneille n'a été plus brillante que
dans *Le Cid.* Les répliques se croisent avec une rapidité et un
flamboiement que le poète ne dépassera jamais. On est ébloui,
emporté par le rythme juvénile de tant de scènes désormais
inoubliables. Passons sur quelques recherches baroques, sur
des « pensées trop spirituelles » pour lesquelles Corneille, dans
son *Examen,* plaide coupable. Partout ailleurs, un style de
noblesse, de vaillance et d'amour, jailli directement de l'âme,
soulève les âmes de ce « frémissement » que Corneille a si
bien noté chez ses auditeurs. C'est du reste « tout Paris »,
et non pas seulement la noblesse qui « pour Chimène eut les
yeux de Rodrigue », comme le dit justement Boileau. Dans
ses données fondamentales, *Le Cid* est un drame simple, populaire, d'une humanité universelle. Corneille pourra mettre à
la scène des problèmes plus ambitieux, des intrigues plus
savamment ourdies : il ne retrouvera plus cette allégresse ni
cette fraîcheur. Nous sommes au lumineux matin de son génie.

La Querelle   Après le triomphe du *Cid,* Corneille est pro-
du Cid.   clamé le premier poète de son temps. Le
                      Roi, en janvier 1637, confère la noblesse à
Pierre Corneille le père : mais « cette marque d'honneur qu'il
met dans *la* famille », c'est évidemment le créateur de Chimène qui l'a gagnée. Bientôt les rivaux éclipsés commencent
à murmurer. A la fin de l'hiver de 1637, Corneille publie
l'*Excuse à Ariste :*

> Je sais ce que je vaux et crois ce qu'on m'en dit...
> Je ne dois qu'à moi seul toute ma renommée
> Et pense toutefois n'avoir point de rival
> A qui je fasse tort en le traitant d'égal.

Cette fierté est taxée d'arrogance et soulève les clameurs.
Il se met à pleuvoir des libelles. Mairet, le plus piqué, accuse
Corneille d'avoir pillé Castro. Le père de Rodrigue s'abaisse
à répliquer par des injures. Mairet repart avec une Epître : il

répète que le succès du *Cid* est dû à l'Espagnol ; il ajoute : et au talent des acteurs du Marais. Les amis du Normand accourent et pourfendent l' « Allemand » (Mairet est de Besançon). Mêlée dénuée d'intérêt. Scudéry, mordu aussi de jalousie, entreprend d'examiner *le Cid* à la lumière d'Aristote et d'Heinsius. Il enseigne que, le théâtre étant fait pour instruire, il doit être vraisemblable et moral ; or, dit le futur gouverneur de Notre-Dame de la Garde, la conduite de Chimène viole la vraisemblance et la moralité. De plus, l'intrigue est trop chargée pour tenir dans les vingt-quatre heures. Suivent des critiques de détail. Conclusion : le sujet ne vaut rien, la pièce viole les règles, elle est mal « conduite », elle a « beaucoup de méchants vers » et, ce qu'elle « a de beautés », elle le doit à Guilhen de Castro.

Corneille réplique par une *Lettre apologétique* dédaigneuse et ironique : il prend pour juge le public de la Cour et de la Ville. Nouvelle averse de pamphlets « pro et contra ». En mai 1637, Scudéry en appelle à l'Académie. Richelieu, agacé peut-être par l'attitude orgueilleuse de Corneille, mais surtout empressé à faire valoir la jeune institution, donne son agrément. Une tradition insistante, que Boileau a immortalisée par son fameux distique :

> En vain contre le *Cid* un ministre se ligue,
> Tout Paris pour Chimène a les yeux de Rodrigue,

veut que le Cardinal ait poursuivi Corneille d'une envieuse hostilité. Il doit y avoir quelque chose de vrai. Mais la « persécution » est à écarter : Richelieu continuera de servir sa pension au poète, qui lui dédiera *Horace*.

Cependant la querelle s'échauffe : on en vient aux invectives, aux menaces de coups de bâton — ou d'épée. Richelieu s'interpose : le 5 octobre 1637, il fait écrire à Scudéry par Boisrobert d'avoir à se taire. A la fin de l'année, Balzac, sollicité par Scudéry de l'approuver, lui répond, en homme de goût, par une spirituelle apologie du *Cid*. Si Corneille, dit-il, vous avoue qu'il a violé les règles de l'art, vous êtes contraint de lui « avouer qu'il a un secret, qu'il a mieux réussi que l'art même... Vous l'emportez au cabinet et il a gagné au théâtre. »

Corneille, prié de consentir à soumettre sa pièce au jugement de l'Académie, n'avait pas refusé. Les *Sentiments de l'Académie française sur la tragi-comédie du Cid* paraissent en décembre 1637 (avec la date de 1638). L'ouvrage a été rédigé par Chapelain pour l'essentiel : Richelieu y fit faire quelques retouches. Premier grief : les emprunts à Guilhen de Castro : Corneille en est absous. Second grief : la violation des uni-

tés : on passe. Le gros reproche que l'Académie fait au poète,
c'est d'avoir, en annonçant le mariage de Chimène avec Rodrigue, violé la vraisemblance. Corneille a répondu : le fait est
avéré par l'Histoire. « Nous savons bien, répond l'Académie,
que la vérité de cette aventure combat en faveur du poète.
Mais nous maintenons que toutes les vérités ne sont pas bonnes
pour le théâtre et qu'il en est de quelques-unes comme de ces
crimes énormes dont les juges font brûler les procès avec les
criminels. Il y a des vérités monstrueuses ou qu'il faut suppri-
mer pour le bien de la société ou que, si on ne peut les tenir
cachées, il faut se contenter de remarquer comme des choses
étranges. » Ainsi, pour l'Académie, l'œuvre littéraire n'a pas
le droit de se désintéresser de l'utilité morale et la vérité historique doit céder, le cas échéant, aux bienséances communes.
Ce débat est au cœur du « classicisme ». Mais il est regrettable que l'Académie ait cru pouvoir refaire *le Cid* et proposer à Corneille trois dénouements d'une rare niaiserie. C'est
par là surtout qu'elle s'est marquée d'un ridicule immortel.

Horace.   Pendant trois ans, Corneille se tait. Il a des
           soucis de famille et des difficultés profession-
nelles. Le 12 février 1639, son père meurt et ses charges s'en
trouvent aggravées. Mais d'autre part il réfléchit sur son art,
il travaille, il prépare de nouvelles œuvres, il les met peut-être
en chantier : ses pièces, après cette période de retraite, se
succéderont avec une étonnante célérité. Chapelain, au début
de 1639, a écrit à Balzac : « Corneille ne fait plus rien. » Il
se trompe assurément. En février 1640, Corneille lit *Horace*
chez Boisrobert. La tragédie est jouée peu après (avant le
9 mars) devant Richelieu. Elle est représentée publiquement
en mai.

C'est une histoire romaine. Pierre Corneille, dès le collège
— où les élèves se divisaient en Romains et Carthaginois et
où les dignitaires s'appelaient décurions ou centurions —
avait pénétré l'âme altière de la maîtresse du monde. Là se
rencontraient à foison les grands caractères et les beaux faits
d'héroïsme ; là était une source infiniment plus riche que le
romancero espagnol. Corneille a-t-il pris dès ce moment la
résolution d'être le poète de Rome ? Le fait est que, sur dix-
neuf tragédies, il en a pris quatorze dans l'histoire romaine,
depuis le temps des rois jusqu'aux convulsions du Bas-Empire.
Quoi qu'il en soit, à l'époque où il choisit *Horace*, l'histoire
romaine était à la mode au théâtre. La *Sophonisbe* de Mairet,
en 1634, avait rouvert la voie ; Scudéry avait suivi avec *la
mort de César* (1634) et *Didon* (1635). Chevreau avait donné
une *Lucrèce Romaine* (1636) et un *Coriolan* (1638) ; Du Ryer

une *Lucrèce* (1636), Desmarets un *Scipion* (1638). Il n'est pas sans intérêt de noter en outre que, du fameux récit de Tite-Live, Lope de Vega avait tiré une pièce : *El honrado hermano* (le frère honoré), *tragi-comedia famosa* (1622).

L'histoire des Horaces présentait un problème familial angoissant qui mettait en jeu et portait au paroxysme les sentiments les plus hauts et les plus véhéments de l'âme humaine. Comme dans *le Cid,* les tendresses de la chair entraient en conflit avec un intérêt plus sublime auquel l'honneur exigeait qu'elles fussent sacrifiées. Corneille nous montre les tempêtes soulevées par ce conflit dans des âmes pareillement ardentes, mais diversement affectées.

Horace est une pièce patriotique, comme l'était en partie *le Cid.* Mais dans *Horace,* les intérêts de la cité en péril dominent avec plus d'empire. Toute la gamme sera parcourue des sentiments provoqués par la guerre : enthousiasme, crainte, espoir et, à la fin, c'est la victoire avec ses gloires et les ravages et les deuils dont elle est payée. Les Français du temps, engagés dans la guerre contre l'Espagne, devaient tressaillir à ces évocations. La reine Anne d'Autriche, remarquons-le, se trouvait dans la situation de Sabine. Et c'est à la France que pense Corneille lorsqu'il fait prononcer par Sabine ces vœux en faveur de Rome :

> Je voudrais voir déjà tes troupes couronnées
> D'un pas victorieux franchir les Pyrénées.
> Va jusqu'en Orient pousser tes bataillons,
> Va sur les bords du Rhin planter tes pavillons ;
> Fais trembler sous tes pas les colonnes d'Hercule,
> etc.

Corneille, pour accroître la tension dramatique, simplifie certaines données : il ne fait paraître qu'un seul Horace et qu'un seul Curiace, qui parlent au nom de leurs frères : l'opposition sera plus tranchée. D'autre part, il invente le personnage de Sabine, Albaine dont il fait l'épouse du jeune Horace. On l'a jugée — et Corneille lui-même en 1660 — aussi inutile à l'action que l'Infante du *Cid.* On peut être d'un autre avis. La tragédie domestique, de son fait, se trouve aggravée. Elle apporte dans le drame une nuance de ce romanesque auquel Corneille restera toujours attaché. Et les déplorations élégiaques de Sabine, qui tiennent lieu des chœurs grecs, rappellent le lyrisme douloureux de la tragédie du xvi⁰ siècle. On reproche à la pauvre Sabine de solliciter la mort avec une insistance qu'elle sait bien inutile. Mais il est clair que c'est là, de sa part, une démarche symbolique. Elle signifie qu'en acceptant de se combattre, Horace et Curiace lui donneront la mort. Elle leur dit donc : « Donnez-la-moi tout de suite et, si vous

hésitez à me tuer, alors hésitez à vous entre-tuer. » Et c'est
son désespoir de ne pouvoir amollir ces âmes sauvages :

> Tigres, allez combattre, et nous, allons mourir.

Ajoutons que Corneille trouve nécessaire, comme nous le
constaterons encore, de compléter en quatuor le trio Horace-
Curiace-Camille. Aux deux natures farouches et absolues du
jeune Romain et de sa sœur, le génial dramaturge oppose deux
âmes plus « humaines » : Curiace et Sabine, ces « tendres »,
d'autant plus douloureux que chacun est uni à l'un des « enragés ». Valère n'est qu'un comparse de troisième rang.

Curiace, aussi héroïque de volonté et de conduite que son
futur beau-frère, demande la permission de ne pas bondir d'allégresse à l'annonce du choix « glorieux » qui ruine son bonheur. Certes il apprécie à sa valeur l'honneur qui lui est fait
(v. 557) et protestera comme Horace lorsque le peuple voudra
l'en dessaisir. Mais il ne croit pas que l'amour de la patrie
doive « étouffer tous autres sentiments ».

Camille, si effacée dans Tite-Live, a été dotée par Corneille
d'un « courage » indomptable. Elle représente les droits abso-
lus de l'amour et par là s'oppose violemment à son frère. Elle
est un admirable modèle de furie féminine. En face du « tigre »
de la patrie, elle est la tigresse de l'amour. Chez les hommes
de notre temps, qui ont connu les excès de sauvagerie où peuvent se porter les idolâtries nationalistes, Camille rencontre
des sympathies.

Le jeune Horace mérite admiration. Corneille, si l'on scrute
son texte, l'a montré plus tourmenté que ne pourraient le faire
juger certaines répliques. Il faiblit devant sa femme. Il redoute
pour sa sœur, qu'il sait emportée, l'issue du drame. Il ne se
dissimule pas que sa vertu à lui est inhumaine, et il s'accusera,
après le meurtre de sa sœur, d'une action « lâche » et « brutale » (v. 1425-26) — ou du moins qui peut être jugée telle
sous l'angle étroit des affections familiales. Mais quoi : dans
le climat de loi martiale où se trouve la cité, la « raison »
exige que tout risque d'affaiblissement intérieur des énergies soit
aboli, que toute parole de trahison soit châtiée. C'est cette
« raison » d'Etat que le jeune homme invoque pour condamner à mort celle qui déshonore la patrie, cette patrie qu'il
vient, au prix de si terribles douleurs, de sauver de l'esclava-
vage. Il a été brutal, soit : mais c'est qu'à certaines heures, la
brutalité apparaît comme la seule voie de salut public.

Son seul tort — difficile à excuser — c'est, au retour de la
victoire, d'avoir insulté, par des bravades intolérables, à la
douleur de sa sœur et provoqué sa crise de fureur. N'accusons

pas Corneille de maladresse. Pourquoi veut-on que l'auteur ait
approuvé sans restriction la vertu romaine de son héros ? Il la
présente « inhumaine », ainsi qu'il l'a vue dans Tite-Live. Il
admire le jeune Horace dans l'effort héroïque par où il se
hausse au-dessus de lui-même et des « âmes communes ».
Mais il sait le taxer de « barbarie » et le fait blâmer par le
vieil Horace, qui voit dans le geste meurtrier de son fils l'effet
d'un « jugement céleste » :

> Quand la gloire nous enfle, il (le Ciel) sait bien comme il faut
> Confondre notre orgueil qui s'élève trop haut.

N'en doutons pas : ce verdict est celui de Corneille. Dans la
mesure où l'on peut dire que l'auteur a un porte-parole dans la
pièce, c'est ce noble patriarche, ce chef de tribu, ce père de la
patrie, à la fois si aimant et si grand, qui exprime sa pensée
profonde. Il reste qu'en de certaines circonstances de la vie, des
devoirs en apparence inhumains peuvent s'imposer à nous. En
ce cas, est-ce la voix de l'idéal qu'il faut suivre, est-ce la voix
des tendresses du sang ? A écouter les plaintes du cœur, on
risque de perdre l'énergie du sacrifice. Il faut donc se raidir.
On pense à tels héros de la sainteté passant sur le corps de
leurs parents ou de leurs enfants pour répondre à l'appel de
Dieu. Mais briser violemment des liens trop chers pour un
idéal dont l'humanité sera finalement bénéficiaire, est-ce inhu-
manité ? C'est à de telles réflexions que nous convie le chrétien Corneille.

Le drame atteint, par sa concentration, à la perfection « classique ». Corneille s'est rallié aux unités et les respectera
désormais. Il le souligne, à l'intention de ses adversaires : « La
scène est à Rome, dans la salle de la maison d'Horace. » Et
les événements se déroulent dans l'espace de quelques heures.

Corneille s'accusera, en 1660, d'avoir moins bien observé
l'unité d'action. Horace, dit-il, tombe en « un second péril »,
après avoir triomphé des ennemis de Rome, et en un péril
moins noble, puisqu'il s'agit d'un drame familial. Corneille est
trop sévère. Tous les «incidents » s'enchaînent dans sa pièce,
qui repose entièrement sur le conflit des intérêts « domestiques » et des intérêts « publics ». La tragédie familiale est
l'effet direct de la tragédie nationale. Les deux épreuves que
le héros subit n'en font qu'une : en deux épisodes, c'est le
même combat qu'il soutient et la même unique cause qu'il fait
à la fin triompher.

**Cinna,
ou
La Clémence
d'Auguste.** Cette tragédie a été probablement représentée fin 1640 ou début 1641, publiée en janvier 1643.

Richelieu était mort en décembre précédent. Corneille perdait sa pension et n'était pas assuré des dispositions du nouveau ministre. Il dédie sa pièce à Monsieur de Montoron, un gros financier. Il se défend de le flatter et le compare, pour la générosité, à Auguste. L'encens était un peu épais. Au dire de Tallemant, la dédicace valut à Corneille deux cents pistoles.

Au *Cid* persécuté *Cinna* doit sa naissance

a dit Boileau. Sous cette forme, l'affirmation n'est guère acceptable. Il est vrai qu'après *le Cid,* Corneille s'est efforcé d'éviter les défauts qu'on lui avait reprochés. A quoi il est permis d'ajouter que ses deux principaux adversaires, Mairet et Scudéry, ayant tiré leurs meilleures pièces de l'histoire romaine, Corneille veut les battre sur ce terrain. Précisément le chef-d'œuvre de Scudéry, *la Mort de César,* met en scène une conspiration. Corneille en fera autant, séduit d'ailleurs par les tragédies politiques. Il trouve dans le *De Clementia* de Sénèque l'histoire de Cinna pardonné par Auguste. Montaigne avait rapporté ce bel exemple dans les *Essais* (1. I, ch. 24). Corneille emprunte à Dion Cassius (1.52) l'idée de la délibération d'Auguste. La Ménardière, en 1639, avait observé qu'il y avait dans ce trait de clémence un bon sujet de tragédie.

Corneille joint au drame politique une intrigue d'amour et les lie étroitement l'un à l'autre. Il invente à cet effet le personnage d'Emilie : il imagine que le père de la jeune fille a été proscrit par Auguste et qu'elle a juré de le venger, bien que l'Empereur eût recueilli l'orpheline qu'elle était et qu'il l'eût comblée de bienfaits. Elle aime Cinna et le pousse à tuer Auguste. Son ardeur républicaine a fait l'admiration de Balzac qui l'appelle « la rivale de Caton et de Brutus dans la passion de la liberté », « la belle, la raisonnable, la sainte et l'adorable Furie ». En réalité, Emilie songe plus à sa vengeance personnelle qu'à la « liberté de Rome » : trait assez féminin. La « furie » du reste n'est pas sans connaître des « faiblesses » humaines. Pourquoi ne pas la croire lorsqu'elle affirme :

J'aime encor plus Cinna que je ne hais Auguste.

Nous la verrons s'affoler lorsque son amant sera en danger d'être découvert. Elle s'est assigné un dessein « généreux » : elle n'y reste pas fidèle sans combats. Sa gloire, elle la met à surmonter les « rebellions de *son* cœur mutiné » ; elle se sacrifie, comme les autres héros de Corneille, à un idéal plus élevé que les légitimes « tendresses ».

Cinna non plus n'est pas tout d'une pièce. Avouons qu'il est plus « flottant » qu'Emilie : elle le lui reprochera. L'idée du crime provoque chez lui une horreur plus vive : il n'a pas un père à venger. Cependant, lorsqu'Auguste le mande, il supporte le coup mieux que sa maîtresse. Dans la scène où l'Empereur déclare son désir d'abdiquer, il ne prend pas, comme le lâche Maxime, la voie facile qui consiste à encourager Auguste dans ce propos : il l'engage à garder le pouvoir. On l'a accusé de perfidie. Mais il faut écouter ses explications. La retraite d'Auguste écarterait provisoirement le tyran, soit ; mais la tyrannie ne serait pas châtiée : mauvais exemple pour la postérité, encouragement donné aux dictateurs éventuels. Le personnage ainsi se soutient et il a sa noblesse. Corneille lui a fait tort en prêtant à l'Empereur des mots trop méprisants pour le conspirateur. Le maréchal de La Feuillade avait raison : Corneille-Auguste nous gâte le « Soyons amis, Cinna ».

Une fois faites ces mises au point, il faut reconnaître que Cinna — et aussi son Emilie — sont dépassés, écrasés par la grandeur d'Auguste. L'empereur, dès qu'il a paru sur la scène, est devenu le personnage principal et les deux fiancés reculent au second plan : toute la lumière converge sur ce maître de l'univers dégoûté de sa gloire. Cette lassitude de l'âme, c'est celle qui a poussé Charles Quint dans son monastère d'Estrémadure, et envoyé son fils, Philippe II, mourir dans une cellule de reclus à l'Escurial. Grande figure mélancolique, le premier des « héros fatigués » de Corneille, Auguste est disposé toutefois à conserver le joug s'il obtient l'assurance qu'il peut être encore utile au monde. Cette démarche de désintéressement qu'il accomplit auprès de Cinna et de Maxime, il faut y voir, semble-t-il, le premier pas qui l'engage dans la voie d'une grandeur plus spirituelle. S'il « aspire à descendre » des hauteurs de la gloire humaine, Auguste, secrètement, se sent attiré vers d'autres cimes. Et voici la crise qui décidera de l'orientation de sa vie. Il découvre que si ses cruautés ont déchaîné des rancunes, ses bienfaits ne lui ont valu que haine. Cinna, qu'il a comblé de faveurs, médite de l'assassiner. A quoi se résoudre ? Livie lui conseille la clémence, mais comme une mesure d'habileté politique : le « pardon » servira sa « renommée » et affermira son pouvoir. Auguste écarte ce conseil : il préfère la retraite ou la mort. Mais, irrésolu encore, il prononce le mot révélateur qui est en réalité une prière et qui va éclairer le dénouement :

Le Ciel m'inspirera ce qu'ici je dois faire.

En ce trouble, son âme est frappée d'un nouveau coup :
il apprend qu'Emilie, sa fille adoptive et Maxime, « seul ami »
qu'il pensait fidèle, sont les complices de Cinna. Les « enfers »
se sont déchaînés. Un voile alors se lève, la lumière apparaît
fulgurante : le seul salut est dans le mépris de tous les intérêts vulgaires et de toutes les passions communes. Auguste,
comme sous l'action soudaine de ce ciel qu'il a invoqué, accède
à l'héroïsme de la Clémence. Mais la lumière est contagieuse,
Emilie, tout à coup, « recouvre la vue auprès de *ces* clartés » :
l'empereur sanguinaire qu'elle haïssait a disparu ; c'est un
autre souverain qu'elle a devant elle, et qui l'éblouit d'admiration. La conversion de Cinna, plus facile, suit aussitôt. Nous
sommes ici, en vérité, dans un climat surnaturel. Livie nous le
confirme par sa vision prophétique. C'est « une céleste flamme »
qui illumine et explique ce dénouement. Auguste, ici, fait figure
de saint du paganisme, dans le sens où l'était Socrate pour les
Pères de l'Eglise. Il présage la grandeur supérieure de
Polyeucte.

Le succès de *Cinna,* éclatant, universel, et qui réduisait au
silence les adversaires de Corneille, était dû, sans doute, à la
beauté du sujet et à la profondeur géniale des pensées. Il s'explique aussi par le fait que la « conspiration » se portait beaucoup à l'époque, dans le monde de la Cour. Les élégantes s'y
complaisaient : à preuve, l'affaire qu'on a appelé « le complot
des femmes » en 1626 et les nombreuses machinations contre
le Cardinal. Livie exprime assurément l'espoir de la majorité
des Français quand elle annonce qu'on ne verra

    Jamais plus d'assassins ni de conspirateurs.

La pièce est construite à la perfection, excepté que l'unité
de lieu y est moins bien observée que dans *Horace* : l'action
se passe dans deux appartements du palais d'Auguste. Corneille s'en explique longuement, mais assez inutilement, dans
l'*Examen. Cinna* présente une plus parfaite unité de ton, une
plus grande simplicité d'agencement qu'aucune des pièces précédentes de Corneille. « L'intrigue, dit Voltaire, est nouée
dès le premier acte ; le plus grand intérêt et le plus grand péril
s'y manifestent. C'est un coup de théâtre. » Et la curiosité du
spectateur est tenue en haleine jusqu'aux dernières répliques :
réussite rare.

L'abbé d'Aubignac et tous les contemporains ont admiré
la délibération d'Auguste, à la fois brillant morceau de rhétorique et pièce indispensable de l'intrigue. *Cinna* passera longtemps pour le chef-d'œuvre de Corneille.

Corneille, peu après *Cinna,* se marie. Il a trente-quatre ans.

Il épouse Marie de Lampérière, fille d'un lieutenant au bailliage
de Gisors. Il en aura sept enfants. Nous ne savons rien d'elle,
ni au physique, ni au moral. Corneille, nouveau marié, garde
le silence pendant la saison 1641-1642.

Polyeucte,   Tragédie repr. probabl. en décembre 1642 ou
martyr.   janvier 1643, impr. octobre 1643.

      Après Rodrigue héros de l'amour, Horace
héros de la patrie, Auguste héros de l'humanité, voici Polyeucte
héros de la sainteté. De proche en proche, Corneille parvient aux
plus sublimes sommets de l'âme. Plusieurs mobiles l'ont poussé
à écrire une « tragédie chrétienne ». Le théâtre religieux, en
France, n'avait jamais, depuis ses origines médiévales, subi
d'éclipse prolongée. Les troupes ambulantes, les confréries dramatiques jouaient souvent, à Paris ou en province, quelque
vie de saint ou quelque histoire prise de l'Ecriture sainte ;
les représentations de collège, à côté de Térence, faisaient
place à des pièces latines ou françaises tirées de l'Evangile ou
du Martyrologe. Corneille en avait peut-être joué de semblables au Collège de Rouen.

      Il souligne, dans son *Examen,* qu'il s'appuie sur l'exemple
de Grotius, de Heinsius, de Buchanan. De plus, le renouveau
de ferveur qui a marqué le « siècle des saints » portait les
dramaturges français à composer des œuvres édifiantes : nous
avons vu que Du Ryer avait fait jouer un *Saül* et une *Esther ;*
Baro avait écrit un *Saint Eustache.* Corneille s'est visiblement complu à illustrer sur le théâtre le courage des martyrs,
l'effet victorieux de la grâce dans une âme généreuse. Marié
depuis peu, il met en scène deux jeunes époux, il montre la
beauté et les vertus de l'union conjugale. Ajoutons que, chez
un chrétien fervent comme il l'était, le problème se pose, avant
le choix d'un état de vie, de la dignité respective de la voie
commune et d'une vocation plus parfaite.

      Corneille a peut-être été amené à Polyeucte par l'Italien Bar-
tolommei, qui avait publié un *Polietto.* Pour l'essentiel, Corneille a tiré l'histoire de son martyr, il le dit, des érudits Surius
et Mosander, adaptateurs de l'hagiographe Siméon Métaphraste.
Ils lui fournissent les personnages de Polyeucte, de Pauline, de
Néarque et de Félix. Corneille invente le personnage de Sévère.
Il a plusieurs raisons de le faire. Il aura toujours un faible pour
la tragédie romanesque. L'amour, du reste, la plus violente passion de l'homme, est toujours l'antagoniste le plus redoutable du
héros, en même temps qu'il y puise son énergie. L'intervention de Sévère permettra et à Pauline et à Polyeucte de surmonter, dans un beau combat, « les tendresses de l'amour

humain ». Enfin, « favori de l'empereur Décie », Sévère, par sa seule présence, affolera Félix et précipitera son action.

Le drame, qui s'ajuste sans effort à la loi des unités, est admirablement conçu et bâti. L'intérêt ne faiblit pas un instant et les sentiments des personnages, tous profondément humains, accomplissent, dans un mouvement à la fois conforme aux exigences des cœurs nobles et aux lois de la grâce, une ascension émouvante et merveilleuse jusqu'à la gloire de la sainteté. Drame humain, drame divin sont en connexion indissociable et se renforcent l'un par l'autre. Péguy l'a dit à la perfection : « Il faut qu'une sainteté vienne de la terre, monte de la terre. Il faut que la sainteté s'arrache de la terre, laborieusement, douloureusement, saintement. Autrement, non seulement elle n'est pas humaine, mais elle n'est pas chrétienne. »

Cette épuration des cœurs, cette transmutation divine des passions humaines, nous en suivons en tous les personnages les étapes, ménagées par un grand génie dramatique éclairé par une grande âme chrétienne.

Au début de la pièce, nous sommes au niveau des affections terrestres, de haute qualité certes, mais qui relèvent de la nature. Corneille y agite avec complaisance des problèmes de casuistique amoureuse : l'amour peut-il naître après le mariage ? Peut-il résister à la satiété et à l'habitude ?... Les menues inquiétudes de la vie conjugale donnent lieu, même, à un dialogue dont le ton est presque celui de la comédie.

L'atmosphère change avec l'arrivée de Sévère et le baptême de Polyeucte. La montée des âmes commence. Toutes vont passer par une épreuve qui mesurera leur générosité et leur permettra l'élan des grands sacrifices.

Polyeucte s'élève au-dessus de l'idéal commun pour accéder à l'héroïsme chrétien. Il ne néglige aucun de ses devoirs, il les tient tous pour sacrés. Il aime sa patrie : mais

> Si mourir pour son Prince est un illustre sort,
> Quand on meurt pour son Dieu, quelle sera la mort ?

Ainsi marque-t-il, en outre, le degré qui le hausse au-dessus d'Horace.

Il chérit profondément Pauline : mais il sacrifie aussi cet amour à Dieu pour le consacrer et le porter à sa consommation éternelle. Remarquons que Polyeucte opère ce détachement en deux temps. C'est au moment où il apprend que Pauline est encore emportée vers Sévère par « un je ne sais quel charme » qu'il se décide à commettre la folle prouesse qui le vouera au martyre : pour nous en convaincre, relisons avec attention des scènes IV, V, VI de l'acte II et soulignons ces mots de Polyeucte à Néarque :

> Allons, mon cher Néarque, allons aux yeux des hommes
> Braver l'idolâtrie et montrer qui nous sommes :
> C'est l'attente du Ciel, il nous la faut remplir ;
> *Je viens de le promettre* et je vais l'accomplir.

Il cède Pauline à son rival. Ensuite, il la revendique de nouveau, mais pour la conquérir au Christ. A cette étape toutefois, il est aidé par une nouvelle force et elle lui vient de son épouse.

Pauline, dont la pureté loyale la dispose à devenir chrétienne, a dissipé, d'un généreux effort, le vertige périlleux qu'elle a ressenti en présence de ce Sévère autrefois tant aimé. Dès lors, la grâce a tressailli en elle. D'abord indignée et bouleversée par le geste insensé de son époux, Pauline se ressaisit. Mue par un double et profond instinct féminin, elle aspire à reconquérir un cœur qui la fuit — et du même coup s'éveillera en elle un amour nouveau ; surtout elle veut maintenir à tout prix l'union et la solidarité conjugales. Elle le dira (acte V, scène III, vers 1631) : (par le mariage)

> Un cœur à l'autre uni jamais ne se retire
> Et pour l'en séparer il faut qu'on le déchire.

Et plus loin (vers 1681) :

> Je te suivrai partout et mourrai si tu meurs.

Ou, selon une variante plus significative : « et mêmes au trépas ». Sévère s'efface de son cœur. Son mari, elle l'appelle maintenant : « *mon* Polyeucte ».

Comment ne pas voir ici l'action en Pauline de la grâce spéciale du mariage ? A la faveur de l'épreuve — qui lui a révélé, au surplus, la haute valeur de son époux — le sacrement, auquel elle a fait un méritoire sacrifice, épanouit soudain en elle son efficacité. Cette influence de la grâce conjugale, en vertu d'une loi chrétienne que Corneille avait certainement méditée, va retentir sur Polyeucte. L'effort désormais du martyr aura pour visée de consacrer dans le Christ, pour l'éternité, son union avec Pauline. Il va obtenir à son épouse, par son sang, la lumière suprême.

Corneille, récent époux de Marie de Lampérière et dont le génie est éclairé par une vie intérieure profonde, nous a donné dans *Polyeucte,* en même temps que la plus belle tragédie de la sainteté, le plus beau drame du sacrement de mariage. Son héros a-t-il d'ailleurs outrepassé les conseils de l'Eglise ? Son désir du martyre était-il bien réglé par la prudence ? Question futile, à la hauteur où nous sommes. Il arrive que, pour certaines âmes, sollicitées par une grâce exceptionnelle, s'ouvre une voie de perfection où elles ne relèvent plus des disciplines qui régissent la vie normale des fidèles.

Néarque lui aussi, directeur de conscience, bien que laïc, de Polyeucte, est soulevé par le flot de grâce dont le nouveau baptisé, par son héroïsme, a provoqué l'irruption. Il a précédé son ami dans la conversion et il l'a pressé de surmonter les attachements du monde pour adhérer au vrai Dieu. Mais devant les hardiesses du briseur d'idoles, il hésite. La grâce, attiédie en lui par l'habitude, ne l'exalte pas jusqu'à l'héroïsme. Enfin l'enthousiasme du néophyte le gagne et il accomplit le geste qui l'engage aux redoutables sommets du martyre.

Car la contagion de la grâce, suivant la loi de réversibilité des mérites, atteint toutes les âmes qui avoisinent les héros. Sévère, cœur bien disposé lui aussi, et « naturellement chrétien », va bénéficier de l'atmosphère surnaturelle qui règne autour de Pauline et de Polyeucte. Il a renoncé avec une générosité chevaleresque à l'amour de Pauline. Il a prouvé ainsi la qualité du sentiment qu'il lui portait. Cet amour, surélevé, sera pour lui un chemin de la grâce, et son abnégation aura sa récompense. Pauline, entraînée par Polyeucte, entraînera dans leur sillage son ancien amant. *Semen est sanguis christianorum,* avait dit Tertullien : le sang des martyrs est une semence de chrétiens. Sévère vérifie cette loi. Il a toujours, dit-il, « aimé » les chrétiens ; il ajoute :

> Et peut-être qu'un jour je les connaîtrai mieux.

La grâce ne restera pas stérile en lui, soyons-en sûrs : Corneille nous fait envisager son baptême, à l'heure de Dieu.

De Félix, âme plus médiocre, ne pensons pas que la conversion soit le seul effet d'un « acquit de conscience » de la part du dramaturge. Rien n'obligeait Corneille, après tout, à tirer Félix de son paganisme. Mais Polyeucte a prié pour le politique aux misérables calculs. Le miracle de grâce, d'ailleurs, ne s'opère pas, là non plus, sans une préparation au niveau terrestre. C'est lorsqu'il se voit dépouillé tout à coup, par Sévère indigné, de tous les objets de son ambition, que Félix, à la faveur de ce dénuement, mesure la vanité de toutes les choses humaines et devient perméable à la lumière divine. Alors se fait efficace l'intercession du martyr :

> C'est lui, n'en doutez point, dont le sang innocent
> Pour son persécuteur prie un Dieu tout-puissant.

De plus, la grâce du mariage est une bénédiction des liens familiaux. Polyeucte le sait :

> Son amour épandu sur toute la famille
> Tire après lui le père aussi bien que la fille.

Enfin Polyeucte a obtenu, par la médiation de Sévère, la solution elle-même du conflit qui, au début du drame, opposait Dieu à César : la fin de la persécution nous est présagée. Tels sont les beaux fruits de ce martyre.

Ainsi *Polyeucte,* tragédie de la grâce, nous fait voir la diversité de l'action divine selon la qualité des âmes à qui elle s'offre, suivant la différence des caractères et des sentiments, des dispositions à travers lesquelles elle s'exerce. Ces problèmes de l'action surnaturelle dans les âmes, Corneille les aborde aussi d'un point de vue théorique, et ce dut être l'une des causes qui expliquent le succès que la tragédie, au dire de l'abbé de Villiers, remporta, malgré les réticences, paraît-il, de l'Hôtel de Rambouillet. Il est certain qu'à cette époque, les questions de la grâce provoquaient dans le « beau monde » un vif intérêt. On dut suivre avec attention la discussion théologique où s'affrontent Néarque et Polyeucte. Précisons ici que Corneille, en ce domaine, se montre fort instruit. Si l'on tient à le rattacher à une école, disons que l'ancien élève des Jésuites se tient plus proche de Molina que de Jansénius. Les rapports de la grâce et de la liberté, il les énonce en tout cas avec une grande exactitude.

La tragédie charmait encore par ses beautés littéraires. Le vers est d'une densité, d'une fermeté et en même temps d'une clarté inégalables. Aucune touche de ce maniérisme dont les précédentes tragédies étaient affectées. Nulle trace d'emphase : Voltaire reproche même — sottement — à Corneille la « bassesse » et le ton « bourgeois » de son style. Il n'a rien compris à cette alliance admirable, seule digne du sujet, de la noblesse et de la simplicité. Les stances, qu'on pourrait prendre à première vue pour un « morceau de bravoure », expriment le débat crucial où le héros est engagé et dont l'issue déterminera le dénouement. Au reste, ce passage du dialogue au chant lyrique est en son juste lieu : il signale le passage de l'ordre humain à l'ordre de la grâce.

Chef-d'œuvre de la poésie religieuse, les stances de *Polyeucte* sont au cœur même de ce drame, chef-d'œuvre du théâtre chrétien.

Pompée.   Tragédie, rep. probabl. en 1643, impr. févr. 1644.

Après *Polyeucte,* Corneille, génie divers et inquiet, juge bon de changer de manière. Il se maintient, il est vrai, dans l'histoire romaine. Il a fait un beau portrait d'Auguste. César le

tente et plus encore son malheureux rival, Pompée. Pour
amasser ses matériaux, il lit les historiens de Rome : Appien,
Plutarque, d'autres encore. Mais c'est à la *Pharsale* de Lucain
qu'il empruntera les grandes lignes et les couleurs de son
drame. Lucain, dont le génie espagnol plaît à l'auteur du *Cid,*
ne lui sera pas partout un sûr modèle.

Le sujet est d'une incontestable beauté. Ptolémée règne « en
Alexandrie avec sa sœur Cléopâtre. Après Pharsale, il craint
« que César, qui vient en Egypte, ne favorise sa sœur dont il
est amoureux et ne le force à rendre sa part du royaume, que
son père lui a laissée par testament ; pour attirer la faveur de
son côté par un grand service, il lui immole Pompée ». Mais
« César s'en fâche, il menace Ptolémée, il le veut obliger d'immoler les conseillers de cet attentat à cet illustre mort ». En
revanche, il accueille avec honneur la veuve de Pompée, Cornélie. Le roi, se sentant menacé, complote la mort de César.
Cornélie, qui hait le vainqueur de son époux, n'admet pas qu'il
puisse périr par une autre main que la sienne. Elle prévient
César, grâce à quoi Ptolémée et ses ministres succombent dans
le combat. Mais Cornélie signifie à César que la « veuve de
Pompée » soulèvera contre lui « les hommes et les dieux »
pour venger son époux.

C'est bien « le grand Pompée » qui est le héros de la
pièce : Corneille l'a voulu. Il n'aimait guère César ; il lui
donne des sentiments de noblesse, mais il le fait voir calcula-
teur et égoïste, tout en lui permettant de rivaliser de galanterie minaudière avec les héros « damerets » des romans
issus de la tradition courtoise. Pompée, égorgé avant d'avoir
mis le pied sur la terre égyptienne, ne paraît pas sur la scène.
Mais Corneille transfère à Cornélie toute la grandeur morale
de son époux : elle en est la vivante incarnation et tient le
premier rôle dans la tragédie.

Le drame politique dont la Cour d'Egypte est le théâtre
introduit dans la pièce un second intérêt suffisamment rattaché au premier, puisque, comme le fait remarquer Corneille, la
mort de Pompée est « la cause unique » de tout ce qui se
passe ; mais cette intrigue d'ambition a sa valeur en elle-
même. Corneille décrit à merveille le « nœud de vipères »
que forme la cour de Ptolémée. Le Conseil des ministres du
premier acte, où l'on discute du sort à réserver au vaincu de
Pharsale, est d'un puissant et sinistre réalisme. Corneille
déploie là une vaste intelligence politique et cette « majesté
de raisonnement » par où, quoi qu'il en dise, il dépasse de
haut son modèle. Il faut admirer surtout l'exposé dense et
clair, froid et coupant de Septime, le transfuge romain.

Auprès de ces sombres figures, Cléopâtre est bien pâle. Elle
a quelques beaux accents de fierté devant son frère, mais, dès
que César paraît, elle n'est plus guère que la tendre partenaire de son soupirant.

Si l'on bornait sa vue à cette idylle, on prononcerait que
l'amour est au second plan. En réalité, c'est bien l'amour qui
domine, celui de Cornélie pour Pompée. Comme Pauline, elle
serait décidée à suivre son époux dans la mort. Mais elle a
un devoir sacré à remplir : le venger et poursuivre l'œuvre
de ce héros de la liberté romaine. Les âmes communes se lais-
seraient fléchir à la générosité de César. Elle, non : et c'est
par là qu'elle entre dans le monde des héros cornéliens.

Corneille avoue qu'il a « falsifié » l'Histoire en plusieurs
s'est laissé pénétrer par le génie épique : de là, ces récits
pathétiques, hauts en couleur, mais d'une emphase parfois
outrée. C'est à la contagion de Lucain qu'il faut attribuer aussi
cette tension rigide de Cornélie et une sorte d'exaspération du
langage qui marque les scènes du drame politique. Rappelons
que l'élève de Rhétorique Pierre Corneille avait remporté un
prix de vers français pour une traduction de la *Pharsale*.
Pompée reste, pour ces raisons, une tragédie moins humaine,
moins émouvante qu'*Horace* ou *Polyeucte*.

Corneille avoue qu'il a « falsifié » l'Histoire en plusieurs
points pour la « ramener dans l'unité de jour et de lieu ».
Ce n'est pas la seule raison : il infléchira plus d'une fois la
vérité historique pour placer ses héros dans une position
plus favorable au déploiement de leurs énergies surhumaines.

La pièce eut un grand succès. Molière la joua souvent et
c'est sous le costume de César que Mignard l'a représenté dans
son célèbre portrait.

Le Menteur. Comédie, représ. probabl. dans l'hiver 1643-
44, impr. 1644.

Corneille sera toujours en mal de diversité, mais il maintient une continuité fondamentale. Après *Pompée,* il se tourne
encore vers l'Espagne, mais cette fois vers l'Espagne contemporaine. S'il revient à la comédie, s'il « repasse du héroïque
au naïf », comme il dit, c'est parce que « les Français aiment
le changement ». C'est aussi parce que Rotrou et d'Ouville ont
mis à la mode la comédie espagnole. Il choisit son sujet dans
une pièce qu'il croit de Lope de Vega : *La Verdad sospechosa,*
mais qui est en réalité, il s'en apercevra ensuite, de Juan
d'Alarcon. Il est fier de la souplesse féconde de son talent.
Cette pièce est « d'un style si éloigné de ma dernière (*Pompée*)

qu'on aura de la peine à croire qu'elles soient parties toutes deux de la même main dans le même hiver. »

Corneille a suivi de près son auteur : « Ce n'est ici, dit-il, qu'une copie », dont l'original l'a séduit par son esprit et son charme. Il a toutefois (ce que ne fait pas d'Ouville) « habillé » le sujet « à la française » et modifié le dénouement qui chez l'Espagnol lui paraît trop « violenté ».

Dorante, le menteur, tourne autour de deux jolies filles, Clarice et Lucrèce, qu'il prend l'une pour l'autre. Il leur conte des exploits imaginaires, trompe son père, Géronte, dupe même son valet Cliton, méfiant pourtant, et finira par épouser celle que d'abord il n'aimait pas, Lucrèce, mais qui en fin de compte l'a séduit. Dorante a de belles qualités : il a de l'esprit, du cœur, de la gentillesse, mais il éprouve un goût romanesque et dépravé pour le mensonge. Alcippe s'en étonne. Philiste propose une solution.

> ... Dorante, à ce que je présume,
> Est vaillant par nature et menteur par coutume.

L'explication reste à peu près verbale et en tout cas superficielle. Mais Corneille ne vise pas à moraliser : il ne veut être que plaisant.

Géronte, le père, très bon, très indulgent, mais chatouilleux sur l'honneur, finira par s'indigner douloureusement contre la conduite de son fils. Il aura les accents tragiques d'un Don Diègue et d'un vieil Horace.

Cliton, valet spirituel et gouailleur, moraliste enjoué, souligne l'aspect comique des situations. Le rôle était tenu par Jodelet l'enfariné, dont le nasillement avait toujours gros succès.

Les jeunes filles sont dessinées d'une main preste. Fort désireuses de se caser, complaisantes et désinvoltes, elles sont aisément disposées à remplacer un soupirant par un autre.

Corneille, plaçant la scène de sa comédie à Paris, célèbre la beauté nouvelle de la capitale, qui voit tous les jours de « superbes palais » surgir de ses fossés « comme par miracle ».

La pièce fut fort applaudie. D'un comique de bonne compagnie, elle plut par les traits d'esprit dont elle est semée. Certains vers coururent les salons et quelques-uns sont restés en proverbe :

> Monsieur, quand une femme a le don de se taire,
> Elle a des qualités au-dessus du vulgaire.

> La façon de donner vaut mieux que ce qu'on donne.
> Il faut bonne mémoire après qu'on a menti.
> Les menteurs les plus grands disent vrai quelquefois.

Si l'on en croit le *Bolaeana*, Molière aurait trouvé dans *le Menteur* le modèle, vers lequel il s'orientait confusément, de la vraie comédie de caractère : « Sans *le Menteur*, j'aurais fait sans doute quelques pièces d'intrigue : *l'Etourdi*, *le Dépit Amoureux* ; mais peut-être n'aurais-je pas fait *le Misanthrope*. »

La Suite   Probabl. repr. dans la saison 1644-45, impr.
du Menteur.   1645.

Corneille, exploitant le succès du *Menteur*, lui donne une suite. C'est à l'authentique Lope de Vega, *Amar sin saber à quien* (aimer sans savoir qui) qu'il prend son intrigue ; mais il y introduit Dorante, Cliton et Philiste.

La pièce a des péripéties romanesques et tient de la tragicomédie. Suivant un usage assez répandu. Corneille fait de la « réclame » pour son *Menteur* qu'il invite les spectateurs à voir pour mieux entendre la *Suite*.

Nous retrouvons Dorante en prison à Lyon. Au moment d'épouser Lucrèce, il s'est enfui avec la dot et s'est offert un voyage en Italie. Il a appris que son père avait épousé Lucrèce pour réparer le tort qu'elle avait subi, puis qu'il était mort. De retour en France, il assiste fortuitement à un duel : l'un des combattants prend le large après avoir mis à mort son adversaire. Dorante, pris pour le meurtrier, est arrêté et incarcéré. Confronté avec Cléandre, le véritable coupable, Dorante, par générosité, refuse de le reconnaître. Le prisonnier, d'autre part, a touché le cœur de Mélisse, sœur de Cléandre. Avec l'aide du fidèle ami Philiste, il sera libéré et épousera Mélisse. Au cours de l'intrigue, il a encore menti, mais seulement

> ... par générosité
> Par adresse d'amour et par nécessité.

Ce caractère d'escroc honnête homme, de menteur loyal, de Don Juan Céladon n'est pas sans incohérence. Il plaît par sa tenue élégante dans le malheur. Son idylle avec Mélisse, inspirée de *l'Astrée,* emporte la sympathie. Au-dessous du couple protagoniste, les amours gaillardes de Cliton-Jodelet et de Lyse font un plaisant contre-chant. Cette recette, Molière la reprendra, Marivaux la portera à la perfection.

Plus gaie encore que la précédente, d'une vivacité pétillante et d'une « marche » que Voltaire trouvera « habile », *La Suite* réussit moins bien. Peut-être parce que les unités y étaient quelque peu malmenées. Mais certains vers, Corneille le dit et Voltaire le confirme, en passèrent dans la mémoire des « connaisseurs », notamment la réplique où Mélisse rappelle la loi des amours « écrites dans le Ciel », formulée par le Sylvandre de *l'Astrée*.

Rodogune, *Princesse des Parthes.*	Tragédie repr. probabl. dans l'hiver 1644-45, impr. 1647.

C'est l'historien, Appien qui a « prêté » son sujet à Corneille. La reine de Syrie Cléopâtre a cru mort son mari Nicanor qui guerroyait contre les Parthes. En réalité le Roi, sain et sauf, s'est épris de Rodogune, princesse des Parthes, en faveur de laquelle il se prépare à déshériter ses propres enfants, Antiochus et Séleucus. Cléopâtre réussit à faire tuer Nicanor, non point, comme elle le prétend, pour conserver la couronne à ses fils, mais pour la garder en ses propres mains. Il lui faut pourtant envisager sa déchéance, car les lois de la guerre et l'intérêt de l'Etat obligent Rodogune à épouser le futur roi. Qui est-il ? Les deux princes sont jumeaux, ils ont été élevés au loin. Seule Cléopâtre peut désigner l'aîné. Elle signifie alors à ses fils qu'elle proclamera roi celui qui la débarrassera de Rodogune. La princesse, aimée des deux frères, riposte en déclarant qu'elle choisira pour époux celui qui vengera Nicanor dans le sang de Cléopâtre :

> Pour gagner Rodogune il faut venger un père :
> Je me donne à ce prix...

Nous sommes dans une impasse. Cléopâtre feint de céder, donne le trône et Rodogune à Antiochus. Cependant elle essaie de jeter Séleucus contre son frère. Il refuse. Elle le fait poignarder secrètement. A l'heure du mariage, Cléopâtre, selon la coutume, présente à boire aux jeunes époux une coupe : elle y a mêlé du poison. Antiochus a déjà la coupe aux lèvres, lorsqu'on annonce que Séleucus, assassiné, a dénoncé, avant d'expirer, une main qui lui fut « chère ». Terrible doute. Cette main,

> Madame, est-ce la vôtre ou celle de ma mère ?

Les deux femmes s'accusent l'une l'autre. Cléopâtre enfin, préférant la vengeance à la vie, boit la première à la coupe et la tend à son fils. Mais le poison agit trop vite et, avant qu'Antiochus y ait touché, Cléopâtre meurt en proférant d'horribles malédictions.

Corneille le reconnaît : ces terrifiants incidents sont, la plupart, de son invention : « Depuis la narration du premier acte, qui sert de fondement au reste, jusques aux effets qui paraissent dans le cinquième, il n'y a rien que l'Histoire avoue. » Il invoque, pour justifier cette « liberté », le droit que le poète peut, selon lui, s'arroger, d'inventer les « circonstances » ou les « acheminements » des événements historiques, sauf à en « conserver » les « effets ». En réalité, Corneille était attiré dans cette voie par le penchant qui était le sien pour les situations violentes et les caractères démesurés. Il avoue son faible pour cette pièce : « Cette tragédie me semble un peu plus à moi que celles qui l'ont précédée, à cause des incidents surprenants qui sont purement de mon invention et n'avaient jamais été vus au théâtre. » Corneille a toujours tenté de faire sa « fortune » dramatique « hors de l'ordre commun ». Cette recherche de la « nouveauté des fictions » pourra l'égarer parfois. Reconnaissons que *Rodogune,* dans son étrangeté, et si l'on veut bien fermer les yeux à quelques invraisemblances, est une pièce fort bien faite. L'intrigue est solidement bâtie, le dénouement préparé pendant les cinq actes, la « suspension » ménagée jusqu'à la dernière minute avec une habileté consommée.

Les caractères sont très attachants, dessinés avec une sûreté délicate et nuancée. La « sainte amitié » qui unit les deux frères (ainsi devaient s'aimer Pierre et Thomas Corneille) leur dicte de beaux gestes de dévouement. Fort différents de nature, ils sont pareils par la noblesse de cœur. Rodogune, elle, prend place parmi ces princesses dont l'Infante du *Cid* est l'aînée ; qui savent aimer avec passion, mais qui préfèrent mille morts plutôt que de céder à leur tendresse si l'objet n'est pas digne de leur rang. Elles ne peuvent épouser qu'un roi. Rodogune, qui « adore » Antiochus, recevrait Séleucus « avec même visage » si l'intérêt de l'Etat le lui imposait pour époux. L'hymen, dit-elle, le lui « rendra précieux » et « le devoir fera ce qu'aurait fait l'amour ». Ne lui reprochons pas trop le dilemme cruel où elle enferme ses soupirants : elle aurait eu horreur d'être exaucée ; ce n'était qu'une habileté de sa part, pour contre-battre la stratégie redoutable de Cléopâtre.

Toutefois la Reine domine de haut les autres personnages. Corneille aurait donné son nom à la tragédie, s'il n'avait craint que le public ne la confondît avec la célèbre Cléopâtre d'Egypte. La Syrienne est un beau monstre, une « âme toute en feu » en qui règne seule une ambition forcenée. Pour se maintenir au pouvoir, elle a égorgé son mari de sa propre main, elle assassinera du même cœur ses deux enfants, s'ils lui font obstacle. Corneille, qui nous invite à détester ses crimes, nous demande d'admirer sa « grandeur de courage ». Héroïne dévoyée, elle s'égale aux autres héros de la famille cornélienne en ce qu'elle

sacrifie tout à l'idéal de gloire qu'elle s'est proposé. Mais elle
refuse l'effort qui lui est demandé, de s'élever au-dessus des
grandeurs de chair : elle est incapable de cette ascension spirituelle en vertu de laquelle Auguste avait accédé à un ordre
supérieur. Corneille, après nous avoir fait admirer l'énergie
morale dans la pratique de la vertu, nous la montre dans ses
déviations égoïstes. Après les élus, les damnés. C'est bien
l'enfer que Corneille fait rougeoyer dans l'âme de Cléopâtre
convulsée par la haine :

> Tombe sur moi le Ciel pourvu que je me venge.

C'est l'enfer dont nous entendons les clameurs de rage dans
les malédictions atroces qu'elle vomit avant de mourir et qui
faisaient, lorsqu'une Dumesnil interprétait le rôle, reculer d'horreur les spectateurs du parterre.

Le paroxysme des sentiments et des caractères, la cruauté
des situations, certaines recherches de style paraissent signifier
un retour du goût public aux outrances du baroque. On croit
sentir un certain échauffement des esprits, prélude aux convulsions de la Fronde.

La pièce eut du succès, Corneille en témoigne. La troupe de
Molière la joua vingt-sept fois.

Théodore,   Repr. en 1645-46, impr. 1646.
vierge   L'auteur de *Polyeucte* revient à l'histoire
et martyre. chrétienne. Il demande à saint Ambroise
(*Traité des Vierges*) le sujet de *Théodore* : c'est ce qu'il
avoue. Il a lu aussi le récit que fait Métaphraste de ce martyre. Et il ne pouvait négliger la *Teodora* de Bartolomei, dont
le *Polietto,* nous l'avons vu, lui avait suggéré son *Polyeucte.*

Corneille, qui se propose des tâches toujours plus malaisées,
a dû concevoir le dessein de représenter un martyre plus
méritoire encore que celui de Polyeucte, s'il est vrai que l'honneur est préférable à la vie et que, pour une vierge chrétienne,
la prostitution est pire que « mille morts ».

L'audace qui consistait à mentionner sur la scène une maison
infâme n'était pas nouvelle. D'autres dramaturges s'y étaient
aventurés bien avant Corneille et notamment Trotterel qui, dans
sa *Tragédie de sainte Agnès,* avait montré la vierge conduite
dans un de ces établissements pour y être exposée à la brutalité publique. Or, il semble bien que Corneille doive quelques
idées à ce drame.

Théodore, dans sa structure, est un modèle de clarté, de
logique et de force. A cet égard, au gré de l'abbé d'Aubignac,
cette tragédie est le chef-d'œuvre de Corneille. Les incidents,

dit-il, sont « préparés » de telle sorte « qu'il n'y en a pas un qui n'ait pu vraisemblablement arriver ensuite de toutes les choses qui les ont précédés ». De fait, si l'on veut voir en son plein jour l'adresse de Corneille au métier dramatique, il faut étudier *Théodore*. Les données de fait une fois posées, tous les événements dérivent du heurt des caractères.

Valens, gouverneur d'Antioche, est gouverné par sa seconde femme, Marcelle, sœur d'un favori de l'Empereur. Elle a une fille, Flavie, qui meurt d'amour pour Placide, fils de Valens. Mais Placide aime Théodore, princesse d'Antioche, qui, chrétienne, a voué à Dieu sa virginité. Marcelle, furieuse de voir sa fille repoussée par Placide, dénonce Théodore à Valens, qui la fait conduire dans un mauvais lieu pour servir de jouet à ses soldats. Didyme, chrétien amoureux de Théodore, réussit, en changeant de tunique avec la jeune vierge, à la faire fuir. Il est arrêté. Théodore cependant, mue par une inspiration céleste, revient demander la mort pour sauver Didyme. Placide, ayant renoncé généreusement à la possession de la jeune fille, projette de la faire évader avec Didyme. Mais Marcelle, dont la fille Flavie est morte entre-temps, poignarde les deux chrétiens, et, ivre de fureur, se donne la mort. Placide se tue sur le corps de Théodore.

Le personnage principal du drame est Marcelle, impérieuse et forcenée, tigresse qui n'a qu'un amour, sa fille. En face d'elle, Placide, « âme violente », qui échange avec sa marâtre de retentissantes injures, mais dont la fierté n'hésite pas à s'humilier jusqu'à implorer Marcelle en faveur de celle qu'il aime. Valens, « asservi » à sa femme, est misérablement tiraillé entre un désir sincère de justice, son amour paternel et la peur de déplaire à l'épouse acariâtre de qui dépend sa situation. De l'aveu même de Corneille, son caractère « ressemble trop à celui de Félix dans *Polyeucte* », comme Marcelle est une seconde Cléopâtre (celle de *Rodogune*).

Théodore, dans toutes les épreuves, reste impassible et tranquille :

> L'épouvante jamais ne me fera parler,

dit-elle, de même que la tentation de l'amour ne l'émeut à aucun moment. « Je hais la faiblesse ». Elle le prouve. Elle n'a qu'ironie à l'adresse de ses ennemis. Corneille a reconnu la froideur de ce caractère : « Une vierge et martyre sur un théâtre n'est autre chose qu'un terme qui n'a ni jambes ni bras et par conséquent point d'action. » Le mot est plus spirituel que probant. Le vrai, c'est que Théodore manque d'humanité. Nulle émotion en elle qui puisse attirer la sympathie. Rien n'empêchait Corneille de la faire plus féminine, sinon un

Jean Rotrou,
Poète François né a Dreux en
1609, Il y fut Lieutenant particulier, et
il y mou-   rut   l'An 1650.

Le Theâtre lui doit ses premieres merveilles;
Et les siecles futurs ne seront jamais las ⌐,
En dépit de Racine, et malgré les Corneilles,
De revoir sur la scène admirer Venceslas.

Desrochers   ex.

Jean Rotrou.
Portrait conservé à la Bibliothèque nationale (Cabinet des Estampes).

Extrait de *la Littérature française*,
par Bédier-Hazard-Martino, Larousse, éditeur.

parti pris, une notion raidie et inflexible de l'héroïsme qui tendait fâcheusement à prévaloir en lui. C'est cette absence de tendresse, semble-t-il, qui explique l'insuccès de la pièce, plus encore que le caractère scabreux du sujet. La froideur du personnage principal retentit sur les autres. Au demeurant, il faut donner raison à Voltaire quand il dit que l'idée d'un mauvais lieu public inclut, à côté de l'odieux, on ne sait quelle nuance de honteux ridicule dont ne peut guère s'accommoder la majesté de la tragédie. Jules Lemaître, dans ses *Impressions de Théâtre,* (t. V), a parlé de *Théodore* avec esprit et jugement.

Corneille ne reviendra jamais à la tragédie chrétienne.

Héraclius   Repr. saison 1646-47, impr. 1647.

Dans *Théodore,* Corneille avoue qu'il a surtout « peint des haines ». C'est encore vrai pour *Héraclius.* Mais le renchérissement que Corneille pratique d'une pièce à l'autre porte cette fois sur la complication et l'intrigue. Jamais sans doute dans l'histoire du théâtre on n'a fait mieux en ce sens — ou pire. Corneille pense que c'est dans l'accumulation des « incidents » les plus « embarrassés » que se prouve le génie dramatique. Il dit fièrement : « Cette tragédie a encore plus d'effort d'invention que celle de *Rodogune.* » Le résultat, c'est que le « poème » demande, à le comprendre, « une merveilleuse attention » ; il faut le voir « plus d'une fois pour en emporter une entière intelligence ». Singulière illusion d'un grand génie qui se dévoie : vingt-cinq ans plus tard, Racine lui signifiera durement que « toute l'invention consiste à faire quelque chose de rien ».

Corneille lui-même a renoncé à résumer sa pièce. Il pourrait suffire de savoir que nous avons affaire à ces substitutions d'enfants si fréquentes dans les comédies de Hardy et de Rotrou. Mais ici la substitution est double et comme chacune a pour victime le fils d'un empereur, les effets peuvent en être tragiques. Nous sommes à Constantinople. Phocas, usurpateur du trône de Maurice, veut faire périr le fils de ce dernier, Héraclius. L'enfant est sauvé par sa « gouvernante » Léontine qui, par un dévouement héroïque pour le prince légitime, laisse périr à sa place son propre fils Léonce. D'autre part, Phocas confie son fils à lui, Martian, à la même Léontine, laquelle (seconde substitution) fait passer Héraclius pour Martian et Martian pour Léonce. Ainsi Héraclius est élevé comme s'il était le fils de Phocas. S'il l'était vraiment, il pourrait épouser Pulchérie, comme le désire Phocas. Mais Pulchérie est la fille de l'ancien empereur Maurice, donc, en réalité, la propre sœur d'Héraclius cru Martian. Grave péril d'inceste. Léontine inter-

vient, jette le doute dans l'esprit de Phocas et, lui présentant
Héraclius et Martian, dont l'un est son fils, l'autre son ennemi,
lui lance le fameux défi :

> Devine si tu peux, et choisis si tu l'oses.

C'est pour amener ce vers que toute la mécanique est montée.
Finalement Phocas est tué, Héraclius épouse Eudoxe, la fille de
Léontine et devient empereur.

« Le principal mérite de cette pièce, a dit Voltaire, est
dans l'embarras de cette intrigue, qui pique toujours la curiosité. » C'est très juste, et Voltaire n'a pas tort de dénoncer
dans ces incertitudes d'état civil des artifices de comédie. Cette
« curiosité » que ressent le spectateur, n'est-ce pas un état
d'esprit qui nuit à l'émotion tragique ?

Cependant ne disons pas, trop sommairement, que Corneille se met à préférer les aventures « implexes » aux analyses
de passions. Dans aucune de ses tragédies ne manquent les
caractères vivants et émouvants. Mais à des âmes de moins en
moins « communes », il se croit obligé de « faire des fortunes » de plus en plus « hors de l'ordre commun ». Le risque,
c'est que la péripétie devienne si difficile à suivre qu'il ne nous
reste plus assez d'attention disponible pour les conflits intérieurs.

Dans *Héraclius,* des natures déchaînées s'affrontent en dialogues éclatants : tel le duel de Phocas et de Pulchérie, fille du
feu roi :

> Tyran, descends du trône et fais place à ton maître.

Cette Pulchérie insensible et hautaine est bien la sœur de
Théodore.

Le style est vigoureux, efficace, dépouillé de toute fioriture.
A cet égard, le génie de Corneille ne fléchit pas.

Trois années se passent entre *Héraclius* et la pièce suivante, *Andromède.* Ce laps de temps n'est pas sans apporter
quelques changements dans l'existence de Corneille et dans ses
idées.

En janvier 1647, il est élu à l'Académie. Il s'y était présenté deux fois déjà, en 1644 et en 1646. Mais la résidence à
Paris était exigée. Corneille, cette fois, a fait savoir à la
Compagnie « qu'il avait disposé ses affaires de telle sorte qu'il
pourrait passer une partie de l'année à Paris. » Dès lors il fut
admis. Il remercia le chancelier Séguier, protecteur de l'Académie, en lui dédiant *Héraclius.*

En 1648 commencent les désordres de la Fronde. En août les barricades s'élèvent. Le 5 janvier 1649, la reine s'enfuit à Saint-Germain avec le jeune roi. Les théâtres sont fermés. L'été ramène le calme. Le 18 août 1649, le Roi revient à Paris. Les théâtres rouvrent.

En janvier 1650, Mazarin fait arrêter Longueville, gouverneur de Normandie. Le procureur-syndic des Etats de Normandie, Baudry, est une créature de Longueville : il est révoqué et remplacé « par une personne capable dont la fidélité et affection sont connues, le sieur Corneille ». On ne lui demande que de l'inaction : il s'en acquittera. C'est en tout cas une preuve de loyalisme qu'il a donnée au pouvoir royal. La position « politique » de Pierre Corneille n'est pas sans faire comprendre certains aspects de son œuvre du moment.

Andromède   Mazarin en 1647, avait commandé à Corneille le livret d'une « comédie en musique » pour le Carnaval de 1648. Les troubles en retardèrent l'exécution. *Andromède* fut enfin représentée au cours de l'hiver 1649-50, publiée en 1651.

C'est aux *Métamorphoses* d'Ovide que Corneille a pris l'argument de la pièce : la belle histoire d'Andromède délivrée par « un chevalier errant » qui n'est autre que Persée, fils de Jupiter et de Danaé. L'aventure donne lieu à un déploiement de spectacles éclatants et d'ingénieuses machineries : « palais magnifiques », jardin délicieux planté de myrtes, de jasmins et d'orangers, tonnerre et éclairs, mer démontée, rochers affreux, apparition de Vénus portée par son étoile, d'Eole et de ses vents, intervention de Persée monté sur son cheval ailé et caracolant dans les airs, chœur de nymphes, entrée de Junon dans son char tiré par deux paons, vision de Jupiter enfin, « dans son trône, au milieu de l'air ». Toute cette féerie de décor et de mécanique, due aux talents du « sieur Torelli », constitue, Corneille tient à le dire, le principal de l'œuvre. Il ne s'est pas cru tenu à soigner la facture de ses vers comme il l'a fait pour ses grands poèmes : « mon principal but a été de satisfaire la vue par l'éclat et la diversité du spectacle et non pas de toucher l'esprit par la force du raisonnement ou le cœur par la délicatesse des passions ». Bref, « cette pièce n'est que pour les yeux. »

Toutefois, et bien que Corneille ne se soit pas obligé à caractériser ses personnages et à nouer son intrigue aussi fortement que d'habitude, il laisse paraître le créateur d'âmes et le manieur d'idées. Entre Persée, Phinée et Andromède, les débats d'amour sont attachants. La « générosité » de Persée fait pâlir la bonne volonté inefficace de son rival. Phinée ambitionnait d'être le sauveur d'Andromède. Si Persée l'a devancé, dit-il, c'est que le Ciel lui a « prêté des ailes ». Cassiope lui répond par un exposé théologique sur la distribution inégale de la grâce suivant la prévision des mérites :

> Le Ciel, qui mieux que nous connaît ce que nous sommes,
> Mesure ses faveurs au mérite des hommes ;
> Et d'un pareil secours vous auriez eu l'appui
> S'il eût pu voir en vous mêmes vertus qu'en lui.
> Ce sont grâces d'en haut rares et singulières
> Qui n'en descendent point pour des âmes vulgaires ;
> Ou, pour en mieux parler, la justice des Cieux
> Garde ce privilège au digne sang des dieux.

Il y aurait à gloser là-dessus. N'insistons pas plus que Corneille et contentons-nous d'observer qu'en 1650 les questions de la grâce étaient à la mode : Port-Royal était dans son grand éclat mondain.

Un mot encore : Corneille, dans *Andromède,* montre une élégante habileté à manier le vers libre et les strophes de ses chansons ont beaucoup d'agrément. Plût au Ciel que nos librettistes d'opéras eussent toujours eu semblable talent.

Don Sanche Repr. probabl. fin 1649 ou début janvier
d'Aragon 1650, impr. mai 1650.

C'est un « poème d'une espèce nouvelle », dit Corneille. Bien qu'elle mette en scène des « personnes illustres », la pièce est « une véritable comédie... puisqu'on n'y voit naître aucun péril par qui nous puissions être portés à la pitié ou à la crainte ». Le héros « nous imprime plus d'admiration de son grand courage que de compassion pour son infortune ». Pour « satisfaire... à la dignité des personnages », appelons *Don Sanche* une « comédie héroïque ». Corneille donne ainsi à son œuvre le lustre de la nouveauté, mais avouons que la pièce pourrait s'appeler tragi-comédie. D'autant qu'elle utilise des procédés nettement romanesques : enfant substitué, cassette aux secrets, reconnaissance, coïncidences providentielles, voix du sang...

Les sources espagnoles que Corneille avoue sont négligeables : l'intrigue, pour la plus grande part, est de l'invention de notre poète. *Rodogune* et *Héraclius* avaient pris déjà de grandes libertés avec l'Histoire. Corneille s'en affranchit plus largement encore, dans *Don Sanche,* au profit du roman.

« L'inconnu Carlos », sauveur de la Castille, qui croit être le fils d'un pauvre pêcheur et qui, au début de la pièce, fait figure d'un Ruy Blas, est reconnu à la fin pour être Don

Sanche, héritier du trône d'Aragon. Doña Isabelle, reine de
Castille, qui sent un vif penchant pour ce Carlos, mais qui ne
saurait épouser un « aventurier » d'obscure naissance, pourra
s'unir à celui qu'elle aime.

Les deux questions qui se posent successivement au cours de
la pièce : le mariage d'Isabelle et l'identité de Carlos sont
en connexion étroite et Corneille n'a pas violé, comme on le
dit, l'unité d'action. Dès la première scène, la curiosité se porte
sur le mystérieux et séduisant « cavalier » en qui Doña Elvire
nous prépare à voir « un prince déguisé ». Il est vrai que
l'intrigue se met à traîner au troisième acte : la « reconnaissance » se fait attendre. Corneille remplit l'intervalle par des
duos d'amour, fort agréables, mais qui ne font pas avancer
l'action. A partir du cinquième acte, l'intérêt se ravive : la
noble attitude de Carlos lui inspire d'admirables répliques. On
retrouve dans *Don Sanche* l'espagnolisme du *Cid* et son fier
panache.

Corneille, qui veut toujours faire penser, pose dans ce drame
le problème des rapports de la naissance et du mérite personnel. En principe, la grandeur de l'âme ne dépend pas de la
noblesse de race. En réalité, elles vont ordinairement de pair :
la qualité des sentiments est en corrélation normale avec la
pureté du sang. Il n'est pas miraculeux, sans doute, qu'un fils
de pêcheur se montre généreux, vaillant et délicat. On aime
qu'il s'écrie :

> Ma valeur est ma race et mon bras est mon père.

Mais la raison est bien plus satisfaite si l'on apprend que ce
Carlos, qui se croit de naissance plébéienne, est issu de haute
lignée. On s'explique alors ses exploits guerriers et le « grand
cœur » qui le fait avouer pour son père, devant toute la cour,
un humble pêcheur.

« Le refus d'un illustre suffrage », nous dit Corneille, fit
tomber la pièce à Paris. La province, comme pour *Théodore,*
consola l'auteur. Quel est le haut personnage qui condamna
Don Sanche ? Condé ? Mazarin ? On en discute. Il importe
assez peu.

Don Sanche est, non le premier, mais le plus séduisant jusqu'ici de ces héros pour qui leur auteur demande, au lieu de la
pitié, l'admiration. Il lui donne, dans sa disgrâce, si fière mine,
que nous le jugeons, quelques épreuves qui l'assaillent, digne
d'envie. Nous en aurons un exemplaire plus achevé en Nicomède.

Nicomède   Tragédie repr. en janvier ou février 1651,
            impr. 1651.

Corneille, à la date où nous sommes, mesure le chemin qu'il
a parcouru. Il a donné vingt pièces au théâtre, d'une belle
variété. Après *Don Sanche,* il décide de revenir à la tragédie
proprement dite. Mais il ne veut pas se répéter, et c'est difficile, à moins de « s'écarter un peu du grand chemin », au
risque de « s'égarer ». *Nicomède* affronte ce péril. C'est « une
pièce d'une constitution assez extraordinaire ». En quoi ? En
ceci que, contrairement à la doctrine traditionnelle, « la tendresse et les passions » n'y ont « aucune part ». Seule règne
« la grandeur de courage ». Le héros oppose au malheur une
impassibilité dédaigneuse, « marche » au péril « à visage
découvert » et finit par désarmer ses artificieux ennemis. Jamais
il ne « cherche à faire pitié » : dans l'âme du spectateur, il
« n'excite que de l'admiration ».

Nous pourrions objecter à Corneille que cette idée-là ne lui
est pas nouvelle. C'est dans les mêmes termes qu'il nous a
présenté Don Sanche. Toutefois, dans cette « comédie héroïque », la « tendresse et les passions » avaient une large part.
Dans *Nicomède,* le ressort unique de l'émotion tragique est
l'admiration : c'est là qu'est l'audace. Et il est vrai qu'à ce point
de vue, *Nicomède* représente un sommet que Corneille ne
dépassera pas.

L'amour intervient dans le drame, mais seulement comme
une des données de l'intrigue politique. Si Corneille a fait
Nicomède amoureux de Laodice, c'est « afin que l'union d'une
couronne voisine donnât plus d'ombrage aux Romains » et
aggravât les épreuves que le héros devra surmonter.

Au surplus, la pièce veut s'élever au-dessus de l'anecdote.
« Mon principal but, dit Corneille, a été de peindre la politique
des Romains au-dehors ». Tableau d'histoire, *Nicomède*
enfermera de hautes leçons de morale politique.

Corneille déclare qu'il a pris l'idée de son sujet dans Justin.
Il est certain qu'il a utilisé aussi Appien, Diodore de Sicile, et
naturellement Tite-Live. Il avait en mémoire, c'est probable,
une tragédie de La Calprenède, *la mort de Mithridate* (fin
1635), qui mettait en conflit un roi d'Asie et la puissance
romaine. Scipion Dupleix, dans son *Histoire romaine,* montrait
bien « comme les Romains agissaient impérieusement avec les
rois leurs alliés ».

Enfin, on a relevé des ressemblances frappantes entre *Nicomède* et le *Cosroès* de Rotrou. Nous l'avons vu. Mais nous
avons fait observer aussi que Rotrou le premier avait pu
trouver des inspirations dans *Rodogune, Théodore* ou *Héra-*

clius. Quoi qu'il en soit, matériaux historiques et modèles littéraires, Corneille a tout transformé et embelli : *Nicomède* a le
brillant d'une œuvre enfantée d'enthousiasme.

Le drame domestique et l'intrigue de palais sont représentés par Corneille avec une saisissante vérité. Prusias, roi
de Bithynie, tremble à la fois devant les Romains et devant sa
seconde femme Arsinoé. Il a deux fils : Nicomède, né d'une
première épouse, a été l'élève d'Annibal. Habile capitaine, il
vient de conquérir le Pont, la Galatie et la Cappadoce. Il aime
Laodice, reine d'Arménie et il en est agréé. Attale, fils
d'Arsinoé, a été « nourri à Rome » et sa mère médite de le
faire roi de Bithynie aux dépens de l'héritier légitime. Rome,
représentée par l'ambassadeur Flaminius, ne saurait tolérer
que Nicomède épouse Laodice : trop de royaumes seraient unis
sous un seul sceptre. Le Romain enjoint donc à Prusias de
proclamer Attale son successeur et de l'imposer pour époux à
Laodice. Arsinoé a machiné un faux complot contre Nicomède
pour l'attirer à la cour : loin de ses soldats, il sera facile de
s'assurer de sa personne. Nicomède n'oppose à ses ennemis
qu'une cinglante et fière ironie. Il succomberait toutefois si le
peuple, qui l'idolâtre, ne se soulevait en sa faveur et si Attale,
conquis par la « grandeur de courage » de son demi-frère, ne
le libérait des sbires apostés par Arsinoé. Ne parlons pas de
dénouement par « le dieu de la machine » : Nicomède, en
vérité, est sauvé par sa propre valeur, qui lui a gagné l'admiration de tous et dont le rayonnement invincible, comme
l'avaient fait la grandeur d'Auguste et la sainteté de Polyeucte,
résout tous les conflits, apaise toutes les haines et amène, avec
la conversion des méchants, une réconciliation générale.

Prusias, pauvre mari et pauvre roi, disposé à toutes les lâchetés et Arsinoé la scélérate hypocrite forment un couple d'un
cruel réalisme. Ils rappellent d'un peu près, avouons-le, d'un
côté Félix et Valens, de l'autre Cléopâtre et Marcelle, mais la
copie n'est pas servile : les différences sont assez accusées
pour que les personnages aient leur vie propre et leur relief
singulier.

Attale, figure plus nuancée que le monolithique Nicomède,
accomplit une fort intéressante évolution. Enfant gâté, d'une
naïve fatuité, il a pris à Rome assez de sens de la grandeur
pour être accessible à l'influence de Nicomède : de cet adolescent pâlot, son prestigieux aîné fait un homme de cœur.

Flaminius, humilié par Nicomède, réussit à sauver, non sans
mal, le prestige de Rome. Avilir ses chers Romains, c'est à
quoi Corneille n'aurait jamais consenti.

Laodice mérite tous les éloges que l'on décerne à son amant.

On ne peut lui reprocher que d'être trop pareille à lui et d'y perdre une grâce féminine qui la ferait plus séduisante.

La pièce, du fait surtout de Prusias, a des parties de comédie. Et l'ironie dont Nicomède fait son arme la plus constante n'est pas du registre habituel de la tragédie. La condition néanmoins des personnages, l'importance des intérêts engagés, les périls encourus par le héros maintiennent *Nicomède* dans une haute sphère dramatique.

La pièce est solidement construite. L'exposition est brève et nette ; l'aventure, que ne viennent ralentir ni stances ni longs récits, progresse avec aisance. Le dialogue est éblouissant. Le vers a une jeunesse allègre et bondissante, une force musclée qui font la joie de l'esprit et de l'oreille.

La tragédie méritait le succès qu'elle a remporté. Les contemporains, nous dit-on, trouvèrent un ragoût de surcroît dans certaines allusions à la situation politique du temps. Nicomède faisait penser à Condé victime des ruses de Mazarin, mais soutenu par le peuple de Paris. La tradition cependant est tardive et elle peut être l'effet d'une exégèse abusive du texte. Il reste possible que les troubles de la Fronde aient aidé Corneille à composer l'atmosphère de son drame. Corneille en tout cas ne saurait être soupçonné de sympathie envers la rébellion. Il sera toujours un royaliste convaincu, un fidèle sujet, ferme partisan du pouvoir absolu.

Pertharite, Tragédie repr. probabl. en nov. 1651, publ.
Roi avril 1653.
des Lombards. Mazarin ayant libéré les princes, Longueville rentré en grâce, Corneille doit restituer au Baudry sa place de procureur-syndic. Sa fidélité au pouvoir royal coûte cher au poète, qui, pour assumer la charge de Baudry, avait dû vendre ses offices : il perdait six mille livres dans l'affaire. Il cherche du réconfort dans la piété et se met à traduire *l'Imitation de Jésus-Christ.*

Entre-temps il a travaillé à une nouvelle tragédie, *Pertharite.* La scène est à Milan. Pertharite, roi des Lombards, a été chassé de ses Etats par Grimoald, comte de Bénévent et il passe pour mort. L'usurpateur, qui s'était promis d'abord à Eduige, sœur de Pertharite, s'est épris de sa captive Rodelinde, femme du roi déchu. Il la fait menacer par son ministre Garibalde, si elle refuse de l'épouser, de mettre à mort le fils qu'elle a eu de Pertharite. Si elle accepte, il fera de ce fils l'héritier de ses Etats. Rodelinde consent à épouser Grimoald s'il égorge de ses mains le jeune prince : elle l'y aidera. Grimoald, horrifié, s'y refuse. Là-dessus, retour de Pertharite, qui, en échange du trône qu'il abandonne, réclame sa femme. Après des flux et reflux de sentiments, le vertueux tyran restitue à Pertharite sa femme et son royaume.

Corneille a pris son histoire chez Paul Diacre (*Gestes des Lombards*) complété par Erycius Puteanus (l'humaniste Henry Dupuis) qui avait écrit en latin une *Histoire des invasions de l'Italie*.

La pièce subit un dur échec. Corneille en indique les causes. Il signale ce qu'il appelle « l'inégalité de l'emploi des personnages » : Rodelinde, qui a le premier rang dans les trois premiers actes, est ravalée au second dans les deux derniers. Pertharite abandonne la couronne avec trop de facilité : ce « bon mari », dit Corneille ironiquement, n'a pas plu.

Complétons, précisons. Rodelinde proposant le meurtre de son fils (c'est la quatrième mère infanticide de fait ou de consentement que Corneille a mise à la scène, après Médée, Cléopâtre et Léontine) a sûrement révolté les spectateurs. Ce n'est pas qu'elle ne justifie son acte par de fortes raisons : comme elle prévoit que cet enfant, si elle se marie avec Grimoald, est fatalement voué au malheur, elle préfère le sacrifier tout de suite :

> Puisqu'il faut qu'il périsse, il vaut mieux tôt que tard.

Elle avoue d'ailleurs qu'elle est exempte des « bassesses

> Où d'un sexe craintif descendent les faiblesses,

et elle souligne fièrement que son geste est « sans exemple ». Recueillons ici un aveu de Corneille : des situations et des actions « sans exemple », c'est ce qu'il recherche. Comment n'a-t-il pas vu qu'à vouloir sortir à tout prix de « l'ordre commun », le héros, un jour ou l'autre, sortira de l'ordre humain et, au lieu de l'admiration, provoquera l'horreur ?

Grimoald s'avoue lui-même « embarrassé » de ses sentiments flottants et faibles. Il vacille entre le règne et l'abdication, comme il ondoie entre Rodelinde et Eduige. Ses cruautés et ses générosités paraissent l'effet des circonstances plus que d'une volonté résolue.

Son rival a la même pâleur. De ces deux monarques en instance d'abdication, on a peine à croire qu'ils furent de vaillants capitaines. Rodrigue, Nicomède, qu'êtes-vous devenus ?

Garibalde, figure énergique d'ambitieux rusé, de politique sans cœur, pourrait bien être le personnage le plus réussi de cette pièce manquée.

Au total, nul caractère sympathique, des passions ou faibles ou révoltantes et, à la fin, une émulation de générosité qui peut bien rendre heureux le dénouement, mais qui ne s'égale en rien à ces conversions de grandes âmes par où Corneille aime à terminer ses beaux drames.

Racine a-t-il voulu, par *Andromaque*, refaire *Pertharite ?* Dès 1736, l'abbé Desfontaines signalait les ressemblances des deux pièces, trop frappantes pour être dues à une rencontre fortuite. Voltaire, reprenant la comparaison, trouvait dans *Pertharite* « toute la disposition de la tragédie d'*Andromaque* et même la plupart des sentiments que Racine a mis en œuvre avec tant de supériorité ».

Le style, à côté de trouvailles dignes de la main qui « crayonna » *le Cid,* a des fléchissements regrettables. Voltaire, souvent aveugle et injuste à l'égard de Corneille, n'a pas tort de relever des constructions « louches », des phrases « embarrassées » et des obscurités, non de profondeur, mais de négligence.

L'échec de *Pertharite* fut interprété par Corneille comme un grave avertissement. Scarron écrit en 1652 :

> De Corneille les comédies
> De jour en jour baissent de prix.

Il parut au poète qu'il devait « sonner la retraite » : « Il vaut mieux que je prenne congé de moi-même que d'attendre qu'on me le donne tout à fait, et il est juste qu'après vingt années de travail je commence à m'apercevoir que je deviens trop vieux pour être encore à la mode. » Mesurant du regard le long chemin parcouru, il croyait pouvoir se flatter de laisser « le théâtre français en meilleur état » qu'il ne l'avait trouvé. Le Normand toutefois laissait entrevoir que sa « résolution » de retraite n'était pas « si forte » qu'elle ne pût un jour se rompre. Il se passera sept ans avant que Corneille ne mette à la scène une nouvelle pièce. Dans l'intervalle, il va travailler à cette traduction, qu'il avait entreprise avant l'échec de *Pertharite,* de *l'Imitation de Jésus-Christ.*

3 — CORNEILLE POETE RELIGIEUX

Ce sentiment de fierté qu'il éprouvait à la vue de tant d'œuvres éclatantes sorties de sa plume, le chrétien Pierre Corneille ne pouvait pas, à l'heure de se mettre à genoux, ne pas y redouter une tentation de vaine gloire. La lecture de *l'Imitation,* si propre à faire renaître l'humilité dans l'âme dévote, le père de tant de héros orgueilleux y puisait, soyons-en sûrs, une salutaire confusion. Les premiers mots de la Lettre-dédicace qui présente l'œuvre au pape Alexandre VII montrent bien cette volonté d'effacement, ce désir d' « humilité parfaite » et de « mépris de soi-même ». Nous sommes d'ailleurs en un siècle où presque tous les poètes ont tenu à donner une contribution à la littérature sacrée et où se sont publiés, nous l'avons vu, d'innombrables traductions des Saints Livres. Le propre frère de Pierre, Antoine Corneille, curé de Fréville, avait fait paraître à Rouen, en 1647, des *Poésies chrétiennes et Paraphrases sur les Cantiques*. Il n'est pas besoin de chercher plus loin les motifs qui ont porté Corneille à mettre en vers *l'Imitation* d'abord, plus tard les *Louanges de la Sainte-Vierge,* les *Psaumes de la Pénitence* et « tous les *Hymnes du Bréviaire romain* » (1670). Corneille a voulu, après tant de ses confrères en poésie, consacrer son talent au « service de Dieu » et à « l'utilité du prochain ».

C'est dès le début de 1651 qu'il décide de traduire *l'Imitation :* l'approbation des Docteurs qui accompagne la publication date du mois d'août 1651. L'ouvrage était achevé en 1656.

Le travail était malaisé. Corneille y a peiné plus que pour composer ses tragédies les plus difficiles. Il avait, dit-il, « peu de connaissance de la Théologie » — de la mystique en particulier — et « peu d'habitude à faire des vers d'odes et de stances ». En outre, ces matières de dévotion ont « peu de disposition... à la poésie. » On y rencontre souvent des mots « farouches » pour la versification, tels « consolations, tribulation, contemplation, humiliation »... Le poète pourtant se refusait à trahir la simplicité de son auteur. Il se défend d'avoir voulu « chatouiller les sens » par « la pompe des vers ». S'il a estimé « juste » de « prêter quelques grâces » au langage austère du saint moine, il se flatte d'être demeuré, en cet effort d'embellissement, dans « une raisonnable médiocrité ».

De fait, si l'on peut remarquer un peu de « bourre », motivée par les nécessités de la rime, on doit admirer en revanche d'heureux développements où s'exhale la piété fervente du traducteur.

L'écueil le plus redoutable était la monotonie. Corneille, dans l'ensemble, l'a évité. Sa traduction n'a pas toujours le même caractère. Tantôt il élargit le texte par des paraphrases, tantôt il s'astreint à rivaliser de concision avec son auteur. Il a des réussites à cet égard. Le « laeta vigilia serotina triste mane facit » lui donne ce beau vers :

    Les délices du soir font un triste matin.

Surtout, il change de rythme et de ton. Il emploie assez souvent l'alexandrin à rime plate, qui lui est plus familier, pour rendre la lenteur méditative de l'original. Mais il cherche aussi les mètres les plus divers et les plus rares. D'un chapitre à l'autre —et à l'intérieur du même chapitre — il essaie toutes les combinaisons du douze, du huit et du six. Même variété dans les *Louanges de la Sainte-Vierge* et dans les *Psaumes*. Voici un quatrain hétérométrique à rimes embrassées, inconnu de Ronsard, et qui rend bien les accents implorants du *Miserere :*

> Ouvrez mes lèvres, ô mon Dieu,
> Que je puisse mêler ma voix aux voix des Anges
> Et je ferai, comme eux, de vos saintes louanges,
> Mon plus doux objet en tout lieu.

Bien venue aussi est cette strophe de cinq vers inégaux dont la chute, haletante et pressée, est émouvante :

> O Dieu de vérité pour qui seul je soupire,
> Unis-moi donc à toi par de forts et doux nœuds.
> Je me lasse d'ouïr, je me lasse de lire,
> Mais non pas de te dire :
> C'est toi seul que je veux.

Il va de soi que l'auteur de *Nicomède* ne parvient pas toujours à effacer l'éclat de son éloquence et, quand il s'agit de l'*Imitation,* on peut juger que son vers fait un peu de fracas comparé au murmure confidentiel du pieux auteur. Il arrive cependant à la fluidité simple et douce :

> Rentre dans ta cellule...
> Elle sera ta joie et ta meilleure amie
> Si ta conversion, dans son calme affermie,
> Dès le commencement la garde sans regret ;
> C'est dans ce calme et le silence
> Que l'âme dévote s'avance
> Et que de l'Ecriture elle apprend le secret.

Mais, bien que Corneille se joue, avec une souplesse que l'on n'aurait pas soupçonnée chez lui, dans les entrelacs les plus divers de la forme lyrique, il faut avouer qu'il est plus lui-même dans les alexandrins suivis, cadre habituel de son inspiration. Il y est tellement rompu qu'on ne sent plus chez lui aucun effort et qu'il sait alors unir parfaitement la force du vers et la plénitude de la pensée, comme dans ses grands chefs-d'œuvre tragiques. Voici comment il transpose l'admirable chapitre V du livre III de l'*Imitation* sur les merveilleux effets de l'amour divin :

> L'amour ne dort jamais, non plus que le soleil ;
> Il sait l'art de veiller dans les bras du sommeil.
> Il sait dans la fatigue être sans lassitude ;

Il sait dans la contrainte être sans servitude ;
Porter mille fardeaux sans en être accablé,
Voir mille objets d'effroi sans en être troublé ;
C'est d'une vive flamme une heureuse étincelle
Qui, pour se réunir à la source immortelle,
Au travers de la nue et de l'obscurité
Jusqu'au plus haut des cieux s'échappe en sûreté.

Les antithèses condensées du texte latin ont une autre énergie, mais n'est-ce pas un art de les draper ainsi, de les amplifier, de les adapter au goût du XVIIe siècle sans leur faire perdre de leur sens ni de leur richesse ?

4 — LA SECONDE CARRIERE DRAMATIQUE DE CORNEILLE

Il était de notoriété générale que Corneille avait abandonné la scène. Conrart écrivait le 3 mai 1655 : « Il s'est jeté dans les compositions pieuses et a laissé le soin du théâtre à un de ses frères. » Ce n'était pas exact en tout point : Pierre n'était pas si disposé à s'effacer devant Thomas, quelque tendresse qu'il eût pour son jeune frère. Il avait laissé entendre que sa retraite pourrait n'être pas définitive. Il attendait l'heure favorable et surveillait le mouvement dramatique.

L'échec de *Pertharite* ne s'explique pas seulement par la médiocrité de l'œuvre. Le genre tragique lui-même, depuis les troubles de la Fronde, avait perdu de sa prééminence au profit de la comédie. Le héros sublime était tourné en dérision par les poètes burlesques. Mais, en décembre 1656, le *Timocrate,* un des grands triomphes du siècle, rend une certaine faveur à la tragédie ; les auteurs s'y remettent : Boyer, Quinault, Magnon, l'abbé de Pure. On a compté qu'entre 1659 et 1666, on a mis en scène plus de vingt tragédies nouvelles.

Le succès de son frère a-t-il piqué d'émulation le glorieux aîné ? En 1659, Corneille revient à la tragédie avec *Œdipe.*

Œdipe.   Repr. janv. 1659, publ. mars 1659.
Nicolas Foucquet, « généreux appui du Parnasse » étend ses libéralités sur les Corneille. Il demande à Pierre d'écrire une tragédie et lui propose trois sujets. Corneille choisit *Œdipe.* Il l'achève en deux mois, avec « le même feu », avec « la même audace »

Qui fit plaindre le Cid, qui fit combattre Horace.

Il s'inspire évidemment de Sophocle, il prend aussi à Sénèque et il doit quelques détails à la *Vie de Thésée,* de Plutarque. Il invente « l'heureux épisode de Thésée et de Dircé » : il

a peur, dit-il, s'il se borne à raconter nuement l'atroce fable
d'Œdipe, de « soulever la délicatesse de nos dames ». Le
public de 1660 exigeait de l'amour comme celui de 1640 avait
exigé de l'héroïsme. *Timocrate* était une tragédie galante.
Pierre Corneille, malgré qu'il en ait, donne des gages à la préciosité, il atteste l'empire des femmes,

> **Que le Ciel n'a formées**
> Que pour le doux emploi d'aimer et d'être aimées.

En réalité, les amours tendres de Thésée et de Dircé forment plus qu'un « épisode » : Corneille en a fait l'essentiel de
sa pièce et le malheur d'Œdipe nous émeut principalement
par l'obstacle qu'il risque d'opposer au bonheur des jeunes
amants.

La conduite de l'intrigue est adroite. Corneille a voulu amé-
liorer la structure de la pièce de Sophocle et il y a réussi. Il
a su mieux graduer l'atroce révélation des crimes commis
involontairement par Œdipe : ce n'est que par étapes bien
ménagées que le malheureux apprend l'épouvantable vérité.
D'autre part, il a fort habilement rattaché le roman d'amour au
drame familial. La pièce n'est pas seulement la tragédie
d'Œdipe et de Jocaste, mais elle a pour sujet l'ensemble des
événements qui concourent au malheur du couple royal et à
l'union de Thésée et de Dircé. Il est permis toutefois d'opiner
que cet intérêt matrimonial détonne dans ce sombre drame.

Il reste que le problème qui de lui-même — et par la
volonté du poète — s'impose avec le plus de force est celui du
libre arbitre. Est-on déterminé à la vertu ou au péché ? Un
homme a-t-il le droit d'affirmer, comme le fait Œdipe :

> Au crime malgré moi l'ordre du Ciel m'attache ?

Thésée proteste et sa théologie moliniste, conforme à l'orthodoxie, s'exprime avec une fermeté et une clarté admirables :

> Quoi ! la nécessité des vertus et des vices
> D'un astre impérieux doit suivre les caprices ?...
> L'âme est donc toute esclave : une loi souveraine
> Vers le bien et le mal incessamment l'entraîne...
> Et nous ne recevons ni crainte ni désir
> De cette liberté qui n'a rien à choisir,
> Attachés sans relâche à cet ordre sublime,
> Vertueux sans mérite et vicieux sans crime ?
> Qu'on massacre les rois, qu'on brise les autels,
> C'est la faute des dieux et non pas des mortels ?
> De toute la vertu sur la terre épandue,
> Tout le prix à ces dieux, toute la gloire est due ;
> Ils agissent en nous quand nous pensons agir ;

Alors qu'on délibère on ne fait qu'obéir ;
Et notre volonté n'aime, hait, cherche, évite,
Que suivant que d'en haut leur bras la précipite ?
D'un tel aveuglement daignez me dispenser.
Le Ciel, juste à punir, juste à récompenser,
Pour rendre aux actions leur peine ou leur salaire,
Doit nous offrir son aide et puis nous laisser faire.

Thésée est ici le fidèle porte-parole des héros cornéliens. Et dans cette pièce même où la galanterie reçoit trop bonne mesure, l'énergie morale garde ses droits. Dircé, âme royale, indomptable, prétend bien ne recevoir de loi que de sa liberté :

Je me suis à ce choix (*celui de Thésée*) moi-même autorisée.

Elle affronte avec fierté, dans un beau dialogue en duel, la volonté d'Œdipe, qui veut lui imposer un autre époux. Elle le brave :

Qui ne craint point la mort ne craint point les tyrans...
Et dans le tombeau même il est doux de s'unir.

Œdipe lui-même, tout mené qu'il soit par un destin inéluctable, fait noble figure et il réussit à préserver son autonomie : c'est de son plein gré qu'il choisit de se châtier lui-même et de se soustraire ainsi à la fatalité du crime. Et au surplus, il trouve un beau réconfort dans la pensée qu'il meurt « pour le salut de tous » : en vertu de son sacrifice, il obtiendra que cesse le fléau de la peste.

La tragédie fut très bien accueillie. Le roi rouvrit sa cassette au poète et Corneille dès lors décida de « consacrer aux divertissements de Sa Majesté ce que l'âge et les vieux travaux » lui avaient « laissé d'esprit et de vigueur ».

La Toison d'Or. Repr. en novembre 1960 en Normandie, en février 1661 au Marais, publ. en 1661.

C'est l'histoire des amours de Médée et de Jason et de la conquête de la fameuse toison que l'Argonaute réussit grâce aux artifices de la magicienne. C'est une pièce à machines comme *Andromède,* et qui fut commandée à Corneille par un Normand, le marquis de Sourdéac, fieffé original si l'on en croit Tallemant des Réaux. Le mécène finança entièrement l'entreprise. Les premières représentations eurent lieu au château de Neufbourg. Le Marquis ensuite fit cadeau de tout le matériel aux comédiens du Marais et, en février 1661, la pièce poursuivit à Paris une carrière qui fut belle.

Le projet était en train depuis quatre ans ; il aboutit juste

au moment de la paix des Pyrénées et du mariage de
Louis XIV. Corneille, dans un *Prologue,* célèbre les grands
événements nationaux. Il semble y donner un grave avertissement au jeune roi, en décrivant les misères de la guerre, le
prix sanglant dont il faut payer la victoire. La France le dit
en vers courageux :

> L'Etat est florissant, mais les peuples gémissent :
> Leurs membres décharnés courbent sous mes hauts faits
> Et la gloire du trône accable les sujets.

Dans la pièce, qui est d'abord de féerie et de spectacle,
Corneille, moins tendu peut-être que dans ses drames austères,
se livre avec plus de liberté au plaisir de décrire l'amour et
ses tendresses. Il a des couplets souples et mélodiques et qui
pourraient être signés de Racine. Chalciope à Médée amoureuse de Jason :

> Je vous vois chaque jour avec inquiétude
> Chercher ou sa présence ou quelque solitude
> Et dans ces grands jardins sans cesse repasser
> Le souvenir des traits qui vous ont su blesser.

Jason à Médée :

> Moi, vous quitter, Madame ?...
> Que si le souvenir de vous avoir servie
> Me réserve pour vous quelque reste de vie,
> Soit qu'il faille à Colchos borner notre séjour,
> Soit qu'il vous plaise ailleurs éprouver mon amour,
> Sous les climats brûlants, sous les zones glacées,
> Les routes me plairont que vous aurez tracées ;
> J'y baiserai partout la trace de vos pas :
> Point pour moi de patrie où vous ne serez pas.

L'héroïsme pourtant ne perd pas tous ses droits. Médée, que
Corneille met pour la seconde fois sur la scène, sans atteindre
à la grandeur farouche de sa première création, se montre
superbement fière et jalouse de sa liberté intérieure :

> ... Je veux qu'il m'aime ;
> Je veux, pour éviter un si mortel ennui,
> Le conserver à moi sans me donner à lui.

Sertorius   Représ. fin février 1662, publié juillet
1662.
Œdipe, La Toison d'Or : ces deux pièces par où Corneille
avait inauguré sa seconde carrière, il ne les avait pas choisies :
la première lui avait été suggérée par Foucquet ; la seconde,
œuvre de commande, répondait à un dessein plus théâtral que
dramatique.

PETRVS CORNELIVS

ROTHOMA   GENSIS

Anno Dñi.   1644.   M. fe.

Pierre Corneille.
Gravure de Michel Lasne, ornant l'édition de 1644.

Extrait de *la Littérature française,*
par Bédier-Hazard-Martino, Larousse, éditeur.

Corneille cette fois, libre de sa démarche, revient à sa chère Histoire romaine. Il a lu dans Plutarque la *Vie de Sertorius* et bâtit là-dessus une belle intrigue. Sertorius, partisan de Marius, s'est réfugié en Espagne pour y poursuivre la lutte contre le dictateur Sylla. Deux femmes, (créés par Corneille) se sont éprises de Sertorius : la reine de Lusitanie, Viriate, qui met à la disposition du général émigré les ressources de son royaume. Aristie, romaine, épouse répudiée de Pompée, peut concilier à Sertorius de puissants appuis parmi les patriciens de Rome hostiles à Sylla.

Sertorius, bien qu'à son âge il siée mal d'aimer, est sensible au charme des deux femmes. Mais les intérêts de la cause le contraignent à reléguer l'amour au second plan. Il en souffre, mais il ne fléchira pas. Survient Pompée, qui, rallié à Sylla, tente d'y convertir Sertorius. En vain : le général révolté, qui s'est fait donner mandat par un Sénat romain formé en Espagne, revendique la légitimité :

> Rome n'est plus dans Rome, elle est toute où je suis.

Mais Sertorius a un rival d'amour et d'ambition parmi ses officiers. Ce Perpenna assassine Sertorius et vient s'en flatter auprès de Pompée, auquel il livre la liste des partisans que Sertorius a laissés à Rome. Pompée noblement brûle le papier sans le lire et fait exécuter Perpenna.

Beau sujet en vérité, suggestif de mille grandes pensées, et dont Corneille a su faire un drame clair et fort, solidement construit par une main d'ouvrier qualifié. L'amour, à dessein médité, y est sacrifié à l'ambition. « La politique, dit Corneille, fait l'âme de toute cette tragédie. » Il explique à l'abbé de Pure : « Les deux héroïnes ont le même caractère de vouloir épouser par ambition un homme pour qui elles n'ont aucun amour et le dire à lui-même. Elles s'offrent toutes deux à lui sans blesser la pudeur du sexe ni démentir la fierté de leur rang. » C'est que, nous le savons déjà, le désir de la gloire est une passion plus noble que l'amour. Une princesse, chez Corneille, n'hésitera jamais à dire à un homme : « Je vous veux pour époux », si cette union est pour elle le moyen de parvenir au trône. Aristie le déclare :

> Laissons, Seigneur, laissons pour de petites âmes,
> Ce commerce rampant de soupirs et de flammes.

Préférons

> La liberté que Rome est prête à voir finir

et les grands intérêts de l'Etat.

Viriate, de même, refuse de consulter « les sens ». Elle
« hait des passions l'impétueux tumulte ». Son « feu », elle
« l'attache aux soins de sa grandeur ». En Sertorius, elle aime
le génie et la gloire. Son orgueil inflexible la place au rang
des plus belles héroïnes de Corneille :

> Je sais ce que je suis et le serai toujours,
> N'eussé-je que le Ciel et moi pour mon secours.

Sertorius est doué d'une âme plus diverse. Soldat de haute
valeur, il a l'étoffe d'un grand chef d'Etat et prononce de belles
maximes politiques. Le souci de sa gloire le fait, lui aussi,
écarter la tentation de l'amour. Mais un autre sentiment
l'agite : la pudeur de son âge. N'a-t-il pas, comme La Fontaine se le demande, « passé le temps d'aimer » ? Corneille,
qui peut-être a prêté à son personnage quelques-unes de ses
secrètes émotions, a glissé dans ce rôle des vers qu'il avait
adressés à la marquise Du Parc. Mais ce quinquagénaire amoureux est sauvé du ridicule par la noblesse mélancolique de son
attitude.

Pompée, qui vient conférer avec Sertorius au risque de se
faire emprisonner, « semble s'écarter de la prudence ». Mais
« c'est une confiance de généreux à généreux et de Romain
à Romain ». Et Corneille nous dit que cette entrevue des deux
grands hommes a donné un vif plaisir : « Quelques-uns des
premiers à la Cour et pour la naissance et pour l'esprit l'ont
estimée autant qu'une pièce entière. » Saint-Evremond admirait cette scène, où l'on retrouve le même génie politique et
moraliste que dans la fameuse conférence d'Auguste avec Cinna
et Maxime.

Il ne paraît pas douteux que Corneille, en écrivant *Sertorius,*
ait pensé aux ambitions qui avaient divisé la France et causé
les troubles de la Fronde. Il stigmatise la guerre civile qui
est « le Règne du crime » et souhaite, autour du jeune Roi,
une définitive réconciliation nationale.

Sophonisbe   Repr. janvier 1663, publ. avril 1663.
            En octobre 1662, la famille Corneille quitte
Rouen et s'installe à Paris. Le duc de Guise offre à Pierre un
logement en son hôtel, comme à son « homme de Lettres ».
Mais l'auteur du *Cid* saura préserver son indépendance. Après
la mort d'Henri de Guise, en 1664, les Corneille s'établiront
dans une maison de la rue des Deux-Portes, sur la paroisse
Saint-Sauveur.

Pierre Corneille, après la disgrâce de Foucquet, s'était vu
privé de la pension que lui octroyait le surintendant. En 1663,

sur rapport de Chapelain, Colbert inscrit Corneille « prodige
d'esprit » et « l'ornement du théâtre français » sur la liste
des gratifiés du Roi pour la grosse somme de deux mille livres.

Avec *Sophonisbe,* Corneille reste dans l'Histoire romaine.
Mais ce n'est pas une facilité qu'il se donne. Il prouve au
contraire, une fois de plus, qu'il aime à braver les obstacles.
Sophonisbe avait été portée plusieurs fois à la scène et nous
avons vu que Jean Mairet, en 1634, y avait gagné la gloire.

Corneille a-t-il eu le dessein, trente ans après, de faire oublier
son devancier ? Il lui donne beaucoup de louanges, mais il a
de la peine à dissimuler son « espérance de l'égaler ». Comme
il « hait à la mort », avant Musset, « l'état de plagiaire »,
Corneille évite par système toute rencontre avec l'ancienne
Sophonisbe. Il nous souvient que Mairet faisait périr Syphax
dans la bataille, pour ne point heurter les convenances en
donnant à Sophonisbe « deux maris vivants ». Corneille, qui
se tient aussi près que possible de l'Histoire, se conforme au
récit de Tite-Live. Cette volonté de s'écarter de Mairet prive
Corneille de quelques scènes fort dramatiques, telle la première rencontre des amants ou encore « le démêlé de Scipion
avec Massinisse et le désespoir de ce prince ».

Corneille invente une Eryxe, reine de Gétulie, afin de placer
Massinisse entre deux femmes qui l'aiment — et qui se heurtent d'ailleurs avec une égale superbe. Depuis *le Cid,* Corneille
aime à donner deux amoureuses à ses héros : il l'avait fait
dans *Sertorius.*

Il s'est appliqué à la création de Sophonisbe. Il lui a donné
deux « passions dominantes » : l'attachement à sa patrie et la
haine de Rome. Elle aurait honte de se laisser conduire par
l'amour. Le seul souci de sa « grandeur » l'anime. Elle
s'offre à qui pourra la sauver des Romains :

> Toute ma passion est pour la liberté.

Elle s'est engagée à Massinisse pour en faire un allié de Carthage. Elle a épousé Syphax pour le même motif. Syphax
vaincu, elle revient à Massinisse qui peut lui conserver le
trône. Elle le signifie durement à son vieux mari, en lui repro-
chant d'avoir pu survivre à sa défaite :

> Le crime n'est pas grand d'avoir l'âme assez haute
> Pour conserver un rang que le destin vous ôte :
> Ce n'est point un honneur qui rebute en deux jours
> Et qui règne un moment aime régner toujours.
> Mais si l'essai d'un trône en fait durer l'envie,
> Dans l'âme la plus haute, à l'égal de la vie,
> Un roi né pour la gloire et digne de son sort
> A la honte des fers doit préférer la mort.

Elle pratiquera sa maxime. Maîtresse « absolue » d'elle-même, son courage infrangible la met « au-dessus de tous événements ». Elle fait reporter à Massinisse le poison qu'il lui envoie en « présent nuptial » : c'est sans « emprunter rien d'autrui » qu'elle sortira de la vie, à l'heure de son propre choix. La mort libératrice est le refuge des héros vaincus de Corneille, vainqueurs par là qu'ils échappent à la déchéance.

La préférence donnée par certains critiques à la pièce de Mairet est injustifiable. Le drame de Corneille est plus solidement composé et les vers en sont autrement énergiques que ceux du Bisontin.

Sophonisbe pourtant n'eut pas grand succès. Corneille l'avoue implicitement : les « délicats qui veulent de l'amour partout » furent rebutés par ces femmes ambitieuses et viriles. Il s'obstinera néanmoins contre le goût du jour : « J'aime mieux qu'on me reproche d'avoir fait mes femmes trop héroïnes... que de m'entendre louer d'avoir efféminé mes héros ». L'humanité cornélienne n'est plus à la mode.

Othon   Représ. en août 1664 à Fontainebleau devant la Cour, en novembre à Paris. Publ. fin 1665.

Corneille, à la date où nous sommes, est regardé encore comme le plus grand dramaturge du temps. Les succès qu'il a obtenus depuis son retour à la scène lui ont redonné confiance. Il ne pense pas qu'il lui faille modifier, malgré les protestations de quelques « doucereux », sa conception de l'homme et sa formule dramatique.

Le sujet d'*Othon* est une intrigue politique, doublée, comme à l'ordinaire, d'une intrigue amoureuse. Galba étant empereur, Othon, pour se gagner un appui à la Cour, recherche en mariage Plautine, fille du consul Vinius. L'amour ensuite est venu se greffer sur ces premières vues d'ambition. Cependant l'intérêt d'Othon — et celui de Vinius lui-même — voudraient qu'il épousât Camille, la nièce de Galba, laquelle éprouve du penchant pour Othon. Autour de ces problèmes matrimoniaux d'où dépend la succession de l'Empire, s'agitent et cabalent les factions.

Corneille a suivi Tacite : il se targue de lui avoir gardé une grande « fidélité », et c'est vrai, du moins pour l'atmosphère politique. « Ce sont intrigues de cabinet qui se détruisent les unes les autres. » Mais les débats amoureux sont de l'invention de Corneille. Il lui a plu encore une fois de placer son homme entre deux femmes. Mais comme il vise toujours, en chacune de ses tragédies, à battre un record, « on n'a point encore vu de pièce où il se propose tant de mariages pour n'en conclure aucun. » Ce serait un bon sujet de comédie, si les

personnages ne couraient grand péril. Il reste que ces mani-
gances politico-matrimoniales, qui ne manquent pas d'intérêt,
manquent de vraie noblesse. Les comparses font médiocre
figure.

En revanche, il y a de beaux échanges de sentiments entre
les protagonistes. Plautine, qui a lu les romans courtois, accepte
de céder Othon à Camille pourvu que, abandonnant la main,
elle conserve le cœur. Ce qui donne occasion à Corneille de
faire l'apologie de l'amour platonique :

> Si l'injuste rigueur de notre destinée
> Ne permet plus l'espoir d'un heureux hyménée,
> Il est un autre amour dont les vœux innocents
> S'élèvent au-dessus du commerce des sens...

Plautine en réalité « souffre » jusqu'au « désespoir »,
mais elle met son honneur à cacher ses sentiments ; elle s'efforce de « paraître insensible, afin de moins toucher » : elle
y réussit trop bien. Othon est trop larmoyant pour susciter
l'admiration.

S'il faut bien constater que, chez Corneille, le génie créateur
trahit cette fois des faiblesses, le métier n'a jamais été aussi
sûr. Voltaire admirait l'exposition d'*Othon* : « claire, vigoureuse, attachante, trois mérites très rares ».

Agésilas   Repr. le 6 février 1666, publ. en avril
            1666.

Corneille n'a jamais fini de surprendre. On le croit prisonnier d'une formule : le moment d'après il s'en évade. *Agésilas*
est une œuvre assez exceptionnelle. Corneille, il est vrai, persiste à porter sur la scène un problème politique et il affirme
une fois encore sa préférence pour le gouvernement personnel.
D'autre part, sous le nom de « tragédie », il revient à la
« comédie héroïque ». Comme *Don Sanche, Agésilas* entre-
lace dans une situation périlleuse d'aimables jeux amoureux
et fait alterner la gravité et l'enjouement.

Mais Corneille accomplit une vraie révolution en renonçant
à l'alexandrin suivi. L'octosyllabe s'intercale dans le dialogue
avec la plus libre fantaisie, malheureusement sans que le
passage d'un mètre à l'autre se justifie par un changement de
ton. La rime est souvent redoublée avec le même arbitraire.
Le Père Tournemine atteste que cette comédie héroïque était
« d'un goût nouveau ».

Si Corneille s'est écarté du « chemin battu », c'est en toute
lucidité. Il savait quel « risque » il courait. Ces termes de
l'*Avis au Lecteur* nous suggèrent que le public n'a pas approuvé

l'innovation. Du reste, au temps où les genres se sont cloisonnés avec rigueur, on ne pouvait guère accepter, surtout du grand Corneille, cet ambigu de comédie, de tragédie et d'opéra sans musique. *Agésilas* venait trop tard ou trop tôt.

La pièce, tirée de Plutarque, nous raconte le complot formé par Lysandre contre Agésilas, roi de Sparte. Elle nous présente trois couples d'amoureux (inventés par Corneille) et dont les partenaires permutent entre eux au gré des « raisons d'Etat » et des inclinations du cœur. Le drame, grâce à l'abnégation généreuse d'Agésilas, se conclut par un triple hymen.

Deux filles spirituelles et charmantes, Elpinice et Aglatide, échangent de jolis propos sur l'amour, du reste sans fioriture précieuse. Aglatide est douée d'un naturel heureux et facile :

> La joie est bonne à mille choses,
> Mais le chagrin n'est bon à rien...
> ...Je sais ne vouloir que ce qui m'est possible
> Quand je ne puis ce que je veux.

Mandane a plus de fierté. Elle formule avec précision le code essentiel de l'héroïne cornélienne :

> ...Un grand cœur doit être au-dessus de l'amour
> Quel qu'en soit le pouvoir, quelle qu'en soit l'atteinte
> Deux ou trois soupirs étouffés,
> Un moment de murmure, une heure de contrainte,
> Un orgueil noble et ferme et vous en triomphez.

Agésilas a la même hauteur d'âme. Il sait surmonter ses désirs :

> Il est beau de triompher de soi...
> Un roi né pour l'éclat des grandes actions
> Dompte jusqu'à ses passions.

Il maîtrise pareillement ses inimitiés et pardonne généreusement, comme Auguste, à ses ennemis conjurés.

L'intrigue est assez lâche, elle a des longueurs, le style a des mollesses. Mais une scène (III, 1) entre Agésilas et Lysander « ne pourrait pas facilement être d'un autre » que Corneille, dit justement Fontenelle. Et le poète au cœur toujours jeune a parsemé dans sa pièce de beaux vers d'amour. pleins de douce tendresse et de mélancolie.

Attila, Repr. le 4 mars 1667, publ. fin nov. 1668.
Roi Les raisons dernières du choix que fait
des Huns. Corneille de tel ou tel sujet nous échapperont toujours. Il est loisible néanmoins de penser qu'après le succès médiocre d'*Agésilas,* Corneille se

replie sur son domaine privilégié, celui de l'Histoire romaine. Mais, fidèle à sa volonté d'innover, il situe son drame dans une période singulière, au moment où le « déclin de l'Empire » laisse apparaître « la France naissante » :

> Un grand destin commence, un grand destin s'achève :
> L'Empire est prêt à choir et la France s'élève.

Tragédie nationale, *Attila* va permettre à Corneille de célébrer la monarchie de Louis XIV et ses ambitions d'hégémonie européenne. Attila est un conquérant d'une espèce originale : il déteste la guerre :

> Il aime à conquérir, mais il hait les batailles ;
> Il veut que son nom seul renverse les murailles,
> Et, plus grand politique encor que grand guerrier,
> Il tient que les combats sentent l'aventurier.

Le drame politique est compliqué d'un problème matrimonial. Attila est en pouvoir de choisir entre deux femmes : Honorie, sœur de l'empereur Valentinien, qu'il épouserait pour devenir « le maître des Romains » et Ildione, sœur de Mérovée, dont la beauté l'a séduit. Les deux jeunes filles sont d'ailleurs aimées de Valamir, roi des Ostrogoths et d'Ardaric, roi des Gépides. Dès ces prémices, suivent de beaux combats de la tendresse et de la politique.

Attila se reproche d'incliner vers l'amour :

> Il a droit de régner sur les âmes communes,
> Non sur celles qui font et défont les fortunes.

Honorie la Romaine brave le roi des Huns avec un noble courage :

> Tu n'as pour tout pouvoir que des droits usurpés.

Le barbare, masqué d'abord par le soupirant précieux, se réveille et médite une atroce vengeance contre ses rivaux. Mais, dans un accès de folie furieuse, il meurt soudain de l'hémorragie attestée par les historiens. Les amants peuvent s'épouser.

Le tableau historique a de l'ampleur et il est animé par des dialogues nerveux. Les passions se défient en altercations emportées qui passent la rampe. Attila, mitigé d'orgueil et de ruse, de tendresse et de férocité, est une création unique de force et de singularité. Mais cette alliance heurtée de barbarie et de raffinement galant devait déplaire aux contemporains, admirateurs déjà du jeune Racine.

La pièce fut jouée vingt-quatre fois par la troupe de Molière, qui la paya deux mille livres à l'auteur.

Après l'*Attila,* holà !

On discute encore sur le sens de la fameuse épigramme de Boileau : protestation ? invitation au poète de borner là sa carrière ? Admiration ? Le distique, en tout cas, s'il a pu être composé en 1667, n'a été publié qu'en 1701.

Tite et Bérénice, *comédie héroïque.* Repr. le 28 novembre 1670, impr. 1671. Après *Attila,* Corneille abandonne de nouveau le théâtre. Cette seconde retraite dure trois années. Le vieil auteur s'effaçait-il derrière son jeune et brillant rival Jean Racine ? D'autres raisons ont pu intervenir. En 1666-67, la « querelle du théâtre » s'envenime. En janvier 1666, Nicole, s'adressant à Desmarets de Saint-Sorlin, affirme que « les qualités d'un poète de théâtre ne sont pas fort honorables au jugement des honnêtes gens ». Il insiste : « Un faiseur de romans et un poète de théâtre est un empoisonneur public, non des corps, mais des âmes des fidèles. » Des amis mondains de Port-Royal : Mme de Longueville, Mme de Sablé, le Prince de Conti se déclarent hostiles aux jeux de la scène.

On sait de quelle plume acérée « le tendre Racine » répondit à Nicole. Corneille, dans l'*Avis au Lecteur* d'*Attila,* décoche aux port-royalistes un trait cuisant : « On m'a pressé de répondre ici par occasion aux invectives qu'on a publiées depuis quelque temps contre la comédie. Mais je me contenterai d'en dire deux choses, pour fermer la bouche à ces ennemis d'un divertissement si honnête et si utile : l'un, que je soumets tout ce que j'ai fait et ferai à l'avenir à la censure des puissances, tant ecclésiastiques que séculières, sous lesquelles Dieu me fait vivre : je ne sais s'ils en voudraient faire autant ; l'autre, que la comédie est assez justifiée par cette traduction de la moitié de celles de Térence que des personnes d'une piété exemplaire et rigide ont donnée au public. » Le Maître de Sacy avait en effet traduit trois comédies de Térence.

Peut-être cependant le chrétien fit-il réflexion que le théâtre pouvait avoir ses dangers pour les âmes faibles ? Toujours est-il que Corneille se rejette vers les travaux de piété : et ce sont *l'Office de la Sainte Vierge,* les psaumes de la pénitence et autres œuvres dont nous avons parlé.

En 1670, Corneille revient au théâtre. Dans quelles circonstances, Fontenelle nous le raconte. C'est Madame, duchesse d'Orléans, qui aurait proposé à Racine et à Corneille le sujet de *Bérénice,* « pour faire trouver les deux combattants sur le champ de bataille sans qu'ils sussent où on les menait. » L'histoire est suspecte, et c'était une pratique répandue parmi les dramaturges de composer une pièce sur le sujet auquel travaillait dans le même temps un rival.

Quoi qu'il en soit, la *Bérénice* de Racine parut à l'Hôtel de Bourgogne le 21 novembre 1670. Huit jours après, le 28, au Palais-Royal, Corneille faisait représenter *Tite et Bérénice.*

C'est une « comédie héroïque », parce qu'il n'y a pas péril de mort. Le poète s'y permet d'ailleurs des négligences et des familiarités d'expression peu compatibles avec la majesté de la tragédie.

Corneille revient encore à ces débats qu'il aime, du cœur et de l'ambition. Son Tite connaît des luttes douloureuses ; il est faible devant l'amour, il est prêt à se démettre de l'empire pour garder Bérénice. Au contraire d'Auguste, il est « maître de l'univers sans l'être de *soi*-même ». Mais il n'atteint pas à la grandeur mélancolique du héros de Racine. Il prend sa revanche par de bons discours politiques et de fortes maximes morales :

> De ceux qu'unit le sang plus douces sont les chaînes,
> Plus leur désunion met d'aigreur dans leurs haines.

Bérénice fait fière contenance. A Titus qui parle de « quitter l'empire » pour l'épouser, elle signifie :

> Si j'avais droit par là de vous moins estimer,
> Je cesserais peut-être aussi de vous aimer.

Le Sénat accepte la Reine et invite même Tite à la prendre pour femme. Bérénice, dans une réplique pleine de fierté et de sagesse, refuse :

> TITUS
> L'amour peut-il se faire une si dure loi ?
> BÉRÉNICE
> La raison me la fait, malgré vous, malgré moi.

Tite, frappé d'admiration, ne veut pas demeurer en reste de générosité, et cède Domitia, qui l'aime, à Domitien. La fin est d'une grande noblesse. Mais le public préféra la douceur élégiaque de Racine.

Psyché 16 janvier 1671.

Cette « tragédie-ballet » est de l'invention de Molière qui en a « dressé le plan et réglé la disposition ». Mais, pressé par le temps, il ne put écrire que le prologue du premier acte,

la première scène du second et du troisième acte. Il demanda
à Corneille d'écrire le reste : le vieux poète s'y employa une
quinzaine de jours. La besogne lui plut apparemment : il
trouva, pour dépeindre les pudeurs, les émois et les jalousies
de l'amour naissant, des vers délicats, d'une souple et cares-
sante mélodie.

Pulchérie,   Repr. novembre 1672, impr. 1673 (janvier).
comédie   Corneille, méprisant les «entêtements du
héroïque.   siècle » persiste à représenter une intrigue
               de cour, qui met en opposition l'amour et
l'ambition, le cœur et la raison d'Etat.

Pulchérie, qui a pour conseiller le vieux général Martian, a
gouverné pendant quinze ans l'Empire d'Orient au nom de son
frère Théodose le jeune, « prince faible » à l' « esprit mal
tourné ». Théodose meurt. Qui va lui succéder ? Au Sénat de
se prononcer. Pulchérie souhaite que soit élu Léon, qu'elle aime.
Elle le lui dit et c'est sur cette déclaration hardie que s'ouvre
la pièce :

> Je vous aime, Léon, et n'en fais point mystère...
> Ma passion pour vous, généreuse et solide,
> A la vertu pour âme et la raison pour guide,
> La gloire pour objet...

Elle l'épousera si le Sénat le désigne pour successeur de
Théodose. Mais c'est Pulchérie elle-même qui est élue, à charge
de choisir un époux. Dès lors, elle renonce à Léon, resté au bas
des marches du trône. Trop aimé, il aurait trop de pouvoir sur
elle :

> ... On n'épouse point l'amant le plus chéri
> Qu'on ne se fasse un maître aussitôt qu'un mari.

Elle donnerait son sang pour son amour, mais ne peut lui
sacrifier sa gloire. En outre, Léon est trop jeune et serait mal
accepté par les Grands de l'Empire. Or, Pulchérie, comme
toutes les héroïnes de ces dernières tragédies, veut

> Mettre d'accord *sa* flamme et le bien de l'Etat.

Elle aimera toujours Léon, mais elle épousera Martian. Déci-
sion de sagesse et de grandeur. Il faut être Voltaire pour s'en
gausser. Pulchérie ne contractera avec le vieux ministre qu'un
« faux hyménée » : jamais il ne sera « maître de sa personne ». Elle réserve à Léon la succession de l'Empire après
elle. Il apprendra le métier sous Martian, dont elle lui ordonne
d'épouser la fille Justine. Elle exhorte le jeune homme à se

placer, à son exemple, « au-dessus de l'amour » : « Il faut,
dit-elle :

> ... être empereur
> Et, le sceptre à la main, justifier mon cœur ;
> Montrer à l'univers, dans le héros que j'aime,
> Tout ce qui rend un front digne du diadème.

Beau et noble drame en vérité et qui ne méritait pas l'oubli
dédaigneux où on le tenait. La technique en est parfaite. Dès
le premier vers, l'action est engagée, l'intérêt ne cesse de
s'accroître et le dénouement est habilement retardé jusqu'à la
dernière réplique. Nul monologue, nul confident. Le style est
clair, familier parfois jusqu'au ton de la comédie, mais il
reste élégant et délicat.

Les comédiens de l'Hôtel et ceux du Palais-Royal ayant
refusé la pièce, Corneille fit représenter *Pulchérie* par la troupe
du Marais, alors bien déchue. Il s'était préparé un public par
des lectures chez La Rochefoucauld et chez le cardinal de
Retz. Mme de Sévigné y avait assisté. « Je suis folle de Corneille, écrit-elle... Il faut que tout cède à son génie ». La pièce
eut quelques brillantes représentations, semble-t-il, mais tomba
vite. Mme de Coulanges fait savoir à Mme de Sévigné, le 24
février 1673 : « *Pulchérie* n'a point réussi. » « Les principaux caractères », dit Corneille, en étaient trop « contre le
goût du temps ».

Suréna,   Repr. en déc. 1674, publ. janv. 1675.
général   Le succès relatif de *Pulchérie* a rouvert
des Parthes.   à Corneille la scène de l'Hôtel. *Suréna* nous
présente, une dernière fois, les projets
de mariage traversés par des desseins politiques. Mais ici,
chose étonnante, les intérêts de l'Etat apparaissent comme
une odieuse contrainte et ils ont pour organe un tyran. L'héroïsme, bien entendu, a sa place, et primordiale, dans la
tragédie ; mais il est dans la constance inébranlable de deux
amants qui acceptent bien de se voir priver de la liberté et de
la vie, mais qui refusent de renoncer à leur amour.

Suréna, général des Parthes, par ses brillants faits d'armes,
a conservé le trône à son roi, Orode. Il s'est épris d'Eurydice,
princesse d'Arménie et il en est aimé. Orode cependant supporte mal de tant devoir à Suréna :

> Un service au-dessus de toute récompense
> A force d'obliger tient presque lieu d'offense.

C'est ce que Prusias pensait de Nicomède :

> Te le dirai-je, Araspe, il m'a trop bien servi.

Pour tenir Suréna en tutelle, Orode veut le forcer d'épouser
sa fille Mandane, tandis qu'il destine Eurydice à son fils Pacorus. Suréna et Eurydice, dont l'amour est resté secret, s'efforcent d'écarter la menace, qui ferait quatre malheureux. Orode
et Pacorus, irrités, finissent par découvrir le mystère. Les
deux amants espèrent jusqu'au bout que le Roi ménagera son
prestigieux sauveur : « On n'oserait », pense Eurydice. Mais
Orode fait assassiner Suréna et Eurydice meurt de douleur.

L'intrigue, on le voit, a plus de simplicité et de vraisemblance qu'aucune autre de Corneille. C'est aussi la tragédie
dont le dénouement est le plus douloureux. Une atmosphère de
mélancolie y est partout répandue, et comme une sorte de
renoncement.

Suréna, héros fatigué (le dernier), est prêt à sacrifier à
une heure d'amour l'éclat de la gloire et la permanence de sa
race :

> Que tout meure avec moi, Madame ; que m'importe
> Qui foule après ma mort la terre qui me porte ?...
> Quand nous avons perdu le jour qui nous éclaire,
> Cette sorte de vie est bien imaginaire,
> Et le moindre moment d'un bonheur souhaité
> Vaut mieux qu'une si froide et vaine éternité.

Avec Eurydice, il forme un couple d'amants parfaits, que
le premier regard échangé a unis jusqu'à la mort. Dernière
sœur de Chimène, Eurydice est peut-être, après elle, la plus
touchante création féminine du vieux poète. Elle sait, autant
que ses aînées, ce qu'elle doit à sa gloire. Si elle s'est éprise
de Suréna, c'est que sa valeur militaire l'a élevé au-dessus des
rois :

> La main de Suréna vaut mieux qu'un diadème.

Lorsque leurs ennemis deviennent menaçants, elle fait front
avec la même intrépidité que lui :

> L'amante d'un héros aime à lui ressembler
> Et voit, ainsi que lui, ses périls sans trembler.

Mais une douceur tendre enveloppe la fierté qui, chez
d'autres héroïnes de Corneille, se faisait souvent trop rigide et
trop glorieuse pour émouvoir.

La pièce nous fait entendre d'admirables duos d'amour, d'une
délicatesse nuancée. Ecoutons Eurydice, qui a signifié à Suréna
l'éternel adieu que le destin leur impose :

> Le trépas à vos yeux me semblerait trop doux
> Et je n'ai pas encore assez souffert pour vous.
> Je veux qu'un noir chagrin à pas lents me consume ;

Qu'il me fasse à longs traits goûter son amertume ;
Je veux, sans que la mort ose me secourir,
Toujours aimer, toujours souffrir, toujours mourir.

L'influence de Racine, contre lequel, au dire de Voltaire,
Corneille a voulu « jouter », lui a inspiré, c'est probable, ces
accents élégiaques. Le vieux lion proteste encore çà et là :

La tendresse n'est point de l'amour d'un héros.

Et certains dialogues en duel entre Suréna et Pacorus sont
d'un éclat incisif digne de *Nicomède*. Il reste que ce chant du
cygne se voile comme d'une sereine résignation. A Corneille
vieillissant, la gloire paraissait-elle une illusion et l'amour
l'unique bien qui valût, mais dont la mort seule pouvait donner
l'entière possession ?

Après *Suréna,* Corneille se retire définitivement du théâtre :
« cinquante ans de travail pour la scène » font à ses yeux une
assez longue carrière. Il n'écrira plus que des vers au Roi, de
louange ou de sollicitation. Corneille a eu sa part des fiertés et
des épreuves que le règne de Louis le Grand apporte aux
familles françaises. Il a perdu son gendre Boislecomte, tué à
Candie en 1668. Le second de ses fils (on ignore son prénom)
est tombé à Grave en Hollande le 29 septembre 1674 : le
silence du dramaturge s'expliquerait déjà par ce deuil. Pierre
Corneille s'absorbe dans la conduite de sa maison et dans le
soin de son âme. Il y a longtemps qu'on ne croit plus que
l'illustre écrivain ait souffert de la misère en ses dernières
années. Il possédait un capital et des biens-fonds qui le garan-
tissaient du besoin. Il a pu connaître quelques difficultés de
« trésorerie », par exemple lorsqu'on le raya de la liste des
pensions en 1674, mais c'est tout ce qu'on a le droit de dire.

Il menait une vie retirée et dévote, récitait le Bréviaire
romain et préparait sa mort. Il était entouré d'une admiration
et d'une vénération universelles. Ses pièces étaient souvent
jouées et il lui prenait parfois l'envie d'écrire encore quelque
« jolie comédie ». En 1681, le bruit courut qu'il mourait. Il
se remit. Jusqu'en 1683, il assista aux séances de l'Académie.
Puis ses facultés s'affaiblirent. Il mourut le 2 octobre 1684,
rue d'Argenteuil, sur la paroisse de Saint-Roch.

5 — LE THEATRE DE CORNEILLE

Définir en quelques pages l'œuvre d'un génie aussi vaste et
aussi divers que celui de Pierre Corneille, ce n'est pas chose

aisée. Trente-trois pièces, et dont chacune a voulu innover ;
plus de trois cents personnages différents de visage, de mœurs
et de civilisation ; un monde géographique et historique s'éten-
dant sur mille lieues et plus de mille années, sans compter
les espaces et les temps mythologiques. Un Univers de pensées
et de passions. Bref, de quoi découvrir et de quoi discuter
jusqu'à la fin du monde.

Corneille lui-même peut nous aider, certes, à interpréter ses
drames. Il a écrit des préfaces ; il a fait l'*Examen* des pièces
qu'il a écrites jusqu'en 1660. Il a composé, la même année
1660, trois discours sur le *Poème dramatique,* ses exigences
et ses règles. Mais on sait bien que le génie créateur n'est pas
toujours habile à expliquer ses créations. Il n'en serait pas
moins imprudent de négliger l'Art poétique des poètes. Se
réduire à raisonner sur leurs œuvres, c'est risquer de trop
accorder à l'impression personnelle et à la conjecture.

Nous tâcherons d'éclairer l'œuvre dramatique de Corneille
par ses énoncés théoriques, avec le discernement qui s'impose.

Corneille a passé, il l'avoue, par « les exemples » de Hardy.
Ses devanciers immédiats sont les auteurs « baroques » de
1600-1630. Leur fréquentation lui communique à jamais le
goût des intrigues « implexes ». A simplifier une histoire, il
aura toujours peur de l'appauvrir. S'il persiste à préférer *Rodogune* entre toutes ses tragédies, c'est « à cause des incidents
surprenants » qui sont de son invention. Il affirme que « les
pièces embarrassées ...ont... besoin de plus d'esprit pour les
imaginer et de plus d'art pour les conduire ». Il pouvait, il est
vrai, s'appuyer sur l'autorité d'Aristote, qui dit que les tragédies « complexes sont les plus belles ». Quoi qu'il en soit, il
s'enorgueillissait de ce talent. L'abbé d'Aubignac faisait observer, à propos de *Sertorius* : « il contient cinq histoires qui
peuvent toutes, indépendamment l'une de l'autre, fournir des
sujets raisonnables à cinq pièces de théâtre. » La Bruyère
approuve : Corneille aime à « charger la scène d'événements ».
Un couple de protagonistes ne lui suffit jamais : trois, quatre,
six amants parfois mêlent leurs aventures de cœur.

Un autre trait « baroque », c'est l'instabilité des genres et
les changements de ton. La tragédie de Corneille admettra toujours des scènes de comédie, comme ses premières comédies se
haussaient souvent au tragique. C'est avec peine, sans doute,
qu'il a renoncé à montrer sur le théâtre des duels, des meurtres
et des enlèvements. Dans la Préface de *Clitandre,* il s'insurge
contre « ces longs et ennuyeux récits » des « messagers » ;
il aime mieux, quant à lui, « divertir les yeux qu'importuner
les oreilles » : aussi a-t-il « mis les accidents mêmes sur la

scène ». Les bienséances par la suite lui interdiront ce procédé. Relégués dans la coulisse, les violences et les « remuements » animeront des récits étincelants qui les feront revivre à l'imagination des auditeurs. Encore est-ce « coram populo », malgré les dents d'Horace, que Cléopâtre s'empoisonne et déploie ses convulsions forcenées.

Contre ces hardiesses et cet amour des péripéties, la « régularité » s'est interposée. Nous avons vu sous quels théoriciens le théâtre, en France, avait appris ses lois. La doctrine se couvrait de l'autorité des Anciens et d'abord d'Aristote. Corneille en maugréant s'y rallie. Aristote est « notre unique docteur », il l'avoue. Mais il ne le tient pas pour infaillible. Les Anciens « n'ont pas tout su » et « de leurs instructions mêmes « on peut tirer des lumières qu'ils n'ont pas eues » (Préface de *Clitandre*). Jusqu'au lendemain du *Cid,* Corneille affichera un modernisme résolu.

A dater d'*Horace,* il est converti aux règles : mais il se réservera toujours une marge de liberté. Suivons donc Aristote, mais voyons bien que « ce qui plaisait au dernier point à ses Athéniens ne plaît pas également à nos Français », et modifions ses préceptes à notre usage.

Corneille accepte la définition traditionnelle de la tragédie : sujet illustre, personnages illustres, style soutenu. Il accepte la division aristotélicienne du poème dramatique : le prologue, qui est notre premier acte, et qui contiendra « les semences de tout ce qui doit arriver » ; l'épisode, qui « sont nos trois actes du milieu », et l'exode, « qui n'est autre chose que notre cinquième acte », auquel il faut « réserver toute la catastrophe » ; on reculera même le dénouement « vers la fin autant qu'il est possible ».

Une bonne tragédie, c'est d'abord un bon sujet. Ici, Corneille, disciple de Hardy, et rompant avec la conception pathétique et lyrique des humanistes, pose en principe que « les actions sont l'âme de la tragédie ». (Aristote avait dit qu'elles en étaient « la fin » : Corneille est bien aise de l'avoir encore avec lui sur ce point). Les actions illustres, bien entendu. La majesté de la tragédie exige que l'on mette en scène une infortune fameuse, tirée de l'Histoire ou de la Fable et attestée par leur autorité. Cette garantie est nécessaire : le drame que l'on déploie sous les regards du public doit sa célébrité à son caractère de rareté, de grandeur ou d'horreur et il trouverait malaisément créance s'il n'était appuyé sur des témoignages avérés ou s'il ne rencontrait l'assentiment que l'on accorde aux légendes antiques.

C'est ainsi que Corneille a toujours entendu « l'illustration du sujet ». Ne vaut d'être mise en tragédie qu'une aventure exceptionnelle. Ici, il entre en désaccord avec Chapelain et l'abbé d'Aubignac, qui soutenaient que le poète devait soumettre son histoire aux lois de la vraisemblance commune. Corneille proteste. Son Aristote à la main, il distingue deux façons de traiter un sujet : « selon le vraisemblable et selon le nécessaire ». Il préfère, lui, le nécessaire, c'est-à-dire un événement qui s'est produit en réalité et qu'on ne peut nier ni modifier. « Médée tue ses enfants » : ce n'est pas vraisemblable, « mais l'Histoire le dit ». L'Histoire : c'est en elle que Corneille trouve sa principale ou, peu s'en faut, sa seule source. Seules les aventures extraordinaires qu'elle nous rapporte sont dignes de la tragédie. « Les grands sujets... doivent toujours aller au-delà du vraisemblable », sans quoi ils n'auraient rien d'illustre ni d'exemplaire. Il va de soi qu'il appartient au poète avisé de faire accepter au spectateur le sujet ainsi conçu. C'est le secret du talent.

Ce n'est pas Corneille qui a défini le théâtre l'art des préparations ; mais de cet art, il possédait la pratique. Racine admirait « l'économie » de ses sujets, c'est-à-dire la gradation que le dramaturge savait ménager dans les péripéties de son histoire.

Aristote avait dit : « La fable... ne doit représenter qu'une seule action complète, dont les parties soient disposées de telle sorte qu'on n'en puisse déplacer on enlever une seule sans altérer l'ensemble. » Corneille adopte cette doctrine. Il précise seulement que dans la tragédie l'unité d'action est constituée par l'unité de péril.

Il reconnaît qu'il n'a pas toujours observé parfaitement cette règle. Mais sa sévérité envers lui-même est souvent excessive. Il faut admirer la robustesse et la cohésion étudiées de ses charpentes. Peut-être faut-il dire cependant que, suivant inconsciemment les habitudes des tragiques du xvie siècle, Corneille avait tendance à placer au troisième acte l'événement principal ; d'où il résulte que son quatrième acte est quelquefois un peu flottant (le Cid, Horace...) Il deviendra de plus en plus habile à reculer le dénouement, à faire attendre la catastrophe jusqu'aux dernières répliques.

C'est qu'il a découvert, d'accord avec Chapelain cette fois, que la « suspension d'esprit » est le plaisir le plus « exquis » de l'art dramatique. « Le plus digne et le plus agréable effet des pièces de théâtre est lorsque le spectateur est suspendu » à l'événement, dans l'attente, curieuse ou anxieuse, de ce qui va se passer. Peu s'en faut que Corneille ne voie dans ce savoir-faire la marque suprême de son génie. Il a d'étranges modesties.

Sa pièce, il est d'autant plus obligatoire au poète de l'ajuster avec minutie que les événements représentés doivent tenir dans les « vingt et quatre heures » et se dérouler dans le même lieu. Les unités de temps et de lieu, Corneille s'y soumet : et même il en proclame la nécessité. Mais il ne perd pas une occasion de regimber contre leur « incommodité ». L'expérience du métier lui a révélé « quelle contrainte apporte leur exactitude et combien de belles choses elle bannit de notre théâtre ». Racan était du même avis : il écrira, en 1654, à Ménage, que ces règles sont « trop étroites ». « L'unité du lieu, du temps et de l'action... sont sans doute nécessaires ; mais cette trop grande rigueur qu'on y apporte met les plus beaux sujets dans les gênes ». Corneille attribue à cette tyrannie des règles les falsifications qu'il s'est vu contraint de faire subir à l'Histoire, le resserrement parfois invraisemblable de l'action dans l'espace et dans la durée. Nous avons vu que Mairet et les premiers auteurs « réguliers » soulignaient avec une satisfaction maladroite leur habileté à respecter l'unité de jour. Corneille a fait de même dans *le Cid :* par exemple lorsque le Roi permet à Rodrigue de se reposer « une heure ou deux » avant d'affronter Don Sanche. Des remarques de ce genre, dit Corneille, ne servent qu'à « avertir » le spectateur de « cette précipitation » des événements. Par la suite, il a pris soin de laisser dans le vague la durée de l'action. Quant à l'unité stricte de lieu, il avoue qu'il n'a pu y « réduire que trois » de ses drames : *Horace, Polyeucte* et *Pompée.*

Un sujet illustre, quand il met en scène des personnages illustres, doit, aux yeux de Corneille, débattre de hautes questions. Que l'un des enjeux du conflit soit le bonheur personnel des protagonistes, la réunion — ou la séparation — de deux amants, oui bien. Depuis l'avènement du roman, on ne peut plus guère, en France, représenter un drame où l'amour ne joue sa partie. Mais une personne de rang élevé et dont l'âme se hausse au-dessus du vulgaire doit s'ouvrir à de plus vastes horizons. « La dignité de la tragédie demande quelque grand intérêt d'Etat... et veut donner à craindre des malheurs plus grands que la perte d'une maîtresse ». Avec tous les tragiques anciens, Corneille pense qu'au-dessus de la personne individuelle, il y a la Famille, la Cité, la Patrie, la Religion. Dès lors, il est surprenant qu'on se scandalise de voir Corneille placer l'amour au second rang des « passions » mises en jeu dans la tragédie.

Corneille situe son drame à une heure où les « premiers acteurs » sont placés dans l'alternative de l'héroïsme ou de la lâcheté. Les critiques se sont divisés sur la question si Corneille tire les caractères de l'action ou l'action des caractères. Ni l'un ni l'autre, ou tous les deux. Action illustre, personnages

illustres : cette notion de la tragédie, il a jugé qu'elle lui imposait de montrer des héros exceptionnels placés dans une conjonc-
ture exceptionnelle. Il a fait dire à Horace, il est vrai :

> Comme (le sort) voit en nous des âmes peu communes,
> Hors de l'ordre commun il nous fait des fortunes.

C'est une manière d'envisager les choses. Mais il est aussi
exact que les grands événements de l'Histoire, où Corneille
prend l'argument de ses drames, présentent aux hommes qui y
sont engagés des problèmes inouïs. En face des obstacles à
franchir, l'homme est invité à se dépasser. Il peut se dérober :
c'est ce que font les Maxime, les Félix, les Prusias. S'il répond
à l'appel d'en haut, il accède à un niveau spirituel exemplaire.

Il est incontestable que Pierre Corneille a préféré, au spectacle de l'Homme écrasé par le Destin ou surmonté par ses
passions, celui, qu'il jugeait plus salubre, d'une volonté fière
et inflexible au service d'une grande cause. L'âme de sa tragédie, c'est l'idée sublime qu'il s'est faite de l'Homme.

Le héros cornélien, quel en est le secret ? On n'a pas fini
d'en disserter.

Il n'est pas de génie, si original soit-il, qui ne subisse l'influence de son temps. Ce XVIIᵉ siècle en son début, nous avons
constaté plusieurs fois à quel point il a aimé les âmes fortes et
libres. Charron, Du Vair ont montré la beauté de la « philosophie des Stoïques », toute « mâle et généreuse ». *L'Astrée*
met ces leçons en préceptes et en pratique : « Un grand courage est toujours capable de maîtriser ses passions, dit Urfé...
Il n'y a rien de si grand que la volonté ne puisse embrasser. »

Les hommes et les femmes de l'époque Louis XIII, acteurs
de drames d'amour et de drames politiques si curieux et si violents, pouvaient fournir à Corneille des « exemples vivants »
d'un puissant intérêt. Richelieu, Retz, La Rochefoucauld, la
duchesse de Chevreuse, la Grande Mademoiselle, dix autres :
âmes passionnées et volontaires, éprises de grandeur, ambitieuses de pouvoir, dont rien ne peut réprimer les desseins à
la fois véhéments et calculés, furieux et lucides.

Les romans du temps — autre source importante de Corneille — lui offraient la même image de l'homme. *L'Astrée*
a repris, pour les enseigner aux « honnêtes gens » du
XVIIᵉ siècle, les doctrines de l'amour courtois. Gomberville, La
Calprenède, Scudéry les ont répandues parmi des milliers de
lecteurs. Dans ces livres, on ne veut voir, souvent, que la
galanterie minaudière du langage : il faut en voir l'esprit chevaleresque et magnanime, par où ils ont exalté les âmes. Mme

de Sévigné en avoue la séduction ennoblissante. Ils présentent l'amour comme le principe de toute vertu. « L'amour, dit *l'Astrée* (2ᵉ partie, 1. I) a cette puissance d'ajouter de la perfection à nos âmes » et *le Grand Cyrus* (1ʳᵉ partie, 1. II) : « Cette belle passion est la plus noble cause de toutes les actions héroïques. » Rodrigue l'a bien prouvé.

Ce n'est pas sans lutter contre soi-même que l'on arrive à cet « épurement » des « impressions sensibles ». *Othon* affirmera qu'il y faut « un grand courage » (1, 4). Le « devoir » s'oppose parfois aux plaisirs de la passion partagée. « C'est alors, dit Astrée, que s'est commencé dans mon âme un combat entre l'amour et la raison... Mais la raison et l'honneur... me commandant de faire quelque action qui pût témoigner... j'ai enfin suivi cette dernière résolution. » Un héros d'*Ibrahim* déclare de même : « Je suis plus sensible à mon honneur qu'à ma passion et, quelque charmante que soit Isabelle, ma gloire l'est encore davantage. » Il va sans dire que seules les âmes éduquées par le « bel amour » sont capables de ces renoncements. C'est dans cette perspective qu'il faut lire Corneille.

La « générosité » où l'époque Louis XIII voit le signe le plus authentique de l'âme bien née et qui la porte, d'un élan fervent, aux grandes actions, Corneille en a enrichi la notion par la fréquentation des anciens Romains. Leur histoire, avec laquelle il s'était familiarisé dès le collège, lui montrait en foule des modèles d'énergie, d'abnégation familiale et civique, de sacrifices sublimes. Nombreux sont en ce temps les lettrés comme Balzac qui tirent de l'Histoire romaine, pour les proposer en exemple, des traits de noblesse et d'héroïsme.

Mais pour comprendre plus à fond le héros cornélien, il semble qu'il y ait autre chose à dire. Une question revient sans cesse, inéluctable, à l'esprit des historiens de Corneille et de ses lecteurs : quel rapport les drames de ce fervent chrétien peuvent-ils avoir avec sa religion ? (On met à part, bien entendu, *Polyeucte* et *Théodore*). Comment concilier avec les vertus chrétiennes les attitudes glorieuses, les défis hautains de ses héros et leur passion de l'excellence ? Nicole déjà accusait l'œuvre de Corneille de n'être pas chrétienne.

Corneille — et Descartes, chrétiens tous deux — ont exalté la vertu de « générosité » ; et le « généreux » dont Descartes fait le portrait dans son traité des *Passions de l'âme* (1649) ressemble, sur certains points importants, au héros cornélien : « Je crois que la vraie générosité, qui fait qu'un homme s'estime au plus haut point qu'il se peut légitimement estimer, consiste seulement partie en ce qu'il connaît qu'il n'y a rien qui véritablement lui appartienne que cette libre disposition de ses volontés, ni pourquoi il doive être loué ou blâmé sinon pour ce qu'il en use bien ou mal, et partie en ce qu'il sent en soi-même une ferme et constante résolution d'en bien user, c'est-à-dire de ne manquer jamais de volonté pour entreprendre et exécuter toutes les choses qu'il jugera être les meilleures : ce qui est suivre parfaitement la vertu. » (art. 153).

Il n'est pas impossible que Descartes se soit inspiré de la tragédie cornélienne. Il est plus probable que le poète et le philosophe ont puisé à une source commune.

Pour l'essentiel, la « générosité » de Descartes et celle de Corneille reflètent avec fidélité, semble-t-il, l'enseignement d'Aristote sur la Magnanimité. Descartes nous le suggère : « J'ai nommé cette vertu générosité, suivant l'usage de notre langue, *plutôt que magnanimité, suivant l'usage de l'Ecole.* » Chez Corneille aussi, la magnanimité est un synonyme de la générosité. Rodrigue est qualifié indistinctement de « cœur généreux » et de « cœur magnanime » (III,6, IV,5, V,1) ; Cinna, qui brave Auguste, « fait le magnanime » (V,1) ; Cléopâtre :

> ... soutient avec cœur et magnanimité
> L'honneur de sa naissance et de sa dignité.

Voir aussi *Héraclius,* V,5, etc... Et si Corneille préfère « générosité » et « généreux », c'est, comme Descartes, pour écarter une référence trop explicite à la doctrine scolastique. Tous deux ont passé par Aristote. Pendant leur cours de Philosophie, ils ont commenté longuement les leçons du péripatétique. Malgré les vitupérations de Ramus, Aristote demeurait, dans les collèges des Pères de la Compagnie de Jésus, le grand et à peu près le seul maître de Philosophie : les *Constitutions,* le *Ratio studiorum* l'imposaient. Mais les professeurs, dans leur *Cursus,* éclairaient les textes d'Aristote par les commentaires tirés de saint Thomas d'Aquin, interprète obligatoire de la doctrine.

Sur la magnanimité, que dit Aristote ? Citons les textes essentiels de la *Morale à Nicomaque* (1.IV, ch. 3) : on y reconnaîtra aisément la générosité de Descartes et plus encore celle de Corneille.

La magnanimité, dit Aristote en substance, est la vertu qui tend à la grandeur. Le magnanime se juge digne de grandes choses, et il l'est en effet. Il a en vue la conquête des grands biens et notamment du plus grand de tous, l'honneur. Précisons. Il s'agit de l'honneur comme bien extérieur. Ce qui revient à dire que le magnanime désire la richesse et le pouvoir en tant que ce sont là les moyens normaux de faire briller l'éminence de ses dons et de ses mérites et d'obtenir la considération. Nulle cupidité, nul sentiment vulgaire dans l'ambition du magnanime.

Aristote fait d'ailleurs remarquer que l'illustration de la naissance, et la position sociale qu'elle implique, ouvre une voie plus facile à l'exercice de la magnanimité.

Les magnanimes se distinguent souvent par une attitude altière et même dédaigneuse : c'est l'effet de leur goût de la grandeur. Ils montrent ouvertement leurs haines et leurs amitiés ; ils parlent avec une entière franchise et agissent au grand jour, à la face de l'univers, ainsi qu'il convient aux âmes fières qui n'ont peur de personne. Et ni les hommes en place ni les favoris de la fortune ne leur font baisser le ton. Ils usent parfois de l'ironie dans leurs rapports avec les âmes médiocres. Ils n'ont aucun ressentiment du mal qu'on leur a fait : car il n'est pas digne d'une grande âme de se souvenir des injures passées.

Le magnanime, dans les difficultés, ne compte pas sur l'aide d'autrui, mais sur ses propres ressources. Il aime à affronter les grands dangers et il ne balance pas à risquer sa vie, qu'il juge de peu de valeur, comparée à la dignité où il aspire.

Dans les *Seconds Analytiques,* Aristote retient, comme composantes essentielles de la magnanimité, la fierté et l'impassibilité. Dans l'*Ethique à Eudème,* il souligne que la magnanimité repose sur l'estime de soi-même.

Saint Thomas, avec la hardiesse qui le caractérise quand il s'agit de « museler les bêtes féroces de l'intelligence », n'hésite pas à annexer la magnanimité d'Aristote pour en faire une vertu chrétienne, l'une des manifestations de la vertu cardinale de Force. La vie morale, dit-il, se définit par une conduite conforme à la raison (ordo rationis). La raison exige de l'homme qu'il développe dans toutes leurs dimensions les facultés qu'il tient de sa nature. Il doit tendre partout à la grandeur : c'est en cette ascension vers la grandeur que consiste la vertu de magnanimité. D'accord avec Aristote, saint Thomas affirme que la magnanimité a pour objet l'honneur : c'est pourquoi elle aspire aux grands honneurs, récompense juste et normale des grandes vertus. Le magnanime d'ailleurs ne conquiert les dignités qu'au prix d'efforts et de sacrifices héroïques. La magnanimité est « rationabilis agressio arduorum ». On voit que saint Thomas a retenu la formule de saint Bernard, superbe d'optimisme, qui définit l'homme : « Excelsa creatura in capacitate majestatis ».

La magnanimité peut déjà se déployer dans l'ordre naturel. La grâce de Dieu, qui prolonge et surélève la nature, peut transposer cette vertu, comme les autres, dans l'ordre surnaturel, où elle trouve l'accomplissement de ses vœux profonds.

Le mouvement originel de la magnanimité, c'est l'élan de l'âme promise à la grandeur divine.

Aristote, nous l'avons vu, remarquait que la magnanimité était plus facile aux gens de « naissance illustre », aux puissants et aux opulents. Corneille affirme ou suggère que la grandeur de l'âme est un apanage des gens bien nés :

> La générosité suit la belle naissance (*Héraclius*).

Et Descartes est de cet avis : « La bonne naissance contribue » à la générosité (art. 161).

Mais saint Thomas lui-même avait reconnu que certains hommes, en vertu de leur naissance, étaient plus disposés à la magnanimité. Il corrige toutefois la doctrine d'Aristote, qui risque de fomenter l'orgueil. Il montre, par une analyse claire et forte, comment la magnanimité n'est pas contraire à l'humilité. Le chrétien magnanime, qui se sait grand, n'en perd pas de vue la faiblesse congénitale de sa nature. Il reconnaît que sa grandeur lui vient toute de Dieu et qu'il doit consacrer au service de Dieu les belles entreprises qui lui sont inspirées et à la gloire de Dieu les grands honneurs qu'il obtient. Descartes, soit dit en parenthèse, se fera l'écho de cette doctrine. Il notera que « les plus généreux ont coutume d'être les plus humbles », parce qu'ils n'oublient pas « l'infirmité de notre nature » (art. 155).

Il est moins difficile à présent, semble-t-il, de comprendre comment le pieux Corneille a pu concilier sa conception du héros avec son catéchisme. Concilier est mal dit. C'est son christianisme même qui lui a insufflé sa haute idée de l'homme. Sans doute, la plupart des sujets qu'il met à la scène, et qu'il emprunte à l'Histoire antique, lui imposent de maintenir la « grandeur de courage » de ses héros dans les limites de la loi naturelle. S'ils ne sont pas chrétiens, ce n'est pas leur faute, et certains Pères de l'Eglise n'avaient pas hésité à dire qu'ils étaient dignes de l'être, ou même qu'ils l'étaient sans le savoir. Ce n'est pas la faute de Corneille non plus s'il n'a pu emprunter que deux de ses tragédies à l'histoire proprement chrétienne ; et il va de soi que le modèle le plus achevé de la magnanimité, c'est Polyeucte qui nous le fait admirer.

Et voilà comment Corneille, au gré de ses fidèles, « enlève l'âme » (Saint-Evremond).

La tragédie, suivant la théorie traditionnelle, doit susciter chez le spectateur « la terreur et la pitié ». Corneille ne l'ignore pas et son public a souvent frémi de ces deux émotions. Rodrigue et Chimène, Curiace et Camille, Pauline et Sévère, Massi-

nisse, Suréna, Eurydice, nous redoutons pour eux les malheurs qui les menacent, nous les plaignons dans leurs dures
épreuves.

Mais leur « fière contenance » soulève en nous, au bout du
compte, un sentiment plus exaltant. Corneille s'est flatté d'avoir
découvert un nouveau ressort tragique, ignoré d'Aristote. Il est
permis de penser qu'Aristote sourirait de cette petite vantar-
dise. Les personnages dignes d'admiration manqueraient-ils dans
Sophocle, lui qui disait qu'il représentait « les hommes tels
qu'ils devraient être » ? Et en France, depuis la *Sophonisbe*
de Mairet, nombreux sont les héros, chez Rotrou, Tristan et
autres, qui ont été créés et mis au monde pour provoquer en
nous ce sentiment ennoblissant.

C'est le cas, parfois, des grands criminels eux-mêmes que
Corneille met en scène. Il a son idée là-dessus, qu'Aristote a
pu lui souffler. Dans sa *Poétique,* le philosophe envisage le
problème des scélérats. « Le poète, dit-il, quand il crée (par
imitation) des personnages violents ou lâches ou dont le caractère présente tout autre vice de ce genre, doit tels quels en
faire des êtres supérieurs : c'est le cas, par exemple, d'Achille
dans Agathon et dans Homère. » Corneille, quand il nous
fait voir une Médée, une Marcelle (*Théodore*), ou une Cléopâtre (*Rodogune*) veut que nous soyons frappés d'horreur. Mais
il veut que nous remarquions aussi que, dans leurs crimes, ces
âmes frénétiques déploient une « grandeur d'âme » qui « a
quelque chose de si haut, qu'en même temps qu'on déteste
leurs actions, on admire la source dont elles partent ». Ce sont
encore des magnanimes, mais dont la passion de grandeur,
n'étant pas réglée par la raison, se trompe d'objet : ils en
sont d'ailleurs terriblement punis.

Au-dessous de ces âmes bouillantes, il y a les tièdes ; au-
dessous des magnanimes, les pusillanimes : ce sont Valens,
Prusias, dominés par leur épouse et tremblant devant le
pouvoir impérial ; c'est le malheureux Félix. Corneille nous
demande pour eux « quelque compassion » : car, dit-il, « ils
n'ont que des faiblesses qui ne vont point jusques au crime ».
Ames médiocres, menées par l'événement, plus misérables que
haïssables et qui font resplendir par contraste la beauté morale
des héros. De l'homme, Corneille a connu le fort et le faible ;
il le sait capable des cruautés les plus atroces, des bassesses
les plus ignobles, parce qu'il est capable aussi des sacrifices
sublimes et des générosités magnifiques.

La tragédie ainsi conçue est un spectacle résolument salubre.
Corneille, comme tous les écrivains de son siècle, prétend donner à son œuvre une portée morale. Sans doute, « la poésie

dramatique a pour but le seul plaisir du spectateur ». Mais
on ne peut plaire aux esprits bien faits que « selon les règles » ;
et, s'il suit les règles, l'auteur, comme le veut Horace, procure un plaisir « utile », c'est-à-dire bienfaisant.

En quoi consiste l'utilité morale de la tragédie? Corneille
s'est ingénié à le préciser. Ne parlons pas de « la purgation
des passions » : la « catharsis » d'Aristote, Corneille n'est pas
parvenu à en dégager une doctrine claire et convaincante.
Disons seulement que, pour lui, la « naïve (= naturelle)
peinture des vices et des vertus » est capable d'édifier le spectateur honnête. Un second bénéfice que nous pouvons retirer
de la tragédie se trouve dans les « instructions » morales et
politiques dont le poète a judicieusement parsemé son œuvre.
Cette sagesse, Corneille l'a monnayée en maximes nombreuses,
selon l'usage de ses devanciers : Garnier, Hardy les avaient
multipliées jusqu'à l'abus. Corneille est plus habile que tous
à émettre des aphorismes amis de la mémoire, parce qu'au
surplus il est l'un de nos plus robustes écrivains et notre
plus grand versificateur.

Corneille, dans son vocabulaire et dans son style, a subi,
au cours de sa longue carrière, l'influence de son temps : on
peut discerner en lui le reflet des changements de mœurs et
des diverses modes littéraires.

Il a pris l'une de ses sources dans le foisonnement baroque
de Hardy, dans les ingéniosités de ce « cultisme » hispano-
italien dont il gardera toujours les marques. Poète tragique, il
a pris pour modèle Sénèque, dont la rhétorique ambitieuse et
souvent boursouflée n'était pas pour le convertir à la simplicité.
D'emblée, Corneille révèle toutefois un génie multiple et divers.
Sa vertu principale est une abondance plantureuse, un don
étonnant d'invention verbale, la force musclée qu'on voit au
Moïse de Michel-Ange. Et pourtant il n'ignore pas les jolies
délicatesses de l'amour novice ou tremblant, les nuances subtiles du sentiment qu'une fine clairvoyance intérieure discerne
et que l'esprit fait chatoyer. Assurément on aperçoit une évolution dans sa manière d'écrivain. Les recherches baroques, les
entortillements diffus des premières comédies cèdent, à partir
d'*Horace,* à la sobriété et à la clarté. Mais encore on observera
quelques retours du gongorisme, des contagions de préciosité
(dans *Œdipe,* par exemple). A prendre des choses une vue
d'ensemble, on peut signaler des valeurs constantes.

Une fantaisie qui ne recule pas devant l'étrangeté. Un réalisme cru, qui alterne avec le sublime ; une préciosité qui voisine avec d'énergiques trivialités. Sa rhétorique tantôt s'am-
plifie jusqu'à l'emphase, tantôt se resserre en cette « parole

mâle et brève » qu'admire Sainte-Beuve. Avec une égale maîtrise, il sait dérouler de larges et majestueuses périodes ou
frapper des maximes au contour de médailles. Il a le génie de
Cicéron et celui de Tacite, celui de Bossuet et de La Rochefoucauld.

Artisan du vers, Corneille a poussé le savoir-faire à un
degré que nul n'a jamais dépassé. Mais quand on parle de
Corneille le poète en vers, il y a lieu de faire une remarque
importante. Aristote — toujours lui — avait appris à Corneille
que le drame avait commencé par employer « le tétramètre
(trochaïque) parce que la poésie était... plus proche de la danse.
Mais *quand le ton de la conversation se fut introduit,* la nature
elle-même suggéra le mètre le plus approprié... : le trimètre
iambique, qui est le plus dans le ton de la conversation »
(*Poét.* 1449 a, trad. Hardy).

On doit penser que si les poètes tragiques du xviᵉ siècle,
après une hésitation dont témoigne la *Cléopâtre* de Jodelle,
choisirent l'alexandrin à rime plate (sauf justement pour les
chœurs, plus lyriques) l'autorité d'Aristote y fut pour quelque
chose. Ronsard déjà trouvait que l'alexandrin « sentait la
prose » et tenait du « langage commun » : c'est une des
raisons qui lui avaient fait préférer le décasyllabe pour son
épopée.

Corneille a lu Aristote et Ronsard : « Les vers qu'on récite
sur le théâtre sont présumés être prose : nous ne parlons pas
d'ordinaire en vers... Par quelle raison peut-on dire que les
vers alexandrins tiennent nature de prose et que ceux des
stances n'en peuvent faire autant ? Si nous en croyons Aristote, il faut se servir au théâtre des vers qui sont les moins
vers ». Or, selon « l'usage de France », c'est l'alexandrin qui
tient « lieu de prose ». Le respect de cette « fiction »
conduit Corneille à « habiller en vers une maligne prose »,
comme dira Boileau. Il lui arrive, avouait Mme de Sévigné, de
faire de « méchants vers ». Telle cette cacophonie :

> ...Ce plein droit de tout faire
> (*accordé par les Romains aux rois vaincus*).
> N'est que pour qui ne veut que ce qui doit leur plaire.

En revanche, et plus souvent, Corneille invente « ces vers
qui font frissonner », au dire de la même Sévigné ; il lui
échappe « des éclairs qui, dit Vauvenargues, laissent l'esprit
étonné ».

Il est le maître du « dialogue serré et véhément » (Vauvenargues), du dialogue en duel (stychomythie). Il ne l'a pas
forgé le premier : on le trouve chez les Grecs et chez Sénè-

que, et Garnier s'en est servi avec un grand bonheur. Mais il
l'a porté à une insurpassable perfection : ces vers de défi et de
bravade, ces ripostes foudroyantes sont le langage qui convient
à ses héros.

Génie exceptionnel de force et de grandeur, Corneille réussit
cet exploit de faire à quelques-uns trouver molle et languide
l'harmonie de Racine et ses « divins anapestes ». Blasphème,
peut-être. « Ce sont deux puissants dieux ». Racine nous
évoque, par l'incantation de son lyrisme, les abîmes de notre
misérable cœur et ses nostalgies angoissées. Corneille, lui, nous
convie à la grandeur virile. Il nous assigne, toujours, les
chemins les plus difficiles. La vocation de l'homme, selon lui,
est de s'élever, par sa raison et sa liberté, au-dessus de
l'humanité.

Quatrième Partie

LA PENSÉE DE 1600 A 1660

Chapitre Premier

LES LIBERTINS

L'histoire de la pensée, dans la première moitié du XVIIe siècle, se déroule suivant un cheminement et moyennant des vicissitudes assez analogues à ceux que nous avons constatés dans l'ensemble du mouvement littéraire. Au début du siècle, règnent l'anarchie et le désarroi. Peu à peu, l'action coercitive du pouvoir royal, le zèle persuasif des moralistes et des apologistes, s'exerçant sur une opinion lasse du désordre intellectuel et moral, imposeront silence aux révoltés, raffermiront les croyances et rétabliront la discipline des mœurs. Dans ce domaine aussi triomphera, au moins pour quelques décennies, un équilibre « classique ».

Le désordre, quand il s'agit de la pensée religieuse et de la conduite, s'appelle le « libertinage ». Lorsque le mot de *libertin* apparaît dans la langue française vers 1525, il dénonce une attitude d'indépendance à l'égard des vérités chrétiennes. Calvin stigmatise de ce vocable certains exaltés qui, au nom d'une foi mal comprise, revendiquaient une liberté totale des mœurs. Il écrivit un opuscule *Contre la secte phantastique et furieuse des Libertins qui se nomment spirituels.*

Plus tard, le terme assouplira son sens jusqu'à signifier n'importe quelle indépendance excessive. Corneille s'élèvera contre « l'étendue libertine » que donnent à la durée de leur intrigue les dramaturges hostiles à la règle du jour.

Mais quand il est employé par le Père Garasse, par l'abbé Cotin, par Bossuet du haut de la chaire, par Molière dans *Tartuffe*, par La Bruyère au chapitre des *Esprits forts,* il désigne des sceptiques plus ou moins renforcés, qui se moquent des dogmes ou des cérémonies, qui mettent en doute la vie future et qui, parfois, ont une conduite licencieuse.

Si l'on en croyait Bossuet et La Bruyère, on serait tenté de ne voir en eux que des mondains légers et irréfléchis, qui prennent des airs entendus, mais dont l'incrédulité n'a aucun fondement sérieux. « Ces importantes questions (Dieu, l'âme, la Providence) ne se décident point par vos demi-mots et vos branlements de tête, par ces fines railleries que vous nous vantez et par ce dédaigneux sourire. » Ainsi parle Bossuet. La Bruyère, lui, les accuse de jouer à l'incrédulité pour suivre le bel-air et imiter certains grands. Il en est peut-être ainsi du temps de Louis XIV, mais nous n'avons pas le droit d'en juger aussi vite pour le début du siècle : si le libertinage avait eu si peu de consistance, on s'expliquerait mal pourquoi tant d'apologistes se sont acharnés à le refuter, pourquoi deux esprits puissants comme Descartes et Pascal se sont employés à le combattre.

En réalité, le mouvement libertin a été assez étendu et il a menacé dangereusement l'Eglise, si nous en croyons des témoignages nombreux et concordants. Le Père Garasse, jésuite batailleur et mal embouché, mais bien informé, publia contre eux, en 1624, un ouvrage au titre éclatant : *Doctrine curieuse des beaux esprits de ce temps ou prétendus tels, contenant plusieurs maximes pernicieuses à la religion, à l'Etat et aux bonnes mœurs, combattue et renversée...* Bayle a dit de lui qu'il ne manquait ni de génie ni de lecture. Il n'avait pas dénombré exactement ses adversaires, mais il affirme qu'ils étaient très nombreux. Le Père Marin Mersenne, religieux minime, grand savant et ami de Descartes, s'échappe à déclarer qu'il y a cinquante mille athées à Paris. Il est vrai qu'il effacera ensuite ce gros chiffre. N'empêche qu'il se donne la peine d'écrire trois copieux volumes « contre les athées, les déistes, les libertins et les sceptiques » (1623-24).

Quelle est l'origine de ces courants de doute, de mécréance ou de révolte morale et quelle fut leur influence dans la vie intellectuelle et littéraire, ce n'est pas facile à discerner au juste.

Il faut sans doute remonter, pour découvrir les sources du libertinage, au début du XVIe siècle. La curiosité fiévreuse et souvent désordonnée qui avait animé les premiers humanistes avait engendré une multitude d'opinions, de systèmes, d'hypothèses et de rêves aventureux. De cette prolifération, le fatras rabelaisien offre une illustration pittoresque. De ces courses à sauts et à bonds à travers l'Antiquité, on rapportait, avec des brassées d'idées, une sorte d'ivresse cérébrale et de vastes ambitions spirituelles. L'une des pensées maîtresses d'Erasme, de Budé, de Guillaume Postel avait été d'annexer à la doctrine chrétienne, à la « philosophie du Christ », comme disait avant eux Clément d'Alexandrie, tout l'apport des poètes, des moralistes, des sages de la Grèce et de Rome. En face de cette Antiquité qui leur était « restituée » dans une nouvelle et éblouissante jeunesse, ils s'étaient trouvé replacés devant le problème qui avait préoccupé les Pères apologistes du IIᵉ siècle. Et c'est avec enthousiasme qu'ils relevaient, chez leurs auteurs, de beaux pressentiments des dogmes et de la morale du christianisme, ainsi que des actes de vertu dignes d'être proposés aux tièdes fidèles d'une Eglise en décadence. L'oraison jaculatoire d'Erasme : « Sancte Socrates, ora pro nobis » trouvera de nombreux échos chez les érudits « libertins » du XVIIᵉ siècle. Si l'Antiquité classique leur apparaissait comme l'Age d'or des Lettres humaines, ils voyaient dans l'Antiquité chrétienne la belle jeunesse des « Lettres divines » et de l'Eglise. La même ferveur qui les poussait à éditer et à commenter Homère et Virgile, Platon et Térence, les animait à publier et à expliquer les textes de la Bible et les œuvres des Pères. Erasme édite un Nouveau Testament et, dans les *Adages,* il se révèle familier de Grégoire de Nazianze autant que de Cicéron.

Comme ils préconisaient, pour la purification de l'intelligence, le retour à l'Antiquité profane, ces lettrés militent en faveur de l'assainissement du christianisme par le retour aux simples usages de l'Eglise primitive. Ils souhaitent que soit balayé le « judaïsme » des rites et des observances ; ils condamnent les superstitions auxquelles donnent lieu le culte des saints et les pèlerinages ; ils veulent voir restaurée la pure religion du Christ. Ils applaudissent aux efforts des « Evangéliques » et font des vœux ardents pour l'avènement d'une religion qui réunira les hommes en une seule famille spirituelle.

A cette œuvre de salut public ils apportent au demeurant la haine qui les soulève contre la Théologie scolastique. Et de fait, compromise avec une philosophie que l'abus de la dialectique a desséchée ; apeurée devant le progrès scientifique et l'effervescence intellectuelle, la théologie de ce temps, trop souvent, « bombine dans le vide », brandissant triomphalement les solutions qu'elle a imaginées à de faux problèmes. Cajetan, esprit vigoureux cependant et l'un des maîtres de la science sacrée au XVIᵉ siècle, s'égare plus d'une fois dans des subtilités factices où se dissout toute pensée vivante. Quant à la Sorbonne, au siècle de l'Humanisme, on n'est pas trop sévère en affirmant après Georges Goyau qu'elle comptait plus de policiers que de penseurs.

Les critiques brutales de Luther ne seront donc pas toutes

sans quelque fondement. Mais la Réforme, en obligeant l'Eglise à une expression plus rigoureuse de ses dogmes, aboutit à rendre impossible — et suspecte — l'entreprise d'unité religieuse chère à l'humanisme réconciliateur. Puis les guerres civiles s'allumèrent en France, aggravant la division, semant la haine et le scandale. Les discussions où s'affrontaient les confessions ennemies se révèlent stériles et ébranlent, avec l'autorité des théologiens, la confiance des fidèles. La Noue en 1587, déclare que les conflits de religion ont engendré « un million d'épicuriens et de libertins ». Charron, en 1593, confirme ce témoignage : « L'apostasie, l'athéisme et l'irréligion sont les reliefs des hérésies et la lie des longues et ennuyeuses disputes et agitations de religion. »

Les âmes nobles se réfugient dans le stoïcisme. D'autres se font un mol oreiller de scepticisme. D'autres enfin se jettent dans l'épicurisme doctrinal ou pratique.

Cependant les canons réformateurs du Concile de Trente suscitent en France, au début du XVIIᵉ siècle, un grand élan de ferveur et de vastes ambitions apostoliques. Une dévotion flamboyante multiplie les cérémonies fastueuses, de nouvelles dévotions apparaissent, de nouveaux ordres se fondent. Le pouvoir, avec le pieux Louis XIII, donne son appui à l'œuvre de restauration religieuse et morale.

Il était inévitable qu'il y eût des résistances et des révoltes. Les héritiers de l'humanisme érasmien ne voient pas sans répugnance le Credo se charger de nouveaux articles, renaître une religion cérémonielle et leur gallicanisme se hérisse contre l'extension du pouvoir papal. Quant aux païens de cœur et de conduite, admirateurs de Lucrèce, adorateurs de la Nature, « lucianistes » ou vulgaires jouisseurs, ils supportent mal les mesures policières qui les contraignent au silence et à la sagesse.

On voit par là que les « libertins », dont il est presque impossible d'évaluer le nombre, forment un « parti » bigarré. Il convient de distinguer parmi eux, du moins, les débauchés et les érudits : mais il va sans dire que certains appartiennent aux deux familles.

Débarrassons-nous des simples viveurs, habitués des cabarets en vogue : Petit More, Pomme de Pin, Cormier... où régnait souvent, au temps de Richelieu, un dévergondage éhonté de paroles et de gestes. C'est là qu'on peut rencontrer Théophile, Saint-Amant, Des Barreaux, Vauquelin des Yveteaux et leurs amis. Le Père Garasse n'y devait guère fréquenter : il nous a tout de même donné, de cette « confrérie des bouteilles », de ces cercles de blasphème et d'obscénité, des tableaux hauts en couleur, qui répondent aux descriptions de Charles Sorel.

Sur un autre bord, on trouve des gens de haute naissance, lettrés, amis du savoir, mais d'un scepticisme et d'une audace que rien n'effraie. Gaston d'Orléans court les rues la nuit avec des compagnons de crapule, tel ce Chouvigny, baron de Blot, son favori ; il tient dans son hôtel un « conseil de vauriennerie ». Condé et sa bande « garçaillère » donnent l'exemple des mœurs les plus dissolues. On racontera plus tard qu'il a essayé, avec la Palatine et le médecin Bourdelot, de brûler un morceau de la vraie Croix. Il a parmi ses officiers des gens suspects d' « athéisme » : La Moussaye, le chevalier de Rivière, Bussy-Rabutin.

Mais le type le plus effronté de jeune libertin qui ait vécu sous Richelieu est sans doute Paul de Gondi, le futur cardinal de Retz (1613-1679). Comme son père, il était né pour les duels et les galanteries ; il avait, comme il le dit lui-même, « l'âme la moins ecclésiastique qui fût dans l'univers ». Sa première jeunesse n'est qu'une série d'aventures amoureuses et de coups d'épée. Néanmoins son père décide de l'engager dans la cléricature pour conserver dans sa maison l'archevêché de Paris. Il se résigne, mais dans quels sentiments ! Il prend la résolution de « faire le mal par dessein » : « Je haïssais ma profession... J'y avais été jeté d'abord par l'entêtement de mes proches ; le destin m'y avait retenu par toutes les chaînes du plaisir et du devoir ; je m'y trouvais et m'y sentais lié d'une manière à laquelle je ne voyais plus d'issue. Je ne faisais pas le dévot, parce que je ne pouvais pas assurer que je pusse durer à le contrefaire ; mais j'estimais beaucoup les dévots et à leur égard, c'est un des plus grands points de la piété. » Dans l'exercice de ses fonctions épiscopales, il se moquait fort de sa personne. Il diversifiait au surplus ses « occupations » ecclésiastiques « par d'autres qui étaient un peu plus divertissantes ». Il se jettera enfin dans l'intrigue et l'ambition et sera l'un des fauteurs les plus actifs de la Fronde. Malgré des gestes inattendus d'honnêteté et de désintéressement, des retours de piété surprenants, il est difficile de croire à une vraie sincérité morale et religieuse chez ce prélat corrompu et libertin.

Ces deux classes d'hommes ne mériteraient guère que l'on s'attardât à les étudier si les premiers, au cours de leurs beuveries, les autres dans les salons où ils discutent, n'étaient, à leur insu peut-être, l'écho d'autres libertins chez lesquels nous trouvons ce qu'on peut appeler la « philosophie » du libertinage.

Nous connaissons Théophile (1590-1626). Qu'il ait fait
partie de la bande d' « yvrognets » et de débauchés vitupérés
par le P. Garasse, ce n'est pas douteux ; il a lui-même reconnu
ses déportements d'adolescence. A-t-il été, comme le soutient
le *Projet d'interrogatoire* rédigé par Mathieu Molé, procureur
général, un « corrupteur de la jeunesse de la Cour par ses
mauvaises mœurs » ? C'est peut-être beaucoup dire. On lui
reproche de « ne reconnaître d'autre Dieu que la Nature »
et de « croire à la mortalité de l'âme ». Qu'en est-il au
juste ? Tout n'est pas clair dans ce document qui veut être
accablant. Certaines accusations paraissent mal étayées ou
peu cohérentes ; d'autres assez puériles, comme la croyance
qu'on prête à Théodore d'un « paradis des bêtes » : s'il
aimait son chien, il était excusable. Parmi les vers qu'on
exhibe pour l'écraser, beaucoup sont susceptibles d'une interprétation bénigne. Quand on a fait, chez ce jeune méridional
pétulant, la part de la jactance et du désir d'étonner, que
reste-t-il ? Imitons l'indulgence, qui n'était pas naïve, du bon
Jean-Pierre Camus et convenons que Théophile a payé cher
ses polissonneries.

Retenons pourtant les deux griefs essentiels qu'on lui a
faits : de ne croire autre divinité que la Nature et de mettre
en doute l'immortalité de l'âme. Qu'il ait ou non soutenu ces
opinions, on ne les lui aurait pas prêtées si elles n'avaient été
les plus répandues parmi les libertins.

Jules-César (dit Lucilio) VANINI, (1586-1619), Italien
d'Otrante, était un religieux carme. Il avait étudié dans Aristote, Averroès, Cardan et Pomponazzi. Il a passé deux ans à
Padoue, qui est toujours un foyer d'incrédulité. En rupture de
cloître, il se trouve à Paris en 1610. Séduisant, beau parleur,
il brille à la Cour. Lors d'un drame obscur, qui fleure la
sodomie, il tue son rival, un ami de Concini. Il fuit à Venise
et reprend l'habit carmélitain. Là, il se lie avec les chargés
d'affaires anglais, promet de se faire anglican, passe en Angleterre et y abjure le catholicisme. Devenu suspect, il est mis en
prison, puis banni. Il gagne Gênes et se lie avec les Jésuites.
Mais Paris lui manque. Il écrit alors l'*Amphithéâtre,* où il
réfute les athées et flatte la Compagnie de Jésus. Réhabilité,
il revient en France : Lyon, puis Paris (juillet 1615). Protégé
par Bassompierre, il prêche avec une pieuse éloquence, mais
en même temps s'efforce à « déniaiser » son entourage. Le
1er septembre 1616, il fait paraître ses *Secrets de la Nature*
(De admirandis Naturae Reginae Deaeque mortalium Arcanis
libri IV) ; pour cette publication, il a extorqué une approba-

tion de la Sorbonne. Garasse appellera cet ouvrage « L'introduction à la vie indévote ». Scandale, plainte de la Sorbonne ;
Vanini s'enfuit, par mer, à Cap-Breton. Il gagne Toulouse, sous
le faux nom de Pompeio Usiglio. Le comte de Caraman, gouverneur de Foix, le prend à son service. Il a du succès, il
pérore, il émet des propos « mal sentants de la foi ». Arrêté, il
est condamné et exécuté (1619). C'est après sa mort seulement
qu'on découvre son identité.

Son exécution fit grand bruit et Vanini passa auprès des
libertins « flamboyants » pour un « martyr de l'athéisme ». Il
fournira des arguments et des formules aux adorateurs de la
nature. Il renforcera l'influence de l'aristotélisme padouan,
négateur de l'immortalité de l'âme. Il encouragera les « déniaisés » qui affectent de ne voir dans les Eglises que d'hypocrites
instruments du pouvoir politique.

Guy PATIN (1601-1672), chrétien sincère, mais dont l'esprit
critique et le libre parler semblent parfois bousculer le
dogme et la discipline, nous éclaire fort utilement sur les
intentions de certains prétendus libertins plus attachés qu'on ne
pourrait le croire à l'Eglise de leur baptême.

Né à La Place-en-Bray le 31 août 1601, il fait ses études
au Collège de Beauvais, puis au Collège de Boncourt. On veut
le pousser à prendre les Ordres : il résiste et se brouille avec
sa famille. Pour vivre, il fait le métier de correcteur d'imprimerie. Puis il entre dans la carrière médicale : il est Docteur
de la Faculté de Paris le 7 octobre 1627. Il en sera promu doyen
(nov. 1650-nov. 1652). En 1654, il entre au Collège Royal, où
il enseigne la Botanique, la Pharmaceutique et l'Anatomie. Ses
cours sont très suivis. Invité par la reine Christine, il refuse
de se rendre en Suède. Il meurt en 1672.

Guy Patin est un bourgeois de Paris, frondeur et railleur. Il
était « satirique de la tête aux pieds », nous dit un contemporain. Son répertoire d'injures, latines et françaises, est
copieux et poivré. Il déteste toute contrainte et se place de
prime saut dans toutes les oppositions. Il subit Richelieu, ce
« Jupiter massacreur » et insulte le Mazarin, « pur faquin »,
« Pantalon à rouge bonnet ». Mais il tient fort pour le Roi.

Erudit, il est curieux des petits faits, qu'il ramasse comme
son ami Naudé fait les livres. Sans illusion sur les hommes, il
s'amuse à regarder « le trictrac du monde ». Il a néanmoins
de chers amis : Gassendi, Spon, Sorbière, Naudé surtout. Il
fréquente les cercles savants de Nicolas Bourbon, d'Habert
de Montmor, des frères Dupuy, l' « Académie » de Lamoi-
gnon.

Guy Patin ne peut passer pour un grand humaniste : il ne

lit pas le grec. Il sait pourtant Platon, Aristote, Plutarque, il est nourri de Cicéron, de Pline, de Sénèque. Parmi les modernes, il admire Juste-Lipse, Rabelais, Montaigne et surtout le Charron de *La Sagesse*. Mais son maître, ou peu s'en faut son dieu, c'est « le grand Erasme », dont le portrait orne sa chambre ; il rêve d'aller à Bâle visiter son tombeau.

Dans sa religion, plus d'un trait nous rappelle le christianisme évangélique de l'auteur des *Adages* et des *Colloques*. Sa foi est sincère. Dans le « rang » de ses livres de chevet, la Bible est citée la première. Mais il est partisan d'une simplification du catéchisme et du rituel. Il honnit les « fanfreluches romaines et papimanesques », les « légendes des moines », les « argousins du Père Ignace » et « leur théologie sophistique », qui défigurent la religion évangélique. Saluons au passage, dans ces formules aimables, les références rabelaisiennes... Guy Patin condamne l'abus des cérémonies et des « petites inventions pharisiennes », mot érasmien et très révélateur. Comme Erasme, il repousse l'ascétisme monacal, dénonce les inconvénients du célibat ecclésiastique, combat la superstition. Il simplifie de manière désinvolte sa profession de foi : « Credo in Deum, Christum crucifixum et cetera : de minimis non curat praetor. » Mais l'image du Crucifix est à la place d'honneur, dans sa belle bibliothèque aux neuf mille volumes. Gallican farouche, il déteste la « curia romana », mais il vénère François de Sales et honore Jean-Pierre Camus, qu'il nomme son « bon ami ». Il croit à la vertu de la prière : celles des gens de bien, dit-il « servent merveilleusement ».

Au total, les hardiesses « libertines » de Guy Patin sont plus verbales que profondes. Il aime, dans les discussions entre amis sûrs, pousser des pointes taquines du côté du « sanctuaire ». Mais il précise : « Si nous parlons de religion ou de l'Etat, ce n'est qu'historiquement, sans songer à réformation ou à méditation ». Le bon et caustique médecin mourut, bien entendu, dans des sentiments de grande piété.

Gabriel NAUDÉ (1600-1653), ami de Guy Patin qui nous a laissé sur lui de précieux souvenirs, est un personnage plus important, de notre point de vue, que le médecin rabelaisien, et plus inquiétant.

Fils d'un huissier au Bureau de Finances, Gabriel Naudé est né à Paris en 1600. Il entre au collège du Cardinal-Lemoine, puis passe au collège de Navarre, où il a pour professeur de rhétorique (1615-1616) le fameux Claude Belurgey : c'était un Bourguignon salé, jureur, bouffon, mais lettré de mérite. S'il faut en croire Guy Patin, nous avons en Belurgey un bon exemplaire de libertin : « J'ai vu des gens qui ont autrefois connu ce maître de rhétorique, lesquels m'ont dit qu'il ne se souciait d'aucune religion ; faisait un état extraordinaire de deux hommes de l'Antiquité, qui ont été Homère et Aristote; se moquait de la Sainte Ecriture, surtout de Moïse et de tous les prophètes, haïssait les Juifs et les moines, n'admettait aucun miracle, prophétie, vision ni révélation, se moquait du Purgatoire... Il disait que les deux plus sots livres du monde étaient la Genèse et la Vie des Saints ; que le Ciel empyrée était une pure fiction : *illi fabula erant caelum et inferi.* Il faisait grand état d'un passage de Sénèque : « *Quae nobis inferos faciunt terribiles, fabula est, luserunt ista poetae ut vanis nos agitarent terroribus* », etc. On lui demanda un jour, sur quelque mot qu'il avait lâché, de quelle religion il était ; il répondit qu'il était de la religion des plus grands hommes de l'Antiquité, Homère, Aristote, Cicéron, Pline, Sénèque, duquel il faisait grand état pour un *chorus* qui est *in Troadibus,* qui commence par ces mots : « *Verum est, an timidos fabula decepit, umbras corporibus vivere conditis* », etc. Bref, Monsieur Naudé avait été disciple d'un tel maître : *qui viret in foliis venit à radicibus humor ; sic patrum in natos abeunt cum semine mores.* »

On ne sait trop jusqu'à quel point il faut prendre au sérieux ces saillies subversives, feux d'artifice peut-être tirés entre deux verres de vin de Beaune. On est surpris qu'un professeur en vue ne masquât pas davantage ses « hérésies ». Naudé en tout cas, qui, selon Guy Patin, n'était « point jureur, ni moqueur, point ivrogne », paraît avoir pris ces propos au sérieux.

Doué d'un remarquable appétit intellectuel, Naudé poursuivit plus loin qu'on ne le faisait d'ordinaire sa formation scolaire. Après avoir fait sa Logique au Collège d'Harcourt, où il eut pour maître l'aristotélicien Pierre Padet, il suivit des cours à Montaigu, puis, sous les Jésuites, au Collège de Clermont. En 1620, il commence des études médicales. Deux ans plus tard, il entre au service d'Henri de Mesmes, président au Parlement de Paris, qui lui ouvre sa riche bibliothèque. Quatre années s'écoulent, d'études, de conversations diverses et de bibliophilie.

En 1626, Naudé part pour l'Italie. A Padoue, il est, « trois mois durant, dans la conversation de Cremonin ». Cesare Cremonini, professeur d'aristotélisme, était un disciple fidèle de Pomponace. « Ce Cremonin, ajoute Naudé (du moins à en croire le *Naudaeana*) était grand personnage, esprit vif et capable de tout, un homme déniaisé et guéri du sot, qui savait bien la vérité, mais qu'on n'ose pas dire en Italie. Tous les professeurs de ce pays-là, mais principalement ceux de Padoue, sont gens déniaisés, d'autant qu'étant parvenus au faîte de la science, ils doivent être détrompés des erreurs vulgaires des siècles et

bien connaître l'opinion d'Aristote, de l'esprit duquel Cremonin
est un vrai tiercelet et parfait abrégé... Cremonin cachait finement son jeu en Italie : *nihil habebat pietatis et tamen pius
haberi volebat.* Une de ses maximes était : *intus ut libet, foris
ut moris est.* » Cette maxime se répandra parmi les « déniaisés » français.

Revenu à Paris (1627), Naudé se lie d'amitié avec Gassendi. Quelque temps après, il est engagé par le cardinal de
Bagni qui, en 1631, l'emmène à Rome. Naudé, à cette date,
avait déjà publié quelques livres qui l'avaient fait connaître aux
érudits : *le Marfore, ou Discours contre les libelles* (1620) ;
une *Apologie pour tous les grands personnages qui ont été faus-
sement accusés de magie* (1625) ; un *Avis pour dresser une
bibliothèque* (1627) ; une *Addition à l'histoire de Louis XI*
(1630). Ces pages, si diverses d'objet, sont toutes pénétrées du
même esprit critique, méthodique, dénué de respect et défiant
des traditions, observateur aigu et désenchanté des choses
humaines.

Le séjour de Naudé en Italie dura plus de dix ans. Il était
resté en relations avec ses amis de France, les frères Dupuy,
Gassendi, Peiresc, Diodati. Et il avait fait chez les libraires la
chasse aux livres. Après la mort du cardinal de Bagni, Naudé
revient en France (1642). Il fréquente les lettrés et les savants :
Mersenne, Petau, Sirmond, Ménage. Une amitié intime l'attache à Guy Patin, qu'il connaît depuis 1620. En 1643, il devient
bibliothécaire de Mazarin. A ces fonctions, il apporte un zèle
impétueux ; il « râfle » de partout des milliers de volumes :
« J'ai fait les voyages de France, d'Italie, d'Allemagne pour
apporter ce qu'il y avait de plus beau et de plus rare. » Il
formera ainsi un « ramas » de quarante mille volumes. A la
fin de l'année 1643, la Bibliothèque Mazarine est fondée.

En juillet 1652, Naudé se rend en Suède, invité par la
reine Christine à s'occuper de sa bibliothèque. Après quelques
mois de faveur, son crédit décline. Il s'enfuit le 1er juin 1653.
Il meurt à Abbeville le 23 juillet, après avoir reçu pieusement
l'Extrême-Onction.

Gabriel Naudé n'est ni un grand penseur ni un grand
écrivain. Comme Guy Patin, comme la plupart des « libertins
érudits » de ce temps, il tient du xvie siècle de Rabelais. Sa
curiosité est sans mesure. Il y a du fatras dans son savoir et
dans ses livres. Néanmoins, une intention dominante s'y laisse
voir : partout, Naudé combat la crédulité, l'imposture des
sciences occultes, les « jactances et les superstitions » ; il poursuit sans pitié les charlatans et les « pipe-niais » de toute
espèce. Méfiant et même hérissé devant le mystère, il veut

« équarrer toutes choses au niveau de la raison », y compris les traditions les plus autorisées.

Il n'est pas douteux qu'il a voulu « purifier » aussi le christianisme de la « superstitieuse routine ». L'eût-on laissé faire, il eût allégé le *Credo* et élagué le rituel : disciple d'Erasme lui aussi, moins modéré peut-être, sûrement moins intelligent. Il a protesté souvent de son attachement à la religion. Précaution ? Sincérité ? Qui osera prononcer ? Il s'est voulu « déniaisé ». Que signifie au juste ce terme ? Un chrétien fervent, indigné par certaines pratiques en effet superstitieuses, a le droit lui aussi de l'employer. Quoi qu'il en soit, Fontenelle n'aura qu'à puiser chez Naudé avec sobriété et finesse pour forger ses armes critiques : pyrrhonisme de méthode, irrespect profond, relativisme ironique. Il lui empruntera même le célèbre apologue de la « dent d'or ». Naudé aurait-il avoué ce disciple et son entreprise de démolition ? On doit hésiter à répondre.

François de LA MOTHE LE VAYER (1588?-1672), fils d'un substitut au procureur du Roi à Paris, commence par succéder à son père (1625). Mais il avait pour la jurisprudence « une aversion naturelle » et préférait aux charges et aux honneurs le loisir studieux, l'*otium cum dignitate* de Cicéron. Aussi renonce-t-il à la carrière. Après une jeunesse dissipée, il s'était converti à la Philosophie. Il se plonge dans de vastes lectures : Aristote, Cicéron, Sénèque, Pline, Diogène Laërce, Sextus Empiricus. Parmi les modernes, Corneille Agrippa, Bacon, Pomponace, Machiavel. Il fréquente longuement Montaigne et Charron. Curieux des mœurs « étranges », il lit les voyageurs et les géographes. Bref, comme Guy Patin et Naudé, et héritier comme eux de l'humanisme vorace du siècle précédent, il emmagasine une énorme quantité de connaissances diverses.

A Paris, il fréquente les lettrés et devient le familier des frères Dupuy : il est assidu à l' « Académie putéane ». Avec Gassendi, Naudé, Diodati, il forme un groupe qui s'intitule plaisamment « la Tétrade » (vers 1628). Entre-temps il a voyagé en Espagne et en Angleterre. Plus tard il visitera l'Italie.

En 1639, il est élu à l'Académie française. Il est choisi comme précepteur du frère de Louis XIV, Philippe, duc d'Anjou, plus tard duc d'Orléans, et, vers 1650, du jeune roi lui-même. Il sera récompensé de ces fonctions par un brevet d'historiographe.

Parmi la vingtaine d'ouvrages de La Mothe Le Vayer, ceux qui nous importent surtout sont les *Dialogues faits à l'imitation des Anciens,* par Orasius Tubero (neuf dialogues en deux éditions, 1630 et 1631), un *Petit Discours chrétien de l'Immor-*

talité de l'âme avec son *Corollaire* (1637) et un traité *De la
Vertu des Payens* (1642, éd. augmentée 1647).

Soulignons-le : La Mothe Le Vayer se rattache, lui aussi,
au siècle de Rabelais pour la curiosité encyclopédique et l'érudition. Comme les autres disciples de Montaigne et de Charron, il aboutit, au terme de ses investigations immenses, au
pyrrhonisme critique que du reste il pousse plus loin que ses
amis, jusqu'à en faire une théorie systématique. La Mothe Le
Vayer constate qu' « il n'y a rien de si constant, certain et arrêté
en un lieu, dont l'opposite ne soit encore plus opiniâtrement
tenu ailleurs », et que d'autre part nos opinions varient d'une
heure à l'autre. Engagé sur cette double piste (très fréquentée
par les *Essais*), il s'en donne à cœur joie. Tous les peuples
défilent sous nos yeux : Grecs, Perses, Latins, Hindous, Ama-
zones (sa documentation sur les mœurs et la beauté des femmes
est abondante). En tout temps et sous tous les cieux, l'humanité offre le même spectacle de ridicule et de sottise. Montaigne
avait cité l'adage médiéval : *Universus mundus exercet his-
trionem*. La Mothe Le Vayer paraphrase : « Toute notre vie
n'est, à le bien prendre, qu'une fable, notre connaissance qu'une
ânerie, tout ce monde qu'une farce et perpétuelle comédie. »
Le seul recours du sage, c'est le fameux « mol oreiller du
doute » : « Parmi les choses les plus sûres, la plus sûre est
de douter. » — « N'espérant plus cette félicité désirée que je
constituais à pouvoir discerner le vrai du faux et juger saine-
ment des choses, les trouvant toutes problématiques, je me
résolus seulement de tenir mon esprit en suspens... et je
trouvai lors, sans y penser, qu'en cette suspension d'esprit
consistait... le plus haut degré de la béatitude humaine. »

Dans ce doute universel, quel sera le sort des vérités religieuses ? Bien entendu, La Mothe Le Vayer sera taxé
d'athéisme et de libertinage. Il proteste. Certes il nie que la
théologie se puisse fonder sur une philosophie naturelle. Toute
connaissance humaine est caduque. Impossible d'établir par la
raison les deux dogmes fondamentaux : l'existence de Dieu et
l'immortalité de l'âme. Nous appuierons-nous sur le consentement universel ? Duperie : le suffrage des foules est bien
plutôt une présomption d'erreur. Du reste, à l'encontre de
l'existence d'un Dieu Providence, on peut accumuler les textes
d'illustres négateurs : Lucien, Ennius, Lucrèce, Juvénal, cent
autres : « l'énumération de passages semblables irait à l'infini ».

Quant à l'immortalité de l'âme, La Mothe Le Vayer, qui
tient à faire montre de sa virtuosité dialectique, en présente
trente-trois preuves. Mais quel crédit pouvons-nous leur accorder ? Ce problème en effet, le critique le dit ailleurs, a donné
lieu à d'interminables « disputes » parmi les philosophes de

tous les siècles et « on ne peut apporter de raisons humaines si fortes pour l'immortalité de l'âme qui n'aient leur revers... ou qui ne soient balancées par d'autres raisons aussi puissantes. » Et notre pyrrhonien tire cette conclusion : « J'estime que c'est faire tort au Christianisme de l'autoriser et avec lui l'immortalité de l'âme sur des opinions humaines prises de la philosophie où tout est problématique, vu que nous devons tenir cela de la foi dans laquelle tout doit être certain. Car pourquoi cet article de l'immortalité de l'âme... ne dépendra-t-il pas d'elle, aussi bien que ceux de la Trinité, de l'Incarnation et de la Résurrection ? »

Ce fidéisme est-il sincère ? Ou n'est-il pas, comme le veulent certains critiques, le commode paravent d'une incrédulité radicale ? Remarquons que La Mothe Le Vayer a tenu à fonder solidement son pyrrhonisme. Il soutient que ce déblaiement des opinions humaines, loin de rendre la foi plus vulnérable, la fortifie. Le chrétien, comme saint Paul, se réjouit de voir humiliées « ces sagesses qui ne sont que folies devant Dieu ». Son attitude pyrrhonienne, La Mothe Le Vayer lui donne un nom original : la « sceptique chrétienne », qui n'est, à le bien prendre, que cette « pauvreté d'esprit » qui est la « vraie richesse chrétienne ». La « sceptique » ainsi conçue peut se dire « une parfaite introduction au christianisme », une salutaire « préparation évangélique ». Tant s'en faut que l'imbécillité de l'esprit humain doive nous jeter au désespoir, qu'au contraire elle nous prépare à recevoir par la foi les vérités qui nous sauvent. Voilà des mots qu'il est intéressant de retenir, à la veille de l'intervention de Pascal.

Dirons-nous que l'Eglise a condamné ce fidéisme diffamateur de la raison et qu'en particulier, au 5e Concile de Latran (en 1513), elle avait stigmatisé les disciples de Pomponace qui soutenaient qu'en philosophie, on peut prouver que l'âme est mortelle ? Mais les Pères du Concile avaient-ils entendu enseigner par là que l'immortalité pouvait être prouvée par la raison ? De nombreux théologiens disciples de Scot ne le pensaient pas ; et La Mothe Le Vayer observe que le grand Cajétan lui-même a pu écrire, sans encourir aucune censure : « Aucun philosophe jusqu'ici n'a démontré l'immortalité de l'âme, aucune raison ne la démontre ; c'est la foi qui nous la fait croire et elle est d'accord avec les raisons probables. »

On peut être d'avis que, pour un libertin, La Mothe insiste beaucoup sur la conformité de ses idées avec l'orthodoxie...

L'humaniste Orasius Tubero, qui se plaît à humilier ainsi la raison, ne pense pas pour autant devoir rien rabattre de son admiration pour les Anciens. S'ils ont été incapables de parve-

nir à la certitude sur les fondements de la religion, c'est que
la révélation en était réservée au Christianisme. Mais que de
beaux pressentiments de la vraie foi on trouve chez ces penseurs de la Grèce et de Rome et que d'admirables traits de
noblesse spirituelle! Dans ses dialogues, Orasius Tubero rap-
pelait, comme Erasme aimait à le faire, que les Pères de l'Eglise
avaient déjà découvert avec admiration, chez les païens, des
germes de vérité et de vertu qu'ils ne pouvaient tenir que du
Verbe Rédempteur. Il avait relevé en « saint Justin le Martyr »
cette pensée, à propos des hommes de l'Antiquité : « Tous ceux
qui suivent le droit usage de la raison naturelle, fussent-ils
même réputés athées, ne laissent pas d'être véritablement
chrétiens. » Orasius donne des exemples : « Socrate, Héra-
clite et assez d'autres, tenus pour barbares et sans culte divin,
étaient néanmoins chrétiens. » Et il a cette formule, qui est
dans l'esprit même de Justin et de Clément d'Alexandrie : les
vertus morales (humaines) sont un « leurre (= appât) de la
grâce divine en tous ceux qui les pratiquent ».

Dans *La Vertu des Payens,* La Mothe Le Vayer développe
ce thème réconciliateur. Il n'ira pas, à l'exemple d'Erasme,
jusqu'à invoquer « saint Socrate », mais il ne laisse pas de
le comparer, pour sa mort héroïque, à saint Etienne. Il
consent à douter du salut éternel d'Epicure l'athée et de
Pyrrhon, mais il augure heureusement de Platon, d'Aristote,
de Sénèque, de Confucius, et même, à cause de ses vertus, de
Julien l'Apostat.

En somme, La Mothe Le Vayer, en un temps d'incertitude,
a tenté de sauver l'humanisme chrétien. Dans l'esprit de saint
François de Sales, il veut maintenir une communication ouverte
entre l'Antiquité et le christianisme, à l'encontre des thèses
augustiennes qui préludent aux condamnations radicales de
Port-Royal. Sa pensée, offusquée par la surabondance de son
savoir, manque parfois de clarté et de cohérence. Mais faut-il
parler d'hypocrisie ? N'est-ce pas plutôt maladresse ? La Mothe
Le Vayer est-il un apologiste malavisé ou un athée couvert ?
Question insoluble peut-être. Ce qui est sûr, c'est qu'il a prêté,
lui aussi, des armes à l'incrédulité. De plus grands et de plus
pieux que lui ont eu cette infortune, et par exemple Gassendi.

Pierre Gassendi (1592-1655). — Une histoire de la littérature française ne peut se dispenser de faire une place à Gassendi. Il a écrit en latin. Mais d'une part il est un des témoins
les plus importants du bouillonnement intellectuel et des
conflits de doctrine qui ont agité la première moitié du
xviiᵉ siècle ; il est un des agents zélés de cet humanisme chré-

tien qui, après les guerres religieuses et la crise de la scolastique, a essayé d'édifier une nouvelle philosophie qui pût
servir de base naturelle aux vérités surnaturelles ; enfin il a
laissé des disciples qui ont diffusé, en le défigurant souvent,
son système sensualiste et atomiste.

Pierre Gassend (dit plus tard Gassendi) est né en janvier
1592 à Champtercier, près de Digne. Après de brillantes études
au collège de Digne, puis à la Faculté d'Aix-en-Provence, il
obtient en Avignon le Doctorat en Théologie. Prêtre en 1616,
il est, dès l'année suivante, professeur de philosophie. Il a lu
tous les Anciens. Ses maîtres déclarés sont Platon, Plutarque,
Cicéron, Sénèque. Il a passé longuement par Erasme. Il admire
enfin Juste Lipse, Montaigne et Charron. Il n'a pas négligé les
poètes : il saura par cœur des milliers de vers latins. Comme
tous les savants de ce temps, il s'est adonné aux sciences
mathématiques et physiques. Gassendi a sa place dans l'histoire de l'Astronomie.

En 1624, il fait paraître des *Exercitationes paradoxicae
adversus Aristoteleos* (en sept livres). Gassendi professe là un
pyrrhonisme étendu. On ne sait rien : « *nihil sciri* ». Les
données des sens sont véridiques, mais nous les interprétons
à faux. Les sciences humaines sont incertaines : « Il n'est en
Physique aucune opinion ni en Morale aucune loi qui ne soit
repoussée par plusieurs philosophes ou par plusieurs nations. »
L'existence de Dieu et l'immortalité de l'âme ne peuvent être
établies par la raison ; le consentement universel est un argument sans valeur ; la foi seule nous révèle ces deux vérités
essentielles.

En 1624-25, Gassendi fait un séjour à Paris ; il y rencontre le Père Marin Mersenne. C'est vers 1626 qu'il commence
à étudier Epicure et s'éprend de sa doctrine. Il entreprend alors
de convertir cette philosophie au christianisme, comme saint
Thomas d'Aquin avait fait pour Aristote. Mais l'aristotélisme
s'étant, à Padoue notamment, compromis avec l'incrédulité,
Gassendi donnera un nouveau fondement philosophique aux
dogmes de l'Eglise. Depuis le XVIIIe siècle, les fabricants d'incrédules, qui sont nombreux dans l'histoire littéraire, ont fermé
les yeux à cette vérité pourtant bien claire que la tentative de
Gassendi, illusoire ou non, s'inscrit dans l'ancienne et permanente tradition de l'humanisme chrétien. Ils font semblant de
croire que la sympathie accueillante accordée par les philosophes chrétiens à Platon, Aristote, Cicéron, Sénèque, Epictète,
signifie une connivence secrète avec leurs erreurs. La calomnie
serait dérisoire si elle ne trouvait tant d'échos et ne perpétuait
les plus sottes légendes.

En mai 1628, Gassendi revient à Paris, cette fois pour un

plus long séjour. Recommandé par Peiresc, il entre chez les Dupuy. Il noue des relations amicales avec Naudé, Elie Diodati (avocat protestant, grand voyageur et grand érudit), La Mothe Le Vayer. François Luillier l'installe dans une maison qui lui appartient. Gassendi sera le conseiller moral de ce libertin de mœurs. La « Tétrade » se forme. En octobre 1632, Gassendi rentre à Digne. Il engage dès lors avec François Luillier une *Correspondance* (publiée en 1944) fort intéressante et qui révèle son âme sacerdotale. Il fait de fréquentes visites au pieux Peiresc. En 1641, il revient à Paris : son séjour cette fois durera sept ans. En 1645, il est nommé professeur de mathématiques (d'astronomie en fait) au Collège Royal (futur Collège de France). Trois ans plus tard, sa santé l'oblige à regagner sa Provence. Entre-temps, en 1647, il a fait paraître à Lyon la première partie du grand œuvre : *De Vita et moribus Epicuri libri octo*. L'épitre dédicatoire est adressée à François Luillier.

En 1653, retour à Paris. Il loge chez Habert de Montmor. Il meurt le 23 août 1655 dans des sentiments de fervente piété. Montmor et les amis de Gassendi assumèrent la publication de ses *Œuvres Complètes,* qui parurent en six tomes, à Lyon, en 1658.

Gassendi, fondant un dogmatisme épicurien, se met-il en contradiction avec le sceptique des *Exercitationes ?* Ce n'est pas évident. Autre est l'attitude du philosophe qui se place au point de vue purement naturel, autre est celle du penseur chrétien illuminé par sa foi. Quoi qu'il en soit, Gassendi, disciple d'Epicure, fait dépendre des données sensorielles toutes nos connaissances. Au commencement étaient les sens (« ô chair ! », dira ironiquement Descartes à Gassendi) et non pas l'idée claire (« ô esprit ! », répondra sur le même ton Gassendi à Descartes). La raison, sur les données infaillibles des sens, édifie la science.

L'homme a deux âmes en effet : l'une, sensitive et mortelle, lui est commune avec les animaux ; l'autre, raisonnable, spirituelle, est la faculté de l'entendement. L'homme est-il, par nature, capable de concevoir Dieu ? Gassendi, qui repousse les idées innées de Descartes, refuse que l'idée de Dieu soit incluse dans l'idée de parfait. La connaissance de Dieu, dit-il, nous est donnée par la foi. Il reconnaît toutefois qu'il y a en l'homme, dans sa partie spirituelle, certains pressentiments ou « anticipations » innées qui le disposent à recevoir la notion de Dieu et la grâce sanctifiante.

Il semble bien, d'ailleurs, que le « matérialisme » de Gassendi soit moins pur, si l'on peut dire, que le « spiritualisme » de Descartes, et moins clair. Sa philosophie est plutôt un « vita-

lisme » panpsychique : l'univers de Gassendi, jusqu'au dernier
atome, est pénétré d'âme et gonflé d'on ne sait quel frémissement divin, comme l'*Alma Venus* de Lucrèce. Et si Gassendi,
fidèle à son maître, fonde toute la morale sur la volupté, c'est
moyennant cette correction capitale que le suprême plaisir de
l'homme, il le trouve dans l'amour du Bien, c'est-à-dire dans
l'amour de ce Dieu que toute sa nature, même corporelle, désire
et attend.

Pouvons-nous taxer de naïveté la théologie épicurienne de
Gassendi ? Le Père Rapin l'a fait équivalemment : « Gassendi fait d'Epicure un homme de bien parce qu'il l'est lui-
même. » Critique adressée au philosophe, éloge au chrétien
et au prêtre. Ce prévôt de l'Eglise de Digne, qui faisait strictement son Carême, qui aimait à prêcher, qui chantait la grand-
messe avec tant de ferveur et « si gaiement, disait-il, qu'il
m'en revient une satisfaction non-pareille », ce penseur chrétien a été trahi, comme tant d'autres, mais plus gravement que
nul autre, par sa postérité. On a retenu sa réhabilitation d'Epicure : on a oublié qu'il l'avait christianisé. La Fontaine dédiera
son Hymne à la Volupté à celui que Gassendi avait exalté
comme « le plus bel esprit de la Grèce » et ces accents auront
de longs échos. Certes, le « sensualisme » du XVIII⁰ siècle a
d'autres sources, et moins intellectuelles, que la philosophie de
Gassendi. Il est dommage que la finesse provençale du pieux
théologien ne l'ait pas avisé que la réhabilitation d'Epicure
était, depuis Horace, une gageure intenable. Ménage en dévoi-
lera sans le vouloir l'inconvénient capital quand il écrira : « Il
faut avouer que la philosophie de cet homme soulage merveilleusement la nature et que ses opinions sont fort accommodées
à notre faiblesse. » Gassendi cependant aurait désavoué avec
horreur, non seulement les débauchés et les matérialistes qui se
sont réclamés de lui, mais les critiques qui perfidement lui font
compliment de son « libertinage ».

Ces érudits « déniaisés » dont nous avons nommé les principaux (omettant les Bourdelot, les Sorbière, les Bernier, les
Jean-Jacques Bouchard) ont entre eux, par-delà leurs différences, un air de parenté indéniable. Tous ils se réclament de
Montaigne et de Charron et ils placent tous, à la base de la
vie intellectuelle et au départ de toute spéculation, non pas
les définitions arbitraires de la scolastique, mais l'observation
des faits et l'expérience des hommes. Tous ils sont marqués de
pyrrhonisme au moins méthodique. Méfiants à l'égard des
miracles, de l'occultisme, des cabalistes et autres Rose-Croix,
ils poursuivent d'une haine vigoureuse la crédulité, ce qu'ils
appellent « le sot ». Une de leurs devises préférées est le mot

d'Epicharme traduit par Cicéron : « Nervi atque artus
sapientiae sunt nihil temere credere. » Ils haïssent le vulgaire
profane, les « esprits populaires », la « sotte multitude ». Ce
sont des aristocrates de la pensée, qui aiment brandir le paradoxe comme d'autres leur épée.

Tous ils sont disciples d'Erasme (qu'on nous pardonne d'insister sur ce point) et, comme lui, ils souhaitent que le dogme
s'affranchisse des formules scolastiques et que le rituel se purifie des vaines observances. Mais si leur verve, qui a demandé
quelque chose de sa virulence à l'*Eloge de la Folie,* malmène
les théologiens de l'Ecole et pousse parfois ses traits acérés
« fort près du sanctuaire », ils se soumettent de cœur, surtout
lorsque la maturité a calmé leurs exubérances, à la religion de
leurs pères, à l'Eglise de leur baptême.

C'est au prix d'une interprétation abusive et tendancieuse
que Fontenelle, Voltaire, Diderot les désigneront comme leurs
devanciers.

CHAPITRE DEUXIÈME

LES APOLOGISTES

La première moitié du XVIIᵉ siècle est une période féconde
en traités d'apologétique. Nous en connaissons les causes. Il
fallait rétablir dans la fermeté de leur foi les âmes troublées
par les guerres religieuses et par les désordres moraux qui
s'en étaient suivis. La tâche était d'autant plus urgente que les
« libertins » et les « esprits forts », bénéficiant d'une sorte
de vogue mondaine, menaçaient de faire de nombreux adeptes
parmi la jeunesse et dans la société. Pour cette œuvre de
conquête chrétienne, les apôtres ne manquaient pas. Nous
avons constaté, à plusieurs reprises, quelle poussée de ferveur ont provoquée en France les canons réformateurs du
Concile de Trente. De tous les Ordres religieux : Jésuites,
Oratoriens, Minimes, Capucins, Chartreux, surgissent des
apologistes zélés, belliqueux parfois, ardents à dénoncer les
erreurs des ennemis de la foi et à rappeler les vérités du
salut. Entre 1600 et 1660, on a dénombré près d'une centaine
de traités ou dissertations, en latin ou en français, destinés
à réfuter les objections des athées, déistes et libertins. Encore
faudrait-il ajouter à ce nombre les dizaines de romans dévots
qui, sous l'agrément de la fiction, ont pour dessein la conversion des incrédules.

La méthode d'argumenter de ces apologistes est fort diverse :
mais, dans l'ensemble, on les voit soucieux de donner une
forme nouvelle aux démonstrations traditionnelles, de répondre
aux objections présentées par les hommes de leur temps.

Réfutation des Pyrrhoniens et des Stoïciens

Encore faut-il que ces auditeurs soient disposés à entendre la parole de vérité. Il est nécessaire en premier lieu, comme dira Pascal, d' « ôter les obstacles ». Les libertins de conduite, ce sont leurs passions dépravées qui les rendent sourds à la vérité divine. Le Père Garasse, pour leur ouvrir les oreilles, les injurie. Dans sa *Doctrine curieuse* (1623), il secoue de la belle manière « ces épicuriens, ces écornifleurs, ces ivrognes » qui « cherchent leur bonheur dans un cabaret », ces « impudiques » et ces « vilains » qui « cherchent leur contentement dans le fumier de leurs ordures ». A travers cette litanie d'imprécations, le pieux et coléreux jésuite ne laisse pas de trouver des accents capables de faire jaillir chez ces dévoyés « quelque petite clarté » qui leur fera voir « le misérable état de leur âme ». Le cordelier Jean Boucher, dans ses sermons, vise lui aussi à susciter une honte salutaire chez les victimes de ce « siècle misérable et corrompu », aux « mœurs dépravées ».

Mais le libertinage de mœurs invoque souvent des raisons philosophiques. La plupart des « viveurs » se retranchent, avec des airs de suffisance, derrière Montaigne et Charron ; ils se disent pyrrhoniens, c'est la mode. « Ils s'appellent sceptiques, disait le P. Mersenne, et sont gens libertins ». Quelques-uns cependant ont réfléchi. Ils justifient leurs déportements en alléguant l'impuissance de l'homme à s'assurer de la moindre vérité et à fonder une morale. Avant donc d'entreprendre de leur prouver quoi que ce soit, il faut convaincre ces sceptiques de la valeur de la raison. Les apologistes dogmatistes s'en prennent, comme au plus dangereux ennemi, à Pierre Charron. Le Père François Garasse le traite de « franc ignorant ». Le P. Zacharie de Lisieux désigne la *Sagesse* comme le livre de chevet des libertins de mœurs et de pensée. On l'accuse de rendre incertaines toute opinion et toute croyance. Le P. Mersenne, dans son traité *De la Vérité des Sciences* (1625), attaque aussi Charron, mais il remonte jusqu'à la source du pyrrhonisme, les *Hypotyposes* de Sextus Empiricus, dont la traduction française, œuvre d'Henri Estienne (1563) venait d'être rééditée à Paris en 1621. Les pyrrhoniens, dit Mersenne, « s'efforcent de persuader aux ignorants qu'il n'y a rien de certain au monde... afin qu'ayant fait perdre le crédit à la vérité en ce qui est des sciences et des choses naturelles qui nous servent d'échelons pour monter à Dieu, ils fassent de même en ce qui est de la religion ». Et le R. Père montre ce qu'il y a d'intenable dans la position des sceptiques : « L'esprit n'a jamais tant de peine, d'affliction et d'inquiétude que quand il n'a rien à quoi s'attacher, étant toujours vagabond et errant çà

et là sans aucun repos. » Je ne crois, disent-ils, qu'à « deux
et deux sont quatre et quatre et quatre sont huit ». Ils dévoi-
lent par là l'erreur qui les égare. Il est contraire à une saine
philosophie « d'attribuer à toutes les vérités le même genre de
preuves et d'exiger en matière de morale et de religion une
démonstration mathématique ».

Le Cordelier Jean Boucher, dans *les Triomphes de la
religion chrétienne* (1628), distingue, dans le même sens, deux
sortes de vérités. Il en est dont l'évidence s'impose de force
à l'entendement : telles les vérités géométriques. D'autres sont
étayées « seulement de raisons probables qui ne forcent pas
l'esprit, mais l'inclinent seulement à les embrasser » : il appartient à la volonté de transformer la probabilité en certitude
pratique. Pour purifier le regard, il faut guérir la volonté
corrompue ; et parfois, pour croire, il faut commencer par
agir comme si l'on croyait. Pascal se souviendra de ces notations pénétrantes.

Jean de Silhon, qui fut secrétaire de Richelieu, conseiller
d'État et membre de l'Académie, dans son Traité de *l'Immortalité de l'âme* (1634, repris en 1661 et appelé alors *De la
certitude des connaissances humaines*), confond, lui aussi, Montaigne et les Pyrrhoniens. La suspension d'esprit que veulent
nous imposer les sceptiques, dit-il, est contraire à notre nature
et elle constitue, dans le fond, un mensonge. « C'est le propre
de la parole extérieure d'exprimer tout ce que la volonté lui
ordonne, soit vrai ou faux. » Mais « la parole intérieure, qui
est la pensée » n'est pas ainsi gouvernable à loisir : « Je puis
bien dire de vive voix que *je doute si je doute,* comme je
puis dire que je ne vois pas quelque chose quand je le vois. »
Mais la pensée est contrainte bon gré mal gré de donner
assentiment à l'évidence intérieure. Le pyrrhonisme total est
impossible.

Les disciples de Montaigne humilient à l'excès la raison :
ceux d'Épictète l'exaltent à outrance et cette disposition aussi
peut faire obstacle à la foi. Confiants dans la force de leur
esprit et dans la fermeté de leur vouloir, ils se croient capables de dominer leurs passions et de parvenir, par la sérénité,
au souverain Bien.

Il est superflu de rappeler quel succès a rencontré en France,
à la fin du XVIᵉ et au début du XVIIᵉ siècle, la philosophie
(et surtout la morale) stoïcienne. Le danger d'orgueil qu'elle
recelait apparut redoutable aux apologistes chrétiens : le
stoïcisme, regardant la nature comme saine, rendait inutile la
grâce du Rédempteur. Contre cette erreur, on fit appel à saint
Augustin, le Docteur du péché originel et de la grâce. Bérulle,
dans son *Discours de l'état et de la grandeur de Jésus* (1623),

signale l'erreur fondamentale des disciples d'Epictète et de Sénèque : « Nous devons regarder notre être... comme un vide qui a besoin d'être rempli... Notre première connaissance doit être de notre condition manquée et imparfaite. » Les stoïciens « s'arrêtent en eux-mêmes et il faut s'en éloigner ; ils sentent l'infirmité de la nature et ne la veulent pas avouer... Ils cherchent en eux-mêmes ce qui n'est pas en eux-mêmes. » Tous nos apologistes dénoncent et réfutent la morale du Portique : le Chartreux Polycarpe de La Rivière, le P. Coton, Yves de Paris, Boucher, Condren.

Le P. Jean-François Senault, oratorien et disciple de Bérulle, insiste sur notre faiblesse congénitale, dans *l'Homme criminel, ou de la corruption de la nature par le péché selon les sentiments de saint Augustin* (1644). L'homme est grand et misérable, étant un composé de chair et d'esprit : « Jointes ensemble, ces parties ne se peuvent souffrir ; elles s'aiment et se haïssent ; la chair entreprend contre l'esprit et l'esprit se plaint de l'insolence de celle qui lui sert de ministre. » Nos puissances sont trompeuses ; la raison dépend des sens et elle est troublée par les passions, si bien que « l'erreur nous est naturelle ». Quant à la volonté, inclinée au mal, « sa grandeur éminente est accompagnée d'une extrême misère ».

Bref, la doctrine stoïque ne peut conduire l'homme qu'à de lamentables déconvenues et finalement au désespoir. Rien de surprenant, soulignent tous les auteurs, que Sénèque recommande si fort le suicide.

Remarquons-le : certains de nos apologistes, dans leur ardeur à combattre la fausse humilité des sceptiques, insisteront sur la grandeur de l'homme et paraîtront incliner du côté du semi-pélagianisme : ils ont des tendances dogmatistes. Les augustiniens, emportés à la poursuite de la présomption stoïcienne, sembleront donner la main aux pyrrhoniens et pencheront vers le fidéisme.

Quoi qu'il en soit, après cette préparation des âmes, peut intervenir la démonstration chrétienne. Elle commence par établir, contre les athées et les padouans, les deux vérités fondamentales qui en ce temps-là sont le plus combattues : l'existence de Dieu et l'immortalité de l'âme.

L'existence de Dieu. C'est à quoi s'efforcent le P. Garasse, dans sa *Somme théologique des vérités de la religion chrétienne* (1623); Claude Garnier, avec son *Te Deum contre les athéistes libertins* (1623)); le P. Mersenne confond *l'Impiété des Déistes, athées et libertins de ce temps* (1624) ; Jean de Silhon établit, en 1626, *Deux Vérités : de Dieu et de la Providence, De l'Im-*

mortalité de l'âme ; l'abbé Charles Cotin, en 1628, adresse un
Discours à Théopompe contre les Forts esprits du temps.
Dix autres viennent en renfort, jusqu'au traité de David
Dérodon, *l'Athéisme convaincu* (1659).

Les épicuriens, spectateurs de Lucrèce, ne veulent reconnaître qu'une divinité, la Nature : « C'est leur unique Maîtresse, c'est leur souveraine, c'est leur Déesse... C'est toi, lui
disent-ils, qui donnes l'être à toutes les espèces d'animaux et
les perpétues. Tu es la Reine et la Déesse de l'Univers. »
L'abbé Cotin (*Théoclée,* 1646) se souvient ici du livre de
Vanini, *De admirandis Naturae Reginae Deaeque mortalium
arcanis,* qui en effet s'était largement répandu parmi les
libertins. Le poète Racan, dans ses *Psaumes,* déplorait cette
aberration :

> Ils disent que le sort règne seul dans les Cieux,
> Que les foudres sur nous tombent à l'aventure ;
> Ils disent que la crainte est la mère des dieux
> Et n'en connaissent point d'autre que la Nature.

D'aucuns parmi ces aveugles prétendent que Dieu, s'il
existe, se voile d'un mystère si profond qu'il nous est comme
étranger : « Ils disent que Dieu étant incompréhensible et
ineffable, il suffit de l'adorer en silence, sans s'informer des
perfections de sa nature. » (Yves de Paris, *Théologie naturelle,* t. III, 1645). Charron lui-même a insisté lourdement
sur la transcendance divine : « Dieu est inconnaissable, la
Déité est ce que nous ne savons ni ne pouvons savoir et ne
peut être entendue que d'elle-même ; la raison est son infinité, l'infinité est du tout inconnaissable. Si elle pouvait être
connue, ce ne serait plus infinité. » Il a raison, certes, au
plan métaphysique. Mais le maladroit ne voit pas qu'il prête
des arguments aux athées. Les apologistes traditionnels protestent contre ces formules au nom de saint Thomas et ils
rappellent les preuves classiques de l'existence de Dieu.

Ainsi le cistercien Eustache de Saint-Paul ; le jésuite Martinon, qui réédite (1644) les cinq preuves par le premier
moteur, la cause première, l'être nécessaire, l'idée de perfection
et la cause finale. Le P. Mersenne aligne, lui, trente-cinq
démonstrations. Jean de Silhon insiste sur la notion de contin-
gence. Abra de Raconis, dans une série de sermons prêchés
en 1622, établit que Dieu « est connu par les créatures » : la
grandeur et l'harmonie de l'univers révèlent l'existence du
divin Créateur. Ils nous révèlent aussi ses attributs, cette
bonté providentielle surtout qui ordonne toutes choses pour le
bien de l'homme. Dom Polycarpe de La Rivière le dit avec un
vif sentiment de la beauté et un vrai talent de poète : « Consi-

dérez comme toutes choses le louent (Dieu) et magnifient en leur être... Cette belle et grande lumière des deux yeux du monde, le Soleil et la Lune, et cette lueur dorée des étoiles, ce mouvement sûr et immuable des globes célestes, cette vertu merveilleuse des astres... Cet air par la diversité de ses bandes ailées qui, avec un concert si doux composent une musique si belle qui se fait ouïr de toutes parts. Cette eau avec ses fontaines cristallines, avec ses fleuves et ses rivières, et cette ample et vaste mer avec la multitude infinie de ses poissons. Cette terre si riche en mines d'or et d'argent, orgueilleuse pour se voir le chef couronné de tant de belles fleurs et de plantes diverses, dont les unes réjouissent la vue, les autres provoquent l'appétit, celles-là contentent l'odorat et celles-ci remédient à tant de maladies. Bref, cette immense quantité d'animaux »... toutes ces créatures « ayant, comme parle la Sapience, la science ou faculté de voix par laquelle elles rendent une incessante musique à la louange infinie de ce grand Dieu qui préside en leur chœur, régit et gouverne d'une Providence et Bonté ineffable » (*Angélique*, 1626).

Dans cette perspective, les thèses métaphysiques cèdent la parole aux « raisons du cœur ». Le P. Yves de Paris excelle à développer ce genre d'arguments : « Sans maître et sans autre théologie, l'innocence réclame dans son oppression le secours d'une souveraine bonté ; les serments en attestent la vérité incorruptible ; les consciences coupables entendent dans leur intérieur les menaces de sa justice et les bonnes sentent la faveur de ses consolations... Ces libres aveux de la nature devraient suffire à l'homme pour le porter à l'adoration de Dieu, sans qu'il demandât d'autres démonstrations de son existence et de son pouvoir... Pourquoi douter des vérités que notre esprit comprend sans ratiocination et dont il a une connaissance si familière qu'elle se peut dire sensible et comparer à l'attouchement ? » (*Théologie naturelle*, 1633-35).

Dans ces pages, ne perçoit-on pas quelques préludes à certaines pensées de Pascal ?

Apôtre plus aventureux, le P. Mersenne prétend prouver Dieu par la science. D'abord il convient de faire remarquer aux libertins que la foi n'est pas le refuge des ignorants et des faibles d'esprit, comme ils osent le prétendre. « Arrière, s'écrie-t-il, ces farceurs qui s'efforcent de persuader au monde que les catholiques vivent dans une ignorance totale de la Philosophie. » Il entend montrer, quant à lui, qu'on peut être « aussi bon catholique que bon mathématicien » (*la Vérité des Sciences*, 1625). Il avancera même que « dans la géométrie et l'algèbre », dans l'Optique et la Catoptrique, un prédicateur avisé peut trouver de solides arguments en faveur de la

religion. Ne suivons pas davantage le bon Père, dont ses
confrères mêmes souriaient parfois, mais dont la compétence
scientifique et — sauf quelques naïvetés — théologique est
incontestable.

L'immortalité   Dieu ne manquait donc pas de bons défen-
de   seurs. Mais, son existence prouvée, s'ensuit-il
l'âme   que l'âme humaine est immortelle ? Seconde
                vérité plus contestée encore que la première.
Les philosophes padouans, depuis Pomponace, niaient qu'Aristote eût admis l'immortalité des âmes individuelles : et beaucoup
de théologiens, à leur suite, pensaient que cette vérité, objet
de la foi, était impossible à démontrer par la raison. Charron,
dans l'édition de 1601 de sa *Sagesse,* donnait écho à ce
fidéisme : « L'immortalité de l'âme est la chose la plus
universellement, religieusement et plausiblement reçue par tout
le monde... la plus utilement crue, la plus faiblement prouvée
et établie par moyens humains. » Blâmé, il avait corrigé, et on
lisait dans l'édition de 1604 : « ... aucunement assez prouvée
par plusieurs raisons naturelles et humaines ».

Dans un manuscrit anonyme de cette époque, on relève ces
deux vers d'un poème de propagande libertine :

> Nous devons croire avec sagesse
> Que l'âme meurt avec le corps.

Le P. Zacharie de Lisieux pourra dire encore en 1653
que l'immortalité est le dogme le plus violemment attaqué par
les libertins.

A quel point la question était débattue, Charles Sorel nous
l'atteste dans cette curieuse *Bibliothèque françoise* (1644) qu'il
écrivit à la fin de sa vie : « Pour être assuré de l'état de
l'âme humaine après la séparation du corps, il est fort utile de
lire le livre *De l'Immortalité de l'âme* du R. P. Louis Richeome ;
le livre intitulé *Démonstration de l'immortalité de l'âme,* par
le R. P. Antoine Sirmond, avec les livres du même sujet faits
par M. de La Mothe Le Vayer et M. Silhon (*notons au
passage la mention faite de La Mothe Le Vayer entre deux
apologistes*) et celui de M. Cotin intitulé *De l'âme immortelle.*
On avait dès auparavant les deux traités *De Dieu et de l'Ame*
par le sieur de Naucel, comme aussi un livre *De l'Immortalité
de l'âme* fait par Jean de Serres, dans lequel les propositions
sont réduites en la forme de l'Ecole. Le même a fait un traité
De l'usage de l'immortalité de l'âme où l'on trouve de bons
avis pour les mœurs. »

Cette liste pourrait être allongée, à se borner aux livres

écrits en français, d'une vingtaine d'ouvrages, si l'on descend
jusqu'en 1660.

Parmi les auteurs, plusieurs restent fidèles à la « forme de
l'Ecole » et ils fondent la spiritualité de l'âme sur son pouvoir
d'abstraire. De la spiritualité, ils concluent à l'immortalité. C'est
la position officielle de la Sorbonne, celle aussi des Jésuites
à qui le *Radio studiorum* de 1586 fait « un rigoureux devoir »
de « suivre ordinairement » la doctrine et la méthode de
saint Thomas. Le P. Antoine Sirmond s'y conforme dans son
ouvrage dont le titre désigne le grand adversaire à combattre :
*De immortalitate animae demonstratio physica et aristotelica
adversus Pomponatium et asseclas.*

Mais Aristote était bien compromis, comme on le sait, par
les padouans qui, reprenant les thèses averroïstes, avaient fait
du Péripatétique, ainsi que le leur reproche Froidmont, « le
bourreau de nos âmes ». Aussi les apologistes qui restaient
fidèles à la doctrine aristotélicienne avaient-ils soin de recourir,
pour l'exorciser, à saint Thomas. Ainsi font Antoine Sirmond,
André du Val, Du Chevreuil et d'autres. Ainsi l'abbé Cotin
qui écarte Aristote pour s'attacher à l'Ange de l'Ecole et qui,
à l'aide de la Somme, établit la simplicité de l'âme, d'où il suit
qu'elle est « indissoluble » et par conséquent immortelle.

Jean Silhon préfère une méthode de sa façon. Après avoir
prouvé l'existence de Dieu, il démontre que Dieu devait à sa
gloire et à sa justice de conférer à l'homme l'immortalité. Car
l'ayant fait à son image, il lui est impossible de s'en désintéresser et de le laisser retomber au néant.

L'argument peut se prévaloir de l'autorité de Platon. De
fait, plusieurs de nos auteurs, délaissant la dialectique peu
sûre et dépréciée de la scolastique, s'inspirent de celui que
Jean Boucher, dans un sermon, appelle « Platon le divin ».
Ils ne vont pas toujours à Platon lui-même et certains puisent
leur démonstration dans la *Theologia platonica* de Marsile
Ficin : entre autres le P. Richeome, Zacharie de Lisieux,
Polycarpe de La Rivière. Le P. Yves de Paris reprend les
arguments platoniciens du philosophe de Florence : l'âme se
nourrit de vérité ; elle est capable de réfléchir sur elle-même ;
elle connaît des états de « fureur » : extase, divination, prophétie, autant de prérogatives, autant d'opérations de l'âme
qui prouvent à l'évidence son origine divine et son essentielle
immortalité.

Cependant, depuis que Charron, dans l'édition de 1604 de
sa *Sagesse,* avait énoncé que « l'immortalité de l'âme » était
« proprement et mieux établie par le ressort de la religion que
par tout autre moyen », un certain nombre d'apologistes
n'osaient plus se fier aux démonstrations de la philosophie.

Le P. Richeome, gagné quelque peu par ce fidéisme, écrivait :
« Il faut... premièrement croire l'immortalité parce que Dieu
nous l'enseigne ; et, ayant mis cette lumière en l'entendement,
l'homme entendra et jugera clairement de la vérité de la chose
et de la force des arguments tirés de la raison naturelle. Celui
qui va par la voie de la nature seulement, il se trouve embarrassé de mille difficultés et ne trouve jamais la fin ; qui va par
le chemin de la foi, il marche assuré en pleine campagne et
pénètre sans se fourvoyer au gîte de la vérité. Aux grands
mystères donc, il faut croire pour entendre et non... entendre
pour croire et voir par discours de raison ce qui se voit par
l'œil de la foi. » (*Immortalité de l'âme*, 1621).

Il fallait que le pyrrhonisme eût obtenu un bien large crédit
pour qu'un théologien jésuite assimilât ainsi le « mystère » de
l'immortalité aux mystères de la Trinité et de l'Incarnation.

*Du Déisme** Une fois mises en sûreté, avec plus ou moins
au de bonheur, les « deux vérités de Dieu et de
Christianisme. l'immortalité de l'âme » (Jean de Silhon)
reste à conduire le libertin du spiritualisme
au christianisme. Les athées n'étaient ni les plus nombreux
ni les plus dangereux des ennemis de la foi. Le P. Mersenne,
dans le même ouvrage où il combat les athées, s'en prend à
« l'impiété des déistes ».

Pierre Viret, en 1563, dans son *Institution chrétienne*, avait
signalé que certains libertins se nommaient eux-mêmes
« *déistes*, d'un mot tout nouveau, lequel ils veulent opposer
à *athéistes* ». Les déistes reconnaissent un Dieu, mais rejettent
la révélation et la divinité de Jésus-Christ. Jean de Silhon, en
1627, dans une lettre à Coëffeteau, l'explique plus au long :
« Ceux (des libertins) qui font la plus grande foule sont quelques déliés et qui pensent avoir raffiné la sagesse du monde ;
ceux-là, dis-je, confessent un Dieu auteur de l'univers, reconnaissent sa Providence, avouent l'immortalité de l'âme, condamnent l'Idolâtrie... et croient que la vraie Religion n'est autre
que vivre selon la Raison et que le plus agréable sacrifice qu'on
puisse faire à Dieu est la pratique des vertus morales :
consentent néanmoins et approuvent pour le bien de la société
humaine et la fermeté du repos public de suivre le culte et les
cérémonies extérieures qui sont en usage en chaque République ou Etat et laisser cette bride au peuple pour le retenir
dans le devoir... A ceux-ci la Religion chrétienne est la meilleure de toutes à cause qu'elle est la plus morale et Jésus-
Christ admirable entre tous les hommes pour avoir osé atta-
quer l'idolâtrie... et fait la guerre aux vices que l'âge et un
consentement presque universel avaient mis en honneur. Mais

(voici le poison) quant à la divinité qu'il s'est attribuée, ç'a été, disent-ils, une invention en cela excusable que la difficulté d'établir une si sainte doctrine la rendait nécessaire : voire qu'il a été besoin, pour donner plus de couleur à la fourbe, de forger tous ces mystères et articles de foi qui sont estimés par le vulgaire d'autant plus divins qu'ils sont étranges et qui, surpassant la portée naturelle de notre connaissance, ne pouvaient être convaincus de faux : tels sont les mystères de la Trinité, de l'Incarnation, de la Résurrection, etc... Tellement qu'au jugement de ces impies, tout cela n'est qu'un accessoire pour remettre plus spécieusement notre raison pratique en sa pureté naturelle et la rendre plus vénérable. »

Ce déisme s'est exprimé dans certains écrits qui circulaient sous le manteau. Passons sur ce trop fameux livre *Des trois Imposteurs,* dont il est question partout depuis la fin du XVIᵉ siècle jusqu'à Voltaire et dont il est impossible de dire si, au XVIIᵉ siècle, personne l'a eu entre les mains. A l'époque du P. Mersenne, on faisait courir une pièce en vers, les cent-six *Quatrains du Déiste,* qui se présentaient sous la forme didactique des *Quatrains* de Pibrac. Le savant Minime prend la peine de réfuter, dans son *Impiété des Déistes,* ce « poème des déistes », qu'on appelait encore *l'Antibigot.* L'auteur anonyme reprochait, en somme, aux chrétiens l'idée anthropomorphique qu'ils se faisaient de Dieu : ils se le figurent :

                              ... variable,
       Embrasé de vengeance et d'un rien offensé...

C'est superstition de croire

                Qu'il se laisse mener
       Selon les passions et la nature humaine.

Arrière l'idée barbare de l'Enfer éternel :

       L'Eternel nous étant infiniment meilleur
       Que n'est à ses enfants une soigneuse mère,
       Nous peut-il imposer un infini malheur
       Pour le contentement de sa feinte colère ?

Le Déiste d'ailleurs aurait honte de pratiquer la vertu par peur du châtiment ou par l'appât de la récompense :

       Le Déiste en repos agit tant seulement
       Pour l'amour du Bien même et non pour le salaire
       Proposé par les lois, sachant assurément
       Que la vertu n'est point servile et mercenaire.

Méprisant les vaines observances, les abstinences et les pénitences, dérisoires aux yeux de l'Eternel, il coule une vie paisible, jouissant des biens terrestres, en attendant « les délices du Ciel ».

Tout est à peu près de cette force, objections et doctrine. On fabrique, pour la ridiculiser, une caricature de christianisme et l'on établit à la place une religion à bon marché, celle déjà de l'abbé de Saint-Pierre et de Voltaire.

Les apologistes rencontraient des adversaires plus redoutables : ceux qui, par exemple, au nom de la transcendance divine, refusaient d'admettre l'Incarnation. C'est le cas de cet ancien élève des Jésuites dont nous parle le P. Garasse dans sa *Doctrine curieuse,* qui disait à son ancien professeur de Rhétorique : « Je ne puis me persuader que le Fils de Dieu se soit incarné depuis seize cents ans, comme on voudrait faire croire : car quelle apparence y peut-il avoir en cela que Dieu se soit fait homme? » Le libertin que nous présente le P. Boucher et qu'il appelle Typhon parle de même.

Nos auteurs, en réponse à ces difficultés, apportent le soin le plus attentif à démontrer la divinité de Jésus-Christ par les arguments classiques, présentés avec plus ou moins d'originalité et de talent : miracles du Christ, sa doctrine, propagation de l'Eglise, héroïsme des martyrs. Nul génie, hélas, chez ces bons serviteurs de l'Eglise; mais de solides dissertations, appuyées sur une profonde compétence et une connaissance assez fine des âmes qu'ils avaient à convertir. Jean de Silhon, Jean Boucher savent qu'il ne suffit pas de s'adresser à la raison logicienne. Ils s'efforcent d'émouvoir, de réveiller en des cœurs assoupis le sens des choses spirituelles, de faire désirer que la religion soit vraie. Jean de Silhon avertit ses lecteurs qu'il serait injuste de leur part de demander « une clarté sans nuage et aussi visible que le soleil ». Il ne prétend leur proposer qu'une « démonstration morale » qui exige, pour être persuasive, le concours de la bonne volonté et de la pureté d'intention. A cette condition, et moyennant la grâce, on parvient à « une certitude morale fort pleine et fort péremptoire de la divinité de Jésus-Christ et de la vérité de notre religion. »

Jean Boucher, lui aussi, avoue l'insuffisance des « arguments naturels » et invoque ces « raisons probables et persuasives, fondées sur plusieurs puissantes et sensibles conjectures, lesquelles ordinairement conduisent à la connaissance des choses occultes et douteuses ».

Ici encore, la méthode apologétique de Pascal est préfigurée sur plusieurs points : faiblesse de la « géométrie » dans le domaine des vérités morales, nécessité de « diminuer les passions » pour « augmenter la force des preuves ». On trouve même chez certains de nos apologistes les délinéaments de l'argument du pari. Dès le XVIᵉ siècle, on pourrait en relever des formules sommaires. Mais le P. Antoine Sirmond en présente plus qu'une esquisse : « Aucun homme de bon sens jouant avec un partenaire aussi habile que lui ne veut jouer aux dés, à la balle ou à tout autre jeu pour gagner un denier s'il gagne, et perdre, en cas de perte, un royaume très riche et éternel... » « N'auras-tu pas accepté cent vingt ans au maximum de volupté... pour perdre une éternité de bonheur ? »

Jean de Silhon a recours, lui aussi, en 1634, à l'argument et lui donne une force plus pressante : « Quand ces propositions : qu'il y a un Dieu, qu'il n'y en a point ; que l'âme humaine est immortelle et qu'elle ne l'est pas, seraient également douteuses et également ambiguës... si est-ce que la raison veut et la prudence le conseille, qu'en l'action on suive le parti le plus sûr ; qu'on ait de la religion et de la piété ; qu'on se prépare pour une autre vie, puisqu'en une telle élection il n'y a point de risque à courir ni à craindre, s'il n'y a point de Dieu et si l'âme est mortelle, et qu'on s'expose à un dernier malheur et à une juste punition si tant est qu'il y a un Dieu et que l'âme humaine soit immortelle. »

Cette discussion demeurait, il est vrai, encombrée et un peu diffuse. Mais enfin Pascal n'aura qu'à élaguer le superflu, à donner au raisonnement une plus grande rigueur mathématique et, par l'effet du dialogue, une plus grande force dramatique.

On peut le constater : les apologistes de ce temps troublé ont affaire à un double adversaire. D'une part, le pyrrhonisme et le mépris de la scolastique ont rendu beaucoup d'esprits sourds aux discours méthodiques de la raison. D'autre part, l'époque aspire à fonder une nouvelle discipline dans l'ordre intellectuel comme dans les autres domaines et le progrès des sciences « géométriques » inspire confiance dans les ressources de l'intelligence déductive : beaucoup « d'honnêtes gens » y prennent prétexte à déclarer qu'ils ne peuvent se rendre qu'aux évidences mathématiques.

Cette situation intellectuelle et spirituelle, qui explique les hésitations des apologistes et certaines incertitudes de leurs exposés, est en tout cas nécessaire à rappeler, si l'on veut comprendre les points de départ de Descartes et l'esprit foncier de son entreprise.

CHAPITRE TROISIÈME

DESCARTES

Vie de   L'histoire de Descartes est l'histoire de sa
Descartes. pensée. Mais pour comprendre son itinéraire
           spirituel, il n'est pas sans importance de se
rappeler les principales étapes de sa vie à la fois voyageuse
et solitaire.

René Descartes est né le 31 mars 1596 à La Haye, petite
ville sise aux confins des « jardins de la Touraine » et du
Poitou. La famille avait ses origines et possédait des biens
dans cette dernière province : Descartes se dira « gentilhomme
de Poitou » et s'inscrira comme « poitevin » à l'Université.
Dans son ascendance, on trouve des marchands, des officiers
du roi, des médecins. Son père, Joachim Descartes, était
« conseiller en Parlement de Rennes ». Il passait en Bretagne
trois mois de l'année. Sa mère, Jeanne Brochard, qu'il perdra
un an après sa naissance, était fille de magistrats poitevins.
René sera élevé par sa grand-mère maternelle et confié aux
soins d'une nourrice à laquelle il gardera toujours une affection
reconnaissante.

A Pâques 1606, il entre au Collège de La Flèche où
Henri IV avait rappelé les Jésuites et qui déjà était considéré
comme « l'une des plus célèbres écoles de l'Europe ». Le
supérieur, le P. Charlet, que René appellera son « second
père » était allié à la famille Descartes. L'enfant avait une
santé frêle : on lui permet de faire la grasse matinée. Le philosophe gardera cette habitude : il lui faudra toujours ses dix
heures de sommeil.

Il s'applique avec ardeur à tous les « exercices » du collège.
Il a un goût marqué pour la poésie et ses « délicatesses ». Il
« estime » l'Eloquence. Il aime la musique. Mais il se plaît

« surtout aux Mathématiques à cause de la certitude et de l'évidence de leurs raisons ». Il lit beaucoup, y compris les ouvrages qui traitent des sciences « les plus curieuses et les plus rares ». Son professeur de mathématiques s'intéressait à l'Alchimie, à l'Astrologie, à la Magie. Après avoir achevé ses Humanités et sa Philosophie, il étudie le Droit; en novembre 1616 il passe à Poitiers son Baccalauréat et sa Licence *in utroque jure* (droit civil et droit canonique).

Au printemps de 1618, son père l'envoie en Hollande, à Bréda, dans l'armée commandée par Maurice de Nassau, prince d'Orange, tenu pour le premier capitaine de l'Europe. Ce n'est pas le jeune Descartes eût une réelle vocation de guerrier, bien qu'une certaine « chaleur de foie » lui fit « aimer les armes ». Mais à leurs élèves de condition, les P.P. Jésuites recommandaient cette manière de compléter leurs études. Un grand nombre de fils de famille se rendaient en Hollande pour s'inscrire aux Universités et pour apprendre le métier militaire. René Descartes du reste avait ses propres idées là-dessus. Il avait résolu de quitter les études pour feuilleter « le grand livre du monde ». Le conseil de Montaigne l'y encourageait. Or, l'armée lui paraissait un milieu propre à « étudier les mœurs des hommes plus au naturel ». (Dans des circonstances analogues, Stendhal se définira « un curieux détaché à l'armée pour voir ».) En outre, Descartes voulait, à la faveur d'une existence dangereuse, « tâcher de se mettre à l'épreuve de tous les accidents de la vie » (Baillet). Il restera pourtant un amateur, s'entretenant à ses frais; il ne touchera jamais de solde, sauf une seule fois un doublon d'or espagnol qu'il conservera en souvenir.

A Bréda, il rencontre, le 10 novembre 1618, un jeune médecin de trente ans, mathématicien et physicien, Isaac Beeckman, qui le pousse à revenir aux études spéculatives. « Je m'endormais, vous m'avez réveillé », lui dira Descartes qui, sous cette impulsion, compose plusieurs mémoires scientifiques et un *Compendium musicae* (dédié à son ami en janvier 1619).

Davantage : tandis qu'il se plonge ainsi dans la géométrie, l'algèbre et la physique, voici que s'insinue dans son esprit une « ambition incroyable » dont il s'ouvre à Beeckman : « Pour mettre complètement à nu mes projets devant vous, je veux apporter non pas un *Ars brevis* de Lulle, mais une science entièrement nouvelle, par laquelle se puissent résoudre toutes les questions qui pourraient être proposées sur n'importe quel ordre de quantités, continues comme discontinues. » Il ne s'agit encore, on le voit, que de sciences exactes. Mais quelle fière assurance chez ce jeune homme de vingt-deux ans, et comme l'on comprend le mot de Charles Péguy sur « ce cavalier français qui partit d'un si bon pas » !

En avril 1619, Descartes entreprend un voyage au Danemark et en Allemagne. Ses pérégrinations et leurs mobiles nous sont mal connus. Il s'engage dans l'armée de Maximilien, duc de Bavière et, au cours de l'été, il assiste, à Francfort, aux fêtes du couronnement de l'Empereur Ferdinand. En novembre, il est, on le suppose, aux environs d'Ulm. Ici, il nous faut l'écouter : « J'étais alors en Allemagne... et, comme je retournais du couronnement de l'Empereur vers l'armée, le commencement de l'hiver m'arrêta en un quartier où, ne trouvant aucune conversation qui me divertît et n'ayant d'ailleurs, par bonheur, aucuns soins ni passions qui me troublassent, je demeurais tout le jour enfermé seul dans un poêle (chambre à feu) où j'avais tout le loisir de m'entretenir de mes pensées ». Si l'on en croit le *Discours de la Méthode*, il se mit alors à faire l'inventaire et le procès de toutes ses connaissances. Mais un opuscule latin, intitulé *Olympica* (l'Olympe symbolise la région des choses divines), dont Baillet nous a conservé des fragments, nous apprend bien autre chose. Dans la nuit du 10 au 11 novembre 1619 (anniversaire de sa rencontre avec Beeckman), alors qu'il s'était couché « plein d'enthousiasme », il fut visité par trois songes qui lui parurent autant de messages divins. « L'esprit de vérité » lui révélait que la science est une, que son édification ne peut être l'œuvre que d'un seul homme et que cet homme s'appelait René Descartes. Il se jugea dès lors désigné de Dieu pour construire le savoir universel et formuler les lois d'une vraie sagesse. Son avenir se décide. Pour remercier le Ciel de la faveur qu'il vient d'en recevoir, il fait vœu d'aller prier à Lorette. En attendant, il laissera lentement mûrir son âge et ses pensées, il fera « amas de plusieurs expériences, pour être après la matière de *ses* raisonnements », il fera l'essai de la méthode intellectuelle qui lui a été suggérée par l'Esprit divin.

Bientôt il quitte l'armée. Il est décidé à n'assumer jamais ni fonctions ni charges familiales : il entend se consacrer à son œuvre. De 1620 à 1628, il est assez difficile de le suivre. Il « roule çà et là dans le monde..., spectateur... de toutes les comédies qui s'y jouent ». Le 11 novembre 1620 (date anniversaire), il note : « Coepi intelligere fundamentum inventi mirabilis ». Quelle est cette « admirable invention », nous l'ignorons. Mais il y a tout à parier qu'il l'attribue à sa méthode.

Il séjourne en France (Rennes, le Poitou). Il vend ses terres pour s'assurer l'indépendance. Il passe en Suisse, en

Italie : il assiste, à Venise, aux noces du doge et de la mer.
Il visite Rome. De l'Italie, il gardera le souvenir d'un
climat « fort malsain pour les Français ». Le voici à Paris.
Il mène de front les études et la vie mondaine. Il fait de la
musique, il lit des romans, il joue, il se bat en duel pour
une femme. Il continue cependant à cultiver les mathématiques
et fréquente un ancien de La Flèche, le P. Mersenne, le
savant Minime, fort engagé dans la lutte contre les libertins.
Problèmes scientifiques, problèmes méthaphysiques se partagent
ses réflexions. Mais il semble bien qu'il accorde plus d'importance encore à la mise au point et à l'essai de la Méthode.
C'est ce qui ressort du fait suivant. A l'automne 1627 (ou
peut-être en 1628), chez le nonce Bagni, il assiste à une
conférence : un « sieur de Chandoux » expose une philosophie
nouvelle. Descartes, invité à donner son avis, fait la grimace
et opine que les trouvailles de Chandoux ne valent guère
mieux que la scolastique. Il développe alors quelques-unes de
ses idées et la « règle universelle qui permet d'atteindre la
Vérité ». Il soulève l'admiration de la « savante compagnie » :
le cardinal de Bérulle, présent, fait un cas de conscience à
Descartes de poursuivre ses recherches et de publier ses
« principes », pour la plus grande gloire de la religion.

Ainsi, à la fin de son séjour à Paris, Descartes est en
relations avec un groupe assez important qui attend de lui
une rénovation de la philosophie. On compte sur lui, c'est
probable, pour fournir aux chrétiens des armes contre le
libertinage. De fait, en 1628, il parle d'un *Traité sur la
Divinité* dont il a conçu le projet.

Mais, à l'automne 1629, il quitte la France pour s'établir
en Hollande. Il y demeurera vingt ans, sauf trois voyages
en France entre 1644 et 1648. On s'est demandé quels motifs
lui avaient fait abandonner son pays pour l'étranger. Il l'a
dit lui-même dans le *Discours de la Méthode :* « Je pensai
qu'il fallait que je tâchasse, par tous les moyens, à me rendre
digne de la réputation qu'on me donnait et il y a justement
huit ans que ce désir me fit résoudre à m'éloigner de tous
les lieux où je pouvais avoir des connaissances et à me
retirer en un pays... où, parmi la foule d'un grand peuple
fort actif et plus soigneux de ses propres affaires que curieux
de celles d'autrui, sans manquer d'aucune des commodités qui
sont dans les villes les plus fréquentées, j'ai pu vivre aussi
solitaire et retiré que dans les déserts les plus écartés. »
Descartes cherche à l'étranger les biens que Montaigne demandait à sa « librairie » : « la liberté et le loisir », « deux
choses », dit-il, que « je possède si parfaitement (en Hollande)

et estime de telle sorte qu'il n'y a point de monarque au monde qui fût assez riche pour les acheter de moi ». Il célèbre « la félicité de la vie tranquille et retirée ». Il trouve dans Ovide une belle devise : « Bene qui latuit bene vixit ». Il reste d'ailleurs, au milieu de ce pays protestant, refuge des libertins, un catholique « des plus zélés ».

Pour mieux assurer sa solitude et dépister les curieux, il change une douzaine de fois de domicile : Franeker, Amsterdam, Utrecht, Leyde, Egmont, toutes villes munies d'une Université ou d'une Ecole ; il choisit au surplus, des localités où il peut pratiquer sa religion. Il supplie le P. Mersenne de ne révéler à personne « les lieux » où il réside. Mais, par son savant ami, il se tient au fait de tout le mouvement scientifique. La correspondance qu'ils échangent nous permet de suivre l'activité de Descartes durant cette période féconde.

Il se replonge dans la Physique. En vue de ses recherches d'Optique, il invite un artisan, Ferrier, à s'installer chez lui. Puis il s'applique à la Chimie et à l'Anatomie. En 1629, il étudie les météores : l'astronomie, nous le savons par Peiresc, attirait alors l'attention de beaucoup de savants en Europe.

Entre-temps, il travaille au grand dessein qu'il a jadis conçu. Il croit être parvenu à édifier dans son esprit l'unité des sciences et il a trouvé en outre le moyen d'exposer toutes ses pensées « en sorte qu'elles satisferont à quelques-uns et que les autres n'auront pas l'occasion d'y contredire ». En 1628, il compose en latin des *Règles pour la direction de l'esprit* qui, restées inachevées, ne seront publiées qu'en 1701, mais dont l'essentiel passera dans le *Discours de la Méthode*. Parallèlement, il poursuit la rédaction de son petit traité sur la Divinité : il en parle au P. Gibieuf le 18 juillet 1629.

Il n'est pas douteux qu'une intention religieuse anime tous ses travaux. Tous ceux, dit-il à Mersenne, à qui Dieu a donné l'usage de la raison « sont obligés de l'employer principalement pour tâcher à le connaître et à se connaître euxmêmes. C'est par là que j'ai tâché de commencer mes études ». La connaissance de l'homme et la méditation de Dieu donneront à Descartes le moyen de ramener les libertins de leurs erreurs. Il entre en colère quand il voit « qu'il y a des gens au monde si audacieux et si impudents que de combattre contre Dieu ». Aussi songe-t-il à terminer « un petit traité de métaphysique... dont les principaux points sont de prouver l'existence de Dieu et celle de nos âmes ». Ces mots de 1630, retenons-les : ils formulent le programme essentiel de Descartes.

Néanmoins le travail que le penseur projette de faire paraître le premier est une philosophie des sciences, écrite en français, qu'il appelle, dans ses lettres, son *Traité du Monde*. Il est en train de l'achever, en novembre 1633, lorsqu'il apprend que le *Système du Monde* de Galilée a été condamné à Rome. Comme le mouvement de la Terre faisait partie de sa Physique, Descartes ajourne la publication de son ouvrage, qui ne paraîtra, comme son *Traité de l'Homme,* qu'en 1664.

N'imaginons pas toutefois un philosophe si retiré du siècle que nul sentiment humain ne pût le toucher. Outre qu'il trouvait une instructive distraction dans le spectacle de cette Hollande grouillante et bariolée qui lui révélait la diversité pittoresque des hommes, il se laissait fléchir aux passions communes. Il aima une Hélène Jans avec qui peut-être il contracta un mariage secret et qui en 1635 lui donna une fille. Cette petite Francine mourut à cinq ans : ce fut là le « plus grand regret qu'il eût jamais senti de sa vie ». « Je ne suis pas, écrira-t-il, de ceux qui estiment que les larmes et la tristesse n'appartiennent qu'aux femmes. » Il cultivait de chères amitiés, notamment avec ce Constantin Huygens auquel il écrivait en 1637 : « Les maux qui nous touchent nous-mêmes ne sont point comparables à ceux qui touchent nos amis. »

En 1637, Descartes commence à publier, prudemment et par morceaux, son grand œuvre. D'abord le *Discours de la Méthode* (chez Jean Maire à Leyde, écrit en français et paru sans nom d'auteur). Puis trois ouvrages en latin qui furent ensuite, et d'accord avec l'auteur, traduits en français : Les *Méditations sur la Philosophie première dans laquelle l'existence de Dieu et l'immortalité de l'âme sont démontrées* (1641 : trad. par le duc de Luynes en 1647); les *Objections et Réponses aux Objections* (1642); les *Principes de Philosophie* (1644). Enfin, en 1649, le traité *Des Passions de l'Ame.*

En 1649, la reine Christine de Suède l'invite à Stockholm. Dans le « dessein de polir et de cultiver » son royaume, elle y appelait les savants. C'est le résident de France en Suède, Pierre Chanut, qui transmit à Descartes la flatteuse invitation. Il eut de la peine à vaincre les répugnances du philosophe, qui n'avait rien d'un courtisan et qui redoutait le voyage. Il partit enfin le 1er septembre 1649. Il ne tarda pas à le regretter. La rigueur du climat d'hiver, qui, disait-il, gèle jusqu'aux pensées des hommes, l'incommodait fort. La Reine, pour prendre leçon du philosophe, le convoquait trois fois la semaine à cinq heures du matin. Frileux et habitué à se lever tard, il ne résista pas à ce régime : il fut terrassé par une pneumonie. Il mourut pieusement le 11 février 1650.

La galerie du Palais de Justice, à Paris.
Gravure d'Abraham Bosse.

(Bibliothèque nationale, Cabinet des Estampes.)

Extrait de *la Littérature française*,
par Bédier-Hazard-Martino, Larousse, éditeur.

En 1666, ses restes furent apportés à Paris et inhumés
dans l'église Sainte-Geneviève. Sous la Convention, le tombeau
de Descartes, destiné d'abord au Panthéon, fut transféré au
Jardin Elysée des Monuments français. En février 1819, on
le transporta à Saint-Germain-des-Prés où il se trouve encore,
placé entre Mabillon et Montfaucon.

Son Œuvre. L'aventure de Descartes, si personnelle et
solitaire qu'il l'ait voulue, ne s'explique bien
que si on la rattache au mouvement intellectuel et moral de
son époque.

Dans la pensée comme dans la politique et dans la littérature, les Français de 1630 aspiraient à sortir de la « confusion baroque », à construire un ordre conforme aux règles
de la raison et qui satisfît leur ambition de grandeur.

Descartes part de cette constatation décevante : l'anarchie
et le désarroi qui règnent dans le domaine du savoir et de
la philosophie : « Sitôt que j'eus achevé tout ce cours d'études
au bout duquel on a coutume d'être reçu au rang des doctes...,
je me trouvai embarrassé de tant de doutes et d'erreurs qu'il
me semblait n'avoir fait autre profit, en tâchant de m'instruire,
sinon que j'avais découvert de plus en plus mon ignorance. »

Il a été surtout déçu par la philosophie : « Je ne dirai
rien de la philosophie, sinon que, voyant qu'elle a été cultivée
par les plus excellents esprits qui aient vécu depuis plusieurs
siècles et que néanmoins il ne s'y trouve encore aucune chose
dont on ne dispute et par conséquent qui ne soit douteuse,
je n'avais point assez de présomption pour espérer d'y rencontrer mieux que les autres; et que, considérant combien
il peut y avoir de diverses opinions touchant une même matière
qui soient soutenues par les gens doctes, sans qu'il y en puisse
avoir jamais plus d'une qui soit vraie, je réputais presque
pour faux tout ce qui n'était que vraisemblable. »

Aristote prétend imposer encore sa doctrine; mais elle a
prouvé sa stérilité et les meilleurs esprits s'en détournent :
elle n'engendre, par ses « controverses », que des « disputes,
des querelles, des guerres » : ainsi s'exprimera Descartes dans
une lettre à Beeckman; et il conclura, de cette condamnation
de la scolastique, qu'il faut la « détruire avant tout ».

Consulterons-nous alors, pour nous refaire une sagesse, le
« grand livre du monde » ? Le résultat de cette nouvelle enquête
est pareillement décevant : « Pendant que je ne faisais que
considérer les mœurs des autres hommes, je n'y trouvais
guère de quoi m'assurer et j'y remarquais quasi autant de
diversité que j'avais fait auparavant entre les opinions des

philosophes. En sorte que le plus grand profit que j'en retirais
était... que j'apprenais à ne rien croire trop fermement de
ce qui ne m'avait été persuadé que par l'exemple et par la
coutume. »

Ainsi rien n'est sûr. Une seule attitude reste légitime : le
doute, un doute que Descartes étend à tous les ordres de la
connaissance. Aux sens : « A cause que nos sens nous trompent quelquefois, je voulus supposer qu'il n'y avait aucune
chose qui fût telle qu'ils nous la font imaginer. » A la
raison : « Parce qu'il y a des hommes qui se méprennent en
raisonnant,... je rejetai comme fausses toutes les raisons que
j'avais prises auparavant pour démonstrations. »

Le pyrrhonisme est-il donc « le vrai » ? et Descartes se
range-t-il dans la foule des disciples de Montaigne ? Non.
Certes, Descartes tient compte de leurs analyses dissolvantes.
Mais il n'a pas la tête faite pour le « mol oreiller ». Il le
dit : il n'est pas de ceux « qui ne doutent que pour douter ».
Il « passe outre » (il aime ce mot) aux interdictions des
pyrrhoniens, qui ne peuvent abolir l'idée et le besoin invin-
cibles que nous avons de la vérité. Son doute à lui sera
provisoire et « de méthode » : « Tout mon dessein ne tendait
qu'à m'assurer et à rejeter la terre mouvante et le sable
pour trouver le roc ou l'argile. » A la place d'un « vieux
logis ruineux », « bâtir » un nouvel édifice intellectuel, non
pas à son seul usage, mais à l'usage de tous les hommes :
tel est le haut dessein de Descartes. Et nous savons déjà que
le chrétien qu'il est considère au surplus que dans son entreprise, les intérêts de la religion sont engagés. Il veut, il l'a
dit, « soutenir la cause de Dieu ». C'est bien ce que Bérulle
a compris et c'est pourquoi il l'a encouragé.

Les pyrrhoniens, en déclarant illusoire toute certitude, et
les philosophes scolastiques, par la fragilité dérisoire de
leurs argumentations, ont favorisé le scepticisme religieux et
l'athéisme. Nous avons entendu Descartes s'emporter d'indi-
gnation contre les « impudents » qui osent nier Dieu. Mais
« après l'erreur de ceux qui nient Dieu, dit-il dans le *Discours
de la Méthode*,... il n'y en a point qui éloigne plutôt les
esprits du droit chemin de la vertu que d'imaginer que l'âme
des bêtes soit de même nature que la nôtre et que par
conséquent nous n'avons rien à craindre ni à espérer après
cette vie, non plus que les mouches et les fourmis. »

« Existence de Dieu », « distinction réelle entre l'âme et le
corps de l'homme » : Descartes répond à l'appel des théologiens qui « exhortent les philosophes à faire tous leurs efforts
pour tâcher de... démontrer » ces deux vérités « par des

moyens humains, c'est-à-dire tirés des seules lumières de la raison ».

Ainsi celui qu'on dit le père du rationalisme moderne se présente-t-il d'abord à nous comme un chrétien qui a subi les oscillations de ses contemporains, épousé et approfondi leurs doutes, mais qui, refusant de s'y abandonner, a cherché des bases nouvelles aux grandes vérités. A sa façon, il a voulu faire œuvre d'apologiste.

Notre étude de Descartes, qui se placera au seul point de vue qui est le nôtre : celui de l'histoire littéraire, adoptera l'ordre que le penseur lui-même nous indique : Métaphysique - Physique - Morale.

Métaphysique Le *Discours de la Méthode* s'est présenté comme une préface à trois traités scientifiques : la *Dioptrique,* les *Météores* et la *Géométrie.* Descartes d'abord avait pensé donner à l'ouvrage ce titre ambitieux : *Le projet d'une science universelle qui puisse élever notre nature à son plus haut degré de perfection. Plus la Dioptrique, les Météores et la Géométrie ; où les plus curieuses matières que l'auteur ait pu choisir, pour rendre preuve de la science universelle qu'il propose, sont expliquées en telle sorte que ceux mêmes qui n'ont point étudié les peuvent entendre.*

Descartes a jugé bon de renoncer à cette annonce éclatante. Mais ces formules ont de l'intérêt : elles font saisir l'ampleur encyclopédique du dessein que se proposait le novateur, la confiance magnifique qu'il mettait en ses règles et enfin la supériorité qu'il donnait au simple bon sens, « la chose du monde la mieux partagée », sur « le savoir enrouillé des pédants » comme dira Molière : trois caractères du « classicisme ».

Descartes, annonçant le livre à son ami Constantin Huygens le 1er novembre 1635, lui disait : « En ce projet, je découvre une partie de ma méthode, je tâche à démontrer l'existence de Dieu et de l'âme séparée du corps, et j'y ajoute plusieurs autres choses qui ne seront pas, je crois, désagréables au lecteur. »

Après nous avoir raconté ses études, ses lectures, ses voyages et les déceptions qui s'ensuivirent, Descartes, dans la deuxième partie, explique sa méthode. Il encadre cet exposé dans une histoire de sa pensée, qui correspond en gros à ce que nous en savons par ses lettres, sauf peut-être qu'il la présente dans un ordre plus logique. Dans son poêle d'Allemagne, rappelons-nous ce que lui a révélé « l'Esprit de vérité » : que la science est une et que l'unification de tous les savoirs dispersés ne peut être que l'œuvre d'un seul. Ecoutons-le : « Je m'avisai de considérer que souvent il n'y a pas tant de perfection dans les ouvrages composés de plusieurs pièces et faits de la main de divers maîtres qu'en ceux auxquels un seul a travaillé. » Mais il a vu aussi qu'on ne pouvait commencer par tout bouleverser avant de reconstruire, comme font les gens aux « humeurs brouillonnes et inquiètes ». « Je me résolus d'aller si lentement et d'user de tant de circonspection en toutes choses que, si je n'avançais que fort peu, je me garderais bien au moins de tomber. Même je ne voulus point commencer à rejeter tout à fait aucune des opinions qui s'étaient pu autrefois glisser en ma créance sans y avoir été introduites par la raison, que je n'eusse auparavant employé assez de temps à faire le projet de l'ouvrage que j'entreprenais et à chercher la vraie Méthode pour parvenir à la connaissance de toutes les choses dont mon esprit serait capable ».

Or, Descartes a remarqué que dans la géométrie, où se rencontre la plus parfaite certitude, les raisonnements, qui forment de « longues chaînes toutes simples et faciles » partent des choses « les plus simples et les plus aisées à connaître ». Il a jugé qu'il en devait être de même dans tous les domaines du savoir. Ainsi se formèrent dans son esprit les linéaments de sa méthode. Il la résume en ces quatre préceptes :

« Le premier était de ne recevoir aucune chose pour vraie que je ne la connusse évidemment être telle : c'est-à-dire d'éviter soigneusement la précipitation et la prévention ; et de ne comprendre rien de plus en mes jugements que ce qui se présenterait si clairement et si distinctement à mon esprit que je n'eusse aucune occasion de le mettre en doute.

» Le second, de diviser chacune des difficultés que j'examinerais en autant de parcelles qu'il se pourrait et qu'il serait requis pour les mieux résoudre.

» Le troisième, de conduire par ordre mes pensées, en commençant par les objets les plus simples et les plus aisés à connaître pour monter peu à peu, comme par degrés, jusqu'à la connaissance des plus composés et supposant même de l'ordre entre ceux qui ne se précèdent point naturellement les uns les autres.

» Et le dernier, de faire partout des dénombrements si entiers et des revues si générales, que je fusse assuré de ne rien omettre. »

Cette méthode, dont le principe fondamental est l'évidence et qui s'appuie sur trois règles, inséparables en pratique : la division, la simplification et l'énumération, Descartes en a éprouvé la fécondité dans les sciences mathématiques ; il veut essayer de l'appliquer aux « autres sciences » et d'abord, sans doute, à la Physique. Mais tout problème de Physique fait appel à des notions telles que la matière et le mouvement :

on entre par là dans un domaine plus élevé, proprement philosophique. Et on peut en dire autant des autres disciplines.
Donc « ayant pris garde que leurs principes devaient tous
être empruntés de la Philosophie, en laquelle je n'en trouvais
point encore de certains, je pensai qu'il fallait, avant tout, que
je tâchasse d'y en établir... cela étant la chose la plus importante ». Mais, comme il est très jeune (il a vingt-trois ans), il
ajourne cette recherche à plus tard.

Dans la troisième partie du *Discours,* Descartes nous dit
quelle conduite il a tenue en attendant de se mettre à « bâtir »
son nouveau « logis » intellectuel. Car il faut vivre, il faut
agir, et on ne le peut faire qu'en suivant certaines règles. Il se
forme donc une « morale par provision » qui tient en « trois
ou quatre maximes » : il obéira aux lois et coutumes de son
pays ; il sera ferme et résolu dans ses actes, lors même que ses
« opinions » resteront douteuses ; enfin il tâchera toujours à se
vaincre plutôt que la fortune (ce qui est un précepte stoïcien).
« Après m'être ainsi assuré de ces maximes et les avoir mises
à part, avec les vérités de la foi, qui ont toujours été les premières en ma créance, je jugeai que pour tout le reste de mes
opinions je pouvais librement entreprendre de m'en défaire. »

Ici, commence la quatrième partie. Et d'abord, faisons table
rase. « Je me résolus de feindre que toutes les choses qui
m'étaient jamais entrées dans l'esprit n'étaient non plus vraies
que les illusions de mes songes. » A présent, reconstruisons.
Sur quelle base ? Ecoutons ces paroles, qui sont parmi les
plus illustres dans l'histoire des idées : « Mais aussitôt après,
je pris garde que, pendant que je voulais ainsi penser que tout
était faux, il fallait nécessairement que moi qui le pensais fusse
quelque chose ; et remarquant que cette vérité : *Je pense, donc
je suis* était si ferme et si assurée que toutes les plus extrava-
gantes suppositions des sceptiques n'étaient pas capables de
l'ébranler, je jugeai que je pouvais la recevoir, sans scrupule,
pour le premier principe de la philosophie que je cherchais. »

Notons ici que ce « principe » (Descartes l'a expliqué plus
tard) n'est pas un « concept », mais un « être ». « Je suis »
n'est pas la conclusion d'un syllogisme dont la majeure serait
sous-entendue (« Tout ce qui pense est ou existe ») ; ce que
Descartes saisit, dans « une simple inspection de l'esprit »,
c'est qu'il est un être pensant (*res cogitans*). Mais « qu'est-ce
qu'une chose qui pense ? », se demandera plus tard Descartes
(*Méditation deuxième*). Il répondra : « C'est une chose qui
doute, qui entend, qui conçoit, qui affirme, qui nie, qui veut,
qui ne veut pas, qui imagine aussi et qui sent ». Ce sont tous
nos états de conscience, en tant que tels, que le philosophe

comprend dans la Pensée. « Je ne suis donc, précisément parlant, qu'une chose qui pense, c'est-à-dire un esprit. » Je ne
sais pas encore s'il y a des corps ; l'existence réelle des
choses que je conçois ou imagine ne m'est pas assurée. Ce qui
m'est assuré, et avec une évidence impossible à récuser, c'est
que je suis « une substance dont toute l'essence ou la nature
n'est que de penser et qui pour être n'a besoin d'aucun lieu
ni ne dépend d'aucune chose matérielle, en sorte que ce Moi,
c'est-à-dire l'Ame par laquelle je suis ce que je suis est entièrement distincte du corps et même qu'elle est plus aisée à
connaître que lui, et qu'encore qu'il ne fût point, elle ne laisse-
rait pas d'être tout ce qu'elle est. »

Voilà établie en certitude une première vérité fondamentale :
la « distinction réelle entre l'âme et le corps de l'homme »,
c'est-à-dire la spiritualité de l'âme. Irons-nous plus loin et
conclurons-nous à son immortalité ? Descartes avait cru d'abord
pouvoir le faire. Les *Méditations* de 1641 s'intitulaient : *Méditations sur la philosophie première, dans laquelle l'existence de
Dieu et l'immortalité de l'âme sont démontrées*. Mais l'édition de
1642 corrigeait, et remplaçait les mots « immortalité de l'âme »
par « la distinction de l'âme et du corps ». Sans doute, Descartes a prouvé qu'étant distincte du corps, l'âme « n'est point
naturellement sujette à mourir avec lui » : elle est donc
immortelle par nature. Mais il avoue ne pouvoir démontrer
« que Dieu ne la puisse annihiler ». Toutefois, la philosophie
même nous offre une si favorable présomption que la foi du chrétien en est grandement facilitée. C'est ce qui ressort d'une belle
lettre de Descartes à Constantin Huygens, qui venait de perdre
son père (la lettre est du 10 octobre 1642). Descartes lui propose un « remède » pour « adoucir » sa douleur : « Il consiste
en la considération de la nature de nos âmes, que je pense si
clairement devoir durer plus que le corps et être nées pour des
plaisirs et des félicités beaucoup plus grandes que celles dont
nous jouissons en ce monde, que je ne puis concevoir autre
chose de ceux qui meurent, sinon qu'ils passent à une vie plus
douce et plus tranquille que la nôtre et que nous les irons trouver quelque jour, même avec la souvenance du passé : car je
reconnais en nous une mémoire intellectuelle qui est assurément indépendante du corps ».

Après ce premier pas, le « cavalier français » en fait un
second plus hardi encore et sur quoi, comme sur le premier, on
discutera jusqu'à la fin des temps. De l'existence de l'âme, il
passe d'un bond à l'existence de Dieu. La démonstration peut
tenir en quelques mots. Il apparaît au penseur, qui a com-

mencé par douter, que le fait de douter est une imperfection. Il a donc l'idée d'un être plus parfait que lui. D'où peut venir cette idée du parfait ? Ni du néant, ni du créé toujours imparfait. « Il restait qu'elle eût été mise en moi par une nature qui fût véritablement plus parfaite que je n'étais et même qui eût en soi toutes les perfections dont je pouvais avoir quelque idée, c'est-à-dire... qui fût Dieu. » Cette démonstration, on le voit, se fonde sur le principe de causalité : l'idée de parfait ne peut provenir que d'un être parfait.

Il est une autre preuve, plus courte et qui procède par la seule analyse de l'idée de Dieu. « Revenant à examiner l'idée que j'avais d'un Etre parfait, je trouvais que l'existence y était comprise, en même façon qu'il est compris en celle d'un triangle que ses trois angles sont égaux à deux droits ou en celle d'une sphère que toutes ses parties sont également distantes de son centre, ou même encore plus évidemment. » En résumé, on ne peut concevoir un Parfait à qui manquerait la perfection d'exister.

C'est l'argument appelé « ontologique » et dont on donne la paternité à saint Anselme. Remarquons toutefois que, comme le dira Pascal du *Cogito* (qu'on pourrait faire remonter à saint Augustin), cette démonstration prend, chez Descartes, un sens original et la démarche de la pensée est différente de ce qu'elle est chez saint Anselme. Il est de l'essence même de la doctrine cartésienne, comme l'a observé Etienne Gilson, de « conclure du connaître à l'être ». Ce dont j'ai l'idée claire et distincte existe réellement. Descartes y a insisté : « Il n'est pas en ma liberté de concevoir un Dieu sans existence. » Par conséquent, « il est pour le moins aussi certain que Dieu, qui est cet être si parfait, est ou existe, qu'aucune démonstration de géométrie le saurait être. » Il pense alors aux libertins et il ajoute : « S'il y a encore des hommes qui ne soient pas assez persuadés de l'existence de Dieu et de leur âme par les raisons que j'ai apportées, je veux bien qu'ils sachent que toutes les autres dont ils se pensent peut-être plus assurés, comme d'avoir un corps... sont moins certaines. »

Il faut dire plus : c'est l'existence de Dieu qui nous assure de l'existence du monde extérieur. Car Dieu qui, étant parfait, est la véracité même, ne saurait permettre que les « idées » ou « notions » que nous concevons clairement et distinctement soient fausses. Dieu étant donné, la réalité de nos connaissances est assurée.

Dieu a créé le monde par un libre décret de sa volonté. Le monde intellectuel et le monde corporel. Donnons toute la rigueur possible au terme de « création ». Dieu est l'auteur libre de toutes les vérités, y compris les vérités dites « éternelles », comme les vérités mathématiques, comme les principes d'identité et de causalité, qui sont par conséquent des créations contingentes. Pour prendre un exemple grossier, Dieu peut faire que deux et deux fassent cinq.

Quant au monde des corps, ne concevons pas leur création comme la projection de natures ou d'essences douées de virtualités internes qu'elles développent et par où elles s'orientent vers une fin propre. Pour Descartes il n'est pas de causes secondes, pas de « formes substantielles ». Le temps n'est pas un « continu », il est fait de moments indépendants. Dieu crée l'univers à chaque instant : c'est ainsi que Descartes traduit la notion thomiste de la conservation des êtres. Chaque chose dépend de Dieu directement à chaque moment. L'être de chaque chose est en réalité une succession d'êtres replongés, pour ainsi dire, incessamment dans le néant et en ressurgissant à nouveau. On comprend l'adhésion de Bérulle à cette doctrine qui insiste aussi impitoyablement sur le néant de la création et sa dépendance à l'égard de Dieu. C'est par là, d'ailleurs, par sa négation des « essences », que la philosophie de Descartes a pu être nommée un existentialisme.

Quoi qu'il en soit, ayant prouvé Dieu et l'âme, et ainsi muni de la certitude fondamentale, Descartes peut aller de l'avant : il peut déduire l'univers.

Physique   A l'esprit s'oppose la matière. Du *Cogito,* j'ai conclu «que mon essence consiste en cela seul que je suis une chose qui pense ou une substance dont toute l'essence ou la nature n'est que de penser ». Mais aussi je sens que j'ai un corps et sa réalité m'est attestée par la véracité de Dieu. et de même que « d'un côté j'ai une claire et distincte idée de moi-même en tant que je suis seulement une chose qui pense et non entendue », de même et d'un autre côté « j'ai une idée distincte du corps, en tant qu'il est seulement une chose étendue et qui ne pense point. »

La matière, qui est une sous ses diversités apparentes et ses changements, se définit par l'étendue et seulement par elle : seule de tous les attributs des corps, l'étendue est une notion claire et distincte. L'étendue, dit encore Descartes, est la seule « qualité première » de la matière. Les autres qualités, « secondes », telles que couleur, saveur, odeur, peuvent se modifier ou s'abolir, ainsi qu'on le constate par la simple — et fameuse — expérience du « morceau de cire ».

De cette identification de la matière et de l'étendue résultent des corollaires importants. D'abord il n'y a pas de vide dans la nature, puisque l'étendue qui, par hypothèse, séparerait deux corps serait un corps. L'univers est un « corps continu », l'étendue se confond avec l'espace. On peut déduire de là, entre autres lois, que la lumière se transmet de façon instantanée : les deux bouts d'un bâton se meuvent simultanément. On conçoit dès lors que le monde des corps, qui n'est qu'étendue géométrique (ou « figure ») et mouvement, est soumis aux seules lois de la mathématique. « Je n'ai rien trouvé sur la nature des choses matérielles, affirme Descartes à Morus, dont je ne puisse très facilement trouver une raison mécanique. » « Ma Physique, dit-il encore, n'est autre chose que Géométrie » (A Mersenne, 27 juillet 1638).

La vie organique elle-même n'est qu'une des formes de cet universel mécanisme : l'être vivant n'est qu'une machine dont tous les rouages obéissent aux lois générales. Les animaux privés de raison sont de purs automates. « Cela crie, mais cela ne sent pas », dira Malebranche. Combien de coups de pieds seront donnés à des chiens, pendant un siècle, dont Descartes est responsable ! Quant à nous-mêmes, nous serions aussi des machines automatiques si nous n'étions doués d'une âme spirituelle qui donne un caractère original au composé humain.

Mais au fait, peut-on parler de « composé » ? Descartes a employé ce terme traditionnel. Mais l'âme et le corps, pensée pure et étendue pure, radicalement hétérogènes, ne sont-ils pas seulement « juxtaposés », si le mot, en ce cas, offre un sens ? Quel est le principe d'individuation de l'homme ? Comment faut-il se représenter l'union de l'âme et du corps ? D'une pensée pure et d'un morceau d'espace ? Si totalement distincts, comment vont-ils se « composer » ? A ce problème, malgré la bonne volonté de certains critiques, on ne voit pas que Descartes apporte une solution parfaitement claire. C'est une des faiblesses de ce vigoureux système.

Il n'est pas de notre propos de suivre le philosophe dans tout le détail de sa Physique et de sa Physiologie. Rappelons seulement qu'il a trouvé dans la glande pinéale l'organe qui a bien voulu servir de domicile à l'âme et où s'exerce l'action réciproque de la partie spirituelle et de la partie corporelle de l'homme. C'est là que se rendent les « esprits animaux » qui se forment dans le cœur et « qui sont comme un vent très subtil ou plutôt comme une flamme très pure et très vive qui, montant continuellement en grande abondance du cœur dans le cerveau », se distribue ensuite « par les nerfs dans les muscles et donne le mouvement à tous les membres ». L'âme, en agissant sur la glande pinéale, a le pouvoir de diriger les esprits et d'orienter le corps vers telle action librement choisie par elle.

Morale.   Descartes n'a jamais exposé, dans un traité
                  spécial, la conception qu'il se fait de la
morale. Il avait l'intention de le faire. Il a remis cette œuvre à
plus tard : à ses yeux, « la plus haute et la plus parfaite
morale » présupposait « une entière connaissance des autres
sciences ».

La morale provisoire qu'il s'était faite, au temps de son doute
méthodique, avait de la sagesse et de la grandeur. Par la
suite, l'occasion lui fut donnée d'en développer les règles. Il
avait connu en Hollande la fille aînée de Frédéric V, futur
roi de Bohême, la princesse Elisabeth : c'était une jeune fille
d'une intelligence supérieure, la seule personne, disait-il, qui fût
entrée pleinement dans l'intelligence de son système. Entre eux
s'établit une correspondance curieuse qui nous montre le
modèle d'une belle amitié spirituelle et où Descartes se révèle
un directeur de conscience ferme et prudent. C'est à Elisabeth
qu'il dédia ses *Principes de Philosophie* et il composa pour elle
un *Traité des Passions* (1649). Les préceptes qu'il y donne
sont présentés par lui comme suffisants à mener l'Homme au
Souverain Bien et il est probable qu'ils fussent entrés dans
sa doctrine définitive.

Nous savons que Descartes a emprunté quelques principes
au stoïcisme qui était en son temps la doctrine en vogue et
peut-être s'est-il inspiré directement de Du Vair. La même
aspiration à une vie haute et énergique donne de nobles accents
à ses analyses des différentes passions.

Peut-être n'ont-elles pas été lues par Corneille ; beaucoup
d'entres elles étaient de nature à lui plaire. Il serait sans doute
resté indifférent aux considérations physiologiques qui ouvrent
le traité et qui sont une application générale du système de
Descartes au mécanisme des passions. Mais Descartes, qui
aimait la médecine, ne se désintéresse jamais de l'utilisation
pratique de la science ; il décrit le jeu des appétits et il dit
comment les « divers mouvements » des nerfs « font voir à
notre âme divers sentiments » : ses explications ont beau être
fausses, ses remarques sont souvent vraies et utiles. Il excelle
surtout à étudier le retentissement des « pensées » de l'âme
sur le corps et l'usage que l'on en doit faire pour parvenir à la
sagesse.

Les « pensées » de l'âme sont de deux sortes : ses
« actions », qui sont « nos volontés » ; ses « passions » sont
« des perceptions ou des sentiments ou des émotions » qui
« sont causées et entretenues et fortifiées par quelque mouvement des esprits » animaux.

On peut distinguer six passions primitives : « l'admiration, l'amour, la haine, le désir, la joie et la tristesse ». « Toutes les autres sont composées de quelques-unes de ces six ou bien en sont des espèces ».

Les passions « sont toutes bonnes de leur nature et... nous n'avons rien à éviter que leurs mauvais usages ou leurs excès ». C'est à la raison qu'il appartient de régir ces mouvements de notre âme. A condition de les « bien employer », ce sont « les hommes qu'elles peuvent le plus émouvoir » qui « sont capables de goûter le plus de douceur en cette vie ».

Ce combat est difficile, mais glorieux et révélateur de la qualité morale d'un homme. Descartes l'explique dans cette belle page *En quoi on connaît la force ou la faiblesse des âmes* (art. 48) : « C'est par le succès de ces combats que chacun peut connaître la force ou la faiblesse de son âme ; car ceux en qui naturellement la volonté peut le plus aisément vaincre les passions et arrêter les mouvements du corps qui les accompagnent ont sans doute les âmes les plus fortes ; mais il y en a qui ne peuvent éprouver leur force, pour ce qu'ils ne font jamais combattre leur volonté avec ses propres armes, mais seulement avec celles que lui fournissent quelques passions pour résister à quelques autres. Ce que je nomme ses propres armes sont des jugements fermes et déterminés touchant la connaissance du bien et du mal, suivant lesquels elle a résolu de conduire les actions de sa vie ; et les âmes les plus faibles de toutes sont celles dont la volonté ne se détermine point ainsi à suivre certains jugements, mais se laisse continuellement emporter aux passions présentes, lesquelles, étant souvent contraires les unes aux autres, la tirent tour à tour à leur parti et, l'employant à combattre contre elle-même, mettent l'âme au plus déplorable état qu'elle puisse être. »

Les héros de Corneille et ceux de Racine pouvaient se reconnaître en ces portraits contrastés.

Nous ne reviendrons pas sur la « générosité » cartésienne, que nous avons examinée à propos de Corneille, sauf à souligner que cette vertu, qui traduisait l'idéal de grandeur qui était le climat du siècle, résume en quelque sorte toutes les autres, car elle n'est autre chose que « l'usage de notre libre arbitre ». La générosité, vertu des âmes bien nées, « sert de remède contre tous les dérèglements des passions ». Les « généreux » sont « entièrement maîtres de leurs passions ». De là provient, dans l'âme de qui pratique cette vertu, une « satisfaction si puissante pour le rendre heureux que les plus violents efforts des passions n'ont jamais assez de pouvoir pour troubler la tranquillité de son âme ». Il est parvenu, autant qu'il se peut en ce monde, au Souverain Bien.

Bien que cette morale se tienne à dessein sur le terrain de la philosophie et se donne pour objet d'étudier et de recommander les seules vertus naturelles, il est incontestable que le christianisme l'imprègne en profondeur. On doit en dire autant de la page qui termine la *Méditation troisième* et qui fournirait une belle péroraison au *Traité des Passions*. Descartes vient de démontrer l'existence de Dieu :

« Il me semble très à propos de m'arrêter quelque temps à la contemplation de ce Dieu tout-parfait, de peser tout à loisir ses merveilleux attributs ; de considérer, d'admirer et d'adorer l'incomparable beauté de cette immense lumière, au moins autant que la force de mon esprit, qui en demeure en quelque sorte ébloui, me le pourra permettre. Car comme la foi nous apprend que la souveraine félicité de l'autre vie ne consiste que dans cette contemplation de la majesté divine, aussi expérimentons-nous dès maintenant qu'une semblable méditation, quoique incomparablement moins parfaite, nous fait jouir du plus grand contentement que nous soyons capables de ressentir en cette vie. »

De l'admiration, Descartes s'élève même jusqu'à un sentiment à peu près inconnu des Anciens : l'amour de Dieu : « La méditation de toutes ces choses remplit un homme qui les entend bien d'une joie si extrême... qu'il pense déjà avoir assez vécu de ce que Dieu lui a fait la grâce de parvenir à de telles connaissances ; et, se joignant entièrement à lui de volonté, il l'aime si parfaitement qu'il ne désire plus rien au monde, sinon que la volonté de Dieu soit faite. »

C'est là sans doute qu'il est permis de voir l'intention dernière de la morale de Descartes et même de toute sa philosophie.

Grandeur Ce qui frappe le plus chez Descartes, c'est
et Faiblesses son ambition et son esprit de conquête. Il a
de Descartes. voulu remplacer Aristote et fonder une phi-
Son influence. losophie nouvelle. Dans le désordre des opinions discordantes, il revient à la simplicité.
Il a voulu rassembler l'univers dans une synthèse claire et féconde en développements. Il apporte dans la philosophie le même dessein d'unification impérieuse et la même volonté de puissance que Richelieu dans la politique.

Son entreprise n'est pas de pure spéculation. S'il vise à la connaissance du monde, c'est dans la pensée de « faciliter tous les arts et diminuer le travail des hommes ». Grâce à sa méthode, la médecine pourra nous épargner la vieillesse et prolonger la vie jusqu'à deux ou trois siècles. Ainsi de toutes

les sciences, qui rendront les hommes « maîtres et possesseurs
de la nature ».

La fécondité indéfinie de la méthode cartésienne tient à la
mise au point d'un merveilleux instrument de travail intellectuel : la déduction, c'est-à-dire l'enchaînement et le développement des connaissances à partir des idées claires ou des
« natures simples ». Dans l'intuition première du *Cogito,*
Descartes fait la découverte de Dieu, puis du monde. C'est
en lui-même, et plus précisément dans l'idée de Dieu qui est
incluse en sa pensée que l'homme trouve tous les secrets de
l'univers. Le microcosme porte en lui le macrocosme. « J'ai
tâché, dit-il, de trouver en général les principes ou premières
causes de tout ce qui est ou peut être dans le monde, sans
rien considérer, pour cet effet, que Dieu seul qui l'a créé ni les
tirer d'ailleurs que de certaines semences de vérité qui sont
naturellement en nos âmes. » Il fonde tout le savoir sur l'analyse des attributs divins. « La plus haute et la plus parfaite
science », dit-il encore, consiste à « connaître *a priori* toutes
les diverses formes et essences des corps terrestres ». Toutefois,
quand on vient au détail des choses naturelles, on est sub-
mergé de leur diversité innombrable et il est impossible de
discerner d'emblée comment tel effet dérive des principes généraux : « il peut en être déduit de diverses façons ». C'est ici
qu'intervient l'expérience, indispensable certes, comme on le
voit, mais dont la seule utilité est de confirmer la vérité de la
déduction, non pas de fonder proprement la science.

Cette audace a de quoi confondre. Elle a eu l'avantage de
redonner aux penseurs et aux savants, paralysés par les ironies des pyrrhoniens, une enthousiaste confiance dans la
puissance de la raison et dans les ressources de l'esprit humain.
On peut ajouter qu'en scrutant avec tant d'acuité l'exercice de
la pensée, en insistant sur la nécessité d'une méthode exigeante, Descartes a fait accomplir un progrès considérable à la
Philosophie. A longue échéance, le cartésianisme a secoué les
routines léthargiques du thomisme et l'a contraint de se rénover.

Mais on a le droit de penser que la doctrine des idées claires
a causé, en dépit des intentions droites de son fondateur, de
grands ravages intellectuels et spirituels. En vertu d'une dialectique qui n'est paradoxale qu'en apparence, l'entreprise uni-
fiante de Descartes s'est révélée une œuvre de division.

Au départ, il est probable que le chrétien Descartes ambitionnait de créer une philosophie qui, au défaut de la scolastique ruinée, pût servir de support à la Théologie. Mais, plus
précautionneux sur ce point que saint Thomas, il s'est contenté
de mettre en sûreté l'existence de Dieu et la spiritualité de

l'âme. Quant aux vérités révélées, il se borne à éviter tout conflit avec les théologiens. C'est à peine s'il fait remarquer en passant que le dogme de la transsubstantiation s'explique mieux dans son système que dans celui de l'Ecole. En réalité, il a rendu plus profond le divorce, commencé avant lui, de la philosophie et de la théologie. Comme, séparant la foi de la raison, il se réduisait à construire un monde de géomètre et à enseigner un Dieu de la création, il était facile de faire de lui le fondateur du rationalisme et du déisme. Or, du déisme à l'athéisme, Bossuet l'a dit, le trajet est court. Pascal a bien vu que l'univers cartésien, tout mécanique, pouvait, après la première « chiquenaude », se passer de Dieu.

A tout le moins, le Dieu de Descartes, créateur libre des vérités éternelles et des essences qui ne sont plus rattachées à son Etre, recule dans un lointain inaccessible. Il n'a plus rien de commun avec l'homme et l'Incarnation devient infiniment plus malaisée.

D'autant que le monde lui-même, pulvérisé en « natures simples » devenu passivité pure, privé de finalité, a cessé de désirer Dieu et de faire ascension vers Lui. Que reste-t-il de ce mouvement de la Créature au Créateur qui définit le sens même de la Création, qui est l'Histoire même de l'univers ?

L'homme cartésien, lui aussi, a perdu sa cohésion intime. L'âme s'est disjointe violemment de son corps et n'a plus avec lui, pour ainsi dire, que des relations contre nature. De cette division du composé humain, découle une conséquence inévitable : selon qu'il porte son attention sur l'une ou sur l'autre des deux parties, le philosophe, poussé par le besoin de rétablir l'unité, versera dans l'idéalisme ou dans le matérialisme. Les deux éventualités se sont produites : mutilation irrémédiable de la nature humaine.

Les seules règles de la Méthode, si on les manie sans précautions, peuvent mener à de graves erreurs. L'identification de la clarté géométrique et de la vérité, la généralisation des mathématiques, la « substitution du nombre à la figure », de la quantité à la qualité, font de l'univers un simple réseau de relations arithmétiques. Le cartésien conséquent écarte comme faux ou illusoire tout ce qui implique du vague, de l'indéfinissable, du mystère. Ces réductions pourront être commodes aux disciplines scientifiques et accélérer leur progrès ; mais la poésie et la religion risquent d'y subir de graves dommages.

On ne peut affirmer que Descartes ait exercé une influence notable sur les écrivains classiques. La « raison » qui préside à l'esthétique de Boileau n'est pas tout à fait celle de

Descartes. On peut seulement dire qu'en réservant à la raison, dans le domaine de la connaissance métaphysique, un rôle primordial, Descartes s'accordait avec une des tendances fondamentales de Malherbe et de Chapelain.

Il est plus juste de voir en lui l'un des responsables de la Querelle des Anciens et des Modernes. Descartes, dédaigneux du grec et du latin, peu respectueux de l'Antiquité, regardant la Raison comme la source de tout progrès, a préparé les voies et fourni des arguments aux défenseurs des Modernes et à leur entreprise contre la Poésie. Fontenelle est un cartésien convaincu, l'abbé de Saint-Pierre aussi. On prêtera à Boileau cette parole qui, authentique ou non, contient une grande part de vérité : « La philosophie de Descartes a coupé la gorge à la poésie. »

L'action de Descartes s'est exercée dans d'autres domaines que la littérature. Au début elle rencontra des résistances, chez Gassendi d'abord, chez les Jésuites surtout qui, liés au thonisme ». Dès lors il s'engage dans une voie dangereuse. En 1687, l'*Index* les écrits philosophiques de Descartes (1663). Mais de bonne heure, elle s'est fait sentir dans deux groupes importants : l'Oratoire et Port-Royal, qui « communiaient » avec Descartes en saint Augustin. Servie ensuite par un avocat ingénieux et tenace, Clerselier, elle rayonna assez vite sur toute la France. La mode s'en mêla vers 1660. On discuta de philosophie cartésienne dans les salons, chez la marquise de Sablé, chez le cardinal de Retz, chez le prince de Condé. Ces succès mondains, toutefois, dont le plus joli témoignage est le *Discours* de La Fontaine *à Mme de La Sablière,* furent sans conséquence. C'est dans les hautes régions de la pensée que le système de Descartes fit son chemin et devint le « cartésianisme ». Dès lors il s'engage dans une voie dangereuse. En 1687, alors que le système de Descartes était en passe de conquérir toutes les chaires d'Europe, Bossuet, qui pourtant avait de la sympathie pour cette philosophie, pressentait le péril qu'elle allait faire courir à l'Eglise et il le dénonçait, avec une étonnante perspicacité, dans une lettre à un disciple de Malebranche : « Pour ne rien vous dissimuler, je vois, non seulement en ce point de la nature et de la grâce, mais encore en beaucoup d'autres articles très importants de la religion, un grand combat se préparer contre l'Eglise sous le nom de la philosophie cartésienne. Je vois naître de son sein et de ses principes, à mon avis mal entendus, plus d'une hérésie ; et je prévois que les conséquences qu'on en tire contre les dogmes que nos pères ont tenus la vont rendre odieuse et feront perdre à l'Eglise tout le fruit qu'elle en pouvait espérer pour établir dans l'esprit des philosophes la divinité et l'immortalité de l'âme. »

Bossuet marque bien, du reste, dans la même lettre, avec les réserves que la justice impose, le risque essentiel de la philosophie cartésienne : « De ces mêmes principes mal entendus, un autre inconvénient terrible gagne insensiblement les esprits ; car, sous prétexte qu'il ne faut admettre que ce qu'on entend clairement (ce qui, réduit à de certaines bornes, est véritable), chacun se donne la liberté de dire : j'entends ceci et je n'entends pas cela ; et, sur ce seul fondement, on approuve ou on rejette tout ce qu'on veut, sans songer qu'outre nos idées claires et distinctes, il y en a de confuses et de générales qui ne laissent pas d'enfermer des vérités si essentielles qu'on renverserait tout en les niant. »

Bossuet mettait le doigt sur le point sensible du système. Le cartésianisme, c'est le principe fondamental de Descartes détaché de tout ce qui pouvait le corriger et étendu sans discernement à tous les ordres de connaissance.

Fontenelle a revendiqué le premier la liberté de séparer la méthode de Descartes de sa doctrine : « C'est lui, à ce qu'il me semble, qui a amené cette nouvelle méthode de raisonner, beaucoup plus estimable que sa philosophie même, dont une bonne partie se trouve fausse ou fort incertaine, selon les propres règles qu'il nous a apprises. »

Dès lors, au XVIIIe siècle, lorsqu'on mit en question la foi chrétienne que Descartes avait toujours respectée, on ne vit plus en lui que le champion de la raison et des idées claires. Il eut par là sa part de responsabilité dans la philosophie des Encyclopédistes. D'Alembert, dans le *Discours préliminaire de l'Encyclopédie*, place l'entreprise sous son patronage : Descartes, dit-il, est « comme un chef de conjurés » qui n'aurait pas approuvé toutes les formes de la conjuration, mais qui en a fourni le plan et les moyens : « Les armes dont nous nous servons pour le combattre ne lui en appartiennent pas moins parce que nous les tournons contre lui. »

Spinoza, Leibnitz et Kant lui doivent beaucoup. Quant aux rationalistes modernes, ils s'accordent à le saluer comme leur commun maître et celui-là sans doute exprimait l'opinion générale du XIXe siècle qui écrivait : « Du siècle d'Auguste à celui de Descartes, j'aperçois un vide de deux mille ans ». Si ce jugement est une belle ânerie, il indique néanmoins la place que les modernes ont faite au philosophe du *Cogito* dans l'histoire de la pensée humaine ou, si l'on préfère, dans l'histoire de leur pensée.

Descartes ne saurait passer pour un grand écrivain. Sa phrase lente et un peu lourde, bien charpentée et qui sent de trop près

René Descartes.
Portrait par Franz Hals.

(Musée du Louvre.)

la syntaxe latine, est celle que l'on rencontre souvent à la même époque. Parmi les honnêtes gens de cette première moitié du XVIIᵉ siècle, on n'aurait pas de peine à trouver d'aussi bonnes plumes. Ce qui caractérise Descartes, c'est la force du cheminement ; les mots dessinent, avec une entière probité, le mouvement de la pensée et les subordinations se lient avec un souci de totale vérité, une progression inexorable. L'ordre de la période suit rigoureusement « l'ordre des raisons ». N'attendons pas du philosophe des concessions au lyrisme ou à l'émotion. Quelques images sobres et familières viennent parfois égayer sa sévérité. C'est tout.

Mais au reste, dans cette allure pesante et circonspecte, une tension se laisse deviner et comme une violence domptée. De là, un surprenant pouvoir de persuasion qui a frappé tous les contemporains : « Descartes, disait Christian Huygens (le fils de Constantin) avait trouvé la manière de faire prendre ses conjectures et fictions pour des vérités. Et il arrivait à ceux qui lisaient ses *Principes de Philosophie* quelque chose de semblable à ceux qui lisent des romans qui plaisent et font la même impression que les histoires véritables. »

CONCLUSION

On a pu remarquer, au long de cette étude, le retour fréquent de constatations analogues et de bilans semblables : fantaisie refrénée, effort de discipline, progrès de la « régularité », victoire de la raison et des bienséances... Au risque de quelque monotonie, il a paru préférable de souligner les signes de convergence, les étapes d'un mouvement dont l'ampleur et la force sont en effet très frappantes. Et si les conclusions qui se dégagent de ces pages vont dans le sens des jugements que la tradition a toujours portés sur cette période, n'est-ce pas une garantie supplémentaire de leur justesse ?

Quoi qu'il en soit, et bien qu'on ait le droit de n'avoir pas un goût très vif pour le terme de « préclassicisme », qui paraît n'accorder qu'une valeur relative et préliminaire aux œuvres de ce début du XVIIe siècle, on doit bien constater que la tendance existe réellement, vers un idéal de « beauté poétique » élaboré à nouveau par une raison plus éclairée et régi par des préceptes plus étudiés.

Le plus remarquable n'est pas que la majorité des écrivains s'y soient soumis ; mais c'est que les génies foncièrement rebelles de nature à la règle (tel Théophile) et dont le penchant les porte à un épanouissement spontané et à une exploitation sans contrôle de leurs richesses, les tempéraments dont les vertus sont de force déployée et de jaillissement innombrable (tel Corneille) aient accepté, moyennant quelques protestations de forme, cette coûteuse discipline.

Un « baroque dompté » : on veut bien que le classicisme se définisse par cette formule, à condition de ne pas oublier que dans le baroque, tout n'est pas baroque et que chaque auteur a sa façon à lui de maîtriser ses élans.

Après les destructions des guerres civiles, on rebâtit. Après avoir « taillé », il faut « coudre ». Mais la lassitude est grande, et le scepticisme. Le climat ne semble pas favorable à la promulgation d'une doctrine. Pourtant ceux mêmes qui peut-être ne croient pas que l'intelligence humaine puisse parvenir à aucune certitude sont convaincus qu'une discipline est nécessaire à la vie et que seules peuvent la sauver d'un chaos funeste, en esthétique et en morale comme en politique, des lois précises qui, contraignant la fantaisie individuelle, permettent l'essor d'un génie national. Le pouvoir, qui tâche à faire prévaloir ces maximes dans la gestion des affaires du royaume, souhaite que la littérature s'inspire du même esprit et coopère à l'entreprise.

Il y fallait un « grison », un homme d'âge mûr et d'expérience comme l'était le roi Henri IV. Malherbe, qui a cinquante ans, une rigueur inflexible de doctrine, toute la pondération d'un tempérament ennemi des aventures spirituelles, se présente : et il est merveilleusement accordé à la fonction que le pouvoir et l'opinion lui demandent d'exercer. C'est lui d'abord qui engage la poésie et toute la littérature dans le chemin de la « régularité ». Après lui, Chapelain, Vaugelas, Balzac poursuivent l'œuvre et ils nous ont assez répété les maîtres-mots du nouvel Art poétique pour que nul malentendu ne soit possible. Raison, vraisemblance, « honnêteté » : ce sont les principes, d'où découlent des préceptes impérieux.

D'abord, un génie n'a pas le droit de se livrer à la débauche solitaire de sa « fureur ». Pas davantage il ne peut se prétendre appelé à quelque mission prophétique. Le mot de Malherbe sur l'inutilité sociale du poète n'est qu'une boutade, et trompeuse : mais son outrance voulue vise à rabattre les illusions orgueilleuses du « vates » ronsardien.

A son rang modeste, le poète néanmoins fera son office utile : il exprimera pour tout le monde — et non pas seulement pour quelques fidèles extasiés — les vérités morales qui affermissent l'Etat et gardent les hommes des écarts qui risqueraient d'être dangereux au bien commun.

Pour tout le monde ? Entendons-nous : non pas pour le « rude populaire » qui n'y entend rien. La « suffisance » et le « goût » qui donnent accès à la poésie ne sauraient être le fait des « personnes mécaniques ». Qu'on élargisse le sanctuaire où se confinait la Pléiade, soit. Mais n'exposons pas non plus les Muses aux carrefours. La littérature classique, avec les différences qu'établissent parmi les hommes leur génie propre et leurs idées particulières, sera un compromis entre la rareté et la vulgarité, l'aristocratisme et le « populisme ».

Boileau accusera Molière d'être « trop ami du peuple ». Il oublie que l'auteur du *Misanthrope,* recueillant les leçons de la génération littéraire qui l'a précédé, a eu l'immense mérite de

créer une comédie qui fût accessible à la fois aux gens les plus
éclairés du parterre et aux personnes les plus raisonnables de
la Cour. A égale distance de la farce de Tabarin et des pièces
encore alambiquées de Corneille, Molière donne l'exemple le
plus frappant peut-être de cet équilibre, fait de clarté, de raison, d' « honnêteté », préconisé par Malherbe et Chapelain.

Les écrivains ne perdent pas de vue pour autant que l'art
doit créer de la beauté. Et c'est pourquoi, contre les révoltes de
jeunes « modernes » qui d'ailleurs, la plupart, savent admirer
Virgile et Sénèque, on maintient que la source des Belles-
Lettres est dans l'Antiquité. Une conviction générale, parfois
mal consciente, mais profonde, issue d'une tradition imimé-
moriale et que chaque écolier puise au collège, veut que les Grecs
et les Latins, apparus dans la jeunesse de l'humanité, bénéficiant de la fraicheur et de l'éclat que présentent les choses à leur
éclosion, aient produit d'un seul coup des œuvres insurpassa-
bles. Les Modernes peuvent seulement nourrir l'ambition de
les égaler. Ils ont leurs avantages : les vérités nouvelles apportées par la Révélation chrétienne et une raison mûrie par l'expérience des siècles. L'Italie, douée d'un brillant génie, a créé
des œuvres qui justifient sa prétention d'avoir rallumé chez
elle le flambeau de la poésie homérique et virgilienne. Mais la
logique du thème *De translatione studii* autorise la France à
revendiquer à son tour la succession : tous les efforts des
écrivains et des artistes, de Marot à Boileau, tendent à ravir
aux Italiens ce privilège et à transférer le Parnasse des bords
du Tibre et de l'Arno aux rives de Loire et de Seine.

On peut exprimer la même vérité en disant que les littérateurs français du xviie siècle demandent aux Anciens, en
réalité, le secret de devenir eux-mêmes des Anciens. Ils sont
convaincus que la France peut faire naître des Homères et
des Virgiles, des Euripides et des Térences. Mais l'idée que l'on
se fait des moyens de parvenir à cette prééminence a fait des
progrès depuis Rabelais. Il n'est plus question de se bourrer
la mémoire de textes grecs et latins et de les dégorger tels
quels en langue vulgaire : on n'arrive par là qu'à donner naissance à des monstres, produits d'une pédanterie délirante. Ce
ne sont pas les mots des Anciens qu'il faut décalquer, c'est leur
leçon qu'il faut s'assimiler. Ogier le dit, dans son *Apologie de
Balzac* : ce que les écrivains de son temps doivent et veulent
faire, c'est « dérober l'art et l'esprit des Anciens plutôt que
leurs paroles ». Maxime riche de sens, que Saint-Evremond, en
1685, reprendra en termes plus remarquables encore : « Les
poèmes d'Homère seront toujours des chefs-d'œuvre, non pas
en tout des modèles. Ils formeront notre jugement ; et le

jugement réglera la disposition des choses présentes » (*Sur les poèmes des Anciens*).

Les Anciens ont parlé, avec une pureté merveilleuse, leur langue natale. Quoi de plus beau que la « naïve » simplicité d'Homère ? Que le poète donc parle son français commun avec le même naturel, la même absence de singularité. Ronsard était resté un vieil écolier. Nous devons être de vrais adultes.

Un ronsardisme persistant, la contagion des modes espagnoles et italiennes, une certaine conception erronée de la grandeur ont fait croire à quelques poètes que la beauté poétique consistait dans l'accumulation des ornements, dans l'emphase gesticulatoire, dans la violence bariolée des images. La Raison — étayée ici encore par l'exemple des grands Anciens — doit ramener ce maniérisme aux limites de la bienséance et de l' « honnêteté ».

C'est là que visera l'effort tenace des maîtres et des guides. Peu à peu reculera le baroque, dont il faut, sous peine d'absurdes confusions, placer le terme vers 1640-1650. Il s'en faut que, pour autant, nos écrivains renoncent à leur idéal de grandeur. De hautes pensées, mais sereines et harmonieuses, les sentiments communs de l'homme de tous les siècles, mais enrichis et ennoblis par le christianisme, c'est là ce qui fera la valeur de notre littérature ; c'est par là qu'elle méritera d'égaler l'œuvre des Anciens.

Les poètes de la Grèce ont exhalé leurs chants immortels dans un élan spontané, exempt de douleur. Nous ne pouvons nous targuer de ce privilège, qui était celui de la jeunesse radieuse du monde. Si nous voulons rivaliser avec eux, ce n'est que par réflexion laborieuse que nous y parviendrons. Certes l'inspiration est nécessaire : mais encore davantage l'étude et le travail. La Ménardière l'écrit dans son *Art poétique :* « Quelque avantage que je donne à la nature pour la poésie, j'estime que l'art y est au moins aussi nécessaire. » Homère a chanté sans doute comme il respirait. Mais les œuvres humaines, si géniales soient-elles, sont régies par des lois, subtiles tant qu'on voudra, mais discernables à l'examen attentif. Nous pouvons arriver à savoir pourquoi *l'Iliade* ou *l'Antigone* sont belles, pourquoi Térence a réussi d'aussi parfaites comédies. Des scoliastes, des critiques ont scruté et dégagé les secrets de l'art. L'apprenti des Muses ne se bornera pas à savoir par cœur les grands poèmes : il est plus important encore pour lui d'étudier ces ingénieux auteurs de *Commentaires* et d'*Arts poétiques* ou il trouvera, énumérés, catalogués, les principes constitutifs de ces chefs-d'œuvre, les règles infaillibles qui lui donneront de créer, à son tour, des œuvres achevées. « Plus le poème approche de ces règles, affirme Chapelain en 1623 dans la *Préface* de l'*Adone,* plus il est poème, c'est-à-dire plus va-t-il près de la perfection. »

C'est pourquoi l'on voit paraître, en cette période « pré-classique », de si nombreux traités de rhétorique et de commentaires d'Aristote : qu'on se rappelle la liste effrayante que dresse Scudéry des volumes de théorie qu'il a ingérés avant de se mettre à écrire son *Alaric ;* et Corneille lui-même avoue tout ce qu'il doit, non seulement à la *Poétique,* mais à « tous ses interprètes » : Robortello surtout, mais aussi Castelvetro, et Heinsius. Grands esprits, grands professeurs de beauté, mais qui ne doivent leur maîtrise, en réalité, qu'à ce fait qu'ils ont su en perfection formuler et détailler en préceptes les exigences de la Raison. « Raison et jugement partout, dira Nicolas Poussin, c'est le rameau d'or de Virgile. »

S'il y a quelque chose encore de gauche, de raide, de compassé dans les œuvres de cette première moitié du XVIIe siècle, chez Malherbe le premier et même chez Corneille, on se l'explique mieux quand on voit l'apprentissage scolaire qu'avant de se mettre à écrire les auteurs se sont imposé. Ils avaient, certes, répétons-le, l'ambition de parvenir au naturel ; ils n'y sont pas tout à fait arrivés : mais ils avaient conscience d'être les premiers à entreprendre une œuvre difficile. Corneille, lorsqu'il pose la plume après *Pertharite,* se flatte d'avoir « contribué » à l'embellissement du théâtre français ; il ajoute : « Il en viendra de plus heureux après nous qui le mettront à sa perfection ». Oui, décidément, nos auteurs accepteraient probablement le nom de « préclassiques ».

Ils n'étaient pas, d'ailleurs, si entichés des règles qu'ils n'eussent pas conscience de leur insuffisance. Ils savaient que la beauté, au-delà des préceptes de l'art, consiste en « une certaine grâce naturelle qui... doit reluire comme un petit rayon de divinité... Ce point est si haut qu'il... ne se saurait enseigner » (Faret, *L'Honnête homme*). Ce « petit rayon de divinité », qu'ils appellent le « je ne sais quoi », cette grâce radieuse et souple, ce charme par où s'achève la beauté, cette seconde simplicité à laquelle on n'accède que par l'entière assimilation des moyens de l'art, ce sera le secret de Racine et de La Fontaine.

Mais ce ne peut pas être là notre dernier mot. La littérature préclassique, il faut le redire, ne borne pas son mérite à « préparer les grands chefs-d'œuvre », suivant une formule paresseuse à laquelle l'historien doit à jamais renoncer. Ces poètes, ces romanciers, ces penseurs de l'âge « baroque », ils

ont leur figure singulière et leur séduction propre : une vitalité
ardente, une poésie frémissante, un désir mal refréné de dépasser
les limites qu'une « politique » trop méfiante assigne aux emportements de l'âme, aux hardiesses de la pensée et aux exubérances du langage, ces tentations d'héroïsme anarchique contenues
par la sagesse ou le calcul : ce sont là des sentiments capables d'inspirer de grandes œuvres, et ils n'y ont pas manqué.
De belles trouvailles et de beaux plaisirs sont encore réservés
à qui veut explorer ce domaine, longtemps méconnu ou dédaigné, de notre littérature.

BIBLIOGRAPHIE

Abréviations : S.T.F.M. : Société des Textes français modernes, chez Didier ; T.L.F. : Textes littéraires français : Genève, Droz et Lille, Giard, puis Paris, Minard ; B.H.R. : Bibliothèque d'Humanisme et Renaissance, Genève, Droz ; R.H.L.F. : Revue d'Histoire littéraire de la France, Paris, A. Colin.

INTRODUCTION

OUVRAGES GENERAUX

Nous ne mentionnerons pas les Histoires générales de la Littérature, sauf l'excellent Bédier-Hazard, revu par Pierre MARTINO, P., Larousse, 1948-49.

Pour une exploration bibliographique d'ensemble, on a profit à consulter BOURGEOIS (E.) et ANDRÉ (L.), *Les sources de l'Histoire de France au* XVIIe *siècle* (1610-1715), Paris, 1913-1935, 8 vol.

L'ouvrage fondamental et indispensable est ADAM (A.), *Histoire de la littérature française au* XVIIe *siècle*, tome I *: L'époque d'Henri IV et de Louis XIII*, t. II : *L'époque de Pascal*, P., Domat, 1948-1951. Travail riche de faits et d'idées, fondé sur des recherches souvent originales. Mais on y perçoit une sympathie préalable pour les révoltés de toute espèce. La haine de Richelieu et de l'Eglise l'entraîne à des erreurs graves et à d'inacceptables raccourcis. Le point de vue littéraire est sacrifié à l'exposé politique ou philosophique ; le jugement de valeur esthétique est absent ou faible.

On trouve des aperçus fort intéressants dans d'anciens ouvrages trop oubliés : DEMOGEOT (J.), *Tableau de la littérature française au* XVIIe *s. avant Corneille et Descartes ;* P., 1859. — R. P. LONGHAYE (G.), *Hist. de la Litt. française au* XVIIe *s.*, P., 1895-96, 4 vol.

Le Préclassicisme français, présenté par Jean TORTEL, P., Cahiers du Sud, 1952. Etudes de valeur inégale ; de bons textes, notamment sur le libertinage. — *Dictionnaire des Lettres françaises* - XVIIe *siècle*, publ. sous la direction du Cardinal GRENTE, P., 1954. Malgré des lacunes surprenantes et des inégalités, l'ouvrage est très précieux. Bonne introd. d'Emile HENRIOT, bibliogr. générale de Robert Barroux. — MONGRÉDIEN (G.), *La vie littéraire en France au* XVIIe *s.*, P., 1947.

LE BAROQUE

Un choix s'impose parmi la surabondance des livres que la mode du baroque a provoquée. On se contentera des ouvrages suivants, où l'on trouvera d'ailleurs des indications bibliographiques : Mourgues (Odette de), *Metaphysical, Baroque and Precieux Poetry* (thèse), Oxford, 1953. — Tapié (V. L.), *Baroque et Classicisme*, P., 1957 : le point de vue est celui d'un historien de la civilisation européenne ; ouvrage magistral, riche de suggestions. — Rousset (J.), *La littérature de l'âge baroque. Circé et le Paon* (thèse), P., 1954 : livre plein de poésie, brillant, séduisant, mais partiel et dont l'éclairage est finalement assez fallacieux. — *La Revue des Sciences humaines* (Lille) a consacré un numéro au Baroque : n° 55-56, juill.-déc. 1949. — De même la Revue *XVIIᵉ siècle* (Société d'Etude du xviiᵉ siècle), n° 20, 1953 : « Du Baroque au Classicisme ». — Raymond (M.), *Baroque et Renaissance poétique*, P., 1955 : aperçus profonds et ingénieux.

PREMIERE PARTIE

La littérature de 1600 à 1630

CHAPITRE PREMIER

LA POESIE

COLLECTIONS DE TEXTES

Collection des plus belles pages, P., Mercure de France. — Olivier (P.) : *Cent poètes lyriques, précieux ou burlesques du* xviiᵉ *s.*, P., 1898, 4 vol. — *Anthologie poétique du* xviiᵉ *s.*, p. p. M. Allem, P., Garnier. s. d., 2 vol. — Maulnier (Th.) : *Introd. à la poésie française*, P., 1939 ; du même, *Poésie du* xviiᵉ *s.* (Anthologie), P., 1945. — Arland (M.) : *Anthologie de la poésie française*, P., 1941. — Duviard (F.) : *Anthologie des poètes français*, xviiᵉ *s.*, P., 1947. — *Anthologie de la poésie baroque française*, p. p. Jean Rousset (Biblioth. de Cluny), P., 1961, 2 vol. — *Anthologie de la poésie religieuse française*, p. p. Dominique Aury, P. 1943.

On trouvera le catalogue des Recueils collectifs dans Lachèvre (F.), *Bibliographie des recueils collectifs de poésie publiés de 1597 à 1700*, P., 1901-1906, 4 vol. : t. I-II : époque de 1597 à 1661, près de 650 auteurs avec 7 600 pièces en 80 recueils comprenant 94 vol. Le t. IV (supplément) accroît encore ces chiffres.

Etudes : Ouvrages généraux

Faguet (E.) : *Histoire de la Poésie française de la Renaissance au Romantisme*, P., 1923-1927, t. I-II-III : ce sont des cours, réunis et publ. par F. Strowsky ; études psychologiques et littéraires, toujours intelligentes, parfois hâtives. — Cart (A.) : *La poésie française au* xviiᵉ *s.* (1594-1630), (Coll. Le Livre de l'Etudiant), P., 1939 : excellent résumé. — Lebègue (R.) : *La poésie française de 1560 à 1630*, P., 1947, 2 vol.

Malherbe

Textes : Deux bonnes éditions modernes : *Œuvres complètes* p, p. L. Lalanne (Coll. Grands Ecrivains de la France), P., 1862, 5 vol. Pour la poésie, consulter de préférence *Les Poésies*, p. p. Ph. Martinon, P., 1926, et surtout *Poésies*, p. p. J. Lavaud (S.T.F.M.), P., 1936-37, 2 vol.

Etudes. — Le guide nécessaire est Fromilhague (R.) : *La vie de Malherbe, apprentissage et luttes* (1555-1610), P., 1954 (thèse compl.) ; du même : *Malherbe, technique et création poétique* (thèse princ.), ibid. 1954. — Arnould (L.) : *Anecdotes inéd. sur Malherbe*, P., 1893. — Counson (A.) : *Malherbe et ses sources*, P., 1904. — Lebègue (R.) : *Nouvelles études malherbiennes* (B.H.R., t. V) ; du même : *Les Larmes de saint Pierre, poème baroque*, dans *R. des Sciences humaines*, 1949.

Mainard

Œuvres, p. p. Prosper Blanchemain, Genève, 1864. — *Œuvres poétiques*, p. p. G. Garisson, P., 1885-88, 3 vol. : l'éditeur y a joint par erreur les œuvres de Fr. Ménard, de Nîmes. — *Poésies*, p. p . F. Gohin, P., 1927.

A consulter : Drouhet (Ch.), *Le poète François Maynard*, P. 1909 (excellente thèse).

Racan

Œuvres, p. p. Tenant de La Tour (Biblioth. Elzévirienne), P., 1857, 2 vol ; on recourra de préférence pour les poésies à *Œuvres*, éd. critique, p. p. L. Arnould (S.T.E.M.), P., 1930-37, 2 vol., malheureusement incompl. des *Psaumes* (et des œuvres en prose). — *Les Bergeries et autres poésies lyriques*, p. p. P. Camo, P., 1928.

A consulter : la thèse monumentale et définitive de Louis Arnould : *Racan*, P., 1896, 2ᵉ éd., 1902. — Important article de Lebègue (R.), *Les relations de Malherbe et de Racan*, dans *Rev. Cours et Conférences*, t. II, 1924-25.

LA POESIE RELIGIEUSE

Sur La Ceppède, consulter la bonne étude de F. Ruchon, *Essai sur la vie et l'œuvre de J. de L. C.*, Paris-Genève, 1953. — Jean de Sponde, *Poésies*, p. p. Alan Boase et Fr. Ruchon, Genève, 1951 ; Alan Boase, *J. de S.*, Revue *Mesures*, oct. 1939 ; Arland (M.), *L'œuvre poétique* de J. de S., P., 1945. — CHASSIGNET : *Le Mespris de la vie...*, p. p. A. Muller (Coll. T.L.F.), P., 1953. Consulter : A. MULLER : *Un poète religieux du* XVIe *s.*, (thèse compl.), P., 1951.

Sur les trois poètes précédents, voir aussi la thèse d'A. MULLER, *La poésie religieuse catholique de Marot à Malherbe*, P., 1950.

LES SATIRIQUES

Recueils de textes : *Les Satires françaises du* XVIIe *siècle*, p. p. F. Fleuret et L. Perceau, P., 1923, 2 vol. (bibliogr.) ; *Le Cabinet Satyrique* (1618), p. p. les mêmes, P., 1924, 2 vol.

MATHURIN RÉGNIER

Textes : *Œuvres complètes*, p. p. J. PLATTARD, P., 1930 ; on préférera : *Œuvres complètes* p, p. G. RAIBAUD (S.T.F.M.), P., 1958, qui a corrigé beaucoup de fautes des éditions antérieures (*Cf* son art. R.H.L.F. 1931, p. 448) ; il reste encore à faire : des ponctuations défectueuses rendent le texte parfois incompréhensible.

Etude fondamentale : VIANEY (J.), *M. Régnier* (thèse), P., 1896 ; on y joindra RAIBAUD (G.), *M. R. écolier de Ronsard*, dans *Mélanges Chamard*, P., 1951 ; du même, *Où en sont nos connaissances sur Régnier*, dans *L'Information littéraire* 1954, n° 5 ; sur R. poète baroque, voir LEBÈGUE (R.), *La poésie baroque en France*, dans *Cahiers de l'Association internationale des études françaises*, n° 1 (juill. 1951).

LES SATIRIQUES MINEURS

SIGOGNE, *Œuvres satiriques*, p. p. F. Fleuret et L. Perceau, P., 1920. — BERTHELOT, *Œuvres satiriques*, p. par les mêmes, P. 1913. — MOTIN, *Œuvres inéd.*, p. p. P. d'Estrée, P., 1883.

THÉOPHILE DE VIAU

Ses œuvres ont paru successivement en 1621, 1623, 1624. Editions modernes : *Œuvres*, p. p. Alleaume (Biblioth. elzévir.), P., 1856, 2 vol ; *Œuvres poétiques*, éd. crit. p. p. Jeanne Streicher (T.L.F.), Genève-Lille puis Genève-Paris, 1951-58, 2 vol. ; cette édition rend inutile celle de L. R. Lefèvre, *Œuvres poétiques*, P., 1926 ; *Pyrame et Thisbé*, p. p. J. Hankis, Strasbourg, 1933. Consulter (avec précaution) : ADAM (A.), *Théophile de Viau et la libre-pensée française en 1620* (thèse), P., 1936.

SAINT-AMANT

Œuvres complètes, p. p. Ch. L. Livet (Biblioth. elzévir.), P., 1855, 2 vol. *Œuvres poétiques*, p. p. Léon Vérane, P., 1930. A consulter : DURAND-LAPIE (P.), *Saint-Amant*, P., 1890 ; VARENNE (P.), *Le bon gros S. A.*, Rouen, 1917 ; AUDIBERT (R.) et BOUVIER (R.), *S. A. capitaine du Parnasse*, P., 1946 ; et surtout GOURIER (Françoise), *Etude des*

œuvres poétiques de *S. A.,* Genève-Paris, 1961 : première étude méthodique des thèmes et des formes ; très bonne bibliographie.

BOISROBERT

Ses œuvres poétiques sont encore dispersées dans des recueils. Les
Epîtres en vers (1647 et 1649) ont été publ. p. Maurice Cauchie
(S.T.F.M.) P., 1917-1921, 2 vol. A consulter l'amusante et solide
étude de MAGNE (Emile), *Le plaisant abbé de Boisrobert,* P., 1909
(bibliogr. très complète).

CHAPITRE II

LE ROMAN

OUVRAGES GÉNÉRAUX

La plupart des romans de ce temps ne se trouvent que dans les
éditions originales. Il sera commode d'avoir recours à la *Bibliothèque
universelle des Romans,* 1775-1789, 112 vol., et à la *Nouvelle Biblioth.
des Romans,* 1798-1805, 56 vol.

Répertoires : Catalogues manuscrits de la Bibliothèque de l'Arsenal ;
SOREL (Ch.), *La Bibliothèque française,* 2ᵉ éd., P., 1667 ; LENGLET DU
FRESNOY, *De l'usage des romans... avec une bibliothèque des romans,*
Amsterdam, 1734, 2 vol. ; MARC (A.), *Dict. des romans anciens et
modernes,* P., 1819 ; *Supplément* 1824-28 ; WILLIAMS (R. C.), *Biblio-
graphy of the seventeenth century Novel in France* ; New York, mars
1932 ; utile, mais contient des erreurs.

Etudes : LE BRETON (A.), *Le roman au* XVIIᵉ *s.,* P., 1890 ; MORILLOT
(P.), *Le roman en France depuis* 1610 *jusqu'à nos jours,* P., 1894 ;
REYNIER (G.), *Le roman sentimental avant l'Astrée,* P., 1908 : solide
et judicieux ; du même, *Le roman réaliste au* XVIIᵉ *s.,* P., 1914 ;
MAGENDIE (M.), *Le roman français au* XVIIᵉ *siècle de l'Astrée au Grand
Cyrus,* P., 1932. Le meilleur ouvrage avec ceux de Reynier ; il y man-
que malheureusement des renseignements sur les auteurs, une biblio-
graphie et un Index.

L'ASTREE

Les quatre premières parties de *l'Astrée* ont paru pour la première
fois en 1607, 1610, 1619 et 1627 ; la cinquième, rédigée par BARO
d'après les papiers d'URFÉ, a été publiée en 1627. Deux éditions complètes du roman ont paru au XVIIᵉ s : en 1632-33 et en 1647 (en 5 vol.
chacune). Nouvelle édition p. p. Hugues Vaganay, Lyon, 1925-28,
5 vol. ; *L'Astrée,* analyse et extraits, p. p. M. Magendie, P., 1928.

A consulter : REURE (O.), *La vie et les œuvres d'Honoré d'Urfé,* P.,
1910 ; BOCHET (H.), *L'Astrée, ses origines, son influence,* Genève, 1925 ;
MAGENDIE (M.), *Du nouveau sur l'Astrée,* P., 1927 ; du même, *l'Astrée
d'H. d'U.* (coll. Les grands événements litt.), P., 1929. Voir aussi SAINT-
MARC GIRARDIN, *Index de l'Astrée,* R.H.L.F., 1898.

JEAN-PIERRE CAMUS

On trouvera une bibliographie assez complète des romans et nouvelles de Jean-Pierre Camus dans SAGE (P.), *Agathonphile*... (analyse et extraits) (T.L.F.) Genève-Lille, 1951, p. 131 sqq.

A consulter : BOULAS (F.), *Un moraliste chrétien sous Henri IV et Louis XIII, Camus, évêque de Belley* (thèse), Lons-le-Saunier, 1878 et Lyon, 1879 : médiocre et erroné sur plusieurs points ; BAYER (A.), *J. P. C., sein Leben und seine Romane*, Leipzig, 1906 ; SAGE (Pierre), *Le « Bon Prêtre » dans la Littérature française...* (thèse), Genève-Lille, 1951 ; du même, l'introduction d'*Agathonphile* cité plus haut.

CHARLES SOREL

Ed. moderne de l'*Histoire comique de Francion*, p. p. E. Colombey, P., 1858 ; une autre p. p. Em. Roy (S.T.F.M.), P., 1924-31, 4 vol.

A consulter : ROY (Em.), *La vie et les œuvres de Ch. S.*, P., 1891.

CYRANO DE BERGERAC

Ed. mod. : *L'Autre Monde ou les Etats et Empires de la Lune et du Soleil*, p, p. F. Lachèvre, P. 1933 ; *Les Œuvres libertines*... p. le même, P., 1921, 2 vol.

A consulter : LEFÈVRE (L. R.), *La vie de C. de B.* (Coll. Vie des Hommes illustres), P., 1927 ; QUINEL (Ch.) et MONTGON (A. de), *C. de B. et ses amis*, P., 1930.

CHAPITRE III

LE THEATRE

OUVRAGES GÉNÉRAUX

LANSON (G.), *Esquisse d'une histoire de la tragédie française*, P., 1927, réimp. 1954 : excellent schéma ; PETIT DE JULLEVILLE (L.), *Le théâtre en France*, P., 1889 : sommaire, périmé sur plusieurs points, mais intéressant par les idées générales ; RIGAL (E.), *Le théâtre français avant l'époque classique*, P., 1901 ; du même, *De Jodelle à Molière...*, P., 1911 : ces ouvrages, dépassés eux aussi, restent fort utiles.

A consulter : *Histoire générale du Théâtre*, par Lucien DUBECH..., P., 1931-34, 5 vol. in-4° ill. : superficiel, entaché d'erreurs, mais orné d'admirables et précieuses illustrations.

LE THEATRE AU XVIᵉ SIECLE

Collection de textes : VIOLLET-LE-DUC, *Ancien théâtre français* (Biblioth. elzévirienne), t. IV à VII, P., 1854-57 ; Edouard FOURNIER, *Le Théâtre français au* XVIᵉ *et au* XVIIᵉ *s.*, P. 1871.

Etudes générales : FAGUET (E.), *La Tragédie en France au* XVIᵉ *s.,*
P., 1883 : thèse dépassée au point de vue historique, mais qui reste
des plus utiles à consulter, notamment pour l'analyse des pièces ;
LEBÈGUE (R.), *La tragédie religieuse en France au* XVIᵉ *siècle* (thèse),
P., 1929 ; du même, *Tableau de la comédie française de la Renaissance*
(B. H. R.), t. VIII, 1946 ; Carrington LANCASTER (H.), *The French
Tragi-Comedy* (1551-1628), Baltimore, 1907 ; LINTILHAC (E.), *Histoire
générale du Théâtre en France, II, La Comédie à la Renaissance,* P.,
1904 ; MARSAN (J.), *La pastorale dramatique en France,* P., 1905 ;
HULUBEI (A.), *L'Eglogue en France au* XVIᵉ *s.,* P., 1938 ; CHAMARD (H.),
Histoire de la Pléiade, P., 1939-40, 4 vol. ; RAYMOND (M.), *L'influence
de Ronsard sur la poésie française* (1550-1585) (thèse), P., 1927, 2 vol.

AUTEURS

MELLIN DE SAINT-GELAIS, trad. de la *Sofonisba* de Trissino, dans la
Bibl. elzévir. ; BUCHANAN, *Baptistes* et *Jephtes,* dans *Georgii Buchanani
opera omnia,* Amsterdam, 1725. — MURET, *Julius Caesar,* dans *Juvenilia,* 1553. — TH. DE BÈZE, *Abraham sacrifiant* (1554), rééd. Genève,
1874 et 1923. — JODELLE, *Cléopâtre, Didon, Eugène,* p. p. Marty-
Laveaux (Bibl. elzév.) 1858 ; *Cléopâtre captive,* p. p. F. Gohin, P.,
1929 et par Bryce Ellis (L.), Philadelphie, 1946. — LA PÉRUSE, *Œuvres,*
nouv. éd. p. p. Gellibert des Seguins (L.), Angoulême, 1866 : éd. cri-
tique soignée. A consulter : Banachevitch (N.), *Jean Bastier de L. P.,*
P., 1923 (bibliogr.). — Jean de LA TAILLE, *Œuvres,* p. p. René de
Maulde, P., 1878-82, 4 vol. A consulter : DALEY (T. A.), *Jean de La
Taille, étude historique et littéraire,* P., 1934 ; Zelpa de NOLVA (Cl.),
Jean de La Taille et la règle des unités, dans *Mélanges Ernout,* P. 1940.
— Louis des MASURES, *Tragédies saintes,* p. p. Ch. Comte (S.T.F.M.),
P., 1907. — Jacques GRÉVIN, *Théâtre,* p. p. Lucien Pinvert, P. 1922.
A consulter : PINVERT (L.), *J. G.,* P., 1899. — Robert GARNIER,
Œuvres, p. p. L. Pinvert, P., 1923 ; et par R. LEBÈGUE, P., 1949-52 ; *Les
Juifves,* p. p. M. Hervier, P., 1945 ; *Bradamante,* p. par le même, *ibid.,*
1949. — A consulter : BERNAGE (S.), *R. G.,* P., 1880 ; CHARDON (H.),
R. G., Paris-Le Mans, 1905 ; GOURCUFF (O. de), *R. G.,* P., 1924 ;
LEBÈGUE (R.), *R. G.* dans *Rev. Cours et Conf.,* t. 32 et 33 ; MOUFFLARD
(Marie-Madeleine), thèse dactyl. soutenue en Sorbonne le 26 janvier
1957 ; cf. *Rev. d'Hist. du Théâtre,* 1957, I-II, p. 64. — A. DE MONT-
CHRESTIEN, *Les Tragédies,* p. p. L. Petit de Julleville (Bibl. elzév.),
P., 1891 ; *L'Ecossaise,* p. p. G. MICHAUT, P., 1905 ; *Aman,* éd. crit. p. p.
Georges Otto Seiver, Philadelphie, 1939 ; *Les Lacènes,* éd. crit., p. p.
Gladys Ethel Calkins, *ibid.,* 1943. — Remi BELLEAU, *Œuvres,* p. p.
Gouverneur, Nogent-le-Rotrou, 1867, 3 vol., et Marty-Laveaux. P.,
1877-78, 2 vol. — Odet DE TURNÈBE, *Les Contens,* p. p. Norman B.
Spector (T. L. F.), P. 1961. — Pierre LARIVEY, dans *Ancien Théâtre
français,* t. V-VII. A consulter : MORIN (L.), *Les trois Pierre de Lari-
vey,* Troyes, 1937 ; AMATO (M.), *La comédie italienne dans le théâtre
de Larivey,* P., 1909.

LE THEATRE DE 1600 A 1630

L'ouvrage essentiel est Carrington LANCASTER (Henry) *A History of
French Dramatic Literature in the* XVIIᵗʰ *century,* P., 1929-1942,
5 parties en 9 volumes : grande exactitude de l'information et des

analyses, jugement ferme et pondéré. Insuffisant sur la valeur esthétique.
Conditions de la vie dramatique. Voir les ouvrages généraux cités
plus haut. En outre : LEBÈGUE (R.), *Le théâtre baroque en France,* dans
B. H. R; t. II, 1944 ; du même, *La tragédie « shakespearienne » en
France au temps de Shakespeare,* R. C. C., 15 juin-30 juillet 1937 ;
HOLSBOER (S. W.), *L'histoire de la mise en scène dans le théâtre fran-
çais de 1600 à 1667* (thèse), P., 1933 ; BLANCHART (P.), *Histoire de la
mise en scène,* P., 1948 ; LECLERC (Hélène), *Les origines italiennes de
l'architecture théâtrale moderne,* P. 1946.
Sur la technique dramatique en général, voir l'excellente étude,
minutieuse, exhaustive, de SCHERER (J.), *La Dramaturgie classique en
France,* P., 1959 (abondante bibliographie).
Sur l'histoire des théâtres parisiens, voir DEIERKAUF-HOLSBOER (S. W.),
Le Théâtre du Marais, P., 1954-58, 2 vol. Grâce au Minutier Central
des Notaires, Mme D. H. rectifie une foule de dates traditionnellement
fausses ; contribution importante, malheureusement écrite dans un
français approximatif, à l'histoire du théâtre au XVII° siècle. Des fautes
de lecture dans la transcription de pièces importantes. — *Le Mémoire
de Mahelot, Laurent et autres décorateurs de l'Hôtel de Bourgogne,*
p. p. H. C. Lancaster, P., 1920.
Pour la connaissance des comédiens de cette époque, trois ouvrages
de Georges MONGRÉDIEN : *Les grands Comédiens du* XVII° *s.,* P., 1927 :
contient des erreurs, rectifiées dans le *Dictionnaire biographique des
comédiens français du* XVII° *siècle,* P., C. N. R. S., 1961 ; *Chronologie
des troupes qui ont joué à l'Hôtel de Bourgogne,* dans *Rev. d'Hist. du
Théâtre,* t. II, 1953 (bibliogr.) — Alexandre HARDY. Texte : *Le Théâtre
d'A. H.,* p. p. Von E. Stengel, Marburg, 1883-84, 5 vol. : édition
utile, mais défectueuse : nombreuses fautes d'impression. A consulter :
RIGAL (E), *A. H. et le théâtre français à la fin du* XVI° *s.,* P., 1889 :
beaucoup d'erreurs. A rectifier par DEIERKAUF-HOLSBOER (Mme S. W.),
Vie d'A. H., poète du Roy, dans *Proceedings of the American Philo-
sophical Society,* t. 91, 1947. — Jean DE SCHELANDRE, *Tyr et Sidon,*
version de 1608, p. p. J. Haraszti (S. T. F. M.), P., 1908 ; version de
1628 dans *Ancien Théâtre français,* t. 8. — Jean MAIRET, *Sylvie* (1628),
p. p. J. Marsan (S. T. F. M.), P., 1905 ; *Chryséide et Arimand* (1630),
p. p. H. C. Lancaster, P., 1925 ; *Sophonisbe* (1635), p. p. Ch. Dedeyan
(T. L. F.), P., 1945. A consulter : BIZOS (G.), *Etude sur la vie et les
œuvres de J. M.* (thèse), P., 1877.

DEUXIEME PARTIE

Elaboration de l'idéal classique

CHAPITRE PREMIER

LA FORMATION DE L'HONNETE HOMME

L'ouvrage capital sur ce point est la thèse de M. MAGENDIE, *La
Politesse mondaine et les théories de l'honnêteté en France de 1600
à 1660,* P., 1925, 2 vol (copieuse bibliographie). En outre : MONGRÉ-

DIEN (G.), *La vie de société au* XVIIe *et au* XVIIIe *s.*, P., 1950 : aimable vulgarisation, mais fondée sur de bons documents. — FARET, *L'Honneste Homme ou l'Art de plaire à la Court* (1630), rééd. p. M. MAGENDIE (thèse compl.), P., 1925. A consulter : BERNARDIN (N.), *Hommes et mœurs du* XVIIe *s.*, P., 1900. — MÉRÉ, *Œuvres complètes*, p. p. Ch. H. Boudhors, P., 1930, 3 vol. A consulter : VIGUIER (P.), *L'Honnête Homme au* XVIIe *s. : le Ch. de M.*, P., 1922. — Sur l'Hôtel de Rambouillet, l'ouvrage essentiel est celui d'Emile MAGNE, *Voiture et l'Hôtel de R.*, Nlle éd. P., 1929-30, 2 vol.

CHAPITRE II

LA FORMATION DE L'ECRIVAIN

Sur la réforme de MALHERBE, voir BRUNOT (F.), *La doctrine de Malherbe d'après son commentaire sur Desportes*, P., 1891, et FROMILHAGUE, ouvr. cité plus haut, 1re partie, ch. I. — VAUGELAS, *Remarques sur la Langue française*, publ. en fac-similé par Jeanne Streicher, avec Introduction et Bibliographie (S. T. F. M.), P., 1934. A consulter : *Commentaire sur les Remarques de Vaugelas par La Mothe Le Vayer*, etc, p. p. J. Streicher, P., 1936. — BALZAC, *Œuvres choisies*, p. p. L. Moreau, P., 1854, 2 vol ; *Premières Lettres* (1618-1627), p. p. H. Bibas et K. T. Butler (S. T. F. M.), P., 1933, 2 vol. A consulter : MICHAUT (G.), *La rhétorique de B.*, P., 1901 ; GUILLAUMIE (G.), *J. L. Guez de B. et la prose française* (thèse), P., 1927 (bibliographie) ; SUTCLIFFE (F. E.) *G. de B. et son temps. Littérature et politique*, P., 1959. — J. CHAPELAIN, *Lettres*, p. p. Tamizey de La Roque, P., 1880-83, 2 vol. ; *Opuscules critiques*, p. p. A. C. Hunter (S. T. F. M.), P., 1936 : précieuse réunion de textes importants. Consulter : COLLAS (G.), *J. Ch.*, P., 1912 (excellente étude). — V. CONRART. A consulter : R. KERVILER et Ed. de BARTHÉLEMY, *Valentin Conrart*, P., 1881 ; BOURGOIN (A.), *Conrart* (thèse), P., 1883 ; MABILLE DE PONCHEVILLE, *Conrart*, P., 1935.

L'Académie : PELLISSON et D'OLIVET, *Histoire de l'Académie française*, rééd. avec commentaires par Ch. L. Livet, P., 1858, 2 vol. ; BOISSIER (G.), *L'Académie française*, P., 1906 ; MASSON (F.), *L'Académie française* (1629-1793), P., 1913.

Sur la Préciosité : le *Dictionnaire des Précieuses* de SOMAIZE a été rééd. dans la Biblioth. elzévir. p. Ch. L. Livet, P., 1856 ; de l'abbé de PURE, *La Précieuse ou le Mystère des Ruelles*, p. p. Emile Magne (S. T. F. M.), P., 1938-39, 2 vol., avec une parfaite Introduction. A consulter LIVET (Ch. L.), *Prétieux et Précieuses*, P., 1859, 4e éd. 1896 : vieilli, contient de bons textes ; MAGNE (E.), *Madame de La Suze et la société précieuse*, P., 1908 ; MONGRÉDIEN (G.), *Les Précieux et les Précieuses, textes choisis*, P., 1939 ; BRAY (R.), *Anthologie de la poésie précieuse*, P., 1946 ; du même, une bonne étude : *La Préciosité et les Précieux*, P., 1948 ; FIDAO-JUSTINIANI (J. L.), *L'esprit classique et la préciosité*, P., 1914 ; FAGNIEZ (G.), *La femme et la société française dans la première moitié du* XVIIe *s.*, P., 1929 ; ADAM (A.), *La Préciosité*, dans *Cahiers de l'Assoc. intern. des Etudes françaises*, juill. 1951.

TROISIEME PARTIE

La littérature de 1630 à 1660

CHAPITRE PREMIER

LA POESIE LYRIQUE

TEXTES ET OUVRAGES GÉNÉRAUX

Voir Iʳᵉ Partie, ch. Iᵉʳ.

AUTEURS

GOMBAULD. — Consulter : KERVILLER (R.), *J. Ogier de G.*, P., 1876 ; MOREL (L.), *J. O. de G., sa vie et son œuvre* (thèse), Neuchâtel, 1910.

DESMARETS DE SAINT-SORLIN. — Consulter KERVILER (R.), *Jean D., steur de S. S.*, P., 1879 ; BREMOND (H.), *Hist. litt. du sentiment religieux*, t. IV et VI.

MALLEVILLE. — Consulter : LIVET (Ch. L.), *Précieux et Précieuses*, appendice (1896) ; CAUCHIE (M.) a fait une très bonne étude de M. dans ses *Documents*... cités plus haut.

VOITURE. — Ses œuvres furent recueillies par son neveu Martin Pinchesne : elles parurent en 1649, en 1658 et furent constamment rééditées jusqu'en 1747. La meilleure édition jusqu'ici, malgré ses défauts, est celle d'Ubicini (A.), P., 1855, 2 vol. Il y a encore des inédits. Consulter : Emile MAGNE, *V. et l'Hôtel de Rambouillet*, P., 1929-30, 2 vol. ; MICHAUT (G.), *V. moraliste*, dans *Mélanges Lanson*, P., 1922.

DES BARREAUX. — *Œuvres*, p. p. Fr. Lachèvre, dans *Disciples et successeurs de Th. de Viau*, P., 1911. Consulter : LACHÈVRE (Fr.), *Le Libertinage au XVIIᵉ s. La vie et les poésies libertines inéd. de D. B.*, P., 1909.

GOMBERVILLE. — Consulter : KERVILER (R.), *Marin Le Roy de Gomberville*, P., 1876.

TRISTAN L'HERMITE. — *Le Page disgracié* a été rééd. par G. Savarin (Coll. Les coulisses du passé), P., 1924 ; *Les Plaintes d'Acanthe et autres œuvres*, éd. crit. p. p. J. Madeleine, P., 1909 ; *Les Amours et autres poèmes choisis*, p. p. P. Camo, P., 1925 ; *Poésies chrétiennes*, p. p. F. Lachèvre dans *Une réparation posthume due au « précurseur de Racine »*, P., 1941. A consulter : BERNARDIN (N. M.), *Un précurseur de Racine, Tristan l'H.* (thèse), P., 1895 : sérieux, bien informé.

SCUDÉRY. — Voir LACHÈVRE, *Recueils collectifs*.

SARASIN. — *Poésies*, p. p. O. Uzanne, P., 1877 ; *Œuvres*, p. p. P. Festugière, P., 1926 (excellente notice biographique). Consulter : MONGRÉDIEN, *Les Précieux et les Précieuses* (bibliogr.), MENNUNG (A.), *J. F. S. Leben und Werke*, Halle, 1902 (bibliogr.).

L'abbé Ch. COTIN. — Consulter LIVET, *Précieux et Précieuses* ; BERNARD (D.), *Une victime de Boileau, l'abbé C.*, dans *Rev. de France*, avril 1875 ; LEFRANC (A.), *A propos des Femmes savantes : sur Molière et l'abbé C.*, P., 1909 ; MAGNE (E.), *Bibliographie générale des œuvres de Boileau*, P., 1929 ; SAGE (P.), *Ch. C.*, dans *Mélanges*

Saunier, Biblioth. de la Faculté catholique des Lettres de Lyon, n° 3, 1944.

GODEAU. — *Œuvres* : voir la bonne bibliographie donnée par Mgr GRENTE dans le *Dictionnaire des Lettres françaises :* XVII° *siècle.* Consulter : KERVILER (R.), *Antoine Godeau,* P., 1879 ; COGNET (A.), *A. G.,* P., 1900 ; DOUBLET (G.), *A. G.,* P., 1911-1913, 2 vol.

BENSERADE. — *Poésies,* p. p. O. Uzanne, P., 1875 ; *Le meilleur de M. de B.,* extraits (Coll. Les Muses oubliées), P., 1922 ; *Vers inédits,* p. p. G. Mongrédien, R. H. L. F., oct.-déc. 1923.

BRÉBEUF. — *Les Entretiens solitaires,* p. p. R. Harmand (S. T. F. M.), P., 1912. Consulter : HARMAND (R.), *Essai sur la vie et les œuvres de Georges Brébeuf* (thèse), P., 1897.

SAINT-EVREMOND. — *Œuvres de S. E.,* p. p. R. de Planhol (avec notice), P., 1927, 3 vol. ; *Œuvres choisies,* p. p. Ch. Gidel, P., s. d. ; *Œuvres mêlées,* p. p. R. de Gourmont (avec notice), 3 ° éd., P., 1909 ; *S. E. : critique littéraire,* p. p. M. Wilmotte (avec Introd.), P., 1921. Consulter : SCHMIDT (A. M.), *S. E. ou l'Humanisme impur,* P., 1932 ; SPALATIN (K), *S. E.* (thèse), Zagreb, 1934 (abondante bibliographie) ; LAFARGUE (M. P.), *S. E. ou le Pétrone du* XVII° *s.,* (Coll. Figures méconnues de l'Histoire), P., 1945.

LA POESIE BURLESQUE

Sur le burlesque en général, voir BAR (F.), *Le genre burlesque en France au* XVII° *s. Etude de style,* P., Ed. d'Artrey, 1960 : on y trouve des considérations intéressantes sur la notion et l'histoire du burlesque. Consulter aussi ADAM (A.), *Note sur le burlesque* dans XVII° *Siècle,* n° 4, 1949.

SCARRON. — MAGNE (E.), *Bibliographie générale des œuvres de Scarron,* P., 1924, *Œuvres complètes,* p. p. La Martinière, Amsterdam, 1737 ; *Œuvres diverses,* p. p. Maurice Cauchie (S. T. F. M.), t. I, P., 1947. Consulter : MORILLOT (P.), *Scarron, étude biographique et littéraire* (thèse), P., 1888 : travail de premier ordre, pour la pénétration de l'analyse et l'élégance de la présentation ; MAGNE (E.), *Scarron et son milieu,* nouv. éd., P., 1924 : agréable, mais sacrifie trop à l'esprit et au pittoresque ; des légèretés.

DASSOUCY. — *Aventures burlesques de Dassoucy,* p. p. E. Colombey, P., s. d. ; MONGRÉDIEN (G.), *Bibliogr. des œuvres de Dassoucy* (R. H. L. F.), 1932 ; PRUNIÈRES (H.), *Véridiques aventures de Charles Dassoucy,* Rev. de Paris, 1er nov. 1922 ; BRUN (P), *Autour du* XVII° *s.,* Grenoble, 1901.

CYRANO. — *Œuvres complètes,* p. p. P. L. Jacob (Bibl. elzév), P., 1858, 2 vol. ; *Œuvres diverses,* p. p. F. Lachèvre (Classiques Garnier), P., 1933 ; *Œuvres libertines,* p. p. le même, P., 1921, 2 vol. (notice biograph.) ; *Œuvres,* p. p. G. Ribemont-Dessaigne, P., 1957. Consulter : BRUN (P.), *Savinien de Cyrano de Bergerac,* P., 1893, du même, *S. de C. de B.,* P., 1908.

CHAPITRE II

LE ROMAN DE 1630 A 1660

Sur GOMBERVILLE et DESMARETS, voir ci-dessus, ch. Ier.
LA CALPRENÈDE. — Consulter : FOURGEAUD-LEPÈZE, *La Calprenède.*

Ribérac, 1877 ; SEILLIÈRE (E.), *Le romancier du Grand Condé, La Calprenède*, P., 1925.

G. et M. de SCUDÉRY. — MONGRÉDIEN (G.), *Bibliographie des œuvres de G. et M. de Scudéry*, R. H. L. F., 1933 et 1935. A consulter : CLERC (Ch.), *Un Matamore des Lettres : la vie tragique, comique de Georges de Scudéry*, P., 1929 ; ARAGONNÈS (Cl.), *Madeleine de Scudéry, reine du Tendre*, P., 1934 ; MONGRÉDIEN (G.), *Madeleine de Scudéry et son salon*, P., 1947.

LE ROMAN COMIQUE. — Rééd. p. H. Bénac, P. 1951, 2 vol. et par E. Magne (Class. Garnier), P., 1955. A consulter : H. d'ALMÉRAS, *Le Roman comique* (Coll. Grands Evénements litt.), P., 1932 ; G. MICHAUT, cours de Sorbonne sur le Roman Comique, P., C. D. U., 1941.

FURETIÈRE. — *Le Roman bourgeois*, p. p. E. Fournier et C. Asselineau (Bibl. elzév.), P., 1854 ; par A. THÉRIVE (avec préface), P., 1927 et par G. MONGRÉDIEN, P. 1955.

CHAPITRE III

L'EPOPEE

A consulter : BRAY (R.), *La formation de la doctrine classique en France* (thèse), P., 1927 ; DUCHESNE (J.), *Hist. des poèmes épiques français du* XVIIᵉ *s.*, P., 1870 ; DELAPORTE (P. V.), *Du merveilleux dans la littérature française du* XVIIᵉ *s.* (thèse), P., 1891 ; TOINET (R.), *Quelques recherches autour des poèmes héroïques-épiques français du* XVIIᵉ *siècle*, P., 1899-1907, 2 vol.

CHAPITRE IV

LE THEATRE

Ouvrages généraux : voir ci-dessus, Iʳᵉ partie, ch. III.

Manifestes et discussions théoriques. — BRAY (R.), *La formation de la doctrine classique...* (cité plus haut) : c'est le guide parfait et indispensable ; LANCASTER (H. C.), *A History...* (cité plus haut). — MAIRET (J.), *Préface de Sylvanire*, p. p. Richard Otto, Bamberg, 1890. ; LA MÉNARDIÈRE, *La Poétique*, t. I (seul paru), 1639. A consulter : REESE (H. R.), *La Mesnardière's Poetic : sources and Dramatic Theories*, Baltimore, 1937. — L'abbé d'AUBIGNAC. — *La Pratique du Théâtre*, p. p. P. Martino, P., 1927. A consulter : ARNAUD (Ch.), *Les théories dramatiques au* XVIIᵉ *siècle. Etude sur la vie et les œuvres de l'abbé d'Aubignac*, (thèse), P., 1888.

CHAPITRE V

LES CONTEMPORAINS DE CORNEILLE

SCUDÉRY. — Voir plus haut, ch. II ; ajouter : BATEREAU (A.), *G. de Scudéry als Dramatiker,* Leipzig, 1902.

LA CALPRENÈDE. — Voir plus haut, ch. II ; ajouter : LANCASTER (H. C.), *La C. dramatist,* dans *Modern Philology,* 1920.

TRISTAN. — Voir plus haut, ch. I (poésie lyrique) ; ajouter : *La Mariamne,* p. p. J. Madeleine (S. T. F. M.), P., 1917 ; *La Mort de Sénèque,* p. p. le même, *ibid.,* 1919 ; *Le Parasite,* p. p. le même, *ibid.,* 1934 ; *La Folie du Sage,* p. p. le même *ibid.,* 1936.

DU RYER. — *Alcionée,* p. p. H. C. Lancaster, Baltimore, 1930 ; *Saül,* p. p. le même, *bid.,* 1931. A consulter : LANCASTER (H. C.), *Pierre Du Ryer dramatist,* Washington, 1912 ; complément : R. H. L. F., 1928.

ROTROU. — *Œuvres,* p. p. Viollet Le Duc, P., 1820, 5 vol. ; *Théâtre choisi,* p. p. F. Hémon, P. 1883 : longue introduction dépassée au point de vue historique, mais excellente pour l'appréciation littéraire ; *L'Hypocondriaque ou le Mort amoureux,* p. p. F. Gohin, P., 1924 : *Cosroès,* p. p. J. Scherer (S. T. F. M.) P., 1950 ; *Le Véritable Saint Genest,* p. p. R. W. Ladborough, Cambridge, 1954 ; *Venceslas,* éd. crit. p. p. W. Leiner, Saarbrucken, 1957.

A consulter : JARRY (J.), *Essai sur les œuvres dramatiques de J. Rotrou,* Lille, 1868 ; CHARDON (H.), *La vie de Rotrou mieux connue,* P., 1884 ; LOUKOVITCH (K), *La tragédie religieuse classique en France,* P., 1933 ; LEBÈGUE (R.), *Rotrou,* dans *XVII⁰ s.,* nᵒˢ 7 et 8 (1950) ; du même, *Rotrou dramaturge baroque* (R. H. L. F.) oct.-déc. 1950.

SCARRON. — Voir plus haut, ch. Iᵉʳ ; ajouter : *Théâtre complet,* p. p. Ed. Fournier, P., 1912.

CHAPITRE VI

CORNEILLE

Nous ne pouvons prétendre à donner une bibliographie complète de Corneille. Nous nous bornerons à l'essentiel.

Consulter d'abord PICOT (E.), *Bibliothèque cornélienne,* P., 1996 ; compléter par LE VERDIER (P.) et PALAY (E.), *Additions à la Bibliographie cornélienne,* P., 1908, et par l'excellent article de COUTON (G.), *Etat présent des études cornéliennes* dans *L'Information littéraire,* 1956, nᵒ 2.

La Vulgate de CORNEILLE, est toujours l'édition de Marty-Laveaux (C.), *Œuvres de P. Corneille* (Coll. Grands Ecrivains de la France, P., 1862-68, 12 vol. et un album.

Autres éditions : *Théâtre complet,* p. p. P. Lièvre (Bibl. de La Pléiade), P., 1934, 2 vol. ; *Théâtre,* introd. de René BRAY, notices et notes de E. MAYNIAL et F. FLUTRE, P., 1948.

Tous les chefs-d'œuvre de CORNEILLE ont été l'objet d'éditions séparées ; citons les éditions critiques : *Mélite*, p. p. M. Roques et M. Lelièvre (T. L. F.), Genève-Lille, 1950. — *Clitandre*, p. p. R. L. Wagner, *ibid.*, 1950. — *La Veuve*, p. p. M. Roques et M. Lièvre, *ibid.*, 1954. — *L'Illusion Comique*, p. p. R. Garapon (S. T. F. M.), P., 1957. — *Le Cid*, p. p. M. Cauchie, *ibid.*, 1946. — *Polyeucte*, p. p. Jean Calvet (Coll. Chefs-d'œuvre de la litt. expliqués), P., 1934. — *Rodogune*, p. p. J. Schérer (T. L. F.), Genève-Lille, 1945. — *Sertorius*, p. p. J. Streicher, *ibid.*, Genève-Paris, 1959.

ÉTUDES PRINCIPALES

FAGUET (E.), *Corneille*, P., 1897 : élégant et rapide ; du même, *En lisant Corneille*, P., 1913. — LEMAITRE (J.), *Impressions de théâtre*, t. I, III, V, VIII. — LANSON (G.), *Corneille*, P., 1898 : étude sérieuse, mais trop systématique ; l'essentiel lui a échappé : l'âme poétique, passionnée et chrétienne de Corneille. — DORCHAIN (A.), *Corneille*, P., 1918 : d'une ferveur patriotique un peu chaude ; PÉGUY (Ch.), *Note sur Bergson* et *Note conjointe sur M. Descartes*, dans Œuvres complètes, P., 1924, t. IX : vues capitales. — LEMONNIER (L.), *Corneille*, P., 1945. — RIVAILLE (L.), *Les débuts de Corneille* (thèse), P., 1936. — COUTON (G.), *La vieillesse de Corneille* (thèse), P., 1949. — NADAL (O.), *Le sentiment de l'amour chez Pierre Corneille* (thèse), P., 1948 : plus séduisant que probant ; des vues erronées et des subtilités spécieuses ; mais riche en idées suggestives et en poésie. — SCHLUMBERGER (J.), *Plaisir à Corneille*, P., 1936 : agréables et intelligentes causeries d'un homme de goût exquis, illustrées des plus beaux vers de Corneille ; BRASILLACH (R.), *Corneille*. (Coll. L'Homme et l'Œuvre), P., 1937 : livre jeune, enthousiaste, un peu bouillonnant parfois et qui escamote certains problèmes ; mais des formules neuves, dictées par un amour sincère de Corneille ; des pages d'une belle pénétration et d'une verve magnifique. — BÉNICHOU (P.), *Morales du grand siècle*, P., 1948 : étude importante et qui dissipe les équivoques amoncelées par la critique lansonienne. — RIDDLE (L. M.), *The Genesis and Sources of Pierre Corneille's tragedies from Médée to Pertharite*, Baltimore, 1926 : quelques bons renseignements ; mais, dans l'ensemble, l'ouvrage montre à quelles futilités et à quelles erreurs de perspective peut conduire une certaine « recherche des sources ».

Deux opuscules sont à recommander : HERLAND (L.), *Corneille par lui-même* (Coll. Ecrivains de toujours), P., 1954 : discutable et même irritant sur certains points, par désir excessif de contredire les idées reçues ; mais fait réfléchir. — COUTON (G.), *Corneille*, (Coll Connaissance des Lettres), P. 1957 : admirable résumé, d'une densité et d'une élégance parfaites ; on peut lui reprocher une tendance périlleuse à chercher dans les pièces de Corneille des allusions aux événements contemporains.

ÉTUDES PARTIELLES

A propos du *Cid*, voir A. GASTÉ, *La querelle du Cid* (recueil des pamphlets), P., 1899. — Sur *Horace*, l'intéressant et contestable L. HERLAND, *Horace ou la naissance de l'Homme*, P., 1952. — Sur *Cinna*, G. BOUSQUIÉ, *Expliquez-moi Corneille à travers Cinna*, P., Foucher, s. d. 2 fascicules. — Sur *Rodogune*, R. JASINSKI, *Psychologie de Rodogune* (R. H. L. F.), juill.-sept. et oct.-déc. 1949 ; discuté par L. HERLAND, ibid. janv.-mars 1951. — Ch. BRUNEAU a fait en Sorbonne un cours de stylistique sur *Rodogune* (acte V), P., C. D. U., 1954.

Sur la langue de Corneille, voir le classique F. GODEFROY, *Lexique de la langue de Corneille*.

QUATRIEME PARTIE

La pensée de 1600 à 1660

CHAPITRE PREMIER

LES LIBERTINS

Ouvrages généraux. — DENIS (J.), *Sceptiques ou libertins de la première moitié du* XVIIe *s.,* Mémoires de l'Académie de Caen, 1884. — PERRENS (T.), *Les libertins au* XVIIe *s.,* P., 1896. — LACHÈVRE (F.), *Le libertinage au* XVIIe *s.,* P., 1909-1924, 14 volumes. — GAIFFE (F.), *L'envers du grand siècle,* P., 1924. — BUSSON (H.), *La pensée religieuse française de Charron à Pascal,* P., 1933. — ADAM (A.), *Théophile de Viau et la libre-pensée française en 1620,* P., 1935. Ces deux ouvrages, bien informés, sont, pour de pareilles raisons, pareillement tendancieux. — PINTARD (R.), *Le Libertinage érudit dans la première moitié du* XVIIe *siècle* (thèse), P., 1943, 2 vol. : ouvrage monumental, indispensable, d'une prodigieuse érudition qui ne nuit en rien à l'élégance de la présentation. Mais, faute d'une connaissance précise de la théologie catholique et de la teneur exacte des problèmes en cause, l'auteur est incliné à pousser dans l'incrédulité des chrétiens authentiques. Les conclusions de l'enquête sont par là souvent faussées. — TORTEL (J.), *Documents sur l'esprit libertin,* dans *Le Préclassicisme français,* Cahiers du Sud, 1952.

AUTEURS

Guy PATIN. — *Lettres,* n. éd. p. p. J. H. Reveillé-Parise, P., 1846, 3 vol. (836 lettres, mais dont le texte est peu sûr) ; *Lettres,* n. éd. p. p. P. Triaire, P., 1907, t. I : édition meilleure, mais inachevée ; *Lettres du temps de la Fronde* (Coll. Chefs-d'œuvre méconnus), P., 1921. Consulter : PINTARD (R.), *La Mothe-Le Vayer, Gassendi, Guy Patin - Etudes de bibliogr. et de critique, suivies de textes inéd. de Guy Patin,* P., 1943 ; CHEREAU (A.), *Bibliographia Patiniana,* P., s. d. VUILHORGNE (L.), *Guy Patin...,* 2e éd., Bois-Colombes, 1898 ; PIC (P.), *Guy Patin,* P., 1911 (introduction).

Gabriel NAUDÉ. — Consulter : SAINTE-BEUVE, *Portraits littéraires,* P., 1862, t. II : du meilleur Sainte-Beuve ; SMITH (G.), *G. Naudé...,* Library Association Record, t. I, 1890 ; RICE (J. W.), *Gabriel Naudé,* Baltimore 1939 : bien informé, bonne bibliographie.

LA MOTHE LE VAYER. — *Œuvres,* Dresde, 1756-59, 14 parties en 7 volumes. ; *Deux dialogues faits à l'imitation des Anciens sur l'opiniâtreté et la divinité,* (Coll. Chefs-d'œuvre méconnus), P., 1922. Consulter : ETIENNE (L), *Essai sur La Mothe Le Vayer,* Rennes, 1849 ; KERVILER (R.), *La Mothe Le Vayer,* P., 1879 ; WICKELGREN (Fl. L.), *La Mothe Le Vayer,* P., 1934.

GASSENDI. — *Lettres familières à Fr. Luillier,* p. p. Bernard Rochot, P., 1944. Consulter : BOUGEREL (J.), *Vie de Pierre Gassendi,* P., 1737 : (indispensable, moyennant vérifications) ; THOMAS (P. F.), *La Philosophie de Gassendi,* P., 1889 ; BRETT (G. S.), *The Philosophy of Gassendi,* London, 1908 ; ISNARD (Em.), *Essai historique sur le chapitre de Digne et sur P. Gassendi.,* Digne, 1915 ; ANDRIEUX (L.), *P. Gassendi, prévôt de l'Eglise de Digne,* P., 1927 ; et surtout : *P. Gassendi, sa vie et son œuvre,* p. p. le Centre International de synthèse, P., 1955 (« Journées gassendistes » d'avril 1953) : les communications et interventions de Bernard Rochot en particulier rectifient sur plusieurs points la thèse de M. PINTARD ; A. ADAM et divers, *Tricentenaire de Gassendi : Actes du Congrès (Digne, août 1955),* P., 1955.

CHAPITRE DEUXIEME

LES APOLOGISTES

L'ouvrage capital ici est celui, déjà cité, d'Henri BUSSON, *La Pensée religieuse de Charron à Pascal* : sérieuse étude historique, importante bibliographie ; compléter par DEDIEU (J.), *Survivance et influences de l'apologétique traditionnelle dans les Pensées de Pascal,* R. H. L. F., oct.-déc. 1930 et janvier-mars 1931.

Sur le P. Garasse, voir le bon article du R. P. LECLER (J.), *Un adversaire des libertins au début du* XVIIe *siècle : le P. François Garasse,,* dans *Etudes,* déc. 1931.

Sur le P. Mersenne, consulter : *Correspondance,* p. p. Mme Paul Tannery (Bibliothèque des Archives de Philosophie), P., 1933-1946, 3 vol. ; (Frère Hilarion de COSTE), *La vie du R. P. Marin Marsenne,* P., 1649, rééd. par Tamizey de Larroque, P., 1894.

CHAPITRE TROISIEME

DESCARTES

Voir la Bibliographie donnée dans le tome V de cet ouvrage : *La Littérature religieuse de François de Sales à Fénélon,* pp. 454-455. Ajouter :

TEXTES

Œuvres et Lettres, p. p. A. Bridoux (Bibl. de La Pléiade), P., 1953 ; *Discours de la Méthode,* p. p. E. Gilson, P., Vrin, 1925 : commentaire d'une prodigieuse richesse ; *Lettres sur la Morale,* p. p. Jacques Chevalier (Bibl. de Philosophie), P., 1935 ; *Regulae ad directionem ingenii,* trad. et publ. p. G. Le Roy, P., 1933 ; *Correspondance,* p. p. Ch. Adam et G. Milhaud, P., 1936-1947, 4 vol. ; *Les Passions de l'âme,* p. p. P. Mesnard (Bibl. de Philos.), P., 1937 ; et par G. Rodis-Lewis, P., 1955.

ÉTUDES

Mesnard (P.), *Essai sur la morale de Descartes* (thèse), P., 1936. — Espinas (A.), *Descartes et la morale,* P., 1937, 2 vol. — Enfin il faut recommander deux opuscules de grande valeur : Alquié (A.), *Descartes* (Coll. Connaissance des Lettres), P., 1956 ; De Sacy (S.), *Descartes par lui-même* (Coll. Ecrivains de toujours), P., 1956.

INDEX
DES NOMS CITÉS

Les chiffres en caractères italiques renvoient aux passages spécialement consacrés aux auteurs désignés. Les chiffres entre parenthèses, aux pages de bibliographie.

A

Abra de Raconis, 403.
Adam (A.), (444, 448, 453, 455, 459, 460).
Agrippa de Nettesheim (Cornelius), 226, 391.
Alamanni, 34.
Aleman (M.), 64.
Alembert (D'), 432.
Alfieri, 98.
Allem (M.), (446).
Almeras (H. d'), (456).
Alquié (A.), (461).
Amadis (les), cf. Herberay des Essarts.
Amato (M.), (451).
Amboise (A. d'), 80.
Ambroise (saint), 335.
Amyot (J.), 47, 50, 72, 106-7.
André (L.), (444).
Andréini (F.), 98.
Andréini (J.), 95.
Andrieux (L.), (460).
Angennes (Julie d'), 130, *131-2-3*, 191.
Angoulème (H. d'), 18, 29.
Anne d'Autriche, 27, 173-4, 200, 204, 318.
Anselme (saint), 423.
Appien, 329, 333, 342.
Apulée, 63.
Aragonnès (Cl.), (456).

Arétin (L'), 37, 93.
Arioste (L'), 34, 49, 50, 85, 91, 92, 104, 105, 231, 233, 273.
Aristophane, 90.
Aristote, 77-79, 81, 144-5, 231-4, 249-50, 253, 296, 366-8, *372-5*, 376-7, 386, 388-9, 391, 394-5, 405-6, 417, 428, 441.
Arland (M.), (446-7).
Arnaud (Ch.), (456).
Arnauld d'Andilly, 133, 146.
Arnould (L.), 27, (447).
Aubignac (Abbé d'), 101, 142, 153, *251-4*, 266, 274-5, 323, 335, 366, 368, (456).
Aubigné (A. d'), 30.
Audibert (R.), (448).
Audiguier (Vital d'), *50, 61*, 64, 271.,
Augustin (saint), 193, 401, 431.
Auvray, 105, 246, 270.
Averroès, 386.

B

Bachaumont, 185.
Bacon, 391.
Bade (Josse), 69-70.
Bagni (Card. de), 390, 414.
Baïf (A. de), 74-5, *91*, 148.
Baïf (L. de), 75.
Baillet (A.), 412-3.
Balzac (Guez de), 8, 37, 47, 59, 122, 125, 128, 131-2, 135, *137-9*,

468   LE PRÉCLASSICISME

TABLE DES ILLUSTRATIONS

TABLE DES MATIÈRES

DEUXIÈME PARTIE

L'ÉLABORATION DE L'IDÉAL CLASSIQUE

TROISIÈME PARTIE

LA LITTÉRATURE DE 1630 A 1660

QUATRIÈME PARTIE

LA PENSÉE DE 1600 A 1660

ACHEVÉ D'IMPRIMER SUR LES PRESSES
DE L'IMPRIMERIE CINO DEL DUCA,
18, RUE DE FOLIN, A BIARRITZ, LE
20 DÉCEMBRE 1962. — Nº 486.

Dépôt Légal Nº 360   4ᵉ Trimestre 1962

Imprimé en France